ESTUDIOS Y ENSAYOS GONGORINOS

BIBLIOTECA ROMANICA HISPANICA

Dirigida por DAMASO ALONSO

II. ESTUDIOS Y ENSAYOS

DAMASO ALONSO

ESTUDIOS Y ENSAYOS GONGORINOS

SEGUNDA EDICION

BIBLIOTECA ROMANICA HISPANICA
EDITORIAL GREDOS
MADRID

N.º Registro: 2742-55

Depósito legal: M. 11802-1960

Gráficas Cóndor, S. A. — Aviador Lindbergh, 5 — Madrid-2   1160-60

NOTA PRELIMINAR *

El presente libro contiene veinticinco artículos. De ellos, siete son inéditos:

Función estructural de las pluralidades.—I. En el soneto (de Petrarca a Góngora).—II. En la octava real (entre Góngora y Marino).

La correlación en la poesía de Góngora.

Puño y letra de don Luis en un manuscrito de sus poesías.

Un soneto mal atribuído a Góngora.

Estas que me dictó rimas sonoras.

Cómo contestó Pellicer a la befa de Lope.

El doctor Manuel Serrano de Paz, desconocido comentador de las «Soledades».

Dos artículos llevan ahora adiciones de alguna importancia:

La primitiva versión de las «Soledades». (Tres pasajes corregidos por Góngora.)

Una carta inédita de Góngora.

Otro de estos estudios se publicó hace años con un título parecido, y ahora ha sufrido una gran transformación. Es éste:

La simetría bilateral.—I. En el endecasílabo de Góngora.—II. A lo largo de la vida del poeta.—III. Antecedentes.—

* Se ha modificado el texto de la «Nota preliminar» (que ya figuraba en la primera edición de este libro), según los cambios introducidos en la presente. El artículo «Una carta mal atribuída a Góngora» no figuraba en la primera, y, en cambio, se ha separado de este

IV. *La huella de Góngora.*—**V.** *Apéndice* (son totalmente nuevos los capitulillos II a V).

Los trece trabajos restantes, aparecidos en diversas publicaciones, se reimprimen aquí con sólo muy pequeñas modificaciones (citas bibliográficas, concordancias dentro del presente volumen, adición de algún dato conocido después de la primera publicación, etc.). Cuando se ha creído imprescindible, se ha recordado de algún modo la fecha de primera impresión. No ha parecido oportuno hacerlo siempre, ni menos «actualizar» con absoluta regularidad estos trabajos [1].

Los dos últimos versan sobre el gongorismo moderno y fueron escritos en 1927. De ellos, el que cierra el volumen, de título muy ambicioso *(Góngora y la literatura contemporánea),* fué ligeramente retocado antes de su impresión en 1932. Hoy necesitaría ser escrito de nuevo, de arriba abajo. Si lo publico otra vez (sin más que corregir las espantosas erratas de su primera salida —yo no pude ni ver las pruebas—), lo hago sólo por dar aquí una muestra de nuestra posición (la mía era, en parte, generacional) por los días del tercer centenario de la muerte de Góngora.

De un modo general, las citas de la edición de Millé (Madrid, M. Aguilar, 1932) se hacen por el número que en ella llevan las composiciones, y las de la edición de Foulché-Delbosc (Nueva York, 1921), por tomo y página.

Agradezco a mi amigo don Fernando Huarte la preparación de diversos materiales.

---

volumen el ensayo sobre «La poesía de don Luis Carrillo», que, con adiciones, aparecerá al frente de las *Poesías completas* de Carrillo, actualmente en prensa en esta «Biblioteca Románica Hispánica».

[1] En cualquier caso, el lector encontrará la fecha y publicación en que aparecieron estos artículos ahora reimpresos, en el Apéndice III, página 599.

PROLOGO

ESCILA Y CARIBDIS
DE LA LITERATURA ESPAÑOLA

1

(LOPE de Vega y Góngora. Irremediablemente aprisionados, el uno frente al otro, en la esquinada de dos siglos. Dos hombres y una época. Dos enemigos. Agudos, certeros esgrimidores. Se han estudiado, se han comprendido mutuamente. Pueden dar cada uno cuenta y razón —en un par de líneas— del otro. Lope de Vega conoce (y teme) la insuperable maestría de Góngora. Góngora sabe los puntos flacos (y la irrefrenable vitalidad) de Lope. Si Lope confiesa a su rival

> *pues tú sólo pusiste al instrumento*
> *sobre trastes de plata cuerdas de oro;*

Góngora, desdeñoso, contesta:

> *con razón Vega por lo siempre llana,*

o (con más exactitud):

> *potro es gallardo, pero va sin freno* [1].

---

[1] Millé, LI. Lo dice de la *Dragontea*, que es como si lo dijera de Lope. Es soneto atribuído; parece, por el estilo, de Góngora. Debió de escribirse en 1598 o poco después: esta fecha tan temprana es interesante para la historia de las relaciones entre ambos poetas.

Dos hombres, dos conceptos del arte. El arte como instrumento para *dar gusto*, el arte para todos, desde el mosquetero para arriba, y el arte como flecha disparada, bella desde el arranque de su magnífico vuelo, perdida en el aire en busca —qué más da— de un hipotético blanco. Popularismo y selección. Localismo y universalidad. Lope y Góngora: dos símbolos hispánicos.

Pero la crítica (así la llaman) se fragua en el siglo XIX. En España es un nombre venerable y una obra. Fuera, una resonancia y un mito. Ya está determinado: España es el país del realismo, de lo popular...; la literatura española es realista y localista. Nada más.

A nuestra generación le conviene cerner otra vez estas ideas. Intentémoslo, aunque sea por hoy sólo, de un modo provisional.)

2

Los barruntos de un concepto de la literatura española hay que ir a buscarlos al siglo XVIII. Los neoclásicos del siglo XVIII se oponen a la literatura tradicional del XVII: no tienen casi más que un concepto negativo. Desde el siglo XVIII hasta nuestros días se verifica una lenta y constante revalorización de la literatura de España. En esta nueva valoración intervienen elementos extranjeros tal vez con más eficacia que los españoles. Ante todo, el romanticismo. Tras la teoría de Herder de la expresión de la personalidad de un pueblo en su literatura, nada más fácil que ir a buscar características extraordinariamente peculiares a la literatura española: se descubre el valor de lo popular y también lo realista al lado de lo tradicional, medieval, caballeresco y legendario. La literatura española tendría en grado sumo estas características: de aquí el entusiasmo romántico por ella.

El positivismo apenas si modifica este concepto. Cierto que algunas de esas características le interesan poco. Es la época del realismo en el mundo. El realismo se considera como el valor máximo de una literatura. Nacionales y extranjeros compiten en exaltar el valor del realismo en las letras españolas, las cuales, desde luego, ofrecían amplio campo para tales fervores. Pero esto lleva a que la atención se fije preferentemente en algunos, y sólo algunos, aspectos de nuestra literatura: en la novela picaresca y el teatro, con inexplicable menosprecio de la lírica, por ejemplo. (Cierto que se estudia con algo más de interés la mística, pero es principalmente por razones religiosas, y se la quiere explicar, a ella, cumbre de selección, como un fenómeno de carácter popular). Se llega así a un concepto de la literatura española, como de una literatura en la que sólo hay valores realistas, localistas y populares. Y este concepto influye directamente en la metodología y preferencias de la investigación y la enseñanza: por lo menos, por la limitación de los temas de estudio, que casi se reducen a los que hemos señalado.

Pero no todo ha de achacarse al concepto de la literatura española formado por el romanticismo y el positivismo.

España, dentro del cuadro europeo, es una nación excepcional. Los extranjeros siempre, pero en especial desde que el romanticismo puso de moda lo exótico y lo colorista, han buscado el pintoresquismo español. Y lo pintoresco español no se encontraba (a primera vista) en géneros como la lírica del Siglo de Oro, la cual, por ser de tradición greco-latina, produjo obras de tono y tema en general semejantes a las de otras naciones de Europa, especialmente de Italia. Pero lo pintoresco español, en cambio, se encontraba a flor de piel en el teatro y en la novela picaresca, llenos de cuchilladas nocturnas, de punto de honra, de mendigos, de hambre, de sarna. (Claro está que este concepto es superficial, porque, ahondando más en los temas y, quizá mejor aún, en los procedimientos de nuestra lírica, se encuentran en ella, tras el universalismo fundamental, profundamente filtrados los signos característicos de lo hispánico.) Y los críticos españoles, inclinados ya hacia los valores realistas por la tradición del siglo pasado, se han sentido halagados al ver que venía a darles la razón la preferencia extranjera. De esta conjunción se han extendido por el mundo ideas absolutamente erróneas, como la de la insignificancia de la lírica española, la incapacidad del temperamento español para el lirismo, etc.; y figuras como la de San Juan de la Cruz, que debía ser un valor universal de primer orden, son desconocidas fuera de España, o, todo lo más, conocidas sólo en los círculos extranjeros que van hacia la literatura por motivos de índole religiosa.

La crítica española parece no haberse dado cuenta de que en contra de esta limitación de los valores hispánicos ella debía haber exaltado lo universal y selecto de la literatura de España. Porque el extranjero que se entusiasma con el popularismo español va a buscar lo bárbaramente primitivo, reduciendo nuestra literatura a poco más que un arte de indios o de negros.

Resultado de todo esto ha sido que el decir literatura española equivalga a pensar preferentemente en el teatro del Siglo de Oro, la novela picaresca, la épica medieval, el romancero y, todo lo más, por lo que tenía también de pintoresca, la mística. Sobre éstos, que han sido los puntos de atención de la literatura española, se han inducido las leyes y las ideas generales acerca de ella. Como en estos géneros parecía predominar el realismo, se creyó que la literatura española era fundamentalmente realista. Como en la novela picaresca predominaba la pintura de las clases ínfimas de la sociedad, y de ella quedaba una impresión revuelta de ventas y venteros, caminos, mendigos, rufianes, caballeros de industria, mozas de vida alegre y estudiantes, mezcla de la que salía un tufillo nauseabundo de baja humanidad, se creyó que esta literatura era predominantemente popular para unos, para otros vulgarista o democrática, que todos estos nombres se le han dado. Y por ser realista y popular quedaba consecuentemente ligada al suelo, al terruño, a la localidad, e imposibilitada para vuelos universales: era una literatura localista.

Estas tres notas distintivas de la literatura española —realismo, popularidad y localismo— quedan así ligadas, formando un complejo que se cree basta para definirnos, y más o menos exageradas, suelen darse como únicas en casi todos los manuales. No han faltado españoles que insisten en ellas una vez y otra vez, y tienen por advenedizo y antiespañol todo lo que de ellas se aparte; por ejemplo, el difunto Cejador, en su *Historia de la lengua y de la literatura castellana* [2]. Obras como ésta han causado un daño que es imposible calcular. Los extranjeros han visto así comprobada y reforzada su superficial idea de lo hispánico. Y si abrimos un libro como *An introduction to Spanish literature*, de Northup (y pongo este libro por ser reciente; en realidad, se podrían citar docenas que dan la misma interpretación y de los cuales se venden hoy miles y miles fuera de España), nos encontramos con que ésos, y solamente ésos, realismo, popularidad, localismo, son los signos distintivos que sabe ver en nuestras letras. Y ese libro, y tantos otros como ése, formarán la representación de la literatura española que han de recibir, probablemente durante siglos, millones de estudiantes extranjeros.

---

[2] La parte crítica del libro es detestable; su acumulación de datos, útil, aunque por sus muchas y graves inexactitudes debe manejarse con cautela.

(Se podrá creer que insisto demasiado en este daño que a la literatura española y a España ha causado y está causando la consideración exclusiva de su realismo y localismo. Pero es que he pasado quince años de mi vida en las escuelas españolas de universidades extranjeras en Alemania, en Inglaterra y en los Estados Unidos, teniendo que sufrir el desvío, cuando no el abierto menosprecio, de mis colegas de las escuelas francesa, inglesa, alemana e italiana, que constantemente se dedicaban a exaltar los valores universales de las letras por ellos estudiadas, mirando por encima del hombro las españolas y negándoles todo derecho a una pretensión de universalidad [3].)

3

Todos hemos sufrido el influjo de esas ideas acerca de la literatura española. Yo empecé a dudar de ellas por la consideración del caso de Góngora. ¿Cómo un poeta de literatura entrañablemente hispánica, quizá más profundamente hispánica y andaluza que otras que parecen poseer los signos externos del españolismo, ha podido producir una obra, trasunto, depuración irreal de la naturaleza, y, por tanto, cumbre de selección y de eficacia universal?

Resulta, pues, que nos habíamos equivocado. Había en la literatura del siglo XVII español, en esa literatura considerada siempre como realista, democrática, localista, algo que era excelsamente antirrealista, selecto y universal (sin dejar de ser entrañablemente hispánico). Unamos ahora la figura de Góngora a toda la línea de la poesía lírica del Siglo de Oro, a todos los grandes poetas que le preceden a partir de Garcilaso

---

[3] Más de un cuarto de siglo ha pasado desde que escribí estas líneas. De ese «desvío» podría ahora hablar mucho más.

(y aun a algunos de los tan desconocidos modernamente como notables que le siguen), y veremos que tenemos un magnífico desarrollo lírico que ocupa todo el siglo XVI y el XVII, y que es también en esencia antirrealista, selecto y universal. En esa línea caben la elegancia de Garcilaso, la cortante inspiración patriótica de Herrera, la grave y melancólica nostalgia de Luis de León, la llamarada espiritual (una cima de la poesía del mundo) de Juan de la Cruz, la perfección implacable de Góngora. No hay en las literaturas europeas de los siglos XVI y XVII un desarrollo lírico que equivalga en intensidad y en riqueza al de España. ¡Y se decía que el espíritu español era incapaz para la expresión lírica! Como se ve, la tesis del vulgarismo de la literatura española va quedando ya bastante reducida.

Por un clavo se pierde un reino. Porque abierta ya una brecha en la muralla del realismo y el vulgarismo, nos preguntamos si estas notas no se habrán aplicado equivocadamente a algunos géneros que han servido de base para construirlas. Y comienza a inquietarnos el problema del supuesto realismo de la novela picaresca. ¿Hasta qué punto es realista la novela picaresca?, o, preguntando en términos más limitados, ¿es realista toda la novela picaresca? Y surge un nombre: Quevedo. Pues bien: la obra de Quevedo es tan antirrealista como la gongorina, porque es sistemáticamente una grotesca deformación de la realidad. Es antirrealista su representación del mundo, lo es su procedimiento estilístico. *Calzaba diez y seis puntos de cara,* nos dice de una persona que tenía la cara atravesada por un chirlo de dieciséis puntos. Entiéndase la frase realmente. No es posible, ni lo será, a menos que no se reconozca que *calzar* está empleado en un sentido metafórico, que la significación lógica de la frase es enteramente irreal. *Recogía el dinero con las ancas de la*

2

mano, dice de un ganancioso en el juego. Y no lo comprenderá quien no tenga en cuenta que Quevedo usa metafóricamente la palabra *ancas* por la parte posterior de la mano,
no sólo movido por la analógica posterioridad, sino por la
curvatura y morbidez de esa parte, que recuerdan las de las
ancas de una caballería. Y como estos ejemplos se podrían
poner millares. Esto no es, precisamente, llamar al pan pan
y al vino vino. Aunque este procedimiento metafórico de Quevedo se diferencia del de Góngora en que el de este último
es ascendente y el de Quevedo horizontal (y descendente
con más frecuencia aún). No asoma, pues, por ningún lado
el realismo en la obra de los dos más genuinos representantes del siglo xvii. Y lo que ocurre con Quevedo ocurre en
mayor o menor grado con buen número de los prosistas de
ese siglo. Vamos viendo las quiebras que tiene la tesis del
realismo fundamental de la literatura española.

4

No obtendremos resultados más favorables para el realismo si a esta idea unimos su casi constante aliada, la del popularismo (o, según otros, vulgarismo). Aquí creo que podemos afirmar más decididamente aún que la atribución a la
literatura española de un carácter fundamentalmente vulgarista es falsa de toda falsedad. Falsa para la Edad Media,
falsa para el Renacimiento y para el siglo xviii y para la época contemporánea.

Falsa para la Edad Media, pues a todo lo largo de ella,
desde los siglos en que ya poseemos abundantes documentos
literarios, encontramos, junto a la posición popularista, conscientemente afirmada la aristocrática, la de selección. Aun
dentro de una escuela como la gallegoportuguesa, no faltan

tipos que representan la selección tan decididamente como el portugués Martín Suárez, que a otro poeta le echa en cara así la vulgaridad de sus canciones:

> *Ben quisto sodes dos alfayates,*
> *dos peliteiros e dos moedores,*
> *de vosso bando son os trompeyros*
> *e os jograres dos atambores...*

Ni tampoco en la escuela gallegoportuguesa se pierde la tradición de la poesía provenzal de índole aristocrática con su *trobar clus*.

Y avanzando algo más, aunque hoy no pueda hablarse de una separación absoluta entre el *mester de clerecía* y el de *juglaría*, es indudable que cuando el autor del *Poema de Alixandre* escribe:

> *Mester trago fermoso, non es de juglaría*

interpone un abismo entre su propio arte y el popular o histriónico de los juglares. Mi arte —dice—, mi poema, es hermoso en sí, es cuidado, no es como ese arte populachero de los juglares. Y pasa a alabarse por su maestría técnica, sus sílabas contadas, etc. La oposición entre lo popular y lo erudito y aristocrático ha sido observada agudamente por Menéndez Pidal en el distinto criterio que para la transmisión de su obra guardan el Arcipreste de Hita y el infante Don Juan Manuel. El Arcipreste entrega su obra al pueblo, para que el pueblo, de boca en boca, la modifique a su antojo:

> *Qualquier omne que la oya, si bien trobar supiere*
> *puede más añadir e enmendar lo que quisiere.*

En cambio, el infante Don Juan Manuel introduce el cuento de un trovador que al oir cantar a un zapatero que está

estropeando los versos del poeta arremete con el mismo derecho y en reciprocidad contra los zapatos que el artesano
fabricaba. Y el mismo infante, en el *Libro del Caballero y el
Escudero,* nos cuenta todas las exquisitas precauciones adop-
tadas por él para evitar la corrupción de su obra.

Si se quiere ahora una prueba clara del espíritu literario
de selección frente al popular, óigase hablar despectivamente al Marqués de Santillana en su célebre *Prohemio* de aquellos que se complacían en componer cantares para *las gentes
de baja y servil condición.*

Y si hace falta una definición de aristocracia literaria, he
aquí lo que para el poeta exige Juan Alfonso de Baena en el
prólogo de su *Cancionero: La poesía —dice— es arte de tan
elevado entendimiento e de tan sotil engeño, que la non puede
aprender nin aver, nin alcanzar, nin saber bien, nin como
deve, salvo todo omne que sea de muy altas e sotiles inven-
ciones, e de muy elevada e pura discreción, e de muy sano
e derecho juizio, e tal que aya visto e leido e oido muchos e
diversos libros e escripturas, e sepa de todos lenguajes, e
aun que aya cursado cortes de reyes e con grandes señores,
e que aya visto e platicado muchos fechos del mundo, e final-
mente que sea noble fidalgo e cortés e mesurado e gentil e
gracioso e polido e donoso e que tenga miel e azucar e sal e
aire e donaire en su razonar.*

Los ejemplos podrían multiplicarse. Con los citados basta
para demostrar que siempre durante la Edad Media, es decir,
cuando se está formando la gran tradición popular de España,
aun entonces, no deja nunca de haber una presencia de espíritu de selección en la literatura de España: y no sólo la
presencia de este espíritu, sino también la conciencia de su
existir frente a otro espíritu de vulgaridad.

Pero aún es más falso que la literatura de los siglos XVI y XVII posea sólo valores vulgaristas. El primero de los dos trae consigo la entrada de la plenitud del Renacimiento. El segundo es aún una consecuencia renacentista. Esto sólo bastaría para evidenciar la falsedad de tal proposición. Pero hay aquí algo muy interesante, que no es posible pasar sin mención: y es que el oculto torcedor de nuestro Renacimiento consiste precisamente en el despliegue de los dos planos, espíritu de selección frente a vulgarismo, separados unas veces, brutalmente contrapuestos otras.

En la noche del 7 de junio de 1502 entró un vaquero diciendo chocarreras gracias en la cámara de la recién parida reina Doña María de Portugal. Aquel vaquero era portugués, pero los versos que pronunciaba eran castellanos: un monólogo que luego se había de llamar *Monólogo del Vaquero o de la Visitación*. De ese modo tan sencillo inauguraba Gil Vicente el teatro de Portugal. Y no digo también el castellano, porque un hecho semejante había ocurrido hacía pocos años en el palacio de los duques de Alba, en Alba de Tormes. ¡Los vaqueros en la cámara regia! Pues esa brutal oposición —selección y popularismo, realismo e idealismo— parece el símbolo de toda la literatura renacentista en España. Gil Vicente, en sus temblorosos e iluminados autos y comedias, está siempre oscilando entre las más elevadas inspiraciones (religiosas o caballerescas) y las gracias más populares. Y pocos años antes, en la *Celestina*, había aparecido la misma dramática contraposición: Celestina y un mundo de rufianes, de un lado, y del otro, Calixto y Melibea, la pareja de amantes, que marchan a la muerte, magníficos, ignorantes de todo, entre las luminarias lívidas que exhala su propia pasión. De un lado, el lenguaje realista del prostíbulo; de otro, los más refinados idealismos en temas de amor renacentista. Oposi-

ción semejante, aunque no tan extremada, se encontrará más
tarde en todo el teatro de Lope de Vega y de los que detrás
de él vienen: mundo de los galanes, el mundo del amor, del
honor, de los graciosos discreteos; y el mundo de los criados, mundo del bajo interés, del miedo y de las chocarrerías.

Por cualquier parte que indaguemos en la literatura española del Siglo de Oro, nos encontramos la misma duplicidad.
A veces en las mentalidades extremadamente opuestas de dos
contemporáneos: en la diferencia, entre la inspiración de un
Garcilaso y de un Francisco Delicado, por ejemplo.

Otras veces se establecerá una simétrica oposición entre
dos géneros; así, la novela picaresca será una cantidad igual
a la novela caballeresca, pero de signo negativo, y el pícaro,
el antihéroe. Exageración del idealismo por un lado y del
materialismo antiidealista por el otro.

Pero más frecuentemente aún, un extraño desdoblamiento
dividirá la obra de un mismo autor, y Gil Vicente escribirá
frente a obras tan popularistas como el *Monólogo del Vaquero* antes citado, otras tan netamente aristocráticas como
el *Don Duardos;* y en el siglo XVII, Lope de Vega será en general popularista en su teatro, pero se mostrará erudito y selecto en su *Arte nuevo de hacer comedias* y en muchas de
sus poesías líricas, y esta oposición entre su teatro y la que
hasta los umbrales de la vejez consideró como su verdadera
obra poética será una de las características de su vida; y Quevedo será, de un lado, un severo moralista y un elevado poeta
lírico, y de otro, el autor de las más chabacanas gracias; y
Góngora, el poeta culto y aristocrático por excelencia, nos
dejará en su obra cómica una vaharada de plebeyez, y esta
división correrá longitudinalmente a lo largo de toda su vida.

Es que el secreto de nuestro Renacimiento y de su consecuencia, el Siglo de Oro, consiste en ser una síntesis de ele-

mentos contrapuestos. Precisamente el no haber comprendido esta idea ha sido causa de la discusión en torno al Renacimiento español, planteada recientemente en Europa, en
especial por investigadores alemanes, y que ha dado origen
a trabajos tan lamentables como el de Klemperer, *Gibt es
eine spanische Renaissance?* (Logos, 1927) [4]. La respuesta
negativa que Klemperer da a su pregunta, tal vez dependa,
de una parte, de la creencia bastante extendida de que Renacimiento y Reforma vienen a ser lo mismo (cuando en una
amplia zona, y sobre todo al principio, son todo lo contrario) [5], y de otra, de no haber visto cómo el secreto del súbito desarrollo cultural (y aun material) de España en los
siglos XVI y XVII depende de la fecundación de la tradición
española (en la cual entraban ya elementos realistas e idealistas) por corrientes universales. Porque España no se vuelve de espaldas a su tradición medieval, y esto es lo que la
distingue de otros pueblos europeos, el francés por ejemplo,.
sino que salva toda la tradición de la Edad Media, y en este
tronco injerta el espíritu y la forma del Renacimiento. Este
carácter de superación, de confluencia de elementos contra-

---

[4] El artículo de Klemperer tuvo adecuada respuesta en los que
Américo Castro publicó en *La Nación*, de Buenos Aires, el 6 y el 20 de
enero de 1929.

[5] *... die befreienden Kerngedanken der Renaissance konnte es* [Es-
paña] *nicht in sich aufnehmen...*, dice Klemperer en el artículo *Ro-
manischen Literaturen* del *Reallexikon der deutschen Literaturge-
schichte* de Merker y Stammler. Estamos hablando de historia de la
literatura. Para comprender que España tuvo en este terreno uno de
los más brillantes y fecundos *renacimientos* de Europa, no hay más que
abrir los ojos y ver. Un arte y una literatura renacentistas no se pudieron producir sin estar España infiltrada por una concepción renacentista del mundo. Esto aparte de que otros aspectos del Renacimiento se dan netamente en España en toda la primera mitad del siglo XVI, con gran inquietud religiosa: erasmismo, iluminismo y otros
brotes francamente heterodoxos; con sátira anticlerical, con campañas antiescolásticas, etc. Todo esto impregna la literatura desde fines
del siglo XV hasta 1559.

puestos, de síntesis, produce ese resultado maravilloso que es el Siglo de Oro y es la causa principal de que nuestro Renacimiento sea a veces tan mal entendido en el extranjero [6].

Resulta, por tanto, que a la fuerte tradición realista española y a los elementos idealistas que venían de nuestra Edad Media se mezclan los múltiples vientos idealistas que proceden del Renacimiento europeo. Por otra parte, por contraste, el mismo Renacimiento en España y fuera de España vuelve a interesarse por lo realista y popular. Resultan así en España fortalecidas las dos líneas, la del realismo y localismo y la que representan un anhelo de ideal, de selección y de universalidad. Y de este modo a la explicación de nuestro Renacimiento como síntesis de la tradición medieval española y del renacentismo europeo puede sustituir la de contraposición de realismo e idealismo, de localismo y universalidad. Y no sólo contraposición, sino extremada, terrible, dramática contraposición. Esta es la clave del momento culminante de España, del momento en que se concentran nuestras energías y nuestros valores; por eso ha de ser también la explicación de toda el alma española. Y así como el Siglo de Oro es la quintaesencia de la sustancia hispánica, así el *Quijote* es la condensación última del espíritu del Siglo de Oro. Y por eso el *Quijote* es otra vez y en grado genial la contraposición perfecta y extremada de los dos planos del arte español. Y así este análisis de nuestra propia alma llega a obtener su cumbre de expresión en el *Quijote*, y con el *Quijote* lo imponemos al mundo entero.

Pero, si no tan intensamente, la misma contraposición la encontraremos después del Siglo de Oro. Si pasamos al si-

---

[6] Insisto aquí en la fatal influencia de la exaltación de los valores realistas de la literatura española; ésta es una de las causas que han colaborado para producir la negación extranjera de nuestros valores universales y; como consecuencia, de nuestro Renacimiento.

glo XVIII, los actores y la acción han cambiado, pero la tragedia de la dualidad continúa: los detractores neoclásicos
del gongorismo (y de casi toda la literatura del siglo XVII)
son —¡oh paradoja!— una minoría selecta en contra de un
arte ya sin freno y emplebeyecido.

Viene luego el paréntesis del romanticismo, pero aun en
este período se puede considerar cumplida la ley de la contradicción cuando frente al romántico huir de la realidad
se produce la escuela de los costumbristas. Y más tarde en
el realismo, sobre todo en la subescuela naturalista, quien
haya leído a la Condesa de Pardo Bazán, quien haya leído
a *Clarín,* habrá visto la dramática lucha entre el naturalismo positivista y el idealismo que se trababa en el alma de
estos escritores. Y llegamos al fin del siglo XIX, y en él la
llamada generación del 98 repite otra vez la posición docen-
te de los neoclásicos (toda docencia es una aristocracia).
¿Pero acaso esta separación entre realismo y antirrealismo,
localismo y universalidad, no se da bien claramente en la
literatura que hoy se produce a nuestro alrededor?

5

No hemos hecho más que asomarnos al tema; pero a poco que se profundizara se encontrarían nuevas comproba-
ciones. No se diga, pues, que el realismo y el localismo y
popularismo son las notas distintivas del espíritu literario
español; dígase más bien que eran las direcciones que seguían las aguas en el momento de fraguar el criticismo literario. Por eso la crítica, al volverse hacia el pasado y encontrar una espléndida línea de desenvolvimiento del realismo español, fué éste lo que primero y exclusivamente con-
templó.

Ahora hemos vivido en un período antirrealista o extra-rrealista. Es necesario que a este momento en que vivimos corresponda también una completa revisión de los valores de la literatura pretérita. Que se haga ver la constancia de la corriente espiritualista antirreal y de selección a todo lo largo de la literatura española.

Goethe ha querido explicar la vida como un dualismo, como una oposición de contrarios en lucha, de fuerzas contrapuestas, pero unidas esencialmente en la entraña del principio vital. Esta ley de la *polaridad* creo que es la que define la esencia de la literatura española. Esta no se puede definir por la línea del *popularismo-realismo-localismo,* ni tampoco por la de la *selección-antirrealismo-universalidad.* Estas dos direcciones serán sólo dos aspectos externos, contrapuestos y mutuamente condicionados de la misma fuerza esencial. La oposición de las dos líneas, evidente ya en la Edad Media, lo mismo que en el período contemporáneo, se haría aún más patente en el Siglo de Oro precisamente por ser éste una condensación de la fuerza vital de la cultura española. Y la oposición no definiría sólo la literatura, sino todo el arte en general y la vida espiritual de España (piénsese sólo en la *Marta y María,* de Velázquez, de la National Gallery, de Londres; la *Cocina de los Angeles,* de Murillo, en el Louvre, etc.). Vistos de cerca estos elementos contradictorios, comprendemos que lo mismo los unos que los otros son manifestaciones de una única sustancia hispánica. Lo comprendemos aún mejor cuando del principio general descendemos a los casos particulares y vemos cómo los dos Lopes, los dos Quevedos, los dos Góngoras se explican perfectamente por un solo espíritu en cada caso; no de otro modo: la oposición, dentro de un mismo libro, de Don Quijote y

Sancho y sus mundos respectivos es la razón esencial de la unidad de la obra.

Este dualismo, esta constante yuxtaposición de elementos contrarios en la literatura de España tendría aún una nota distintiva más: la terrible exageración de las dos posiciones. Así, por el lado idealista llegaremos a las más altas cumbres de selecta espiritualidad —San Juan de la Cruz— o de antirrealismo —Góngora—, etc.; y del mismo modo, en la dirección de lo material, llegaremos a las procacidades del género lupanario o a las groserías nauseabundas de un Góngora o un Quevedo. La literatura española, como su síntesis humana, Lope de Vega, ama o aborrece, no tiene término medio jamás: horadamos así los más altos cielos del anhelo espiritual del mundo, o nos sumergimos en las representaciones más aferradas a la desnuda e hiriente realidad. Sí; como Lope, nuestra literatura, como nuestro espíritu, como la misma España, casi no tiene término medio. Este eterno dualismo dramático del alma española será también la ley de unidad de su literatura. Y es probablemente también esta tremenda dualidad lo que da su encanto agrio, extraño y virginal a la cultura española, y es ella —la dualidad misma y no ninguno de los elementos contrapuestos que la forman, considerados por separado— lo que es peculiarmente español [7].

Este trabajo fué leído en el Ateneo de Sevilla, año 1927.

---

[7] Las consecuencias prácticas de la teoría que acabo de exponer habrán de ser tenidas en cuenta para la investigación y la enseñanza. Hay que abandonar el estudio de la literatura española hecho a base de la porción realista exclusivamente, o desde el punto de vista del realismo. Haremos una obra de verdadera hispanidad exponiendo y propagando aquellos valores literarios que nos unen a las corrientes universales de pensamiento y arte. Déjese ya el criterio que considera

al realismo como la cumbre del arte y no tendremos necesidad de
afanarnos en presentar una literatura española únicamente realista.

Claro está que no se prescindirá de ningún modo del estudio de los
elementos realistas y localistas, que tan brillante papel desempeñan en
la literatura de España. A lo que me opongo, repito, es a que se es-
tudie la literatura española sólo desde este punto de vista. Es necesario
indagar en la totalidad de nuestra cultura e imponerla con todos sus
valores a los demás pueblos. Que ocupe así España el puesto que se
le está debiendo en la cultura de Europa. Que no se puedan volver a
repetir preguntas como aquella famosa del siglo XVIII: ¿Qué se debe
a España? Que no se puedan escribir librejos como *Spanien, das Land
ohne Renaissance*. Pero nada de esto se conseguirá si seguimos afe-
rrados únicamente a los valores realistas y locales.

I

CUESTIONES ESTETICAS

POESIA ARABIGOANDALUZA
Y POESIA GONGORINA[1]

(Con motivo de la publicación por Emilio García Gómez del *Libro de las banderas de los campeones*, de Abensaid Almagribi.)

I

AÑOS DE DIÁSPORA

ALLÁ por el año de 1243 Gonzalo de Berceo vivía en su frío Norte. Siempre nos le imaginamos escribiendo, apresurado, ante el terror medieval de la noche vecina:

> *los días son non grandes, anochezrá privado:*
> *escribir en tiniebra es un mester pesado...* [2]

---

[1] Empleo las siguientes abreviaturas: LBC = *Libro de las banderas de los campeones;* PA = *Poemas arábigoandaluces* (Colección Austral), Espasa-Calpe [1940]; Millé = *Obras completas de don Luis de Góngora y Argote*. Edición de Juan Millé y Giménez e Isabel Millé y Giménez, M. Aguilar, editor, Madrid [1932].

[2] Mi reacción ante este pasaje fué cortésmente criticada por E. R. Curtius (*Antike Rhetorik und vergleichende Literaturwissenschaft*, en *Comparative Literature*, I, 1949, págs. 24-26). Algún día, con más vagar, contestaré a Curtius con la respetuosa atención que me merecen todo lo que él escribe y la importancia misma del tema, el cual, para mí, es, fundamentalmente, éste: legitimidad de las reacciones del «lector» frente a las del «historiador de la literatura», es decir, que el historiador de la literatura no tiene derecho a querer invalidar las reacciones espontáneas del «lector»: si detrás de cada palabra, el «lector» hubiera de considerar su tradición literaria habríamos terminado con toda literatura. Aun prescindiendo de esto, que es para mí lo básico, las palabras de Berceo no tienen nada que ver con el tópico que estudia Curtius (fin del día físico = fin de la obra literaria).

Mas para la luminosa Andalucía (donde no hacía aún muchos años la estrellada oscuridad era delicioso pretexto para
la velada, en el jardín, orillas de la corriente, mientras la
blanca mano del copero escanciaba el vino), una noche más
terrible se estaba vislumbrando ya. No había bastado la doble humillación africana: la llamarada crepitante de los al-
morávides, primero, y luego la conversión de España en
mera provincia del imperio almohade. Este va a hundirse
también. Córdoba ha caído ya, y en la esbeltez reciente de
la Giralda hay un temblor de presentimiento. El astro de
los almohades declina vertiginosamente.

Son años de diáspora para las letras andaluzas. Tristes
días se acercan. Y el literato andaluz huye de la terrible
prueba y de la sombra vecina, en busca de nuevos soles.
García Gómez nos ha hablado en sus *Poemas arábigoandaluces*[3] de esta emigración. La dispersión, tal vez, tuvo dos
tiempos. Unos escritores habrían ido ya años antes a sepul-
tar en Oriente su melancolía ante la pérdida de la independencia política de Alándalus; otros, que se habían quedado,
han sentido como Al-Saqundi, autor de la famosa *Risala*
(tratado)[4], la necesidad de defender a la patria decaída. Pero, poco después, otra nueva oleada de emigrantes se corresponde con el empuje de la reconquista cristiana. De éstos es Abensaid el Magribi, nacido probablemente entre 1213
y 1214, en Alcalá la Real, llamada algún tiempo por los árabes Alcalá de los Benu Said; y de este nombre aún se hace
mención en nuestro romancero:

> *Alcalá de Abenzaíde,*
> *que ahora real se llama*[5].

---

[3] PA, pág. 38.
[4] Traducida y prologada por Emilio García Gómez: *Al-Saqundi.
Elogio del Islam español*. Madrid-Granada, 1934.
[5] LBC, pág. 218, nota.

SIGLO XIII: UN EMIGRADO ESPAÑOL Y UN MAGNATE

Pertenecía Abensaid a una familia noble por la sangre y por el ingenio. Y hacia los treinta años de su edad —isócrona coincidencia con el avance de los ejércitos victoriosos de Fernando el Santo— abandonó la tierra de sus mayores. No había de volver a pisar suelo de España.

Túnez, Siria, Egipto... En El Cairo traba conocimiento con un espléndido magnate, Musa ben Yagmur, amante de las letras, que gusta de proteger a los escritores andaluces: García Gómez cita los nombres de varios de estos desterrados a quienes tendió Musa ben Yagmur su mano generosa. Y fué para este mecenas para quien Abensaid compuso en diez días del mes de junio de 1243 el *Kitab rayat... (Libro de las banderas...),* la antología poética que Emilio García Gómez, en anteriores trabajos, había ya dado parcialmente a conocer y hecho famosa en el mundo. Y que luego (pulcramente editada por el Instituto de Valencia de Don Juan)[6] nos ofreció íntegra, con prólogo, texto árabe y traducción en prosa, bajo el título español que corresponde al original árabe: *El libro de las banderas de los campeones.*

Cuando sus días de gloria van a empezar a decrecer, la lírica andaluza verá la dispersión de los poetas, pero puede

---

[6] *El libro de las banderas de los campeones de Ibn Sa'id al-Magribi.* Antología de poemas arábigoandaluces, editada por primera vez y traducida, con introducción, notas e índices, por Emilio García Gómez, catedrático de Arabe de la Universidad Central. Instituto de Valencia de Don Juan, Madrid, 1942, en 4.º, LII-350 págs.

aún contemplar lujosas agrupaciones de sus joyas. Es el momento de las antologías. Inician ya esta corriente, durante el dominio almoravide, dos grandes colecciones: el *Tesoro (Dajira)*, de Abenbasam, y los *Collares de oro*, de Abenjacán. La misma *Risala*, de Al-Saqundi, contiene una breve antología. Los Benu Said se habían aplicado a continuar una obra que, por mandado de unos de los miembros de la familia, había compuesto Al-Hichari (1106-1155). Con la intervención de cuatro generaciones de Benu Said, el libro que había empezado tratando sólo de las excelencias del Magrib (y que no era una mera antología poética, pues contenia también la descripción de las diferentes regiones, su historia y su literatura en general), llegó a abarcar toda la esfera del mundo árabe, subdividiéndose en este último estado en dos partes: sobre el Oriente y sobre el Occidente musulmán. De esta última, el *Libro peregrino sobre las galas del Occidente* o, de modo abreviado, el *Mugrib* (= «peregrino»), sólo existe un manuscrito de conocido paradero, el que se conserva en la Biblioteca de El Cairo [7].

En el prologuillo del *Libro de las banderas* nos dice Abensaid que esta antología no es sino un extracto del *Mugrib*, tan vinculado a su familia. Esto puede explicar —observa García Gómez— que el período de composición durara sólo diez días.

SIGLO XX: UN ERUDITO ESPAÑOL Y UN MAGNATE EGIPCIO

En el año 1927 fué pensionado para estudiar en Egipto un joven arabista que entonces no pasaba de ser una muy brillante promesa. En El Cairo, este muchacho, recién salido

---

[7] Formado por fragmentos «en absoluto desorden» (LBC, página XLI) y, según parece, no bien estudiado aún.

de la Facultad de Letras de Madrid, y de las manos de don
Miguel Asín, trabó amistad con el magnate egipcio Ahmed
Zeki Pachá, muy aficionado a la literatura árabe. Poseía éste la reproducción fotográfica de un manuscrito (de ignorado paradero) en el que se contenía el *Libro de las banderas*,
entonces totalmente desconocido para la erudición. Y rega-
ló al pensionado una copia manuscrita de él. El joven era
Emilio García Gómez, y sobre esa copia se basó la edición
que luego había de publicar. La historia se repite: un español, emigrado en el siglo XIII, reunió estas joyas de poesía
árabe andaluza, y fué para un gran señor de El Cairo para
quien lo hizo y a quien dedicó su trabajo. Y en el siglo XX,
un gran señor de El Cairo devolvió el tesoro a un joven español, y éste lo recreó de nuevo, lo vertió a la lengua hablada
hoy en España y lo divulgó por todo el mundo. Y, luego, al
hacer la edición científica, con la que coronó su trabajo, lo
dedicó a la memoria del señor egipcio de nuestros días. La
cadena había quedado cerrada.

II

LA ANTOLOGÍA DE ABENSAID

En dos partes se divide la obra de Abensaid: la una, dedicada a España; la otra, a Berbería. Esta última es insignificante (de un total de 145 poetas, 122 son de Alándalus).
Puede, pues, con razón llamarse antología española. Siguiendo Abensaid una tradición que viene de la *Dajira*, divide los
poetas españoles por el lugar de su nacimiento: del Occidente, del Centro y del Levante de Alándalus [8]. Y los va
enumerando por ciudades, según su categoría social.

---

[8] Una cuarta sección comprende los poetas nacidos en Ibiza.

La índole misma de esta poesía y el gusto árabe por la imagen y el juego de ingenio, hacen que la antología, como en general las de la poesía árabe española, sea una colección de fragmentos. Lo que interesa a Abensaid es hacer resaltar cómo un poeta ha renovado una imagen ya gastada, cómo ha apurado un tema, cómo ha sabido repentizar completando un verso sugerido por otra persona... Son pomitos de refinada esencia lo que nos da: conceptos «más sutiles que el céfiro» y formas verbales «más hermosas que una cara bonita». Nada querría incluir donde «las vestiduras de las palabras» no estén ajustadas a «los talles de los conceptos» [9]. Así, con esa hiriente y tradicional precisión metafórica de la mente árabe, nos lo explica el mismo Abensaid. Pero nada mejor que la selección de las propias obras del antologista para comprender sus aficiones y su criterio selectivo. Mas, ¡ah!, los poetas no han sido nunca modestos.

Que el propio antologista se incluya en la colección nos parece bien. Se ha hecho muchas veces (así, por ejemplo, Pedro Espinosa, en las *Flores*); se hace aún hoy mismo. Pero, ¿por qué se dedica muchas más páginas que a cualquier otro poeta? Sin duda adivinaba nuestro escándalo cuando, después de haber transcrito 31 fragmentos propios [10], confiesa: «El autor estira aquí las riendas, por miedo de haberse dejado llevar por demasiado entusiasmo en favor de sus versos y mostrar más celo por sí mismo que por los demás» [11]. Felicitémonos de tal abundancia, que nos va a abrir varias pistas. ¿Qué cualidades suyas le preocupa mostrar? La originalidad, ante todo.

---

[9] LBC, págs. 121-122.
[10] Téngase en cuenta que la antología comprende en total 145 poetas y 314 fragmentos poéticos, es decir, unos dos por poeta.
[11] LBC, pág. 229.

ORIGINALIDAD: UN ESPEJISMO

«He aquí —nos dice Abensaid al ir a copiar su primer fragmento propio— unos versos... en cuya idea no ha oído el autor que le precediera nadie:

El río es como un papiro donde el céfiro va trazando sus líneas.

Cuando la bella escritura queda al descubierto, las ramas se inclinan a leerla» [12].

¿Que no le había precedido nadie? Aun siendo tan escasa nuestra lectura de poesía árabe (casi exclusivamente a través de García Gómez), reconocemos en seguida un tópico modificado. Innumerables veces hemos leído que el río, ondulado por el viento, parece una cota de mallas o una bruñida armadura rayada por una espada, que la mano del viento realiza finos trabajos de orfebrería en el río, etc. [13]. La forma interna de la imagen es la misma, y en todas está implícita la idea de rayar o hacer dibujos en la superficie de las aguas. Es sólo de una leve variación de lo que Abensaid se puede vanagloriar, por lo que toca al primer verso. Y tampoco es nuevo el molde del segundo. Aquí la intervención de las ramas viene a dar la continuación de la imagen del primero. En la misma antología, en Aben Al-Raia, poeta anterior, encontramos una imagen que tiene la misma forma esencial e igual desenvolvimiento. El agua, removida por un surtidor, ríe, mostrando sus dientes de burbujas. Y concluye Aben Al-Raia:

---

[12] LBC, pág. 221.
[13] LBC, págs. 150, 169, 236, 252, etc.

*Y entonces, cuando la sonrisa ha descubierto la hermosa den-
tadura, inclínanse las ramas enamoradas a besarla* [14].

Dos imágenes iniciales, pues, concluídas del mismo modo:
en el primer caso, las ramas se inclinan para leer; en el segundo, se inclinan para besar. Cuando Abensaid se alaba de
novedad, habrá que entenderlo muy restrictivamente: de
novedad... sólo en la variación.

ESTILIZACIÓN DEL MUNDO

Como si él mismo nos quisiera dar ejemplos del entrecruzarse de los caminos trillados, nos dice poco después:
«El autor se aficionó a describir los diferentes aspectos del
viento y de la rama», e incluye un fragmento suyo en el que
la flexibilidad de la rama se compara a la cortesía del poderoso, y otro en el que el viento acerca la rama a la mano,
como un intercesor amigo puede ablandar la esquivez amorosa [15]. Un poco más adelante, en otro fragmento, las ondu-
lantes ramas son metáfora de flexibles cuerpos juveniles (tópico universal en poesía árabe) [16]. He aquí, pues, cómo la
gallardía de la rama, su tierna flexibilidad, son metáfora, en
el mundo imaginativo, de innumerables conceptos del mundo real, y cómo, aun dentro de cada una de las zonas reales,
una ligera variación de la imagen puede dar origen a infinitos matices estilísticos o de concepto.

La flexibilidad de la rama es, pues, una categoría perma-
nente, una idea elemental, un concepto acrisolado, en el mundo estético del árabe. El mundo es vario, infinito; el arte

---

[14]   LBC, pág. 147.
[15]   LBC, pág. 222.
[16]   LBC, pág. 223.

lo estiliza, lo reduce a unas cuantas líneas intensificadas y fundamentales.

García Gómez ha comparado varias veces el brillante y pequeño mundo de la poesía árabe andaluza al suntuoso y recargado mundo gongorino [17]. El proceso de estilización es casi el mismo. Hemos visto el valor general de «rama». Véase lo que dije en otra ocasión acerca del valor de «oro» y «nieve» en la poesía del autor de las *Soledades:* «Resultan en la poética de Góngora unas extrañas series en las que elementos muy dispares quedan reunidos por una sola designación: *oro* será la palabra que exprese todos los objetos poseedores de una misma propiedad común, la de ser dorados: ya sean cabellos de mujer, miel de abejas, aceite de oliva, mieses de trigo. *Nieve* será todo lo que coincida en blancura. Cuando el lector de las *Soledades* encuentra una de esas palabras, ya tiene la llave —género próximo— para un tropel de conceptos. La última diferencia se la dan sólo el contexto o los determinativos que a la palabra misma acompañen: si se habla de *nieve hilada,* habrá que entender manteles de blanco lino; si de *volante nieve,* el poeta ha querido designar la blanca pluma de un ave; si de *nieve de colores mil vestida,* se trata de los miembros de unas serranas, cubiertos por sus coloreadas ropas; si de los *fragantes co-*

---

[17] PA, págs. 9, 24. Véase en el admirable estudio sobre Abenzamrac de Emilio García Gómez (cuyo original había yo apenas hojeado antes de escribir el presente artículo), un excelente ejemplo de este proceso de estilización: «jardín donde los junquillos se abren entre anémonas» puede ser metáfora común de «tres realidades muy distintas (las manchas de la piel de una jirafa, las víctimas exánimes de una cacería y un tropel de caballos), coincidentes sólo en el color (mezcla de manchas blanquecinas y amarillas encendidas o rojas)». Procedimiento «próximo, aunque diferente, del de la estética gongorina». (R. Acad. de la Historia, *Ibn Zamrak, el poeta de la Alhambra,* discurso leído... en la recepción... de don Emilio García Gómez..., Madrid, 1943, págs. 53-55.)

pos que sobre el suelo ha nevado mayo, se ha designado así
a los lirios blancos crecidos con la primavera» [18].

PLANO REAL, PLANO IMAGINARIO: SU ECUACIÓN [19]

En ese estético acendrar o estilizar que es el origen de la
poesía «imaginada», el procedimiento más sencillo para pasar del vario plano de la realidad (A) al depurado plano imaginario (A'), y también el que primero debió de ocurrir a
los hombres [20], es el de ecuación de ambos elementos: *A pa-*

---

[18] *Las Soledades*, ed. D. Alonso, «Cruz y Raya», Madrid, 1936, página 21. Comp., más abajo, 72.

[19] Las palabras «imagen» y «metáfora se suelen emplear con valores diferentes y a veces poco delimitados. En todo lo que sigue,
como en otros trabajos míos, llamo «imagen» a la relación poética establecida entre elementos reales e irreales, cuando unos y otros están
expresos *(los dientes eran menudas perlas);* llamo «metáfora» a la palabra que designa los elementos irreales de la «imagen», cuando los
reales quedan tácitos *(las perlas)*. Entre imagen y metáfora, así entendidas, hay infinitas gradaciones. Una es la metáfora determinada (metáfora impura), en la que un determinativo introduce el término real
(las perlas de su boca).

[20] En trance de creación poética, quiero decir. Dejo aquí completamente de lado todo problema de genética idiomática. Puras metáforas han podido surgir en los períodos más remotos, por simple necesidad de denominación o por tabú, etc. Al tabú atienden los libros
de Heinz Werner, *Die Ursprünge der Metapher*, Leipzig, 1919, y *Die Ursprünge der Lyrik*, Leipzig, 1924, escritos en plena moda del «tabuísmo».
Para Werner, la actividad poética, metafórica, procedería del tabú.
¡Tajantes afirmaciones de una orgullosa ciencia, por desgracia, bien
provisional! No se puede negar el influjo del tabú en la creación idiomática (como el del eufemismo). Ni que metáforas idiomáticas puedan
entrar en un poema. Pero todo verdadero tabú y todo eufemismo exigen la sustitución brutal, directa, del término de la realidad. En qué
relación esté esta creación idiomática con la metáfora poética (desde
luego, en cierto sentido, semejante), es cuestión oscura. Nada tienen
que ver con el tabú —aunque Werner se empeñara en probar otra cosa— las sencillas imágenes $a = a'$, a que se pueden reducir casi todos

rece A', A es como A', A es A'. Estas son sus fórmulas primarias. Y a este tipo elemental continúa aferrada la poesía árabe española. He aquí dos ejemplos:

Abenjafacha:

> *Un negro nadaba en una alberca cuya agua no ocultaba los guijarros del fondo.*
> *La alberca tenía la figura de una pupila azul, donde el negro era la niña* [21].

Abenzacac:

> *Las rosas se han esparcido en el río, y los vientos, al pasar, las han escalonado con su soplo,*
> *como si el río fuera la coraza de un héroe, desgarrada por la lanza, y en la que corre la sangre de las heridas* [22].

Este procedimiento se encuentra acá y allá [23] en poesía gongorina, mas no es, en general, característico de ella.

---

los ejemplos de verdadera lírica de pueblos primitivos, aducidos por dicho autor.

La poesía nuestra, concretamente la española, comienza con simples imágenes ecuacionales. La aparición de la pura metáfora es un lento proceso que tiene dos momentos culminantes: el gongorino y el contemporáneo.

[21] LBC, pág. 256.

[22] LBC, pág. 250.

[23] He aquí algunos ejemplos de imagen ecuacional, procedentes todos de la *Soledad Primera:* versos 68-83, 259-266, 481-490, 601-611, 633-641, 725-731, 748-751, 946-957, 985-991, 1036-1040, etc. Todas éstas son imágenes complejas *(a, b, c, ... = a', b', c', ...).* Se encuentran, claro está, muchas reductibles al tipo más simple *(a = a').* Pero metonimias, sinécdoques, alusiones mitológicas, «conceptos» y sintaxis suelen enturbiar la estructura ecuacional. Por ejemplo:

Lo que es peculiar de la poesía de Góngora es o el esquivamiento completo de la realidad, o, más frecuentemente
aún, el entrecruzamiento de los dos planos. El lector va siendo llevado del uno al otro, y las recaladas en el lado real
le sirven de guía. Habla el poeta de una serrana que se la-
vaba o bebía con la mano junto a un arroyo. He aquí cómo nos lo dice. La zagala

> *...juntaba el cristal líquido al humano,*
> *por el arcaduz bello de una mano* [24].

La serie real es

agua *(a)*   rostro *(b)*   mano *(c)*

Y la imaginaria:

cristal *(a', b')*   arcaduz *(c')*

> *Vaga Clicie del viento*
> *en telas hecho —antes que en flor— el lino.*
>
> (*Sol. I,* 372-373.)

La imagen se reduce a *vela = Clicie,* pero está complicada por la alusión a la fábula, por la sinécdoque de materia (*lino* en vez de *vela*),
por el conceptismo (la *vela* es como una *Clicie* que siguiera al viento,
y no a Apolo (el Sol) y que se hubiera convertido no en heliotropo,
como la ninfa, sino en tela). Todo esto es muy distinto del nítido tipo
ecuacional que tan bien conserva la poesía árabe. Por otra parte, la
ecuación entre complejos, frecuentemente introducida en Góngora por
como o *cual,* nos parece elemento externo o sobrepuesto en su poesía,
procedente de la tradición de los poemas narrativos italianos del siglo XVI.
[24] *Soledad Primera,* versos 244-245.

Elementos reales e imaginarios resultan entreverados en la ordenación textual. Las metáforas *cristal* y *arcaduz* quedan convertidas en imagen por medio de los determinativos *líquido, humano* y *de una mano. Cristal líquido* encierra la imagen «agua transparente cual cristal»; *cristal humano* equivale a «rostro nítido como cristal»; y *arcaduz* de una mano a «mano que al llevar el agua hasta el rostro servía como de caño o arcaduz». Tal vez se pueda decir que es el procedimiento más frecuente en la poesía gongorina. Este tipo, si no coincidente en todos los pormenores, lo encontramos (con clara correspondencia en la línea general) en numerosos fragmentos de la antología de Abensaid. Recordemos el ejemplo del céfiro que escribe en el río lo que leerán inclinándose las ramas.

Serie real:

río *(a)*   céfiro *(b)*   ondas *(c)*   ramas *(d)*.

Serie imaginaria:

papiro *(a')*   escritor *(b')*   escritura *(c')*   lector *(d')*.

El desarrollo textual parte de una simple ecuación *(a =
= a')*. Pero los términos *b'* y *d'* no están expresados sino con verbos *(trazar líneas* e *inclinarse a leer)*, que al ser presentados como acción de los términos *b* y *d*, establecen el vínculo de éstos con el mundo imaginario. Por esta línea sinuosa la atención del lector es llevada al plano de la fantasía, con intermitentes apoyos en el de la realidad. En este entrecruzarse de ambas zonas reside la semejanza con la técnica gongorina. Mas allí se parte de la metáfora que se atrae a la escena real *(arcaduz...,* pero arcaduz *de una mano)*. Aquí el sentido del movimiento es inverso *(ramas...,* pero ramas que *leen)*.

Otro punto en el que entre ambas poéticas hay evidentes parecidos, pero también indudables diferencias, es el del empleo de la pura metáfora. Y también aquí es difícil el llegar a decir con algo de precisión en qué consiste la proximidad, qué es lo que establece la distancia. Mi escaso conocimiento de poesía árabe (y casi sólo por traducciones) me hace también vacilar. Que la base de la poesía gongorina es metafórica, lo acabamos de ver. Que la árabe lo es en grado sumo es idea que todo el mundo tiene. Las dos categorías de imágenes que acabamos de estudiar nos deberían hacer algo escépticos. La poesía árabe usa predominantemente el tipo ecuacional, que, en su pureza esquemática, es poco frecuente en Góngora. Y en el tipo segundo, en que los dos mundos se entrecruzan, hemos visto a Góngora partir de lo metafórico, y a la poesía árabe andaluza, de lo real [25].

---

[25] El arrancar de los elementos irreales para llegar a los reales, es también frecuente en poesía gongorina cuando el vínculo entre los dos planos no se establece por medio de la metáfora especificada, como en el ejemplo de la serrana junto al arroyo, sino por una acción verbal. Véase una muestra del *Panegírico al Duque de Lerma* (versos 141-144):

> ... *el rosado*
> *propicio albor del Héspero luciente,*
> *que ilustra dos eclípticas ahora,*
> *purpureaba al Sandoval que hoy dora.*

En aquella época ya, siendo aún príncipe, Felipe III mostraba su favor al Sandoval (al duque de Lerma), a quien hoy, ya rey, se lo otorga: entonces, el príncipe, como débil luz naciente, *purpureaba al Sandoval;* hoy, sol esplendoroso de dos mundos, plenamente le *dora.* «El rosado albor» (elemento irreal) va a caer sobre «el Sandoval» (elemento real), mediante la acción de «purpurear» y «dorar». Es un proceso semejan-

Si consideramos primario el tipo ecuacional, un segundo grado parece estar constituído por la metáfora especificada o impura que acabamos de estudiar en un ejemplo de Góngora. El término de este progreso es la metáfora pura. Su aparición y su avance van ligados a la creación y fijación de una lengua poética. Así, en Góngora.

Tomemos ahora un ejemplo de la antología de Abensaid: un pasaje de Abenmucana de Lisboa, en el que se habla de un mancebo copero:

> *La rama de su talle se curva sobre la duna de la cadera y la no-che de sus cabellos surge sobre la clara aurora de su rostro* [26].

Así traduce, con excelente criterio, García Gómez, porque, si no, no le entenderían los lectores occidentales. Mas la traducción literal sería:

> *Y se curva como una rama sobre la duna, y surge la noche sobre la aurora clara.*

Aquí *rama* puede ser aún metáfora impura («el mancebo se curva como una rama»); *duna* es ya casi metáfora pura, y lo son definitivamente *noche* y *aurora*. Pero si tenemos en cuenta que *rama*, *duna*, *noche* y *aurora* cubren en poesía árabe, una y otra vez, infatigablemente, a los mismos conceptos que en este verso designan, llegaremos a creer que, más que metáforas, son los nombres poéticos para «talle», «cadera», «pelo» y «rostro»; es decir, que el lector árabe ya no realiza ante esas palabras una operación imaginativa. Es

---

te, aunque de sentido contrario, al de «las ramas leen lo escrito» del ejemplo árabe.

[26] LBC, pág. 168.

el proceso que se produce siempre en la vida del lenguaje, en todas sus capas: el que dijo por primera vez *reanudar* (las clases, las negociaciones, etc.) habló metafóricamente; pero cuando usamos ese verbo no hay quien piense ni en *nudo* ni en *anudar*. La metáfora pura, en una tradición algo prolongada, fatalmente se lexicaliza. Algo de esto estaba fraguando en la tradición poética del Renacimiento, pero no llegó a la completa solidificación. La particularización de la metáfora por medio de determinativos, es decir, el uso preferente de la que he llamado impura, indica bien a las claras cómo la metáfora gongorina estaba aún relativamente lejos de la fijación léxica.

Asombra en el mundo poético árabe español su variedad técnica en el uso de la imagen. La tendencia conservadora de esta literatura explica, creo, la persistencia de los más sencillos procedimientos ecuacionales. Pero este arte, que emplea la metáfora impura lo mismo que Góngora, llega en el extremo de esta línea de desenvolvimiento no sólo a la metáfora pura, sino lexicalizada. La poesía gongorina tiene muchos encantos, pero de ningún modo el de una técnica de virginal juventud. Soporta, es cierto, el peso de una tradición, pero al mismo tiempo no tan larga, dentro de los modos castellanos, como para llegar al anquilosamiento. La poesía árabe andaluza, por lo que se refiere al uso de la imagen, conserva los tipos elementales y muestra a la par productos de anquilosamiento. Es niña y vieja a la vez.

IMÁGENES AGOTADORAS

Aun sin salir de la imagen, podemos encontrar otros paralelos. Abensaid se alaba de sus imágenes «agotadoras». Copio dos:

> La noche es un mar donde las estrellas son la espuma, las nubes
> las olas y la media luna el navío.
>
> Las lanzas punteaban lo que escribían las espadas; el polvo del
> combate era la arenilla que secaba el escrito, y la sangre lo
> perfumaba [27].

Se trata, por tanto, de imágenes en que un complejo de plano real *(a, b, c, ...)* se compara con un complejo de plano imaginario *(a', b', c', ...)* mediante la igualación, término a término, de los elementos respectivos *(a = a', b = b', c = = c', ...)*. Es el procedimiento que, prolongado a lo largo de un poema (y con omisión de los términos de la realidad, que quedan tácitos), llega a ser lo que la poesía occidental conoce con el nombre de alegoría. (Por ejemplo, en Góngora, la composición a un libro de Torres de Prado o el soneto a Soto de Rojas [28]). Mas, dejando aparte lo propiamente alegórico, Góngora nos ofrece claros modelos de imágenes agotadoras, a lo Abensaid. No sólo es la semejanza del procedimiento, sino lo aquilatado de la ejecución: estos antiguos poetas andaluces y el gran cordobés del siglo XVII llegan a una escrupulosidad casi matemática al relacionar, elemento a elemento, el complejo real y el imaginario. Así, compara Góngora el río Pisuerga a una cítara *(Pisuerga = cítara; guijas = trastes; fluir del agua = cuerdas de plata; álamos = clavijas; puente de Simancas = puente del instrumento)*:

---

[27] LBC, págs. 228-229. Abensaid podía quizá alabarse de la perfección de su técnica «agotadora», no de la invención del procedimiento. Muchos siglos antes «los modernos» lo habían practicado ya en Oriente. García Gómez cita (PA, pág. 15) este ejemplo:

> Vino amarillo en vaso azul, escanciado por blanca mano: sol es
> la bebida, estrellas las burbujas, eje terrestre la mano, cielo
> la copa.

[28] Millé, núms. 398 y 323.

> *Sobre trastes de guijas,*
> *cuerdas mueve de plata*
> *Pisuerga, hecho cítara doliente,*
> *y en robustas clavijas*
> *de álamos las ata,*
> *hasta Simancas que le da su puente...* [29].

La diferencia entre el poeta árabe y el del siglo XVII consiste en que Abensaid usa la imagen ecuacional, lo mismo para los complejos que para sus partes; Góngora establece por igualdad sólo la relación entre los complejos (*Pisuerga = cítara*), mientras que para la relación entre los elementos echa mano otra vez de metáforas especificadas, del tipo que antes hemos estudiado (*trastes de guijas, clavijas de álamos*). La imagen de Góngora, vertida al procedimiento de Abensaid, podría sonar de este modo:

> *Pisuerga es una cítara, donde las guijas son los trastes, las aguas las cuerdas de plata, los álamos las clavijas, y el puente de Simancas el puente del instrumento.*

IMÁGENES REVERSIBLES

Estas imágenes, muy precisas, en que la relación se establece entre cosas del mundo de nuestra experiencia, podrían también haberse enunciado al revés. En el citado ejemplo de Abensaid, lo pensado en el plano real es el concepto *noche*, y *mar*, el imaginario. Pero también se podría haber pensado a la inversa.

La poesía de todos los países, cuando se trata de imágenes muy repetidas, suele fijarse en una de las dos posibles

---

[29] Millé, núm. 390.

direcciones. Así, en la renacentista, nada más tópico que llamar al agua cristal, y en la árabe, a las aguas del río en calma, sable, espada, etc., y cota de mallas, a las aguas agitadas por el viento. Mas un día el poeta, en busca de novedad, comprende el efecto de la inversión de la imagen. Y he aquí lo que Ben Abdelgafur dice de su cota de mallas:

> *Si la arrojo al suelo, diría que es como un charco y las mallas burbujas de agua que corren hacia otras burbujas* [30].

La inversión de la imagen *río = sable* llega a ser también tópico. En Abentifiluit:

> *Blandiste un sable, y lo comparé con un río, pero helado* [31].

Un río, pero helado... No de otro modo Góngora renueva por inversión la imagen *agua = cristal;* el cristal será agua, pero dura:

> *cristal —agua, al fin, dulcemente dura—...* [32].

LOS TEMAS. COINCIDENCIAS INSIGNIFICANTES

El lector español de la antología de Abensaid va encontrando aquí y allá temas, imágenes y hasta expresiones que, deshilada y momentáneamente, le traen memorias de su propia literatura. El recuerdo de una coplilla popular:

> *...mira que es pena*
> *tener tan cerca el agua*
> *y no beberla,*

---

[30] LBC, pág. 133.
[31] LBC, pág. 271.
[32] *Soledad Segunda,* verso 578.

4

nos asalta, al leer en un poema de amor *udrí*, de Safuán Abe-
nidrís:

> ¡*Maravíllate del que siente arder sus entrañas y se queja de sed,*
> *teniendo el agua en la garganta!* [33].

(En el recuerdo surge también Góngora, que aquí procede del mito de Tántalo:

> *Entre las ondas y la fruta imita*
> *Acis al siempre ayuno en penas graves.*
> *Que en tanta gloria infierno son, no breve,*
> *fugitivo cristal, pomos de nieve.)* [34]

Cuando leemos en unos versos guerreros de Abenfarsán
de Guadix:

> ...*No me deis otras canciones que el relincho de los caballos,*
> *pues es mi música...*
> *Tended sobre el ardiente suelo mi silla de montar, pues es mi*
> *lecho, y el ondear de las banderas es mi tienda* [35],

¡cómo no recordar —sólo por un momento— muy dispersos
retazos de nuestra propia voz!:

> *Son mi música mejor*
> *aquilones,*
> *el estrépito y temblor*
> *de los cables sacudidos...*
> ....

---

[33] LBC, pág. 244.
[34] *Fábula de Polifemo*, versos 325-328.
[35] LBC, págs. 214-215.

> *Mis arreos son las armas,*
> *mi descanso el pelear,*
> *mi cama las duras peñas...* [36].

Hasta una vez oímos como una anticipada frase del *Quijote:* «Un día al-Hamdani entró a ver unas gentes que llenaban por completo la sala, y, como le tocara sentarse en el último puesto, dijo:

> *...Donde nos sentamos está la cabecera del salón»* [37].

Las mentalidades más dispares reflejan una única condición humana, y ésta siempre tiene cauces de expresión parecidos.

COINCIDENCIA TEMÁTICA CON GÓNGORA

Mas el caso, respecto a Góngora, es diferente. Góngora tiene preferencia por temas e imágenes que sus antiguos paisanos habían usado una y otra vez, y su prurito de superación, de renovación, es idéntico al de aquéllos. La poesía gongorina está llena de materia concreta y menuda. Y esta materia, de la que se sirve para realces de color y suntuosidad o para ágiles esguinces humorísticos, suele estar descrita —poéticamente, pero sobre una base de agudo realismo—, con intensificada brevedad, en uno o en unos pocos versos. Habría que recordar (dejados aparte los temas complejos, como ríos, huertos, jardines, etc.) las conocidas series de los regalos de una boda (ternera, cabritos, gallinas, pavo de Indias, perdices, conejuelos, gamo...) [38], de pescados (ostión, congrio, ró-

---

[36] Espronceda y Romancero.
[37] LBC, pág. 200.
[38] *Soledad Primera,* versos 281-334.

balo, salmón...) [39], de diferentes clases de halcones [40], de los
frutos del zurrón de Polifemo (manzana, la serba, la pera...) [41]
y otras descripciones, o incluídas en series más breves, o esparcidas por las *Soledades* y el *Polifemo:* allozas [42], panal [43],
jabalí [44], islas de un río [45], quesillo, membrillo, nuez [46], mu-
flón [47]... La palabra «descripciones» no da una idea exacta.
El objeto suele estar evocado a toda velocidad y sólo por un
rasgo distintivo («la aprisionada nuez esquiva») [48] que a veces
se realza con una potente imagen («islas que paréntesis frondosos al período son de su corriente») [49]. La concisión epigra-
mática parece recordar los *xenia* y *apophoreta* de Marcial,
otro gran español que también sintió el encanto de los seres
de la naturaleza, concretos, delimitados, breves. Mas la técnica la intención de estos poemas ocasionales del escritor latino son muy distintas, y un dístico aislado le basta para su
amable propósito social. La poesía árabe andaluza, en cambio, gusta —lo mismo que Góngora— de incluir dentro de un
poema, en unos pocos versos, una rápida descripción de un
objeto, condensada en una nítida y recortada imagen. Viven
así ante nosotros una intensificada vida mínimos seres de la
realidad: la azucena, la nuez, la berenjena, el membrillo, el
pichón, el dedal, la naranja, el brasero, las tortugas de una

---

[39] *Soledad Segunda*, versos 81-101.
[40] *Soledad Segunda*, versos 735-798.
[41] *Fábula de Polifemo*, versos 73-88.
[42] *Fábula de Polifemo*, versos 201-203.
[43] *Fábula de Polifemo*, versos 394-401.
[44] *Fábula de Polifemo*, versos 426-428.
[45] *Soledad Primera*, versión primitiva, versos $204-206_5$. Véase mi
edición («Cruz y Raya», 1936), págs. 371 y 410-414.
[46] *Soledad Primera*, versos 872-882.
[47] *Soledad Primera*, versos 1.015-1.019.
[48] *Soledad Primera*, verso 879.
[49] Véase, más arriba, nota 45.

alberca, el lunar, el gallo, la alcachofa, la botella negra [50]. Los temas muchas veces coinciden con los de Góngora; cuando no, los gongorinos podían sin dificultad haber sido árabes, y los árabes, gongorinos. En los casos de coincidencia, ésta puede llegar hasta la selección de los pormenores característicos y hasta el sentido de la imagen. Daré sólo un ejemplo: el gallo, según Abenbilita, poeta toledano del siglo XI, y según Góngora.

Abenbilita:

> *Para anunciar la muerte de las tinieblas se alzó el ave adornada con una amapola y que hace girar para nosotros las centellas de sus ojos.*
> *Parece que el emperador de Persia le ciñó su corona y que María la Copta... le colgó... las arracadas..* [51]

Góngora llega a hablar del gallo cuando está tratando de las gallinas: gallinas

> *...cuyo lascivo esposo vigilante*
> *doméstico es del Sol nuncio canoro,*
> *y —de coral barbado— no de oro*
> *ciñe, sino de púrpura, turbante* [52].

En uno y otro caso se ha visto como lo más característico del gallo su cualidad de anunciador de la aurora, su encen-

---

[50] Azucena: LBC, pág. 233; nuez: LBC, pág. 134; berenjena, membrillo: LBC, pág. 171; pichón: LBC, pág. 133; dedal: LBC, pág. 146; naranja: LBC, págs. 170-171; brasero: PA, pág. 80; tortuga: PA, página 83; lunar: LBC, pág. 208; gallo: PA, pág. 121; alcachofa: LBC, página 293; botella negra: PA, pág. 173.

[51] PA, pág. 121.

[52] *Soledad Primera*, versos 293-296.

dida cresta, sus rojas carúnculas; en uno y otro caso las imágenes son próximas y toman un sesgo suntuoso, colorista y enfático [53].

COINCIDENCIAS EN EL CONTENIDO DE
LA IMAGEN. TEMAS DE IMAGEN DIFÍCIL

Resulta curioso ver a Góngora aplicado a resolver por medio de una atrevida imagen formas de la naturaleza o de la vida que por el mismo medio habían sido ya valientemente resueltas por los árabes andaluces. Las imágenes unas veces coinciden en osadía, otras muestran una casi identidad. Cito un fragmento de Ali-ben-Lubal, de Jerez. Es la descripción de un río, de noche:

> *Las luces de las candelas brillan como luceros, y sus reflejos en el río parecen lanzas hundidas en la corriente.*
> *Se persiguen los barcos llevados por los pies de los remos* [54].

Las dos imágenes principales de estos dos versos habían de ser también tema de Góngora. La una, resuelta de un modo idéntico, cuando nos habla de una barca que va

> *cristal pisando azul con pies veloces* [55];

la otra, de modo parecido. Un idéntico análisis, una misma

---

[53] Por lo que respecta a los temas podría también señalarse el gusto que lo mismo Góngora que los poetas arábigo-andaluces sienten por las imágenes de constelaciones y estrellas. Léase, por ejemplo, la «casida de las estrellas» de Abenhani de Elvira y compárese con pasajes de las *Soledades (Segunda,* versos 612-625, 803-805). La representación zoológica de las constelaciones sirve en uno y otro caso para animar una mitología astronómica, basada en profundas raíces tradicionales.
[54] LBC, pág. 152. La misma imagen de las luces reflejadas en el río había sido empleada antes por Aben Abi Ruh, comp. LBC, pág. 154.
[55] *Soledad Segunda,* verso 46.

preocupación por la imagen difícil, nos da la descripción gongorina del reflejo de unas iluminaciones nocturnas en el agua:

> *fanal es del arroyo cada onda,*
> *luz el reflejo, la agua vidriera* [56].

«Cada onda del arroyo, al reflejar las luminarias de los fuegos, parece que aprisiona una luz, porque el reflejo mismo
hace de luz, y el agua, de vidriera.»

PARONOMASIAS

La lengua árabe tiene una tendencia natural hacia los juegos paronomásticos, los cuales llegan a veces hasta los mismos títulos de los libros. Así, en la obra de donde se extrajo
El libro de las banderas: «Libro peregrino (= *mugrib*) sobre
las galas del Occidente (= *Magrib*).» Sólo la distinta vocali-
zación cambia el sentido de «peregrino, extraordinario» a
«Occidente» [57]. Juegos semejantes abundan también en los
poemas, y a veces García Gómez nos lo indica, para que podamos apreciar un matiz de rebuscamiento que, si no, se nos
escaparía.

Habla Arrusafi de un mancebo sastre:

> *Es una pequeña gacela* (guzayyil), *cuyos dedos no cesan de mo-*
> *verse entre los hilos* (gazl), *como mi pensamiento, al verle, se*
> *mueve siempre entre galanterías* (gazal) [58].

---

[56]   *Soledad Primera*, versos 675-676.
[57]   El mismo juego, con perfecta simetría, en la otra parte de la
obra completada por Abensaid, la que se refiere a Oriente: «El libro
brillante (= *musriq*) sobre las galas de Oriente (= *Masriq*).»
[58]   LBC, pág. 251. La principal diferencia con los ejemplos de Góngora, que van a seguir en el texto, es que en poesía árabe las palabras
entre las que se produce el juego suelen pertenecer a la misma raíz.

Las lenguas románicas difícilmente toleran filigranas semejantes, y aquellas posibles no suelen salir de los límites de la poesía más ligera.

No nos maravilla ver que Góngora emplee con frecuencia desde su juventud chistosos juegos paronomásticos:

> *...unos soldados fiambres*
> *que perdonando a sus hambres*
> *amenazan a los hombres* [59].

Ya en 1580 había llamado al amor «*vendado* que me has *vendido*». He aquí otros chistes de esta clase:

> *Cánsase el otro doncel*
> *de querer la otra doncella,*
> *que es bella y deja de vella*
> *por una madre cruel...* [60].

> *Con pocos libros libres (libres digo*
> *de expurgaciones) paso y me paseo,*
> *ya que el tiempo me pasa como higo* [61].

Mayor interés tiene el verle echar mano de tales recursos en sus poesías serias. En un soneto, en ocasión tan poco festiva como impetrar salud para Felipe IV, le vemos emplear el juego *limada-lamida,*

Así, en el ejemplo de Arrusafi, *guzayyil, gazl* y *gazal,* aunque tan diferentes por el sentido, pertenecen a la misma raíz *(gzl).* En este punto sólo en pocas ocasiones podrá haber correspondencia en las lenguas románicas.

[59] Millé, núm. 105.
[60] Millé, núm. 109.
[61] Millé, núm. 312.

> *o más* limada *hoy o más* lamida [62],

que había usado ya en 1611 en el soneto al doctor Babia:

> *de la disposición antes* limado
> *y de la erudición después* lamido [63].

Tampoco era momento de burlas el de la composición de los versos a la sepultura de Garcilaso y su esposa, donde se dice que dicha tumba

> tálamo *es mudo,* túmulo *canoro* [64].

Siguen otros ejemplos, todos de composiciones serias:

> *el sueño* aflija *que* aflojó *el deseo...* [65].
> *que dulce* muere *y en las aguas* mora... [66].
>   *... tantas le dé a* Pales
> *cuantas a* Palas... [67].
> *bien que su menor* hoja *un ojo* fuera... [68].

Varios de los juegos paronomásticos que Góngora emplea no son invención suya. Así, el del último ejemplo había sido usado antes por Lope en la *Angélica:*

> *los olmos, de quien* hojas *eran* ojos [69].

---

[62] Millé, num. 361. (Felipe IV, según Salcedo Coronel.)
[63] Millé, núm. 314.
[64] Millé, núm. 405.
[65] *Fábula de Polifemo,* verso 236. Es ejemplo dudoso, pues existen varias lecturas.
[66] *Fábula de Polifemo,* verso 364.
[67] *Soledad Primera,* versos 832-833.
[68] *Soledad Primera,* verso 1.063.
[69] Canto XVI, *Obras sueltas,* II, 251.

Y también se encuentra en Tirso:

> *Arboles que mis congojas*
> ojos *hacen vuestras* hojas... [70].

Lo que es gongorino —en este artificio como en tantos otros—
es el enviscamiento en el juego, la frecuente repetición, y
también el aprovecharlo para especiales realces rítmicos. Y,
así, este recurso le sirve para realzar la tan frecuente simetría
bilateral de su endecasílabo, y otras veces, para producir una
especie de paralelismo entre dos versos.

Era la paronomasia uno de aquellos manierismos que
Góngora trasplantó a la poesía seria desde la jocosa. Y que
no toleraba el equilibrado Pedro de Valencia: «... alusiones
burlescas y que no convienen a este estilo alto y materias
graves, como convenían a las antiguas *quae ludere solebas...;*
Vuestra merced... no se desfigure por agradar al vulgo, diciendo gracias y juegos del vocablo en poema grave y que
va de veras» [71].

Góngora hizo, en general, caso a las amonestaciones de su
amigo. Mas aquí no eran necesarias: la lengua española no
permitía en este punto muchos escarceos. Y Góngora tuvo
que reprimir su natural y contentarse en la mayor parte de
los casos con aliteraciones (más bien que paronomasias), evidentes en la técnica del endecasílabo bimembre:

> *infame* tur*ba de noc*tur*nas aves...*
> trepando troncos y abrazando peñas...
> borró designios, bosquejó modelos...
> tantas orejas cuantas guijas lava...
> en villa humilde sí, no en vida ociosa...[72].

---

[70] *El amor y el amistad*, Rivad. V, 330 *b*.
[71] Millé (Epistolario), núm. 126 bis; pág. 1142.
[72] *Fábula de Polifemo*, versos 39, 312; *Soledad Primera*, versos 98,
560; Millé, núm. 340.

JUEGOS CON NOMBRES PROPIOS

Hay un caso especial en el que el castellano le ofrecía buenas ocasiones para desoír el consejo de Pedro de Valencia: los nombres propios que tienen también un sentido en el léxico común. Citemos un ejemplo entre los muy numerosos que nos ofrece el poeta:

> *ahora que de luz tu Niebla doras,*

dice al conde de Niebla, cuando le imagina residente en el lugar de su título. Es esta de jugar con los nombres de personajes una verdadera manía que le acompaña desde sus años juveniles, y a la que no son ajenos otros escritores de aquel tiempo[73]. Mas nada hay nuevo en el mundo. Tampoco son tales malicias desconocidas en el mundo árabe. Así, un poeta del linaje de los Zuhr, al que también pertenecía el célebre Avenzoar (= Ibn Zuhr), dice a un príncipe almohade en un fragmento adulatorio:

> *¡Por Dios! No sé cómo he de llegar hasta ti, pues no tengo ningún mérito para lograrlo...*
> *... Si carezco de los adornos de las estrellas* (= zuhr), *también entre las estrellas* (= zuhr) *está el Pez Inerme* [una estrella así llamada por los árabes].

El hecho de que *zuhr* designe al mismo tiempo lo brillante, los astros y los del linaje *Zuhr*, abre toda una serie de matizadas posibilidades. Pero el traductor —claro está— tiene que decidirse por una[74].

---

[73] Véase más abajo, pág. 341, nota 43.
[74] El mismo García Gómez me ha señalado esta coincidencia en el jugar con nombres propios. Comp. LBC, pág. 138, texto y nota.

CANSANCIO POÉTICO

Son éstos fenómenos que se dan en todas las épocas en que, agotadas una técnica y una imaginería, los poetas sienten el no mitigable prurito de la variación. Un rompimiento profundo con el pasado tradicional no se produce en nuestras literaturas occidentales hasta el romanticismo, que (casi totalmente en la intención, muy limitadamente en el resultado) quiere desvincularse de la cadena de tradición greco-latina, latente en la Edad Media, patente en el Renacimiento, renovada por distintas maneras en los siglos barroco y neoclásico. Y si el romanticismo se vuelve hacia la Edad Media, es buscando lo que de divergente había en el espíritu de aquel período. Un rompimiento total con la tradición, dado el carácter conservador del pueblo árabe, no creo se pueda producir. A todos los eslabones de la tradición greco-latina en nuestras letras podría compararse —con las muchas reservas necesarias— la larga línea que en lo árabe arranca de la poesía beduínica anteislámica y pasa a través de todas esas variaciones de escuela que García Gómez nos ha trazado brillantemente en el prólogo de sus *Poemas arábigo-andaluces* [75]: la tendencia de los «modernos» (desde fines del siglo VIII), la restauración neoclásica del siglo X, representada por el genio de Mutanabbi, con la que en cierto modo viene a entroncar la poesía árabe andaluza. El mismo García Gómez nos ha mostrado [76] cómo la persistencia de los temas beduínicos (la tienda, la caravana, el desierto, el camello...) en la poesía creada en los vergeles de Sevilla, de Granada y de Valencia, puede compararse a la continuación de la alusión mitológica

---

[75] PA, págs. 13-17.
[76] PA, págs. 18-19.

en la poesía occidental cristiana. Es el carácter tradicional de estas dos series poéticas, la occidental y la árabe, lo que en parte puede explicar las concordancias que encontramos entre la poesía arábiga de Andalucía y la barroca de nuestro siglo XVII. Es el agotamiento de una técnica, la necesidad de despertar el ya cansado gusto del lector, lo que lleva a un poco valiente deseo de originalidad, a la estilización del mundo real en unas cuantas categorías estéticas y, de aquí, a la creación de una lengua artística en donde las metáforas pasan a tener valor léxico. Es esta fatiga lo que nos puede explicar ese prurito superador y agotador, claro en Góngora y manifiesto en Abensaid, la taracea y rezurcido de lugares tópicos, la variación incesante y mínima de las mismas manidas imágenes, la perfección y complejidad de éstas, la inversión de la relación tradicional entre plano de la realidad y plano imaginario, la prolija labor de filigrana fonética con juegos de palabras y paronomasias de todas clases, el gusto por el tema fragmentario, la sutil descripción de lo pequeño: dedal sin cimera, arrugada y escondida nuez, gallo como una reducción de monarca, lúbrico congrio que quiere esquivar las redes [77]... De cuando en cuando se produce también una fatiga de signo opuesto, y en ambas tradiciones se intenta una más radical renovación, desandando en parte lo andado, y así surgen la escuela neoclásica del siglo X en lo árabe y la del siglo XVIII en lo occidental (aunque el paralelo, tal como lo entrevemos [78], deje mucho de ser rigurosamente exac-

---

[77] Que conste que ni ahora, ni en ninguna de las impresiones anteriores de este trabajo, ni en sitio alguno, he dicho que Góngora conociera o imitara la poesía árabe: el párrafo a que corresponde esta nota lo deja, creo, bien claro. Hago esta protesta porque en varios sitios se me ha atribuído la idea de un influjo árabe sobre Góngora, absurdo que ni me ha pasado por la cabeza.

[78] El «movimiento neoclásico», restaurador de la casida, conserva, sin embargo, las sutilezas y complicaciones de la época anterior: es

to). Así también me imagino que se pueden explicar otros poemas de tema más alentado, de hechura menos preciosista e «imaginada», con pasión y dolor humanos, como esas bellas *Qasidas de Andalucía* que Emilio García Gómez nos dio traducidas en admirable verso.

No sé. Hablo con la atrevida vacilación de quien del bosque conoce sólo una estrecha senda por la que una mano amiga le ha guiado. Mas me figuro que lo que en poesía castellana (dejada aparte cierta inclinación congenial) son sólo épocas bien delimitadas de gusto por el concepto, la alusión, la rebusca metafórica y la complejidad (momento de Mena, época de Góngora), es en poesía árabe una larga, continuada tradición de preciosismo. Es decir, que los «fenómenos de cansancio» aparecen en ella pronto, y nunca se terminan. La poesía árabe secularmente se rehoga en su propio saín. Y la técnica de mínima renovación de imágenes, de apuramiento de perfecciones, de burilar hasta el escrúpulo, llega así en ella a ser un arte más implacable, más matemático y más frenético que en la misma poesía del autor de las *Soledades* y el *Polifemo*. Y Góngora, a la luz de estos tesoros de poesía que García Gómez nos ha descubierto, resulta casi un ensayador de lo que estaba ya resuelto hacía muchos siglos.

Repetición, repetición constante: constante variación. Pulir, dignificar, llevar a la piedra de toque el metal, por si aún es preciso acendrarlo. Abensaid sabía bien el valor de esta técnica. «En esta casida —nos dice al citar versos de una suya— hay muchas cosas que ya fueron dichas por otros poetas anteriores, pero que el autor ha completado, embellecido, sa-

---

ésta una importante diferencia con nuestro siglo XVIII, y lo que explica que desde la escuela de «los modernos» se conserve, ininterrumpida, en poesía árabe, la tradición del preciosismo. Comp. PA, págs. 14-16.

cado a luz, después de que estuvieron oscurecidas, o digni-
ficado, y al probar un metal es como se ve si está falto o sobrado de peso» [79].

III

Las líneas que anteceden han tratado de entrever —por
contraste con una gran figura nuestra— lo que de *humus*
común, de escuela y técnica continuada hay en este panorama
poético lleno de mínimas delicias, que debemos a García
Gómez.

No he hablado precisamente de lo más interesante: de
esas más bellas flores, tan nítidas que llegan a dañar a nuestra pupila de occidentales, ni del embriagador aroma, que nos
sumerge en una atmósfera de sensualidad y de ensueño; ni
de la requintada elegancia, tan en extremo sutil que la mano
se niega a llegar a ella de miedo que en vedijas se deshile; ni
del suscitado y entredormido mundo de fiestas y amores y
equívocos galanteos, que aviva y a la par suspende nuestra
cansada fantasía. Eran temas que me estaban vedados por
haberlos tocado otra vez, aunque rudamente [80], cuando Emilio García Gómez dió al público la segunda edición de sus
Poemas arábigoandaluces, donde se contenían, traducidas, las
muestras más selectas del tesoro.

Ni podía tampoco juzgar el aspecto más interesante de
este nuevo trabajo de nuestro gran arabista. Es *El libro de
las banderas de los campeones* una edición rigurosamente
científica de la antología de Abensaid. El texto árabe y la
traducción española están anotados con escrupulosa minu-
cia. Acompañan al texto índices locupletísimos de nombres

---

[79] LBC, pág. 224.
[80] En la revista *Escorial*, tomo II, págs. 139-148 (enero de 1941).

de persona y lugar, de títulos de libros citados, de rimas árabes, de temas poéticos. El editor reúne todos los datos conocidos acerca de los poetas de la selección y las concordancias de ésta con otras antologías árabes. Quede para el especialista el valorar como se merecen tantos y tan bien empleados desvelos. Yo no podía hablar sino de lo que estaba algo más a mi alcance.

Corona —por ahora— Emilio García Gómez [81] sus trabajos de descubridor y revalorizador de la poesía árabe de Andalucía. Fue en 1928 cuando apareció en la *Revista de Occidente* una primera y brevísima selección traducida de la antología de Abensaid. Siguió la publicación de los *Poemas arábigoandaluces* [82], selección ya abundante, precedida de prólogo. La segunda edición (1940) de este libro [83] ofrece dos importantes cambios: incluye entonces el traductor nuevos poemas que no proceden de Abensaid, pero es el prólogo la mayor novedad; en su última forma es un breve tratado sobre el desarrollo de la poesía árabe andaluza y de su entronque con la árabe general. Estos *Poemas arábigoandaluces*, obra que en la intención del autor era, ante todo, divulgadora —y que ha sido para el público un asombroso descubrimiento del valor de la lírica árabe española—, han merecido también las mayores alabanzas de los arabistas de todo el mundo, pues para algunos —tan mal conocido era ese bello rincón de la cultura árabe— resultó tan hallazgo como para el más profano público. Aún con sus apasionadas *Qasidas de Andalucía* [84] nos reveló García Gómez otro aspecto de la lírica árabe

---

[81] Se escribían esas palabras en 1943. Un resumen de sus trabajos posteriores puede verse en su libro *Poesía arábigoandaluza (Breve síntesis histórica)*, publicado por el Instituto Egipcio de Estudios Islámicos, Madrid, 1952.

[82] Madrid, Editorial Plutarco, 1930.

[83] Madrid, Espasa-Calpe. Una nueva edición apareció en 1943.

[84] Madrid, 1940.

de España, esta vez en verso español. Y ahora, al editar con todas las garantías científicas, con escrupulosa técnica, en la que se infunde su gran saber, el *Libro de las banderas de los campeones*, deja García Gómez fijo, nítido, inmutable, abierto para el mundo, salvado para la cultura, un intacto recinto de belleza. A este libro, ya hito forzoso de los estudios de la literatura árabe, habrán de acudir, mientras persista nuestra civilización, las generaciones futuras.

CLARIDAD Y BELLEZA DE LAS «SOLEDADES»

(Aun a pesar de las tinieblas, bella.
Aun a pesar de las estrellas, clara.)

LAS «SOLEDADES», CENTRO DEL GONGORISMO

DE todas las obras de Góngora, nada más típicamente gongorino que las *Soledades*. En el *Polifemo* y en el *Panegírico al Duque de Lerma*, el desenvolvimiento poemático estaba sujeto a términos forzosos: fábula o historia. También en ambos la octava real puso casi siempre un límite estricto al período poético. Cierto que en uno y otro existe el mismo decoro verbal y casi el mismo rebuscamiento de singularidades de todo género que las *Soledades* ofrecen. Pero en éstas Góngora se propuso fingir una fábula —un pretexto lírico— sin antecedentes directos; eligió una forma cuyas estrofas ampliables o reducibles a voluntad permitían los mayores atrevimientos y complejidades sintácticas; arreó sus versos —tanto o más que en el *Polifemo* y el *Panegírico*— con lujosa selección de vocablos; y aguzó como nunca su animosa intuición poética para salvar el abismo que separa la materia real, perecedera y contingente, de la criatura de arte, eterna y absoluta. Así resultaron estas *Soledades* suntuosas y recargadas como ninguna obra del cordobés; difíciles de lectura, sobre todo desde un punto de vista sintáctico, como ninguna obra de la literatura castellana; puramente poéticas, estrictamente aristocráticas, como muy pocas de las obras artísticas de los hombres.

> ... *Extraño todo,*
> *el designio, la fábrica y el modo.*

Todo subido, en quilates y en dificultad. ¿Cómo nos puede admirar que las *Soledades* hayan sido durante dos siglos, el XVIII y el XIX, la piedra de escándalo de la literatura europea?

LAS «SOLEDADES» Y LA CRÍTICA

Dos han sido los puntos que la crítica ha elegido para su ataque: de un lado, se le ha reprochado a Góngora la escasa consistencia de la trama; de otro, se le ha afeado sistemáticamente la extraordinaria oscuridad de los versos, y no ha faltado quien llegara a decir que eran totalmente incomprensibles. Ambos reproches parecen a primera vista fundados, y, sostenidos por muy eruditos varones, han pasado a ser cosa fallada y siguen aún haciendo fortuna en los libros de texto, en las veladas académicas y entre una parte del escaso público que en España se interesa en asuntos de poesía. Y es inútil que varias generaciones de artistas hayan exaltado el valor de las *Soledades*, y que algunos excepcionales investigadores —un Miguel de Artigas, honor de las letras de España— hayan luchado generosamente contra lo admitido. Inútil: todos los que aman a Góngora son unos extravagantes, unos locos; la erudición sabe muy bien eso porque la erudición sabe todas las cosas. Cuando una de estas opiniones literarias adquiere la categoría de dogma, ya no habrá fuerzas humanas capaces de desarraigarla. Merece la pena intentarlo.

CONTENIDO NOVELESCO DE LAS «SOLEDADES»

¿Cuál es, pues, el contenido de las *Soledades*? Brevemente. Al principio de la primera *Soledad* se nos presenta a un joven que, desdeñado por la que ama, arriba, náufrago, salvado sobre una tabla, a la costa. Acogido por unos cabreros, pasa con ellos la noche en el rústico albergue donde éstos viven, y a la mañana siguiente vuelve a caminar y encuentra un grupo de serranos y de serranas que, con multitud de presentes, se dirigen a unas bodas. Presidiendo el grupo de las mozas va un viejo que, por haber perdido un hijo en el mar, acoge con simpatía al náufrago peregrino. Y, después de execrar en un largo discurso a la ambición, causa de todos los descubrimientos, pero también de todos los desastres marítimos, invita al joven a que los acompañe y asista a las bodas. Caminan, pues, por el bosque, mientras las serranas van tejiendo coros, alternando canciones, tal vez descansando a orilla de las fuentes, y llegan al lugar donde se había de celebrar el casamiento. Fuegos de artificio, danzas entre unos álamos ponen fin al día. Duermen, y a la mañana siguiente, adornada con flores y ramos la aldea, van los novios, acompañados por las alternas voces de zagalejas y zagales, hasta la iglesia donde se celebra la ceremonia nupcial. No faltan luego ni el lucido banquete de bodas, ni danzas y discursos de parabién. Y, a la tarde, en el ejido del lugar, los mozos compiten en atléticos deportes: *en la lucha, en el salto, en la carrera*. Anochece, y todos los invitados acompañan procesionalmente a los novios hasta el tálamo, campo de más dulces luchas.

Con el amanecer del día siguiente empieza la segunda *Soledad*, y vemos al peregrino en la margen de una ría, acompañado de un grupo de gentes de mar, que, de vuelta de las bodas, pasan a la otra ribera en una embarcación que llega a recogerlos. Nuestro peregrino prefiere la pobre barquichuela de dos pescadores. Asiste con ellos a las faenas de la pesca, y luego se dirigen los tres hacia una isla, apenas separada de la tierra firme, en que habitan los propietarios de la barca; y mientras así lentamente navegan, el joven peregrino canta sus infortunios amorosos. Recibido por el anciano padre y las bellas hermanas de los que le habían conducido, emplea el día en recorrer el islote y admirar la moderada hacienda de aquella feliz familia. Comen sobre la hierba en amenísimo lugar, y, después de haber comido, narra el anciano algunas hazañas piscatorias de dos de sus hijas. De otras dos están enamorados dos pescadores que a la caída de la tarde llegan a la ribera y cantan alternadamente su pasión. El joven peregrino solicita del anciano que admita como yernos a los dos amantes. Y, concedido, se entregan al reposo los moradores de la isla. A la mañana siguiente, conducido el extranjero por los mismos que le habían llevado, va navegando cerca de la tierra firme y asiste desde la barca a una partida de caza con halcones que en la ribera tiene lugar. Aquí queda interrumpido lo que Góngora escribió.

VALOR LÍRICO; NO ÉPICO

Esto es todo. Poco es. Pero bastante para lo que el poeta se propuso. ¿Llega a constituir un «asunto»? Quien con su merecidísima autoridad tachó a las *Soledades* de carecer de asunto, ¿qué entendía por esta palabra? ¿Esperaba un planteamiento, un nudo y un desenlace como en las comedias de intriga? ¿O quería que Góngora se hubiera ajustado a las reglas minuciosas que las preceptivas exigen a la epopeya? Sin pretender aquilatar las intenciones del poeta, juzgando por lo que tenemos, por la obra escrita, hay que reconocer que esta acción, tan escasa, tan tenue, resulta sólo un pretexto. No era el genio de Góngora épico, sino lírico, y valor lírico es lo que hay que buscar en las *Soledades*. La materia del argumento no ha servido sino para dar al autor los elementos de realidad indispensables para, con ellos —sobre ellos—, plasmar la fuga irreal de lo poético, esa sed de huida que han sentido y sentirán eternamente los hijos de la Naturaleza, y que el complicado Renacimiento, en una de sus direcciones (bucolismo, novela pastoril, etc.), encauzó hacia la dignificación irreal de la Naturaleza misma.

MOTIVOS NATURALES

Para esta creación los elementos agrupados por Góngora tenían la virtualidad necesaria y suficiente. No son elementos originales: tan viejos son como el mundo. Naturaleza en mares, ríos, riberas, islas, montañas. Vida elemental de cabreros, montañeses, pescadores, en selvas, aldeas, chozas pastoriles. Fuerzas geniales de lo humano resueltas en amores, en danzas, en cantares, en juegos, en luchas, en deportes de la pesca y de la caza. Vigor, utilidad y belleza de los animales y de las plantas: terneras, perdices, conejos, abejas, palomas, halcones, buhos, pájaros cantores, focas y monstruos marinos, copia de pescados, flores, árboles, frutos, bosques, huertecillos, jardines... Y como contraste, los desengaños del peregrino, las glorias y los desastres de la ambición en guerras y descubrimientos geográficos, los males de la vida cortesana: envidia, inútiles ceremonias, adulación, pasajeros favores y valimientos... Por todas partes está asomando en las *Soledades* el tema del menosprecio de corte y alabanza de la vida elemental y de la edad dorada. Por todas partes también fluye un espíritu pánico de exaltación de las fuerzas naturales: bajo los versos más precisos, bajo las palabras más espléndidas, late el fuego vital de la naturaleza engendradora y reproductora, como un borboteo apasionado que —como veremos después—, al verse reprimido en los estrictos límites de una apretada forma poética, si no llega a quebrarla, le comunica por lo menos su ardor, llena de suntuosidad y de boato la forma misma, la hace recargada.

NATURALEZA Y POESÍA RENACENTISTA

La base real de la poesía de las *Soledades* es, por tanto, la naturaleza. Pero aquí termina la conexión con la realidad. Nadie, supongo, esperará en Góngora una visión de la naturaleza a la manera romántica. El poeta, ligado por los convencionalismos de su época y su educación, desperdicia aun el contraste que él mismo plantea: no nos presenta las emociones del peregrino ante lo natural; deja a éste borroso, como simple hilo de una acción apenas esbozada, y pone delante de nuestros ojos, directamente, a la naturaleza misma. ¿Directamente? No: una naturaleza deformada estéticamente, último resultado de la evolución que arranca del bucolismo grecolatino y resurge y se completa en el Renacimiento italiano. Ni aun siquiera se pueden encontrar en él los atisbos de emoción humana ante la naturaleza, esporádicos en algunos grandes poetas del siglo XVI, en un Garcilaso, en un Fray Luis de León. La retina de Góngora es sensible como la de ninguno, pero sus ojos son antiguos como la humanidad: antiguos y sabios. Constantemente, entre la imagen vista y la imagen pensada se le está interponiendo un recuerdo [1]. Poco

---

[1] V.: M. Artigas, *Don Luis de Góngora... Biografía y estudio crítico.* Madrid, 1925, pág. 278.

hay de original en el mundo de su representación. En lo que supera a muchos de los que le anteceden —en su aguda individualidad poética —no tiene, no podía tener, escuela ni discípulos. Y, en general, su originalidad es la del artífice rabiosamente anhelante de superar perfecciones. Góngora es el último término de una poética: resume y acaba; no principia.

Ha visto certeramente, pero a través de toda la tradición grecolatina. Y lo que nos da es una naturaleza llena de atuendo y de afeite, una naturaleza deformada. ¿En dónde, pues, su mérito? En lo llevado por el cabo, en lo radical y egregio de la deformación misma. De la naturaleza, no sólo ha desaparecido lo feo, lo incómodo, lo desagradable, sino que aun su misma belleza se ha estilizado o simplificado para reducirse a bien deslindados contornos, a escorzos ágiles, a armoniosas sonoridades, a espléndidos colores. Peinada estilización, hábil escamoteo que sólo con el continuo y complicado juego de metáforas de que usa Góngora hubiera sido posible. Con él, no sólo se borra la individualidad del objeto, sino que éste entra dentro de una categoría a la cual cubre y representa una metáfora. No se busque en las *Soledades* agua de ríos, agua marina o de fuente o de laguna: *cristales* es marbete que cubre a todas ellas. Pero cristales será también la imagen que designe a unos bellos miembros de mujer. Vemos, pues, cómo no sólo desaparece lo individual dentro de una idea genérica, sino cómo dos conceptos distintos de materia real ascienden a ser un solo concepto estético, una sola imagen. Resultan así en la poética de Góngora unas extrañas series en las que elementos muy dispares quedan reunidos por una sola designación: *oro* será la palabra que exprese todos los objetos poseedores de una misma propiedad común, la de ser dorados: ya sean cabellos de mujer, miel de abeja, aceite de oliva, mieses de trigo. *Nieve* será todo lo que coincida en blancura. Cuando el lector encuentra en las *Soledades* una de estas palabras tiene ya la llave —género próximo— para un tropel de conceptos. La última diferencia se la dan sólo el contexto o los determinativos que a la palabra misma acompañen: si se habla de *nieve hilada,* habrá que entender manteles de blanco lino; si de *volante nieve,* el poeta ha querido designar la blanca pluma de un ave; si de *nieve de colores mil vestida,* se trata de los miembros de unas serranas cubiertos por sus coloreadas ropas; si de los *fragantes copos que sobre el suelo ha nevado mayo,* se ha designado así a los lirios blancos crecidos con la primavera.

METÁFORAS VULGARES

Estas metáforas triviales, constantemente repetidas, llegan a constituir una *manera,* o mejor aún, en unión de otras singularidades, una lengua poética, no distinta en principio de la habitual en poesía, diferente sí, por la constancia, por la incesante repetición del procedimiento y además por la frecuencia con que se da el elemento irreal o metafórico, sin que aparezca explícito por ninguna parte el término real de la comparación. Son habitual en poesía comparaciones de este tipo: La barca salió sobre las aguas azules y de una tersura de cristal, como si pisase la superficie con los veloces pies que fingían los remos. En Góngora sólo aparecen los términos irreales: *Salió... cristal pisando azul con pies veloces.* He aquí, por tanto, llevada a su último extremo, una lengua poética en la que los designativos metafóricos están poniendo constantemente una barrera irreal entre la mente y el objeto mismo. Cierto que estas metáforas carecen casi siempre de novedad, pero permiten huir el nombre grosero y el horrendo pormenor: son como un bello eufemismo. Abstraen del objeto sus propiedades físicas y sus accidentes, para presentarle sólo por aquella cualidad, o cualidades, que para el poeta, en un momento dado, son las únicas que tienen estético interés. Así la naturaleza en las *Soledades* llega a no ser más que un cortejo de bellos nombres: *plata, cristal, marfil, nácar, mármol, diamantes, oro, pórfido, jaspes, azahares, claveles, rosas, lilios...* La base idiomática que en el primer plano de nuestra lengua cuotidiana está constituída por el nombre y su inmediata representación, desgastados entre contingencias y suciedades, en Góngora está formada por la metáfora y la visión irreal y espléndida que inmediatamente sugiere, desgastadas y triviales también, sí, pero en la lucha sedienta y secular que los hombres han sostenido por la conquista de la pura belleza.

METÁFORAS VULGARES E IMÁGENES INSIGNES

No faltará quien se indigne porque alabemos a Góngora por haber incidido en el lugar común metafórico. Tenga en cuenta que no la hacemos ahora del polimórfico —y polifónico— talento con que el poeta conjuga y traba su brillante imaginería cada vez de manera diferente —aun en aquellos casos en que juega con lo más manido—. Y tenga en cuenta que estas imágenes vulgares son los puntos neutros de la poesía de Góngora, lo que correspondería en un poeta normal a las partes no poéticas expresadas en lenguaje cuotidiano. Y no olvide que de estos relieves se hubieran podido nutrir algunos de los mejores poetas del Renacimiento, mientras que para Góngora este continuo juego de metáforas de que ahora hablo era sólo el cañamazo, la materia neutra, el excipiente de su lenguaje poético. Sobre esta masa de segundo término se elevan las cimas insuperadas de sus aciertos expresivos, como sobre la vega llana de lenguaje habitual en los poetas normales se levantan, aquí y allá, las modestas cumbres de sus hallazgos —no siempre hallazgos— metafóricos. De otro modo: Góngora parte de la meseta, de lo que, para el que arranca del mar, es cumbre. O, a la manera matemática —aunque sin pretensiones de exactitud—: metáfora trivial es a imagen insigne en Góngora, como en otros poetas lenguaje realista es a imagen normal.

IMÁGENES DE CREACIÓN PERSONAL

El arranque y brío de Góngora cuando se apodera de una fórmula personal y creativa, su agudeza y limpidez de visión en trance de verdadera intuición poética no han sido superados por nadie en la poesía española. Un desfile de halcones, inquietos y encapirotados, sobre la mano de los halconeros:

> *Quejándose venían sobre el guante*
> *los raudos torbellinos de Noruega.*

¡Los raudos torbellinos de Noruega! El verso inicial, pomposo y doliente, lleva una lentitud, un avance contenido y aristocrático, que va a precipitarse, en imagen y palabras, al arrebato del segundo, para morir en una exótica alusión, blanca de nieves árticas, negra de noches septentrionales. Y, ahora, como contraste, con visión de águila o de máquina voladora, la estática contemplación del estrecho de Magallanes:

> *... de fugitiva plata*
> *la bisagra, aunque estrecha, abrazadora*
> *de un Océano y otro.*

O de las Islas de Oceanía diseminadas allá por mares de Oriente como ninfas del cortejo de Diana, medio sumergidos los

hermosos y blancos miembros en las aguas de los estanques
del Eurotas. Esta imagen todavía mira hacia atrás, pero hacia
el futuro, y, valientemente, mira esta otra que hizo escandali-
zarse al bueno de Pedro de Valencia. Es un río, contemplado
también con visión caballera; un río que fluye y *se dilata
majestuosamente*, dividido por numerosas islas. ¿Qué son las
islas al prolongado fluir de las aguas?

> ... *paréntesis frondosos*
> *al período son de su corriente* [2].

Curso dilatado de un río y prolongado período oratorio. Un
cruce mental. Pues bien: de estos cruces, de estos afortuna-
dos errores, mucho en Góngora. Ahora es un *tropel de armas
y de perros* que va dando alcance a un lobo. Tal ímpetu, tal
sentido del avance hay en el tumultuoso tropel, que se podría
llegar a decir que se llevaba no sólo las personas, sino aun
los mismos montes precipitados tras la fiera. Otras veces los
motivos de confusión los dan los elementos naturales. Des-
varíos de la dudosa luz del crepúsculo:

> ... *los horizontes*
> ... *hacían desigual, confusamente,*
> *montes de agua y piélagos de montes.*

Por el contrario, no pocos gozos estéticos nos van a proporcionar las más trasparentes claridades. Si el agua es *cristal*,
también el cristal será *agua*. Nada nuevo. Pero un humilde
adverbio dará novedad y eficiencia a la imagen: *Cristal, agua
al fin dulcemente dura*. Las plumas desbaratadas de un vuelo
demasiado atrevido dejarán escrito en los senos del aire un
perpetuo aviso de aviadores incautos:

---

[2] Versos 206₄ y 206₅ de la primitiva versión de las *Soledades*.

> *... de sus vestidas plumas*
> *conservarán el desvanecimiento*
> *los anales diáfanos del viento.*

Las luces de unos fuegos se reflejan en el agua de un arroyo. Cada onda es un fanal, cuya vidriera será la misma agua, cuya luz el propio reflejo que dentro del agua parece arder:

> *Fanal es del arroyo cada onda;*
> *luz, el reflejo; la agua, vidriera.*

Ejemplos. He elegido unos pocos entre aquellos que por ser gramaticalmente claros no necesitan gran explicación, y por breves poco espacio para la cita. Dejando todos los que se desenvuelven a través de una estrofa completa, los más pomposos, aquellos de mayor raigambre clásica en los que Góngora más se parece —excediéndolos con frecuencia— a los otros poetas de los siglos XVI y XVII.

HALAGO DE LOS SENTIDOS

Por lo dicho hasta aquí se habrá comprendido bien a las claras cómo la poesía de Góngora alude sin descanso a toda la hermosura de la naturaleza y esquiva todas sus fealdades. Si aparecen por estos versos la miseria y la escasez, el poeta las eleva inmediatamente a temas de belleza. Los cabreros no pueden ofrecer al joven peregrino más que un poco de leche y un poco de cecina. Pero la leche era tan blanca que ante ella seguramente habían desmerecido los lirios que coronaban la aurora del ordeño, y la fibrosa cecina era de un color tan encendido que parecía purpúreos hilos de la más fina grana. Lo mismo ocurre con el dolor: si alguno aparece, es el amoroso, bello por amoroso. Y con la incomodidad. El peregrino llega a la costa, náufrago, empapado en agua: he aquí lo desagradable. Pero pone a secar al sol su vestido, y ¡cómo lo seca el sol!:

> ... *lamiéndolo apenas*
> *su dulce lengua de templado fuego,*
> *lento lo embiste, y con süave estilo*
> *la menor onda chupa al menor hilo.*

Así convierte Góngora en belleza aun los incidentes menos halagüeños.

Sale, por tanto, de toda esta poesía un constante halago de los sentidos. Ninguna más sensual. Y de todos los halagos sensoriales, los más extremados los del sonido y del color.

EL COLOR [3]

Es ya conocida la línea de intensificación del color que va de Garcilaso a Góngora pasando por Herrera. Nadie más colorista que el cordobés. Si se hiciera un recuento de los adjetivos de color que en su poesía ocurren, asombraría ver que no hay estrofa, y apenas verso, en que no se dé una sugestión colorista. Esta paleta no es muy extensa. He dicho ya antes que hay en las *Soledades* una tendencia a simplificar lo natural hacia la belleza. Lo mismo ocurre con los colores. De las varias series de tonalidades de que el poeta usa, las más frecuentes son éstas. La del rojo, muy abundante en la *Soledad Primera: livor, púrpura, rubíes, grana, acanto, carmesí, escarlata, coral, clavel, rosa.* La del blanco: *lino, lilios, espuma, perlas, nieve, cisnes, corderos.* La del oro: *oro, dorado, rubio, topacio, miel, cabellos,* etc. La del azul: *azul, zafiro, cerúleo...* El verde, por encontrarse abundantemente en la naturaleza, es el único color que tiene un valor real. El negro, salvo raras

---

[3] V.: L.-P. Thomas, *Gongora et le Gongorisme considérés dans leurs rapports avec le Marinisme.* París, 1911, págs. 108-110.

excepciones, sólo juega papel de elemento discordante dentro de la armonía del mundo: como representación del dolor:

> *... las que su memoria*
> *negras plumas vistió...;*

o del malaugurio y la fealdad:

> *... negra de cuervas suma*
> *infamó la verdura con su pluma,*
> *con su número el sol...*

Al lado de la abundancia del color, la nitidez del color mismo. Nada de colores quebrados: todos puros, vívidos, frescos. Esta brillantez colorista constituye de por sí una serie de lo nítido —*luciente, esplendor, brillante...*— y está, además, íntimamente relacionada con la elección de palabras magníficas que reúnen en sí la brillante radiación, la suntuosidad y la sensación colorista: *nácar, plata, perla, diamante*, etc... Así, nada queda en las *Soledades* borroso e impreciso —¡nada impresionista!—: todo neto, todo nítido y exacto. La naturaleza adonde nos lleva el arte de Góngora no tiene muchas tonalidades, pero en ella se han vertido los colores más puros, envueltos por un aire tan diáfano, tan cristalino, que casi da una consistencia y un esplendor vítreo a las cosas.

EL SONIDO

Otro halago, el del oído. Las aficiones musicales de Góngora le llevan, en las *Soledades* como en otras poesías suyas, a comparar todo lo que emite un sonido agradable con un instrumento musical:

> *Rompida el agua en las menudas piedras,*
> *cristalina sonante era tiorba;*
> *y las confusamente acordes aves*
> *...muchas eran, y muchas veces nueve*
> *aladas musas, que, de pluma leve*
> *engañada su oculta lira corva,*
> *metros inciertos sí, pero süaves*
> *en idïomas cantan diferentes...*

Parecidas imágenes se encuentran con frecuencia —dentro y fuera de las *Soledades*— para el agua sonora. Todo amigo de Góngora recuerda los ejemplos análogos respecto a las aves: *cítaras de pluma...*; *esquilas dulces de sonora pluma*. Tampoco deja Góngora de expresar hiperbólicamente, y con claro recuerdo de la poesía y fábulas de la antigüedad, los efectos de la armonía sobre la naturaleza y sobre el hombre: así, un arroyo, para oir los dulces cantares de unas montañesas, forma *tantas orejas cuantas guijas lava*. Toda la naturaleza participa ansiosamente en el goce de los bellos sonidos: si canta el peregrino, el mar se bebe esponjosamente su lastimoso canto, el viento lo hurta entre sus alas, el eco lo guarda avaramente en sus cavernas. También el hombre bebe con avidez la belleza de la música y del baile. Danzan y cantan las serranas, y el peregrino, oculto en lo hueco de una encina, las está contemplando:

> *De una encina embebido*
> *en lo cóncavo, el joven mantenía*
> *la vista de hermosura, y el oído*
> *de métrica armonía.*

¡Soledades rumorosas de voces, de músicas, de alborozadas danzas!; bella armonía sobre la que resalta, más limpio y musical, el silencio: *En torneado fresno la comida / con silen-*

cio sirvieron...; La comida / que sin rumor previno en mesas grandes...; Triunfa mudo / el silencio, aunque breve, del rüido: / sólo gime ofendido / el sagrado laurel del hierro agudo... ¡Soledad sonora!: sonora y silenciosa, a pausas, como el viento entre los árboles.

MUSICALIDAD DE LOS VERSOS

Hay que agregar, por último, a la musicalidad aludida o representada, la música viva de los versos mismos. Maravillas habían hecho, ya a lo suave, ya a lo clamoroso, un Garcilaso, un Luis de León, un Herrera. Góngora, que no en vano viene detrás, acaba de arrancar sus últimos secretos al endecasílabo. El ha adivinado como nadie, en poesía española, la estrecha alianza que el verso establece entre musicalidad y representación, y sabe colocar las palabras más nítidas en la cima de sonoridad del verso, la palabra más intensa o más sugeridora en el punto donde el ritmo alcanza mayor intensidad: *Mientras cenando en* PÓRF*idos lucientes...; En la mitad de un óvalo de plata...: Los anales di*ÁF*anos del viento...; Suelo de* LI*lios que en fragantes copos...; en campos de* ZAF*i*RO *pace estrellas...; Espumoso* CORAL *le dan al Tormes...; Caduco al*JÓF*ar, pero al*JÓF*ar bello...* Y este procedimiento, clarísimo y constante en las *Soledades*, sirve para reforzar aún más la sensación lumínica del vocabulario colorista de Góngora. En fórmula breve, podríamos decir que la palabra espléndida y coloreada, puesta en trance de intensidad rítmica, se intensifica, como si el ritmo fuera una caja de resonancia del color, y el ritmo se esculpe más garboso y claro al ceñirse a la palabra fastuosa y lúcida.

Pero los aciertos son aún más amplios. Góngora es uno de los poetas españoles que mejor han comprendido el verso

como unidad expresiva y sabido ajustar los elementos externos a los internos, la musicalidad a la representación. En un
solo verso nos da toda la pesadez, toda la soñolienta torpeza
del buho: *Grave, de perezosas plumas globo.* Dos palabras
simétricas, *grave, globo,* contrabalancean la densidad total de
la imagen; otras dos, *perezosas plumas,* acaban de dar pau-
sado sopor y lentitud al endecasílabo. Otras veces, la lucha
de los grupos -cr-, -tr-, -br-... hace que el verso se endurezca y
quiebre con chasquidos de leña en el bosque: *O el austro
brame, o la arboleda cruja...;* si ya no sirve para realzar el
profundo clamor de los cuernos marinos: *Trompa Tritón del
agua, a la alta gruta...* Entre las erres se redondean los arrullos de las palomas:

> *Donde celosa arrulla y ronca gime*
> *la ave lasciva...*

Versos hay en los que las vocales *a* y *e* compiten en blancura
cándida: *Tras la garza argentada el pie de espuma...* Otros,
por los que pasa el susurro húmedo de los vientos más sua-
ves: *El fresco de los céfiros ruido...* Otros, que resbalan
con piel lúbrica y suculenta: *El congrio que, viscosamente
liso, / las redes burlar quiso...* Otros, en fin, que cruzan dar-
deantes, en iluminaciones momentáneas: *El neblí que, relám-
pago su pluma, / rayo su garra..., / El gerifalte, escándalo
bizarro / del aire...* Versos todos que, por estar trabados con
el ritmo general de la estrofa, ya reforzando, ya contrastando
el efecto de los anteriores, sólo dentro de la estrofa misma
pueden ser comprendidos en todo su valor.

¿Perfección absoluta, verso a verso? No: absurdo. No hay
poeta que en una obra de las proporciones de las *Soledades*
pueda tener un constante dominio de la técnica. Fracasos
hay también: versos duros, inútiles o inexpresivos. Pero vic-

toriosamente contrapesados por la iluminada mayoría de los aciertos.

HIPÉRBOLES

El poeta tiende a dar sensaciones absolutas: lo colorista está siempre presentado con la máxima pureza de luz; lo espléndido, con el resplandor más nítido; el sonido, en las últimas posibilidades de la armonía. Góngora no quiere que ni una sola de las hermosuras que presenta admita término de comparación. Es éste otro modo de elevar lo natural a plano estético, particularmente grato a la poesía renacentista, y aquí, como siempre, Góngora está situado al cabo de la serie de poetas del siglo xvi. Nunca se detiene ante una hipérbole, por caprichosa o absurda que sea. He aquí uno de los puntos en que su poesía está más distante de la nuestra, y adonde el gusto moderno más se resiste a acompañarle. Enorme abundancia de ejemplos. Las plumas de unos cisnes son tan blancas que sirven de nevada envidia a la piel de Espío y Galatea, las cuales, a su vez, tienen la piel tan blanca, que hace oscurecer la misma espuma de los mares. Aquí no ha bastado al poeta un término de comparación, sino que a este término, vencido en blancor, ha opuesto todavía otro —hipérbole de segundo grado— para encarecer aún más la blancura del primero. La novia de la *Soledad Primera* tiene tan blancas las manos, tan esplendentes y abrasadores los ojos,

> *... que hacer podría*
> *tórrida la Noruega con dos soles*
> *y blanca la Etiopia con dos manos.*

El Sol, por ver la belleza de la menos hermosa de unas serranas —que están bailando de noche—, se transformaría con gusto en una estrella. Por oir cantar a dos enamorados pescadores, las dos bellas Osas —las dos constelaciones de este nombre— bajarían de buena gana hasta las ondas del mar, que astronómica y mitológicamente les están prohibidas. Etcétera.

CONTENIDO POLIMÓRFICO

Hemos visto hasta aquí cómo el lenguaje poético de las *Soledades* es, por su riqueza metafórica, de una parte, una síntesis; de otra, una superación del de toda la poesía renacentista; cómo en él se realzan los halagos del color y del sonido; cómo Góngora, deseoso de producir efectos intensos, exagera hiperbólicamente toda belleza que se le viene a las manos. Estos indicios están apuntando una fórmula: poesía recargada. Y entiéndase bien que no quiero expresar ni vicio ni virtud, sino cualidad.

Estamos ahora en mejores condiciones para comprender el papel estético del contenido de las *Soledades,* de ese contenido que a tantos ha parecido vacuo, y que no sólo no lo es, sino que, de tan lleno, de tan apretado, está colaborando a la misma tendencia: es tan recargado como la forma misma.

Si tratamos de ver analíticamente los elementos del contenido de las *Soledades,* ya no en su débil ilación novelesca, sino en los diferentes tipos a que se pueden reducir, encontramos dos grupos bien diferenciados. De una parte, discursos, canciones y coros; de otra, descripciones. Al primer grupo pertenecen: la canción del albergue bienaventurado; el discurso de los descubrimientos marítimos; el discurso nupcial de enhorabuena; el coro himeneo de zagalejas y zagales; la canción del peregrino al mar; los discursos del peregrino y del anciano pescador; el canto amebeo de los dos enamorados pescadores. En el segundo grupo pueden encontrarse aún dos modalidades diferentes: simples descripciones —más o menos ligadas a la acción general— y descripciones enumerativas. Entre las primeras se podrían poner las siguientes: del dilatado curso de un río; de la marcha de las serranas a través del bosque; del baile nocturno en la alameda de la aldea; de la hermosura de la novia; del acompañamiento de los novios hasta el tálamo; de un arroyo que va a morir al mar; de la isla donde viven los pescadores; de las seis hijas del viejo pescador; de la comida en un ameno lugar de la isla; de una quinta o fortaleza, etc.

Ya se puede ir viendo hasta qué punto están nutridas de incidencias y llenas de vida las *Soledades*. Pero todavía se deduce mucho más claramente del último grupo: el de las enumeraciones. Constituyen éstas uno de los aspectos más ilustrativos del arte de Góngora, y en varias de ellas culmina la certeza de visión intuitiva del poeta, su manera de apoderarse de las formas reales de la naturaleza y, mediante un procedimiento de simplificación estética, reproducirlas con sólo un trazo enérgico y expresivo. Muchas de estas series se podrían citar. Por ejemplo: de las serranas que danzan y cantan junto a un arroyo; de los árboles cortados para adornar la aldea; de los juegos atléticos con que se festejan las bodas; de la hacienda del viejo pescador; de los episodios de la caza de altanería. Pero tienen especial interés aquellas que se reducen a una descripción precisa y rápida de las más variadas formas naturales: de los regalos que los montañeses llevan a las bodas; de los manjares de la comida nupcial; de los pescados que da la ría; de las aves que llevan los cazadores. Aquí alcanza su máximo ese hervor, ese pulular de las fuerzas y formas de la naturaleza que está latiendo siempre por las *Soledades*.

En la poesía de Góngora, flores, árboles, animales de la tierra, aves, pescados, variedad de manjares..., pasan en suntuoso desfile ante los ojos del lector. El símbolo más fiel de esta poesía es la cornucopia. ¿En qué estaban pensando los que dijeron que las *Soledades* estaban vacías? Tan nutridas están que apenas si en tan poco espacio pueden contener tal variedad de formas. Están cargadas de vida: recargadas.

BARROQUISMO

De aquí su barroquismo. Tanto se ha zarandeado en los últimos años esta palabra, *barroco,* que corre peligro de llegar a no decir nada. Pero volviendo al concepto estrictamente arquitectónico, así como en el barroco las superficies libres del clasicismo renacentista se cubren de decoración, de flores, de hojas, de frutos, de las más variadas formas arrancadas directamente a la naturaleza o tomadas de la tradición arquitectónica de la antigüedad, así también en las *Soledades* la estructura renacentista del verso italiano se sobrecarga de elementos visuales y auditivos, de múltiples formas naturales y de supervivencias de la literatura clásica que no tiene ya un valor lógico —no un simple valor lógico—, sino un valor estético decorativo. En las *Soledades* la introducción de esos pomposos cortejos, de esas enumeraciones de frutos, manjares, bestias, no son para nosotros una incidencia novelesca del argumento, o lo son en una proporción mínima, sino son elementos decorativos, contribuyen dentro de la trama general, lo mismo que la palabra escogida y resplandeciente dentro del verso, a dar a la poesía de Góngora su sabor pomposo, ornamental, recargado.

Erraron la puntería los que afeaban a las *Soledades* el no tener interés novelesco. Era precisamente lo que no debían, no podían tener. Es éste uno de los mayores aciertos de Góngora y uno de los que más le aproximan al gusto de nuestros días: basta pensar en el desmoronamiento actual de la novela, o, en otro orden, en los nuevos caminos —puro placer de las formas— que han abierto a la pintura el cubismo y sus derivaciones. A menor interés novelesco, mayor ámbito para los puros goces de belleza. Contra el interés novelesco, el estético. En lugar del interés novelesco —alimento de las actividades espirituales de órden práctico—, la densa polimorfía de temas de belleza. ¿Quién podrá decir que las *Soledades* carecen de *asunto?* [4].

Verdad es que los que esto han afirmado se creerán bien amurallados en su eterna canción: «Son oscuros, incomprensibles.» Y ellos mismos se contradicen: si no las habían entendido, ¿cómo podían saber que estaban vacías?

DIFICULTAD DE LAS «SOLEDADES»

Ya he indicado antes que parece haber sido claro propósito de Góngora la formación de una lengua poética. A la abundancia de designativos metafóricos triviales tomados de la antigüedad —ya directamente, ya modificados y bellamente refundidos— y a las imágenes insignes creadas por el genio del poeta, habría que añadir otros muchos tropos usados por sistema a todo lo largo de la obra: *Vulcano,* por el fuego; *Baco,* por el vino; *Ceres,* por las mieses; *Febo,* por el Sol;

---

[4] Sigo creyendo que las *Soledades* tienen un *asunto* suficiente para el propósito que guió a su autor y que están cien codos por encima de la ramplonería y del aburrimiento, generales en nuestros poemas épicos del Siglo de Oro. Mas no firmaría hoy ese párrafo. Pagué en él tributo al gusto esteticista del momento. El cubismo y la desnovelización de la novela, etc., fueron benéficos, y aun necesarios, pero están muy lejos de nosotros. Mi concepto de la poesía es hoy mucho más amplio.

fresno, por venablo; *tálamo*, por matrimonio; *roble, pino, haya, abeto*, por navío, etc.... Pónganse ahora, junto a estas traslaciones, limitaciones y extensiones retóricas, las alusiones —con frecuencia apenas iniciadas— a la Mitología, a la Geografía antigua y moderna, a la Historia, a la Historia Natural, en una palabra, a casi todas las ramas del saber humano, unas veces desde el punto de vista grecolatino; otras, desde el del siglo xvii. Añádanse, por último, las audacias de léxico y sintaxis: cultismos, transposiciones, acusativos griegos, empleo singular de los relativos, complicación y longitud del período gramatical, lleno de incisos de valor diferente, de paréntesis enteramente desligados, de aposiciones, de gerundios y ablativos absolutos...

La lectura de las *Soledades* es ciertamente —sería necio el negarlo— muy difícil. Pero una cosa es la dificultad y otra la incomprensibilidad o la carencia de sentido. Es verdaderamente vergonzoso que haya todavía en España personas que escriben y discuten de cosas de literatura y siguen creyendo que las *Soledades* son un simple galimatías, un engendro sin pies ni cabeza.

Puesto que éstos son partidarios de la claridad, pongamos las cosas en claro.

DIFICULTADES VENCIBLES E INVENCIBLES

Hay que partir de la dificultad innegable de las *Soledades*. Pero tener en cuenta que de esas dificultades la inmensa mayoría son vencibles. Siempre que el poeta ha sido señor de los materiales técnicos, apenas se han traspuesto los obstáculos de lenguaje, aparecen en el fondo de aquello que parecía inconexo a primera vista, una perfecta trabazón lógica, una absoluta cohesión gramatical [5]. Frente a esta inmensa mayoría de dificultades vencibles, queda el reducido número de las que todavía no se han resuelto y que tal vez nunca se podrán resolver. Son los fracasos del poeta. Fracasos expresivos, unas veces, porque la imagen, sin asidero ninguno del lado de lo real, queda tan vaga que podría cubrir a multitud de objetos, o la alusión es tan velada que nadie la podrá perseguir. Fracasos gramaticales, otras veces, porque, forzado el idioma, ha venido a caer en la anfibología o el anacoluto. Pero estas caídas son absolutamente excepcionales. ¿Qué poeta no las tiene? Aunque se trate del más sencillo, sobre todo si hay tres siglos de por medio, ¿cuánto no revuelven y se afanan los eruditos para poner en claro si quiso decir *a* o *b*, cuántos lugares no toman del revés y del derecho para sacarles un sentido que a veces no resulta por ninguna parte? ¿Qué tiene de particular que en un poeta tan apretado como Góngora haya escollos, y aun en alguna mayor proporción que en los demás? ¿Vamos a dejar por eso de leerle? ¿Con qué derecho tildar a las *Soledades* de incomprensibles porque haya unos cuantos pasajes que lo sean? No; la oscuridad de las *Soledades* es una idea que sólo ha podido abrirse paso dentro del estrecho y sórdido ámbito de rutina en que da vueltas a la noria la crítica literaria oficial de España. Esta crítica ha sido tan desgraciada que ha ido a elegir el calificativo que peor convenía a la poesía de Góngora: oscura. No oscuridad; sí dificultad. Pero tras estas dificultades, la más rutilante iluminación, el más intenso, el más nutrido acopio de temas de belleza.

---

[5] Es lamentable que esto pueda todavía suscitar controversia. No trato de ganar para la causa de Góngora a aquellos que están decididos a no dejarse convencer. El lector imparcial encontrará la prueba suficiente de mis palabras en mi versión en prosa de las *Soledades*.

CLARIDAD, BELLEZA

No oscuridad: claridad radiante, claridad deslumbrante. Claridad de una lengua de apurada perfección y exacto engarce gramatical, donde las imágenes aceradas han apresado y fijado las más rápidas, las más expresivas intuiciones de nuestra realidad eterna. ¡Difícil claridad que nos satisface, que nos sosiega con un placer cuasimatemático, la de la poesía de Góngora, de esta poesía que es la más exactamente clara de toda la literatura española! Hay que· añadir, en seguida, a la claridad de expresión la claridad del objeto representado, la luminosidad del mundo poético gongorino. Claridad ésta de íntima, profunda iluminación. Mar luciente: cristal azul. Cielo color zafiro, sin mácula, constelado de diamantes o rasgado por la corva carrera del sol. *Mundo abreviado, renovado y puro*, entre las armonías de lo blanco, lo rojo y lo verde. Mundo iluminado, ya no sólo por la luz del día, sino por una irradiación, una luz interior, una como fosforescencia de todas las cosas. *Claritas*. Hiperluminosidad. Luz estética: clara por bella, bella por clara.

Y no vacío, no nihilismo poético: iluminada plenitud, pletórica plenitud. Hervor de vida idealizada, hormiguear de formas, borbotear de fuerzas, bullir de colores, huracanes y remansos de armonía. Intensidad: lo conciso dentro de cada partícula de lo pomposo. Pasión y freno; libertad y canon. Exuberancia barroca, sí, pero limitada, pero acendrada hasta en el más huidizo escrúpulo del pormenor. Prurito incalmable de la calidad, anhelar frenético de perfecciones. Otero del éxtasis: belleza.

Allá los muertos entierren a sus muertos y los ciegos sean lazarillos de los sin vista. Allá ellos. Probablemente, el fari-

seísmo académico continuará, año tras año, apegado a su tradición —a su pésima tradición— y tal vez nunca deje de
lanzar sus iracundos anatemas contra Góngora.

Muy bien. Perfectamente. Tampoco se ha de extinguir la
raza de seres que, diseminados por los rincones del mundo,
escuchan, atentos y anhelantes, toda voz de belleza. Ellos son
los que tienen entendimiento y lengua para juzgar y corazón
para querer. Para ellos las *Soledades* de don Luis de Góngora.

Mayo de 1927 [6].

---

[6] El tono combativo de la última parte de este trabajo resulta ya
inútil hoy. No he querido tocarlo. Quede como testimonio del momento
en que se escribió. Intemperancias antigongorinas recientes no recuerdo sino una del bueno y simpático Pfandl (q. e. p. d.). Siempre con
aquella inteligente cabeza dura, siempre más papista que el Papa.

ALUSION Y ELUSION EN LA POESIA
DE GONGORA

Todo el arte de Góngora consiste en un doble juego: esquivar los elementos de la realidad cotidiana, para sustituirlos por otros que corresponden, de hecho, a realidades distintas del mundo físico o del espiritual, y que sólo mediante el prodigioso puente de la intuición poética pueden ser referidos a los reemplazados. Es éste un doble juego en el que tanto se pierde como se gana. Se pierde en variedad: el mundo sufre una poda de cualidades físicas no interesantes estéticamente; pero las cualidades conservadas adquieren —con el aislamiento— nitidez, realce, intensidad, notas elevadas ahora a términos absolutos, perdidas antes —del lado real— en una confusión de contingencias.

En el estudio de la metáfora es donde esta teoría tiene, centralmente, su aplicación. Pero hay que partir del lenguaje como productor de representaciones; y en el lenguaje no se puede prescindir de ninguno de los dos elementos que cubren la objetividad del ser: de una parte la noción, que corresponde al idioma íntimo, tácito, del pensamiento; de otra, la palabra, modificación fonética del mundo (o la grafía de la palabra), elemento externo, sujeto a variaciones temporales y espaciales, que suscita de modo automático en el oyente (o en el lector) la noción que el autor quiso expresar.

La tendencia central del arte de Góngora, y la que primero atrae la atención del lector, es, como acabo de decir, la que le lleva a sustituir constantemente el complejo *noción-palabra*, correspondiente a un término de la realidad circundante, por otro metafórico (sustitución total); pero existe también en su poesía, y con la misma frecuencia, una sustitución más parcial y tímida, que conservando —ya veremos hasta qué punto— la noción real, esquiva la palabra que a esa noción corresponde. Esta huída, este aborrecimiento de la palabra que debía cubrir directamente a una noción, es lo que da origen a la perífrasis. En la perífrasis, la imaginación describe un círculo, en el centro del cual se instaura, intuída, la palabra no expresa.

En lo que sigue voy a estudiar las causas y la eficacia estética de este fenómeno tan genial del gongorismo. Veremos cómo lo que por el haz es sólo esquivamiento, quiebro a la realidad idiomática, por el reverso se nos descubre como un fructífero viaje de placer, pero un viaje reglado y previsto, no una caprichosa aventura.

PERÍFRASIS EUFEMÍSTICA

¿Por qué tal aborrecimiento de la palabra concreta? En algunos casos la necesidad de esta huída se siente de un modo perfectamente explicable: hay un gran número de palabras de uso cotidiano que la poesía de tradición clásica ha procurado siempre omitir, y son aquellas que se refieren a objetos tenidos por demasiado vulgares o groseros, o fatídicos y de mal augurio. La perífrasis en este caso se convierte en eufemismo. Es cierto que Góngora —Jáuregui se lo echaba en cara— no esquiva en algunas ocasiones palabras de las consideradas tradicionalmente como poco poéticas. Así aparecen por las *Soledades* con sus vulgares nombres: *coscojas, atunes, cecina*, etc. Pero esto es excepcional. Si el poeta tiene que aludir a un macho cabrío, dirá:

> *El que de cabras fué dos veces ciento,*
> *esposo casi un lustro, cuyo diente*
> *no perdonó a racimo aun en la frente*
> *de Baco, cuanto más en su sarmiento...*

Para no nombrar a las caseras y triviales gallinas, nos llevará por estos senderos:

> *... crestadas aves*
> *cuyo lascivo esposo vigilante*
> *doméstico es del Sol nuncio canoro*
> *y—de coral barbado—no de oro*
> *ciñe, sino de púrpura, turbante.*

Si el pavón de Juno no tiene más que una fealdad —la de sus patas—, su triste prójimo el pavo de Indias es feo —y grotesco— de la cabeza a los pies. Góngora lo sabe; y con delicada piedad le increpa:

> *¡Tú, ave peregrina,*
> *arrogante esplendor—ya que no bello—*
> *del último Occidente...!*

Otros motivos le llevarán a evitar el nombre del fatídico buho, acusador de Proserpina, hija de Ceres:

> *... testigo que en prolija*
> *desconfianza, a la sicana diosa*
> *dejó sin dulce hija,*
> *y a la estigia deidad, con bella esposa.*

Y la Muerte será encubierta bajo la máscara de ministro justiciero de toda vida:

> *La que en la rectitud de su guadaña*
> *Astrea es de las vidas...*

LA PERÍFRASIS, PROCEDIMIENTO INTENSIFICATIVO

Pero no siempre que nos encontramos en la poesía de Góngora con una perífrasis podemos explicarla como caso de eufemismo. ¿Por qué evitar el nombre de los nobles animales, bellos por mito o por naturaleza? ¿Por qué callar el de los espléndidos pavones que tiran del carro de Juno?:

> ... *las volantes pías*
> *que ojos azules con pestañas de oro*
> *sus plumas son...;*

¿por qué el de los halcones que educa el arte cetrero?:

> *cuanta la generosa cetrería,*
> *desde la Mauritania a la Noruega,*
> *insidia ceba alada;*

¿por qué el de la paloma, poético en todos los climas y todas las lenguas?:

> *la ave lasciva de la cipria diosa.*

¿Cuál es la causa de esquivar el nombre del humeante incienso?:

> *el dulcemente aroma lagrimado*
> *que fragante del aire luto era.*

Hay, pues, una razón más general y profunda, de la cual el eufemismo puede ser, en casos especiales, una concausa. Góngora siente la necesidad de comunicar a la representación del objeto una plasticidad, un coloreado relieve, un dinamismo que la palabra concreta no puede transmitir. Considerada así la perífrasis gongorina, responde a la misma razón que produce la metáfora. Y cae dentro del doble juego de que hablábamos al principio, puesto que, si elude la noción escueta y la palabra correspondiente, es para sustituirlas por una alusión descriptiva que permite atraer a primer plano algunas cualidades del objeto que tienen mayor interés por ser sus cualidades bellas (o si no, como hemos de ver más tarde, por ser las que le incluyen dentro de las formas tradicionales del pensamiento grecolatino). En la perífrasis alusiva, pues, se evita la palabra y se conserva la noción; pero ya no la noción escueta, sino compleja, cargada de atributos que la hacen interesante. (En la metáfora desaparecen la palabra y la noción, para conservar únicamente los bellos atributos.)

Los ejemplos que preceden son esclarecedores. ¿Quién duda que el apartar la palabra _gallinas_ permite definirlas con más intensidad poética por la arrogante pompa del gallo, con su cresta roja y los encendidos colgantes de su cuello? Y, en un plano estético mucho más elevado, ¿cómo negar que la perífrasis del _incienso_ «aroma dulcemente lagrimado, que era como un fragante luto del aire», es un pretexto —genial— para introducir una imagen certeramente expresiva, severamente pomposa, densa y fúnebre?

Resulta, pues, que el rodeo imaginativo no es una vuelta inútil ni una vana hinchazón de palabra; es, por el contrario, un procedimiento intensificativo: evocar una noción de representación poco viva por medio de una serie de nociones más intensas. Es una superación en complejidad y dinamismo (atributos de lo barroco). La palabra _pavón_ o _pavo real:_ he aquí una noción de representación poco intensa, que Góngora sustituye —véase _Soledades,_ ed. «Rev. de Occidente», página 171 [1]— por todas éstas: 1, _jacas pías;_ 2, _volantes aves;_

---

[1] O, en la segunda edición, «Cruz y Raya», 1936, págs. 195-196.

3, *cuyo plumaje es todo ojos azules;* 4, *y pestañas de oro.* He aquí entremezcladas la pompa del mito (el espléndido carro de Juno, tirado por las polícromas aves, *consteladas de tantos ojos como el celestial zafiro tiene luceros*) y la belleza de la realidad: una serie de nociones que al cruzarse entre sí forman un pequeño y brillante mundo representativo.

PERÍFRASIS ALUSIVA

La perífrasis alusiva no es, sin embargo, más que un caso especial de una de las tendencias generales de Góngora. Lo que primero llama la atención al estudiar la sintaxis gongorina y lo que la hace tan difícil y aparentemente confusa es la constante potencia prolificativa de las palabras: las oraciones dan origen a nuevas oraciones incidentales; los nombres van cargados de elementos determinativos y sirven de antecedente a pronombres que, a su vez, introducen oraciones nuevas; de estos elementos derivan otros de tercer grado, etc. Esto no es más que la complejidad estilística necesaria para traducir al lenguaje la complejidad íntima de la visión poética de Góngora. Porque el mismo engarce que para las palabras, existe para las nociones. Una suscita la otra; ésta da origen a una nueva, que, a su vez, origina otras varias, etc., y a una noción simple sustituye o acompaña un complejo de complejos representativos. Véase este característico pasaje de las *Soledades*, que prueba bien hasta dónde puede llevar la exageración del procedimiento: [sale la novia acompañada de su cortejo de aldeanas a la empalizada donde se van a celebrar los juegos]

> *... seguida*
> *la novia sale de villanas ciento*
> *a la verde florida palizada,*

7

cual nueva Fénix en flamantes plumas
matutinos del Sol rayos vestida,
de cuanta surca el aire acompañada
      monarquía canora;
y, vadeando nubes, las espumas
del rey corona de los otros ríos,
en cuya orilla el viento hereda ahora
      pequeños no vacíos
de funerales bárbaros trofeos
que el Egipto erigió a sus Ptolomeos.

Hemos partido de una novia aldeana para ir a dar... a los Faraones de Egipto. El paso es éste: *a)*, la novia sale con otras aldeanas; *b)*, como la Fénix resucitada, con su cortejo de pájaros; *c)*, entonces (la Fénix) va volando hasta coronar el Nilo; *d)*, el Nilo, en cuya orilla están las pirámides; *e)*, pirámides que Egipto erigió a sus Ptolomeos. Todo un curso de historia —fabulosa y verídica— ha sido sugerido por una comparación trivial.

En los ejemplos de este tipo —el precedente es uno de los más extremados que ocurren en Góngora—, el mal procede de la falta de una sofrenada selectiva, capaz de reprimir el inoportuno y tumultuoso encadenamiento de las alusiones. Todos los nexos parciales, *a-b*, *b-c*, etc., son de una absoluta normalidad expresiva dentro del gongorismo, y aun dentro de toda poesía grecolatinizante. El *a-b* (comparar la extraordinaria hermosura de una mujer con la de la única Fénix) ocurre con insoportable frecuencia en la poética de Góngora y de sus contemporáneos. Desgraciadamente, la coincidencia de salir la novia con su cortejo de mozas aldeanas ha llevado al poeta a seguir la comparación *(b-c)* con el viaje que hace la Fénix renacida acompañada de todas las otras aves, según lo refiere, entre otros, Claudiano. Henos forzosamente transportados al Nilo, a las pirámides, a los Ptolomeos.

He insistido en el ejemplo anterior porque —sea cual fuere la valoración estética que le demos— es típico de la potencialidad alusiva del gongorismo: hasta tan apartados límites nos puede éste llevar. Pero nos engañaríamos si pensáramos que estas evasiones son siempre tan arriscadas como la precedente, y las creyéramos, no reflejo de una necesidad expresiva, sino producto de una asociación casual que cruzó por la mente del poeta en el turbio momento —encrucijada de mil fuerzas— de la redacción, sin que un filtro seleccionador las excluyera de la obra. No; por el contrario, las perífrasis y las alusiones, o las alusiones perifrásticas, son, en la poesía de Góngora, una fuga; pero una fuga a un refugio cierto e inmovible, un intento de asociar la variedad inmensa de la vida a un cuadro fijo y sistemático de formas biológicas estilizadas. De esto ofrecen un buen ejemplo particular las alusiones a la mitología.

ALUSIONES MITOLÓGICAS

La concepción grecolatina del mundo había reducido todas las formas y actividades vitales a una serie de arquetipos. La religión pasó de una adoración de la vida en todas sus manifestaciones elementales a la concreción de esas energías en otras tantas fórmulas, mitos o fábulas, a cada una de las cuales acompaña un símbolo fitomórfico, zoomórfico o antropomórfico. La mitología, en el sentido más amplio —primario— de la palabra, es una reducción de la cambiante y siempre renovada actividad biológica a fórmulas inmutables, un paso de lo abstracto a símbolos concretos. El amor se reduce a un niño, Cupido; la guerra, a Marte; la música y sus propiedades, a Orfeo o a Anfión; la velocidad, a Atalanta; la avaricia, a Midas; la belleza masculina, a Adonis o a Ganime-

des; la fidelidad erótica, a Eco (y al eco) o a Clicie y el heliotropo; la esquivez, al laurel; el amor fraternal, al álamo; los
celos, al jabalí; la delación, al buho; la inmortalidad y la renovación eterna, al Fénix, etc.

Queda así el mundo desdoblado en dos zonas: abajo, la
tornadiza variedad vital; encima, su representación mítica
en fórmulas ya fraguadas de una vez para siempre, estilizadas,
inmutables. No nos engañe lo pegadizo, lo adjetivo novelesco
que se pueda superponer en una obra como las *Metamorfosis*.
El valor céntrico de la obra de Ovidio es el ser la Historia
Universal de este cosmos imagen acrisolada de todas las contingencias del mundo real.

El Renacimiento vuelve a dar valor a todas estas representaciones. Para un escritor renacentista, un objeto cualquiera se sitúa, se ordena dentro del mundo, cuando se le
refiere a un punto de este sistema fijo. Cada uno de los fenómenos de la realidad queda definido por una polar mitológica.

Góngora entra aquí, como siempre, de lleno en la tradición grecolatina. Su cerebro está cargado del lastre representativo de las antiguas fábulas. En este mundo es donde se
refugia. Automáticamente, tiende a arraigar cualquiera de las
formas de la vida en el cielo fijo de la representación mitológica.

Los procedimientos que usa para establecer este cordón
umbilical entre un fenómeno y su simbolización grecolatina
son varios. Unas veces recurrirá a la comparación directa:
la fiera, el ave, el pez

> *dejan la sombra, el ramo y la hondura,*
> *cual ya por escuchar el dulce canto*
> *de aquel que de Strimón en la espesura*
> *los suspendía.*

En otras ocasiones sustituirá el fenómeno terrestre por su representación mítica (perífrasis mitológica propiamente dicha). Así, el *toro* quedará expresado por la alusión al rapto de Europa:

> *Tal vez la fiera que mintió al amante*
> *de Europa, con rejón luciente agita...*

El *álamo*, por la piedad de las hermanas de Faetón, a orillas del Erídano:

> *Hermana de Faetón, verde el cabello...*

La *siringa*, por la transformación de la ninfa del mismo nombre:

> *... al canoro*
> *son de la ninfa un tiempo, ahora caña...*

El *laurel*, por la fábula de Apolo y Dafne:

> *Donde ya le tejía su esperanza*
> *los verdes rayos de aquel árbol solo*
> *que los abrazos mereció de Apolo.*

Un tercer procedimiento empleado por Góngora para asociar el mito a los fenómenos vitales de la realidad consiste en atribuir a la fábula una virtud activa sobre lo presente. De uno de estos tres modos: *a*), eficacia ejemplar (moral); *b*), huella impresa sobre animales, plantas, etc., asociados al desarrollo de un mito; *c*), acción directa sobre las actividades humanas (atributo de divinidad). Daré algunos ejemplos:

a) A la carrera de Faetón, al vuelo de Ícaro, se les atribuye influjo ejemplar, freno de empresas demasiado atrevidas:

No enfrene tu gallardo pensamiento
del animoso joven mal logrado
el loco fin, de cuyo vuelo osado
fué ilustre tumba el húmido elemento.

b) El erotismo de la paloma suele ser explicado por su asociación al mito de Venus; la nocturnidad del buho, por su delación infernal y el castigo de Proserpina; la ostra será un excitante del apetito venéreo, por haber servido una concha de cuna a Venus, hija de la espuma del mar:

contagio original quizá de aquella
que, siempre hija bella
de los cristales, una
venera fué su cuna.

c) Constantemente, Venus, Cupido, Juno, Mercurio, etc., intervienen sobre el destino y acciones de los humanos. Venus conduce al tálamo a los novios de la *Soledad Primera:* el Amor se muestra propicio con los pescadores de la *Segunda.* ¿Por qué? Porque al batir el agua con sus remos forman imágenes momentáneas de Venus, madre del Amor, hija de la espuma:

... por escultores, quizá, vanos
de tantos de su madre bultos canos
cuantas al mar espumas dan sus remos.

Y en el *Panegírico,* el coro de los dioses da su asentimiento a las palabras de una ninfa que profetiza las glorias del duque de Lerma:

Siguió a la voz (mas sin dejar rompido
a Juno el dulce transparente seno)
aplauso celestial, que fué al oído
trompa luciente, armoñioso trueno.

ALUSIONES A ADAGIOS

Este era sólo un caso particular, un ejemplo de la tendencia alusiva del pensamiento gongorino. Lo mismo que se refugia en la fijeza mitológica, tiende a acogerse a cualquier representación preestablecida. Son curiosas en este sentido las
alusiones a adagios y refranes. Muy abundantes en las obras
jocosas, no dejan de ofrecer ejemplos en las serias. El peregrino de las *Soledades* ve una labradora algo menos bella que
la dama por quien fué desdeñado. La visión de la labradora
le trae el recuerdo de la amada, y con el recuerdo, el dolor
de su propia desventura. He aquí cómo lo expresa el poeta:
[El color de la amada era el de *la azucena;* el de la labradora,
por ser un pálido reflejo de aquel bellísimo color, era sólo
como una sombra de la azucena]

> ... *y en la sombra no más de la azucena*
> —*que del clavel procura acompañada*
> *imitar en la bella labradora*
> *el templado color de la que adora*—
> *víbora pisa tal el pensamiento...*

Es decir, *en la sombra de la azucena* (ante la pálida imitación de la belleza de su dama) *pisa una víbora el pensamiento* (se levanta el recuerdo del infortunio amoroso). Dejemos
la significación lógica. Tomemos la figuración irreal: «en
la sombra de una flor, el pensamiento pisa una víbora». El
poeta ha incorporado a esta complicada imagen la alusión
a un adagio *(latet anguis in herba,* o, a la manera española,
la serpiente está oculta entre las flores). En el momento de
mayor complejidad creativa, Góngora ha sentido necesidad
de establecer un nuevo nexo; pero ¿con qué?: con una fór-

mula anquilosada, inmutable; con un cuadro fijo de la representación humana del mundo.

Del mismo modo, en la *Soledad Segunda*, unas jóvenes que estaban fabricando redes de cáñamo, llamadas por su padre, dejan las redes sobre unos juncos:

> *A los corteses juncos (porque el viento*
> *nudos les halle un día, bien que ajenos)*
> *el cáñamo remiten anudado.*

Inútilmente querrá explicarse el inciso *porque el viento,* etcétera, el lector que no conozca el adagio *nodum in scyrpo quæris* (le buscas nudos al junco, buscarle nudos al junco).

ALUSIONES FABULOSAS

En el tiempo de Góngora, el mundo ha perdido ya bastante de su antigua ingenuidad. Un siglo después, las mentirosas noticias que los antiguos transmitieron acerca de la Física, Historia Natural, etc., habrán desaparecido definitivamente. En el XVII aún se discute la existencia de la Fénix, las propiedades de la piedra carbunclo. Cierto que, cada vez más, los espíritus más despiertos se niegan ya a admitirlas. Góngora sabe, en la mayor parte de los casos, lo fabuloso de estas ideas, pero le gusta volver artificiosamente a las representaciones de la antigüedad. Falsas, sirven, sin embargo, como la mitología o la ciencia popular, de punto de referencia, de asidero inmutable para la realidad movediza, o tienen la verdad relativa de una lograda belleza.

Así, el tema del ave Fénix, que ya nos hemos encontrado antes. Todas las propiedades y costumbres de este ser fabuloso, el lugar de su nacimiento, su cualidad de único, los espléndidos colores de su alas, los leños aromáticos de su pira y nido, su muerte, la formación de un gusano de sus cenizas, el renacimiento del ave..., son aprovechadas por Góngora siempre que se presenta ocasión: como símbolo de la realeza o de la belleza femenina, cuando el poeta ha de aludir a Arabia, o a los túmulos funerarios, o a la inmortalidad del dolor o de la gloria, o a la existencia de la vida futura... Citar ejemplos sería reproducir aquí una gran parte de la obra gongorina.

Tampoco creía Góngora, claro está, a pesar de la autoridad de Plinio, que las yeguas de la Bética se empreñaran por la virtud fecundante del Céfiro —él lo podía haber visto en su Córdoba la llana—. Pero la fábula es hermosa y, expresivamente, verdadera. Decimos de un caballo que es *veloz como el viento*. Sólo habrá que forzar algo la hipérbole para decir que es *el viento mismo*. Así adquiere justificación una bella mentira: el viento es el padre de los veloces caballos andaluces, los caballos andaluces son el viento mismo revestido de miembros:

> *El veloz hijo ardiente*
> *del Céfiro lascivo...*

llamará Góngora al caballo en la *Soledad Segunda;* y en un magnífico soneto:

> *Miembros apenas dió al soplo más puro*
> *del viento, su fecunda madre bella*
> *—Iris, pompa del viento sus colores—*
> *que, fuego él espirando, humo ella,*
> *oro te muerden en su freno duro,*
> *¡oh esplendor generoso de señores!*

dirá al conde de Villamediana para ponderar la riqueza de sus caballerizas.

Ni cree en las propiedades del carbunclo. Pero para hablarnos de una luz, ardiente en la noche, la comparará con

el resplandor de esa fabulosa piedra, que se decía lucir en la
frente de cierto tenebroso animal:

> aquella
> —*aun a pesar de las tinieblas bella,*
> *aun a pesar de las estrellas clara—*
> *piedra, indigna tiara*
> *(si tradición apócrifa no miente)*
> *de animal tenebroso, cuya frente*
> *carro es brillante de nocturno día.*

Aquí el inciso *si tradición apócrifa no miente*, es acto de
presencia del buen sentido —del sentido no poético— de
Góngora: garantía de su escepticismo.

Es curiosa la actitud que frente a este último ejemplo
adoptan los comentadores, porque demuestra cómo, aun
siendo conocido lo falso de semejantes fábulas, continuaban
teniendo cierta vitalidad sólo por ser doctrina de los antiguos, tema de erudición. Pellicer nos dice: «Es el *Carbunco*
que trae en su cabeça el lobo. (Plinio, lib. 37, cap. 7.) Algunos
lo tienen por fabuloso, y por esso don Luis se previene...»
¡Desdichado comentarista! Salcedo Coronel, después de
afear a Góngora el *pueril error* de creer en el carbunclo, la
emprende con Pellicer: «Cierto comentador... dize que es el
Lobo de quien habla, y que este animal trae en la cabeça el
Carbunco; cita a Plinio... Sin duda deue de ser otro Plinio
que tiene en su Biblioteca, porque en los que todos han visto no se hallará semejante burlería.»

A esta vitalidad de la fábula como tema de erudición corresponde en otro plano su supervivencia como materia de
arte. La antigüedad había legado un mundo de conceptos:
mitología, filosofía vulgar, conocimientos naturales. Góngora
acepta este mundo ideal y no considera conveniente el alte-
rarlo. Forzará a todas las realidades que se pongan al alcan-

ce de su facultad poética a entrar en ese molde fijo que no
corresponde ya al concepto de vida y ciencia en el siglo XVII.
Se pone de manifiesto aquí, una vez más, el carácter arcai-
zante y antirrealista del arte del poeta cordobés.

Entiéndase que esto no ocurre en términos absolutos.
Habían cambiado excesivamente, en poco más de un siglo,
las fuentes de conocimiento, para que el poeta fingiera, sordo, ignorarlo. No puede Góngora dejar de aludir a la nueva
Geografía, consecuencia de los descubrimientos. Pero forja
con frecuencia las formas nuevas según la medida antigua.
Los grecolatinos habían hablado de las *perlas eritreas;* Góngora alterna esta expresión con la de *perlas del Mar del Sur.*
Ni son infrecuentes en su obra alusiones a hallazgos cientí-
ficos no conocidos aún por la antigüedad; a la brújula, por
ejemplo:

> *Náutica industria investigó tal piedra*
> *que, cual abraza yedra*
> *escollo, el metal ella fulminante*
> *de que Marte se viste, y, lisonjera,*
> *solicita el que más brilla diamante*
> *en la nocturna capa de la esfera,*
> *estrella a nuestro polo más vecina;*
> *y, con virtud no poca,*
> *distante la revoca,*
> *elevada la inclina,*
> *ya de la Aurora bella*
> *al rosado balcón, ya a la que sella*
> *cerúlea tumba fría*
> *las cenizas del día.*

Y del mismo modo la poesía gongorina está estableciendo
constantemente vínculos con todas las ramas del conocimiento humano: el Derecho, la Geografía, la Historia, la Historia Natural, la Física, etc. Con todo lo conservado de la an-

tigüedad; con casi todo lo nuevamente adquirido. Tanta alusión, hace de la obra de Góngora —como de la de muchos
escritores del siglo XVII, aunque con un matiz especial—
una pequeña enciclopedia de los conocimientos postrenacen-
tistas.

ALUSIÓN Y PERÍFRASIS, COMO ELE-
MENTOS NORMALES DEL GONGORISMO

Entran la alusión y la perífrasis dentro del carácter general de la poesía de Góngora; la segunda esquiva la palabra
correspondiente a un concepto de realidad; la primera pone
en contacto una noción real con un sistema fijo de referencia. Ambas se completan hasta tal punto que la mayor parte
de las veces aparecen asociadas. En las dos, la imaginación
se desvía un momento de su senda para deleitarse (en los casos mejores) con las bellas incidencias del rodeo. Una y otra
han sido conocidas por la poesía de todas las épocas, y, ya
en nuestro mundo, muy especialmente por la del Renacimiento. Pero alusión y perífrasis (o perífrasis alusiva) son
una nota *constante* del lenguaje gongorino; y esta frecuencia, una de las que lo separan del gusto del siglo XVI y lo sitúan dentro del recargamiento del XVII. La repetición de
estos rodeos y su cáracter de peso muerto conceptual constituyen precisamente el camino para un escollo que Góngora
no pudo —ni quiso— eludir: el caer en el tópico alusivo o
perifrástico. Lo que he dicho en otro lugar para la metáfora
tiene aplicación aquí también: hay una serie de alusiones
que ligan íntimamente dos elementos de tal modo que cuando se introduce el uno se produce el otro de una manera
automática. En este caso, tales alusiones y perífrasis no pertenecen al caudal creativo del autor, sino que pasan a for-

mar parte integrante de los elementos fijos de su lengua poética, de esa masa neutra de ese excipiente común que es el punto de partida normal sobre el que se elevan las otras construcciones de más valía. Del mismo modo que normalmente en la lengua poética de Góngora, ante los objetos de la realidad, *ojos, sangre, trigo, pluma blanca,* etc., se esperan las metáforas *soles, rubíes, oro, nieve,* etc., del mismo modo lo normal es que una palabra como *álamo* se vea siempre acompañada por una misma alusión mitológica *(los álamos, plantas en que fueron convertidas las hermanas de Faetón...)* o sustituída por la perífrasis correspondiente *(aquellas plantas en que fueron convertidas,* etc.). Algún ejemplo nos hemos tropezado ya. Véanse otros:

> *Gallardas plantas que con voz doliente*
> *al osado Faetón llorasteis vivas...*

> *Verdes hermanas del audaz mozuelo,*
> *por quien orilla el Po dejasteis presos*
> *en verdes ramas ya y en troncos gruesos,*
> *el delicado pie, el dorado pelo.*

Etcétera. Cuando no a la fábula de Faetón, viene asociado el álamo al culto de Alcides:

> *Sacra planta de Alcides...*

Y no falta la alusión mixta a ambas representaciones:

> *De Alcides le llevó luego a las plantas*
> *que estaban no muy lejos*
> *trenzándose el cabello verde a cuantas*
> *da el fuego luces y el arroyo espejos...*

Pues bien: este nexo *álamos-Faetón* o *álamos-Alcides* podemos decir que es una asociación idiomática normal de la lengua gongorina. Y lo mismo de muchos otros: *espuma del mar-Venus, pavos reales-Juno, horas-carro del Sol*, etc. Los antecedentes clásicos y renacentistas de estas asociaciones no hay para qué citarlos siquiera. La última (carro del Sol) es un antiquísimo recurso para evitar —inútilmente— la monotonía en los poemas épicos, usada entre nosotros, no ya sólo por un Camoens, sino hasta por los más pedestres: por un Ercilla, etc.

Tales fórmulas habían sufrido largos siglos de desgaste. Góngora las acepta, igual que las usuales metáforas, como elementos normales de su lengua poética. Y este proceso de fijación prosigue inacabablemente entre los discípulos del gran cordobés.

En casos como los de estos ejemplos que acabo de aducir, Góngora no tuvo que exagerar nada lo que ya había sido practicado hasta el hastío (del lector). Pero, en general, sí: la abundancia alusiva y perifrástica en Góngora es mucho mayor que en la poesía española del siglo XVI. La poesía gongorina demuestra aquí, una vez más, lo que constituye su nota constante, desde cualquier punto que se la mire: el ser una exageración, una intensificación dinámica, una condensación cuantitativa de los elementos renacidos de la tradición clásica.

FINAL

He querido presentar a los lectores de la *Revista de Occidente* [2] uno de los aspectos del arte de Góngora más apartados de la nueva manera de concebir la poesía. Hemos insistido en otra ocasión en hacer patente todo lo que nos acercaba al poeta de las *Soledades*. Hora es ya de ir mostrando

---

[2] Se publicó este artículo en la *Revista de Occidente*, febrero de 1928.

los abismos que, irremediablemente, entre él y nosotros se interponen. Y no lo hacemos sólo por atender a las voces —algunas queridas y veneradas— que pedían moderación a nuestros entusiasmos, sino, principalmente, porque esta segunda parte lo era ya de un plan despacio concebido. Fué necesario, primero —contra la rutina de nuestros petrificados historiadores de la literatura—, publicar a los cuatro vientos, y con íntegro fervor, la intachable, la señera posición de la poesía de don Luis de Góngora dentro de la europea del siglo XVII; la legitimidad poética del gongorismo; su congruencia histórica con las formas que inmediatamente le precedieron; la imposibilidad de comprender la evolución literaria de España, si se prescinde de un fenómeno tan íntimamente racial. Todo esto ha sido logrado, y con creces, gracias a tanto voto juvenil como en España y en la América de habla española ha surgido en el tercer centenario de la muerte del poeta; y gracias también a los juicios, unánimes, de los mejores hispanistas de ajeno idioma. Conseguido el propósito primero, convendrá puntualizar serenamente en qué consiste nuestra admiración por Góngora, y cómo no hay que confundirla con una absoluta adhesión ni un ciego partidismo.

Para esta labor, he comenzado por elegir y analizar en las páginas precedentes uno de los aspectos de la poética gongorina que más despegadamente resbalan sobre la sensibilidad del lector moderno, si es que no llegan a causarle ahitamiento y enojo. Cierto que aludir y eludir son funciones necesarias en toda verdadera poesía: que ésta no existe sin atraer a nuestro juego (*al-ludere*) elementos lejanos e impalpables, ni sin burlar o esquivar por completo (*e-ludere*) algunos de los que la realidad nos ofrece. Pero la poesía actual no va a buscar esos elementos a las dormidas páginas de la enciclopedia, ni tampoco huye de todos los que el criterio tradicional consideraba indignos e incapaces de estética sublimación. Sobra y falta, pues, *para el gusto de hoy*, en la poesía de Góngora. Sobra tanto lastre mitológico, tanta raedura seudocientifista. Faltan, en cambio, innúmeros temas vitales, dignos de ser transfundidos en materia y forma de poesía eterna.

Y he preferido hablar de un tema tan poco halagador para el hombre moderno, porque —además de poner de relieve nuestra lejanía—, como no nos ciega con resplandores de auténtica hermosura, permite distinguir más fácilmente algo que es general a todo el sistema del gongorismo: su lamentable limitación y su vejez. Hemos visto a Góngora en continua huída de la realidad. Pero no para lanzarse a profundos, a inexplorados espacios estelares, ni para intuir nerviosas, vírgenes, momentáneas asociaciones de sensibilidad. Es una fuga que tiene su trayectoria fija, y un refugio al alcance de la mano. Y este refugio está construído con los materiales más estáticos, fraguados ya, filtrados, invariablemente, a través de la sideral lentitud de los siglos: mitología, ciencia antigua, ciencia popular... Huída triste: apartar los ojos de la realidad circundante, para ir a fijarlos en las escorias que la misma realidad ha producido, abrasada sordamente por las edades. A esta luz, Góngora, ¡cuán lejano, cuán empequeñecido se nos aparece!

Pero quiero que se me entienda bien (porque no faltará quien se sienta aliviado y nos acuse de entonar palinodia): estos reproches no hay que dirigírselos sólo al creador del gongorismo, sino —íntegramente— a toda la poesía de los siglos XVI y XVII (y aun a la del XVIII). Y sería intolerable que los sabios varones que dedican páginas y páginas a cantar las glorias de un Herrera, por ejemplo, pero que al llegar a

Góngora no entiende *nada, absolutamente nada,* creyeran ahora que les dábamos la razón. No: no es eso. Podríamos resumir así nuestra posición: relativamente, situándonos dentro de la literatura grecolatinizante, nuestra admiración por el autor de las *Soledades* no tiene límites, ni él, en lo técnico, rival; de un modo absoluto, cara a las necesidades actuales (y eternas) de la poesía, la de Góngora nos deja admirados, pero insatisfechos.

Admirados, porque algo queda vivo e intangible del arte del gran cordobés: la lección de su pura fidelidad a la poesía, la de su insuperable dominio técnico (aquí no admitimos restricción). Pero, insatisfechos: porque Góngora no es nuestro poeta, ni menos *el poeta.*

Es, sí, el mejor poeta europeo del siglo XVII; uno de los más grandes poetas españoles de tradición renacentista.

II

ANALISIS ESTILISTICO

GRABADO 2.—Cabeza de Góngora (perfil). Casa de la
Moneda. Madrid.

LA SIMETRIA BILATERAL [1]

I.—EN EL ENDECASÍLABO DE GÓNGORA.

TOMÉ DE BURGUILLOS

Tomé de Burguillos sabía, pero que muy bien, cuán garboso resulta un verso bimembre, colocado en posición final: por ejemplo, como final de los cuartetos en un soneto. Lleva ya ocho versos de este que ahora escribe, y el último de los ocho le ha resultado así:

las glorias vuestras y las penas mías (f)

Lope, digo, Tomé, se siente complacido: se frota las manos y ataca los tercetos:

¡No salió malo este versillo octavo!, etc.
(*Rimas humanas y divinas*, Madrid, 1634, fol. 5.)

BIMEMBRACIÓN POR «CONTRARIOS»

De todas las posibles segmentaciones del verso endecasílabo en varios miembros de contenido sintáctico, morfológico, etc., semejante, ninguna se produce con más facilidad

---

[1] Señalo con f entre paréntesis los versos finales de cada estrofa; con F entre paréntesis, los versos finales de composición. Del mismo modo, p entre paréntesis indica principio de estrofa; P entre paréntesis, principio de composición.

y naturalidad que la bimembración. Las dimensiones del endecasílabo la favorecen. Y la relación entre los dos miembros, aunque sea siempre por igualdad o parecido en lo sintáctico, en lo conceptual tantas o más veces será por contraste como por parecido.

La naturaleza del vínculo mismo reside entonces en esta cualidad de ser contrarios los dos miembros, lo cual lleva implícito que han de pertenecer a una misma esfera de realidades (materiales o inmateriales).

Un soneto de Herrera termina así:

> con mayor frío vos, yo con más fuego. (F)
> (Son. XX.)

y ahí todo se contrapone: *con más fuego* a *con mayor frío; yo* a *vos*. La bimembración por contrarios será tanto más perfecta (claro está que se trata de perfección vista a la luz de nuestro sistema) cuanto más se aproxime a esta contraposición total. He aquí algunos ejemplos de este caso límite:

> *Vivo te aborrecí, te lloro muerto.* (F)
> (Arguijo, *Rivad.*, XXXII, 399.) [2]

> *a Aníbal roto, y vencedor a Fabio.* (F)
> (Arguijo, *ibíd.*, 398.)

> *al bien se acerca, al daño se desvía* (f)
> (Lope de Vega, *Rivad.*, XXXVIII, 511.)

> *tierno gustoso, y ofendido airado* (f)
> (Lope de Vega, *ibíd.*, 476.)

---

[2] Comp. el famoso verso de Quintana:
> *Inglés te aborrecí, y héroe te admiro*
> *(Rivad.,* XIX, 18.)

> *la muerte desear, temer la vida*
> (Gómez Tejada de los Reyes, *Rivad.*, XLII, 536.)

Poetas famosos y poetas oscuros se apoyan, una y otra vez, en la misma muletilla técnica. En ocasiones hay una ligera variación:

> *quemaré el hielo, abrasaré la nieve.* (F)
> *(Rivad.*, XLII, 50.)

dice Trillo y Figueroa; no se contrastan aquí los dos miembros, sino que dentro de cada uno se produce la contradicción [3].

Hemos citado ejemplos, se podría decir, perfectos, de esta técnica de contrarios. Inútil especificar cuántas veces el contraste es sólo relativo. Como en estos versos de Lope de Vega:

> *ni Dafne esquiva ni celoso Apolo.* (F)
> *mi vida acabe y mi dolor comience.* (F)
> *nacer volando y acabar mintiendo.* (F)
> *la materia cristal, bronce la forma.* (F)
> *copiar de noche y murmurar de día.* (F)
> *(Rivad.*, XXXVIII, 382, 384, 385, 388.)

---

[3] Habría que distinguir entre la simple antítesis («a Aníbal roto, y vencedor a Fabio») y la que implica imposible («quemaré el hielo»); en esta segunda forma hay, pues, tres contraposiciones: una entre la primera y la segunda mitad del endecasílabo, y dos más dentro de cada una de las mitades. Ambos tipos vienen a España con la tradición petrarquesca en el siglo XVI, pero existían también en la poesía trovadoresca del siglo XV. Claro que entre nosotros ya hay petrarquismo antes de Garcilaso. Pero téngase en cuenta que la técnica de contrarios le llega a Petrarca de los provenzales. Sin eso, la clasificación dicotómica «por contrarios» está sugerida a cada paso por la realidad, y es un eterno cuadro mental, casi diríamos que una categoría especial de nuestro conocimiento. Es decir, que surge constantemente de la vida misma («frío»-«calor»; «luz»-«oscuridad», etc.), sin necesidad de transmisión literaria.

Otras veces el verso, sin contener un sintagma no progresivo [4], nos ofrece, sin embargo, una especie de bimembración por contraste:

> *mi estío ardiente a vuestro helado invierno.* (F)
> (Herrera, *Rivad.*, XXXII, 294.)

> *que nace fénix donde cisne expira.* (F)
> (Lope de Vega, *Rivad.*, XXXVIII, 384.)

BIMEMBRACIÓN SIN «CONTRARIOS»

No olvidemos que la bimembración por contrarios no es más que una especie dentro de los versos bimembres, aunque sí muy numerosa, y la más fácilmente definible. He aquí ahora algunos ejemplos en los que entre los dos miembros no hay oposición de contrarios:

> *su vida en libros y su fama en bronces* (f)
> (Lope de Vega, *Obras sueltas*, IV, 424.)

> *Lasso, en España, y, en Italia, Tasso.* (F)
> (*Ibíd.*, 333.)

> *amor el fuego y celos el infierno.* (F)
> (Lope de Vega, *Rivad.*, XXXVIII, 380.)

> *dejé los libros y arrojé la pluma.* (F)
> (*Ibíd.*, 387.)

> *las artes guarda y los ingenios cría.* (F)
> (*Ibíd.*, 395.)

> *cenizas viles y afrentoso llanto.* (F)
> (Arguijo, *Rivad.*, XXXII, 392.)

---

[4] Para la definición de «sintagma no progresivo», véase D. Alonso, *Vida y obra de Medrano*, I, pág. 186, y D. Alonso y C. Bousoño, *Seis calas en la expresión literaria española*, págs. 23 y sigs.

> *mira seguro y alentado espera.* (F)
>
> *(Ibíd.)*
>
> *libre la patria, eterna su memoria.* (F)
>
> *(Ibíd., 399.)*
>
> *burló sus brazos y avivó su fuego.* (F)
>
> *(Ibíd.)*
>
> *ocultas rocas, golfos apacibles.* (F)
>
> (Trillo y Figueroa, *Rivad.*, XLII, 47.)

Observemos, en fin, que de la relación entre las dos partes en que queda dividido conceptual y sintácticamente el verso bimembre llega a nuestro espíritu una sensación de equilibrio, de contrabalanceo. Es una cualidad peculiar de la bimembración, que no puede tener correspondencia exacta en los otros versos plurimembres. Muchas veces la conjunción coordinativa que liga los dos miembros o, a falta de ella, la pausa central que se produce, se nos antojan el eje de simetría de un sistema bilateral. En lo que sigue pasaremos con frecuencia del concepto de bimembración al de simétrica bilateralidad.

LA BIMEMBRACIÓN EN GÓNGORA

Con los ejemplos aducidos —que podían haber sido retahíla interminable— basta para que esas muestras nos condensen nítida una imagen que todos llevamos, profusa y confusa, en la mente: cuán de la técnica poética de nuestro Siglo de Oro es el verso bimembrado, cómo lo usan lo mismo los máximos poetas que los buenos y que los oscuros, y cómo todos saben que es un medio eficaz para terminar con recortado énfasis o con gracia. Casi todos los versos citados son finales de soneto, y los que no, terminan estrofa. En el interior de estrofa se encuentran también en abundancia;

pero es frecuente que, por ejemplo, un soneto no nos ofrezca más verso bimembre que el final.

Evidente es, sí, que una neta división en dos partes, del fin del soneto, caracteriza muchos de Lope, de Arguijo, etcétera. Sin embargo, sin necesidad de estadísticas, cualquier lector de poesía del Siglo de Oro sabe que nadie prodigó más la técnica de la bimembración ni con más exquisitos matices que don Luis de Góngora.

CONCEPTO DEL VERSO BIMEMBRE

Hasta ahora no hemos considerado más que, de una parte, los elementos lógicos del verso, los conceptos, y de otra, los elementos que la gramática clasifica. Los elementos lógicos, lo acabamos de ver, podrán contraponerse de un miembro al otro («vivo te aborrecí, te lloro muerto»), o no contraponerse («las artes guarda y los ingenios cría»). Los gramaticales, en los bimembres perfectos, repiten con exactitud en el segundo miembro el esquema morfológico y sintáctico del inicial.

Y quizá esos elementos bastan para el análisis de los versos bimembres de la mayor parte de los poetas del Siglo de Oro. Pero al llegar a Góngora tenemos que penetrar en atmósferas más sutiles, rastrear elementos que al lenguaje son lo que los aromas a la materia. Porque hay un hecho indudable que cualquier apreciador de poesía descubre pronto: el endecasílabo gongorino posee una complicada virtualidad estética, superior no sólo a la del verso contemporáneo del poeta, sino tal vez a la que siempre ha tenido esta forma rítmica desde su aclimatación en España. Esa misteriosa zona de emoción que todo hermoso verso deja tras sí es más rica, más sinestética, más sugeridora cuando se trata de un bien logrado verso del gran cordobés. Hablo de un arte complejo: en la esfera de lo aparentemente sencillo no puedo olvidar la melancólica estela del verso de Garcilaso, la sacudida cortada o la lenta invasión del de Fray Luis, la llama calcinante o la lúcida embriaguez del de San Juan de la Cruz. ¡Y cuánta complicación y oscuro misterio, también, en este herir profundo de lo exteriormente sencillo!

Ese encanto, esa capacidad estética o sinestética del endecasílabo gongorino parece como si se concentrara en la técnica del verso bimembre, que el poeta tanto practicó. No, no nos basta ahora, para estudiarla, considerar sólo, como hasta aquí lo habíamos hecho, la semejanza o contraposición, entre ambos miembros, de elementos conceptuales, morfológicos y sintácticos. Tenemos que atender a toda la materia aprehensible que el verso nos ofrece. Entiendo por «materia aprehensible» todos los elementos (lógicos, morfológicos, sintácticos, fonéticos, rítmicos, sugeridores de sensaciones coloristas, etc.) que, conjuntamente percibidos, obran con virtualidad lógica o estética en el cerebro del oyente o lector.

Lo que da unidad a los varios grupos que voy a aducir es el hecho de que exciten en nosotros la balanceada sucesión de dos sensaciones, ya semejantes o ya contrarias. Las sensaciones mismas, y la vía por la que nos son comunicadas, pueden pertenecer a tipos muy diversos, que trataré de condensar, aunque imperfectamente, en estos cuatro: 1. Por repetición en la segunda parte del endecasílabo de elementos fonéticos idénticos o muy parecidos a los de la primera, o por contraposición, en la misma forma, de sonidos muy diferentes.—2. Por repetición o contraposición, por manera análoga, de colores iguales o muy diferenciados.—3. Por repetición en la segunda parte del verso de los mismos elementos morfológicos y sintácticos, empleados de modo igual ya en la primera.—4. Por una fuerte pausa de sentido colocada en el centro del verso, la cual, como veremos, puede llegar a considerarse como una pausa rítmica que distribuye el ende-casílabo en dos zonas, cada una de las cuales lleva un acento principal.

Es evidente que de estos cuatro grupos sólo el tercero coincide con el concepto de verso bimembre que hasta aquí habíamos venido empleando. Ampliamos, pues, grandemente ahora la idea de bimembración. Y lo hacemos aquí, no porque estos cuatro grupos (y otros semejantes) no pudieran tam-bién aplicarse al verso de otros poetas, sino porque los va-lores menos palpables (es decir, los fonéticos, etc.) son cons-tante y acumulada riqueza en el verso de Góngora, y son más difíciles de rastrear y menos habituales, y, en general, menos delicados, por ejemplo, en un Lope. Pero, ¿quién du-da que en él también existen?

Una ampliación semejante no sería imposible tampoco para el concepto general de plurimembración, pero hay que tener en cuenta que la mente y la sensibilidad del hombre aprecia con facilidad y con gran escala de matices la seme-janza o la contraposición entre los términos de un sistema binario. En cambio, el establecimiento de un sistema de re-laciones ternarias o cuaternarias, etc., es una complicada operación. Una diferenciación fonética entre los tres elemen-tos de un verso trimembre no es inimaginable, pero rara vez se dará[5]. Los versos plurimembres de más de dos miembros

---

[5] Reiteración o semejanza fonética entre las partes de un verso de más de dos miembros es fenómeno frecuente, pero cuyo estudio no se-ría ahora fructífero para mi objeto. Pertenecen aquí casos de rima in-terna y ciertas aliteraciones. Heine:

Ein Kichern, ein Kosen, ein Küssen...
Die Kleine, die Feine, die Reine, die Eine...

están, por lo general, fuertemente teñidos de intelectualismo, es decir, pertenecen, de preferencia, al tercero de los cuatro grupos considerados.

Debo advertir aún que al establecimiento de tales grupos me ha llevado, en primer lugar, una razón de método expositivo; en verdad, entre todos ellos existen vínculos profundos que sería imposible desconocer[6]. Así, casi siempre, dos o más de las características asignadas a cada uno de estos grupos coinciden en un mismo endecasílabo. Yo los cito dentro del grupo en que más me convienen.

1. *Bimembración de elementos fonéticos.*

Los ejemplos más sencillos del primer grupo ocurren cuando en la segunda parte del verso se repite alguna palabra que figuraba ya en la primera:

$$\overset{4}{\quad}\qquad\overset{6}{\quad}$$
1 *Cama de* campo *y* campo *de batalla...*

$$\overset{4}{\quad}\qquad\overset{8}{\quad}$$
2 *Nace en sus* ondas, *y en sus* ondas *muere...*

$$\overset{6}{\quad}$$
3 Ven Himeneo, *ven,* ven Himeneo. (f)

$$\overset{4}{\quad}\qquad\overset{8}{\quad}$$
4 *Caduco* aljófar, *pero* aljófar *bello...*

Muy cerca de estos casos están otros en los que ya no se repite la misma palabra, sino palabras muy semejantes por contener varios elementos fonéticos comunes (paronomasia y tipos afines):

$$\overset{4}{\quad}\qquad\overset{8}{\quad}$$
5 *muerta de* amor, *y de* temor *no viva.* (f)

$$\overset{4}{\quad}\qquad\overset{10}{\quad}$$
6 *Que dulce* muere *y en las aguas* mora...

Y en español, casos como el del conocido verso
Galopa, galopa, galopa, galopa.

[6] No se trata de una clasificación lógica, sino de una agrupación práctica. Por eso los límites entre los distintos grupos no son exactos, excluyentes.

Sería pueril pensar que la repetición contrabalanceada, en estos versos, de las palabras *campo, ondas, aljófar*, etc., y de los elementos *-mor* y *m-r-* es un hecho debido al acaso. Que no lo es lo comprobará la acumulación de variados ejemplos que va a seguir. Se trata indudablemente de un procedimiento para dar énfasis a la expresión. Notemos ahora con cuánta maestría ha sido aumentada la simétrica intensidad: las palabras *ondas, aljófar* (ejemplos 2 y 4) han sido colocadas en el punto de máxima intensidad del verso (sílabas cuarta y octava); lo mismo se ha hecho con la sílaba *-mor* (ejemplo 5); los elementos *m-r-* (ejemplo 6) están en contacto con las vocales que reciben respectivamente el acento de cuarta sílaba y el forzoso de décima. Por el contrario, en el verso *Ven Himeneo...*, el énfasis recae sobre la palabra central *ven* que desempeña papel como de eje de simetría. Prescindo, por ahora, de analizar la acentuación del ejemplo 1 [7].

En estos versos la aliteración se proponía tan sólo producir un efecto de intensidad. Veamos otros en los que hay también intensificación, pero intensificación con propósito imitativo. Todo lector del *Polifemo* habrá observado la sombría representación sugerida por este endecasílabo:

$$\overset{4}{} \qquad \overset{8}{}$$
7 *Infame turba de nocturnas aves...*

El efecto está conseguido, sencillamente, por la repetición simétrica de la sílaba *tur*, colocada, de modo matemático, en la posición de los acentos rítmicos de cuarta y octava sílaba. Otros versos sugieren chasquidos de leña seca, quebrada por el huracán:

$$\overset{4}{} \qquad \overset{10}{}$$
8 *O el austro brame, o la arboleda cruja.* (f) [8]

<hr>

[7] Véase la nota 11 a la pág. 135.
[8] Sabido es que las *Soledades*, escritas en silva, no pueden tener

El secreto consiste aquí en la repetición simétrica (con intensidad de cuarta y décima sílaba) de dos grupos *consonante* + *r,* reforzados en ambos casos por la anteposición de otros dos grupos de *r* y *consonante* (*-tr-, -rb-*).

Hasta aquí hemos visto los sonidos de virtualidad onomatopéyica colocados en posición de intensidad rítmica. Pero en el verso existen además dos posiciones forzosamente intensificadas: la palabra inicial y la final. Estas aprovecha también Góngora, y cuando lo hace nos da claros ejemplos de bilateral simetría fonética:

> 9 Va*g*a*s* cortinas de volantes va*n*os...
> 10 Trom*p*a *Tritón del agua a la alta* gruta...
> 11 Grave, *de perezosas plumas* globo...

Prescindiendo de otros sonidos que, como veremos inmediatamente, tienen también importancia expresiva, los esquemas de estos tres versos podrían ser los iguientes:

> 9 va-s .... va-s
> 10 tr-a .... gr-a
> 11 gr-v- .... gl-b-

Mas el efecto imitativo está reforzado en el ejemplo 9 por la simétrica introducción de otros dos elementos *s* (cortina*s,* volante*s*) y la anteposición de otro elemento *v* (*v*olantes); en el 10, por otro grupo *tr-* (*Tr*itón), y en el 11, por dos elementos *p* (*p*erezosas, *p*lumas). Y aún se podrían señalar en estos versos otros valores expresivos.

En todos los ejemplos aducidos la repetición en la que he llamado segunda zona del endecasílabo reforzaba el efecto

verdadera división estrófica. En mi edición he introducido separaciones entre grupos de versos, siempre que en mi sentir quedaba desenvuelto el período poético. Considero, desde un punto de vista práctico, como finales de estrofa esos finales de período.

de la primera. Véase ahora un caso, ya no de repetición, sino
de contraste:

12   *Si el céfiro no silba, o cruje el robre.* (f)

Los sonidos sibilantes (fricativos) de la primera parte
(s, ce, f, s) se oponen a los vibrantes y velares de la segunda
(cr, j, r, br); los primeros corresponden al silbar huidizo de
los vientos, los segundos a los crujidos de las ramas en el
bosque.

2.   *Bimembración colorista.*

La contraposición o adición de colores, empleada normalmente por los poetas renacentistas, alcanza en Góngora, como todo el mundo sabe, una intensidad desconocida anteriormente, y llega así a convertirse en una nota externa del
gongorismo. Pero me refiero aquí solamente a aquellos casos
especiales en los que las palabras representativas de colores
iguales o contrapuestos están simétricamente [9] distribuídas
con relación a un ideal eje. Debe este grupo (lo mismo que
el anterior) ser estudiado en contacto íntimo con los dos
que van a seguir. Véanse por ahora algunos evidentes ejemplos:

13   *O púrpura* nevada, *o nieve* roja...
14   *De cuantos siegan* oro, *esquilan* nieve...
15   Negras *violas,* blancos *alelíes...*
16   *De* blancas *ovas y de espuma* verde...
17   *Si* púrpura *la rosa, lilio* nieve...

Y, ya no por contraposición, sino por adición o reforzamien-
to, otros muchos:

_____

   [9]   Entendiendo «simetría» en el sentido laxo que explico en la página 130.

18   Nieve *el pecho* y armiños *el pellico*...

19   *La* blanca *leche con la* blanca *mano*...

20   *Al sonoro* cristal, *al* cristal *mudo*. (f)

21   Claveles *del abril*, rubíes *tempranos*...

22   Nevada *invidia, sus* nevadas *plumas*. (f)

3. *Bimembración sintáctica.*

Tanto los ejemplos del primer grupo como los del segundo pertenecen también con mucha frecuencia al tercero. Cuando esto ocurre, la constitución bimembre de los endecasílabos que acabamos de citar, ya bien patente por motivos fonéticos o de color, resulta más clara aún al coincidir con una indudable bimembración sintáctica.

Incluyo en este grupo tercero los versos que llamaríamos bimembres aun dentro de un concepto restricto. Son, por tanto, aquellos que repiten en el segundo miembro la misma estructura morfológica y sintáctica del primero. Entre los dos miembros suele interponerse un breve elemento asimétrico, casi siempre una conjunción, al que podríamos denominar centro o eje de simetría. Ejemplos típicos:

23   *Confunde el sol y la distancia niega*...

24   *Número crece y multiplica voces.* (f)

25   *Nace en sus ondas y en sus ondas muere*...

26   *Pira le erige y le construye nido*...

27   *Glauco en las aguas y en las hierbas Pales*...

Formemos el esquema gramatical de cualquiera de estos versos, v. gr., del núm. 27:

Nombre — Nexo de ⎧ preposicion / artículo / nombre ⎫ | Conjunción | Nexo de ⎧ preposición / artículo / nombre ⎫ — Nombre.

9

En todos estos casos la simetría es absoluta *(a-b/c/b-a)*. Pero estoy aplicando ahora una nomenclatura matemática al verso, fenómeno de naturaleza y arte. En realidad, en el endecasílabo de Góngora es lo más frecuente que la simetría no sea tan llevada por el hilo como en los ejemplos inmediatamente anteriores, antes bien, casi siempre los elementos gramaticales se hallan repetidos, sí, pero con el mismo orden en la segunda que en la primera parte:

> 28 *Gimiendo tristes y volando graves.* (f)

Esquema:

Gerundio-adjetivo | Conjunción | Gerundio-adjetivo.

O sea: *a-b/c/a-b*. La palabra *simetría*, tal como aquí la empleo, no ha de entenderse, pues, en sentido estrictamente matemático. Tampoco ha de entenderse que la conjunción central desempeñe papel de eje rítmico, sino de eje o nexo sintáctico. Véanse ahora otros ejemplos idénticos al anterior:

> 29 *Cama de campo y campo de batalla...*
> 30 *Cíñalo bronce o múrelo diamante...*
> 31 *Trepando troncos y abrazando piedras.* (f)
> 32 *Lamiendo flores y argentando arenas...*
> 33 *Montes de agua y piélagos de montes...*
> 34 *Su orgullo pierde y su memoria esconde.* (f)
> 35 *Armado a Pan, o semicapro a Marte...*
> 36 *A libar flores y a chupar cristales...*
> 37 *Sombra del sol y tósigo del viento...*
> 38 *De chopos calle y de álamos carrera...*
> 39 *Guerra al calor y resistencia al día.* (f)
> 40 *Calzada abriles y vestida mayos...*
> 41 *Oro trillado y néctar exprimido.* (f)
> 42 *Cierzos del llano y austros de la sierra...*

43   *Ninfas bellas y sátiros lascivos...*
44   *Si hay ondas mudas y si hay tierra leve.* (f)
45   *Solicitó curiosa y guardó avara...*
46   *Del cielo espumas y del mar estrellas.* (f)
47   *Redil las ondas y pastor el viento...*
48   *Vomitar ondas y azotar arenas.* (f)
49   *Hijo del bosque y padre de mi vida...*
50   *Jaspes calzada y pórfidos vestida...*

(Pertenecen aquí también los ejemplos 1, 18 y 19.)

En todos los ejemplos precedentes la igualdad de los dos miembros del endecasílabo es absoluta. Repetiré ahora que el lenguaje no es objeto de matemática. Habrá que colocar, por tanto, al lado de estos exactos ejemplos, otros en los que la igualdad de los dos miembros no es completa, pero en los cuales resulta bien patente que el móvil que llevó a escribirlos era semejante al que produjo los anteriores:

51   *Que un silbo junta y un peñasco sella.* (f)
52   *La niega avara y pródiga la dora.* (f)
53   *Cuantas produce Pafo, engendra Gnido...*
54   *Linterna es ciega y atalaya muda.* (f)
55   *Que vario sexo unió y un surco abriga.* (f)
56   *Breve de barba y duro no de cuerno...*
57   *Da el fuego luces y el arroyo espejos.* (f)
58   *Del pobre albergue a la barquilla pobre...*

(Pertenecen también a esta serie los ejemplos 5, 6 y 16.)

Hemos encontrado en todos estos versos una palabra, ordinariamente una conjunción, que servía para separar dos grupos de vocablos de ordenación sintáctica idéntica. Agreguemos otros en los que desaparece esta palabra neutra y central y quedan sólo los dos grupos iguales. (Agruparé ejemplos en los que los dos miembros son exactamente idénticos con otros que sólo lo son de modo aproximado, es decir, versos correspondientes en este sentido con los citados en las series última, penúltima y antepenúltima):

> 59 *A lo pálido no, a lo arrebolado...*
> 60 *La selva se confunde, el mar se altera...*
> 61 *Que a la precisa fuga, al presto vuelo...*
> 62 *Del perezoso Volga al Indo adusto.* (f)
> 63 *O el austro brame, o la arboleda cruja.* (f)
> 64 *O por lo matizado, o por lo bello...*
> 65 *Al animoso austro, al euro ronco...*
> 66 *Al corcillo travieso, al muflón sardo...*
> 67 *Vínculo desatado, instable puente.* (f)
> 68 *Si púrpura la rosa, el lilio nieve.* (f)
> 69 *El golpe solicita, el bulto mueve...*

(Inclúyanse también aquí los ejemplos 13 y 14.)

De esta última serie al cuarto grupo ya no hay más que un paso. Con que fuera posible suprimir la sinalefa que todos estos versos llevan entre su primera y segunda parte («El golpe solicita, el bulto mueve»), coincidiría con la pausa de sentido una pausa rítmica, y tendríamos otros tantos ejemplos de endecasílabos totalmente bimembres, aun desde un punto de vista rítmico. Esto es lo que nos van a proporcionar los ejemplos del cuarto grupo.

4. *Bimembración rítmica.*

No han faltado tratadistas que consideren el endecasílabo como un verso compuesto de dos hemistiquios. Si la acentuación cae sobre la sílaba sexta, el primer hemistiquio constaría de seis sílabas y el segundo de cinco. Si los acentos van sobre las sílabas cuarta y octava, el primer hemistiquio tendría cinco sílabas y seis el segundo. Al verso que

cumple exactamente estas dos últimas condiciones se le suele llamar *sáfico* [10]. Pero es lo cierto que, normalmente, en
poesía castellana aparece el endecasílabo como una unidad
métrica indivisible y sólo el análisis silábico puede revelar
esta fragmentación establecida por los tratadistas, y no siempre evidente, por no coincidir muchas veces el final del llamado primer hemistiquio con el final de una palabra. Dicho
de otro modo: el oído, en muchos casos, percibe el endecasílabo como una cantidad indivisible («Del siempre en la
montaña opuesto pino»), mientras que en otras, con mayor
o menor nitidez, llega a vislumbrar una posible fragmentación («No me mueve mi Dios / para quererte»; «Huésped
eterno / del abril florido»). Compárese con lo que ocurre en
el alejandrino, en el que (prescindiendo de irregularidades
medievales), hasta las innovaciones de Rubén Darío, el oído
ha percibido siempre una bien definida división.

Voy a aducir ahora ejemplos, bastantes para afirmar que
Góngora usó conscientemente de esta posible división del
endecasílabo, haciéndola más intensa y perceptible mediante la coincidencia del final de una palabra con el final del
primer hemistiquio, colocando detrás de éste una pausa de
significado y exagerando todavía, en muchos casos, la distinción entre los dos miembros resultantes, merced a su contraposición por cualquiera de los medios estudiados en los
grupos anteriores o simplemente por contraste conceptual.
Resulta este grupo, así considerado, una última evidencia
del empleo de la simetría bilateral por Góngora: gracias a
la frecuente acumulación sobre un mismo verso de la simetría fonética o colorista, o sintáctica o conceptual, y de una
clara fragmentación rítmica en dos hemistiquios (o cuasihe-

---

[10] Con un acento, además, en primera sílaba (según las preceptivas), que se da pocas veces en la realidad.

mistiquios), se originan los ejemplos más limpios y conclu-
yentes de la tesis que vengo sustentando, esos endecasílabos
de nítida bimembración que saltan en seguida a los ojos de
cualquier lector del *Polifemo*. (Naturalmente, tampoco puede entenderse aquí la palabra simetría en términos absolutos, puesto que el primer miembro ha de tener seis sílabas
y el segundo cinco, o viceversa.)

Cuando el verso va acentuado en sexta y el poeta se propone producir una simétrica fragmentación, una fuerte pausa marca inmediatamente después de dicha sílaba el fin del
primer miembro:

70 *Armó de crueldad, calzó de viento...*
71 *Que redima. feroz, salve ligera...*
72 *Pavón de Venus es, cisne de Juno.* (f)
73 *Bien sea religión, bien amor sea...*
74 *Grillos de nieve fué, plumas de hielo.* (f)
75 *Fugitivo cristal, pomos de nieve.* (f)
76 *Sufrir muros le vió, romper falanges.* (f)
77 *Yerno le saludó, le aclamó río.* (F)
78 *Ecos solicitar, desdeñar fuentes...*
79 *Apenas hija hoy, madre mañana...*
80 *Cuantos la sierra dió, cuantos dió el llano...*
81 *Solícita Junón, Amor no omiso...*
82 *A batallas de amor, campo de pluma.* (F)
83 *Ondas endurecer, liquidar rocas...*
84 *Instrumento el bajel, cuerdas los remos...*
85 *Flores su cuerno es, rayos su pelo.* (f)
86 *Contra mis redes ya, contra mi vida...*
87 *Sorda a mis voces, pues, ciega a mi llanto...*
88 *De pescadores dos, de dos amantes...*
89 *Escollo de cristal, meta del mundo.* (f)

(Añádanse los ejemplos 3, 20, 21, ya citados.)

Cuando el poeta quiere obtener el mismo efecto con un verso de acentuación en cuarta y octava, la pausa se produce inmediatamente después de la quinta sílaba:

90   *Peinar el viento, fatigar la selva.* (F)
91   *Del mejor mundo, del candor primero.* (f)
92   *De frescas sombras, de menuda grama.* (f)
93   *Amor la implica, si el temor la añuda...*
94   *Sudando néctar, lambicando olores...*
95   *Por duras guijas, por espinas graves...*
96   *De secos juncos, de calientes plumas...*
97   *Templo de Pales, alquería de Flora...*
98   *Borró designios, bosquejó modelos...*
99   *Conducir orcas, alistar ballenas...*
100   *Siempre murada, pero siempre abierta.* (f)
101   *Duro alimento, pero sueño blando...* [11]

(De esta serie forman parte también los ejemplos 4 y 22.)

---

[11] Hay también abundantes ejemplos, y muy curiosos, de otro tipo de fragmentación. Se trata de endecasílabos que llevan un acento en 4.ª, y en los cuales se produce una pausa tras la sílaba 5.ª. Se esperaría, pues, otro acento en 8.ª, como en todos los ejemplos últimamente citados. Pero el segundo miembro comienza con un acento en 6.ª sílaba, que nos constriñe a considerar estos versos, dentro de la teoría ortodoxa del endecasílabo, como de única acentuación en 6.ª:

> *Vuela sin orden, pende sin aseo...*
> *Copa es de Baco, huerto de Pomona...*
> *Dulce se queja, dulce le responde...*
> *Perdidos unos, otros inspirados...*
> *Siempre gloriosas, siempre tremolantes...*
> *Coros tejiendo, voces alternando...*
> *Vírgenes bellas, jóvenes lucidos...*
> *Flechen mosquetas, nieven azahares...*
> *Seis de los montes, seis de la campaña...*
> *Ser palios verdes, ser frondosas metas...*

(Pertenece aquí también el ejemplo núm. 1.) En todos estos casos, el oído, al terminar el primer miembro, espera un segundo con acentuación en 8.ª. Si en el ejemplo «siempre gloriosas, siempre tremolantes» alteráramos el orden de las palabras en la segunda parte, obten-

II.—A LO LARGO DE LA VIDA DEL POETA.

BIMEMBRES EN EL «PANEGÍRICO»

La inmensa mayoría de bimembres citados hasta ahora proceden del *Polifemo* y las *Soledades* (1613) [12]. He preferido sacarlos de esas obras que representan el momento culminante de la evolución del poeta. Queda así comprobado que el empleo de la bimembración en el endecasílabo de Góngora es una nota de las más resaltadas en el arte de su madurez y en las obras que más fama y más imitadores le han dado. En ellas, el tanto por ciento de versos bimembres es muy grande; seguramente se podría haber aducido un número bastante mayor del que suman los ejemplos citados.

Una lectura, aun rápida, de las otras obras de Góngora escritas en endecasílabos muestra que esta tendencia a la bimembración la tuvo toda su vida. Existen, claro está, los bimembres, o los versos de neta simetría bilateral, en el *Panegírico* (1617), y nos los imaginaríamos abundantes, pues el contrabalanceado énfasis que dan a la estrofa, sobre todo

_____

dríamos la fragmentación y acentuación típicas *(siempre gloriosas, tremolantes siempre)*. Observemos asimismo que todos los endecasílabos ahora citados, menos uno, van acentuados en la sílaba primera. Esta acentuación inicial contrabalancea el efecto de intensidad sobre la primera sílaba del segundo período. Podría pensarse, pues, en una distribución rítmica del tipo 1 — 4- | 6 — 10-, en la que cada miembro llevaría un acento inicial y uno penúltimo.

[12] Para la fecha del *Polifemo* y de las *Soledades*, véase más abajo, página 143, nota 20.

en el final de la misma, iba muy bien a la afeitada pompa de este poema áulico:

> *en polvo ardiente, en fuego polvoroso...*
> *Hipólito galán, Adonis casto.* (f)
> *que extraña el cónsul, que la gula ignora.* (f)
> *del cielo flor, estrella de Medina.* (f)
> *purpureaba al Sandoval que hoy dora.* (f)
> *riego le fué la que temió rüina.* (f)
> *bebiendo celos, vomitando invidia.* (f)
> *que opreso gima, que la espalda corve.* (f)
> *copia la paz y crédito la guerra.* (f)
> *sus Helíades no, nuestras banderas.* (f)
> *plata calzó el caballo que oro muerde.* (f)
> *pisó el mar lo que ya inundó la gente.* (f)
> *aquella grande, estotra no pequeña.* (f)
> *en estoque desnudo, en palio de oro.* (f)
> *o de tus ondas, o de nuestro arado.* (f)
> *músico al cielo y a las selvas mudo.* (f)
> *duro amenaza, persüade culto.* (f)
> *o con el caduceo o con la espada.* (f)

Pero, a pesar del carácter cortesanamente pomposo del *Panegírico*, a pesar de que en él, como nunca, la materia se irrealiza, se metaforiza, el número de netos bimembres es muy inferior al del *Polifemo*. He contado los bimembres perfectos y versos de neta simetría bilateral con que terminan las 63 octavas del *Polifemo* y las primeras 63 del *Panegírico*: resultan 26 finales bimembres en el primero y sólo 15 en el segundo [13]. Es decir, si representamos por 1 el índice de frecuencia de versos finales bimembres en el *Polifemo*, el del *Panegírico* será sólo 0,58: muy poco más de la mitad.

---

[13] Resulta aún menor el número de bimembres finales si en lugar de las 63 primeras contamos las 63 últimas octavas del *Panegírico*.

BIMEMBRES EN LOS SONETOS

Miremos ahora a los sonetos. El tenerlos fechados, con relativa seguridad, en el manuscrito Chacón nos permite cambiar, al llegar aquí, la dirección de nuestro estudio: tratar de ver qué evolución sufrió el empleo de los bimembres a lo largo de la vida del poeta. Tenemos ante nosotros una larga serie, 167 sonetos [14], de los cuales el primero es de 1582, es decir, escrito por un muchacho de veintiún años, y el último, de 1624, cuando faltaban tres años para la muerte del poeta [15]. Hemos descompuesto esta producción de cuarenta y tres años en seis grupos de siete años cada uno (menos el primero, de ocho) y hemos hecho un minucioso recuento de los versos bimembres contenidos [16] en los sonetos. Son 208 bimembres [17], que se distribuyen así:

---

[14] Hay, desde luego, otros sonetos atribuídos, y bastantes de ellos deben de ser del poeta (algunos, indudablemente, lo son). La labor de criba que tendríamos que hacer para aceptarlos como de Góngora o no, sería tan desmesurada como, en muchos casos, infecunda. Los sonetos atribuídos, que en último término pudiéramos admitir, no alterarían esencialmente nuestros resultados.

[15] Algunas fechas han sido rectificadas. Las mismas rectificaciones prueban que los errores cometidos por Chacón son, en general, muy pequeños. Algunos de los cambios de fecha propuestos por Foulché-Delbosc no son admisibles. El más importante sería el que afecta a todo un grupo de sonetos (Millé, núms. 275-280), que en Chacón aparecen atribuídos a 1603 y el erudito francés creía de 1605. Pero parece que era Chacón quien estaba en lo cierto. Queda algún caso aislado, como el del núm. 255, que el manuscrito hace datar de 1609 y tuvo que ser escrito en vida de Felipe II. Nada de esto afectaría, sino en mínimos pormenores, el análisis que hacemos en el texto.

[16] Hemos tomado en cuenta, sobre todo, netos bimembres, de los pertenecientes al grupo 3 de nuestra división (véase más arriba, página 123). Se han incluído, sin embargo, algunos versos que más que exacta bimembración tienen una simetría bilateral fonética, de color, etcétera; es decir, que en ellos se dan las características de los grupos 1, 2 ó 4, pero no las del grupo 3. Son muy escasos en nuestro cómputo, y sólo se les ha incluído cuando la bilateralidad era muy resaltada.

[17] Doy, al final, como apéndice a este libro, la lista de todos los bimembres en que se basan mis cálculos.

Años	Sonetos	Bimembres	Proporción por soneto
1582-1589	40	67	1,67
1590-1596	7	77	1,00
1597-1603	18	24	1,33
1604-1610	33	47	1,42
1611-1617	32	35	1,09
1618-1624	37	28	0,73

La proporción de versos bimembres por sonetos puede expresarse gráficamente del siguiente modo:

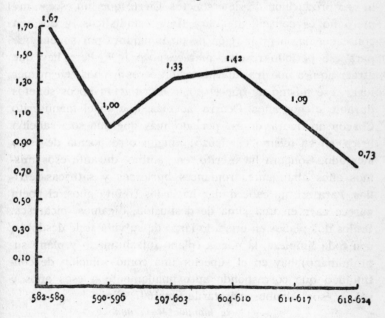

Figura I.—*Proporción de bimembres en los sonetos de Góngora (1582-1624).*

Si ahora tratamos de interpretar estas oscilaciones y nos
fijamos en el arranque (años 1582-1589), podemos pensar que
el gran uso de bimembres en esos primeros sonetos (1,67
por soneto) procede de una fuerte impregnación, de una técnica, bebida en lecturas; además, el bimembre es gallardo,
nítido y va bien al brillo de una mente juvenil que goza contrastando luminosos colores.

Extrañan, después, esos siete años, de 1590 a 1596, con sólo una producción de siete sonetos. Cierto que tan escaso número no es conveniente para fines estadísticos, y que, en
consecuencia, la proporción de un bimembre por soneto que
para ese período resulta, merece poco fe [18]. Pero hay que
atraer aquí a nuestra interpretación otros hechos: en primer
lugar, ese mismo de que el poeta escriba tan pocos sonetos
durante dichos años. Ocurre, además, que en el manuscrito
Chacón no figura, de ese período, más que una sola canción
lírica, en su mismo comienzo: ningún otro poema de estro
alentado. Góngora ha escrito, en cambio, durante esos mismos años abundantes romances burlescos y satíricas letrillas. Para mí, no cabe duda: hacia los treinta años, el poeta
parece caer en una sima de desilusión, digamos, picaresca.
De los dos planos en que a lo largo de su vida se le desdobla,
con toda limpieza, la poesía (plano infrahumano y plano su-
prahumano) hay en el superior una como solución de continuidad que corresponde aproximadamente a esos años y
sólo a ésos. Algunos más tarde (en 1607) dirá:

la humilde Musa mía
que cantó burlas y eterniza veras

---

[18]   Tiene validez, sin duda; no en su rigor matemático, pero sí como
tendencia.

(en un soneto al Marqués de Ayamonte). Burlas y veras cantó, en verdad, desde el primer momento. Pero en estos años que suben hacia la madurez la voz del poeta grave y alto casi calla; el plano picaresco parece haber triunfado en su vida [18 bis].

VIDA Y BIMEMBRACIÓN. EL PRETENDIENTE

Son quizá causas exteriores las que más influyen para sacarle del pozo en que se podía haber hundido para siempre. ¿Iba a ser un coplero de burlas, y nada más que eso, sólo Góngora el malicioso, un montón de sales? Pero ¿no podía su musa aspirar a más, y, más alta, más noble, obtener más premio? En los sonetos de 1597 a 1603 vemos aparecer el poeta áulico (o que aspira a ser áulico). El soneto es pieza muy adecuada, por sus dimensiones, para ser ofrecida como un pulido, un espiritual obsequio, y obtener a cambio gracias o protección de los poderosos. Y alternan en este pe-

---

[18 bis] No creo ajena esta desilusión a los hechos nacionales: un año antes de empezar este período (1588) es el desastre de la Invencible; y en el último (1596) ocurre el vergonzoso saqueo y dominación, durante casi un mes, de Cádiz por los ingleses. Es curioso que Rafael Lapesa haya encontrado en Cervantes una época de cansancio y escepticismo nacional que coincide casi rigurosamente con la que encontramos en Góngora. Los dos sufren una especie de colapso de sus ilusiones españolas con la catástrofe de la Invencible: muestra de ello es una canción de Góngora y dos de Cervantes. «Entre 1588 y 1596, Cervantes sólo publica alguna insignificante poesía de circunstancias. En 1596..., con motivo del saqueo de Cádiz..., un soneto manifiesta por primera vez la ironía cervantina... ¡Qué fundamental cambio de aptitud entre las canciones a la Invencible y este soneto!» (Lapesa, *En torno a «La española inglesa», y el «Persiles»*, en *Mediterráneo*, Valencia, 1950, tirada aparte, págs. 7 y siguientes). En Cervantes se acumulan, claro, los desengaños de su propia vida de alcabalero; y el período escéptico llega en él hasta 1606.

Sean causas nacionales o no, algo ocurre en la vida de Góngora entre 1590 y 1596 que le lleva hacia la musa picaril y casi suprime la heroica.

ríodo sonetos adulatorios para la vanidad de Lerma o de los
reyes, con bromas contra Valladolid (ya en 1603), que también le proporcionarían simpatías entre los cortesanos, tan
nostálgicos de Madrid, ateridos en los inviernos de la recién estrenada corte. Con esta nueva oleada de sonetos, con
la formalidad, empaque y artificialidad propias para la adulación cortesana, viene un nuevo crecimiento de la proporción de bimembres, que ahora sube al 1,33 por soneto. La
musa en estos años no deja de cantar burlas, pero también
eterniza veras. Góngora escribe, pues, en ese período más
sonetos y más bimembres por soneto. Y algo parecido, con
ritmo cada vez más creciente, pasa durante los siete años siguientes (1604-1610): el número de sonetos sube de 18 a
33 [19]; el de bimembres, de 24 a 47; la proporción de bimembres aumenta, pues, de 1,33 a 1,42, y es ahora casi igual a la
primera juvenil.

VIDA Y BIMEMBRACIÓN. MAREA DECRECIENTE

El período siguiente, 1611-1617, se corresponde con la
madurez ya declinante del hombre (de los cincuenta a los
cincuenta y seis años) y con el de producción de los poemas
mayores: el *Polifemo*, las *Soledades* y el *Panegírico*. Este esfuerzo lleva, sin duda, muchas horas. Sin embargo, apenas
cambia, con relación al período anterior, el número total de
sonetos; sí, la proporción de bimembres por soneto, que baja de 1,42 a 1,09. ¿Por qué?

Si, para buscar más pormenor en esta época importantí-
sima para la poesía de Góngora, dividimos el período en dos
subperíodos (distribuyendo entre los dos, por igual, los datos

---

[19] Pertenecen a este período los sonetos 312 y 316, de Millé, ambos
de 1610.

de 1614), resultará para el subperíodo de 1611 a 1614 un total
de 17,5 sonetos y una proporción de 1,34 bimembres por soneto; y para el subperíodo de 1614 a 1617, 14,5 sonetos y una
proporción de 0,79 bimembres. Si ahora tenemos en cuenta la
proporción del período anterior (1604-1610), vemos que en el
subperíodo 1611-1614 la frecuencia de bimembres ha bajado,
pero muy poquito: de 1,42 a 1,34. Entre este subperíodo de
1611-1614 y el de 1614-1617, en cambio, la frecuencia de bimembres desciende con un tranco enorme: de 1,34 a 0,79 (es
decir, un 40 por 100). Vamos a ver en seguida que el período
siguiente, 1618-1624, intensifica aún algo esta disminución de
frecuencia de bimembres. Los dos subperíodos resultan,
pues, concordes: el primero, con lo que le antecedía, y el
segundo, con lo que le sigue. En cambio, entre los dos, en
1614, ocurre un súbito hundimiento en la práctica de la bimembración por Góngora. ¿Por qué el poeta reduce a partir de aquí, de repente, el número de bimembres de sus sonetos? Creo que esto se corresponde, más o menos, con la
terminación del *Polifemo* y con el abandono de las inconclu-
sas *Soledades* [20]. Después de un esfuerzo de esa naturaleza,
un escritor suele sentir una necesidad (de la que muchas
veces no es consciente) de modificar su técnica y sus proce-

---

[20] El *Polifemo* y la *Soledad Primera* estaban escritos en mayo de
1613, pues por entonces los envió Góngora a la censura de Pedro de
Valencia. Mientras tanto debía aún de quedar en el telar la *Soledad
Segunda*. En la edición de las *Soledades*, Madrid, 1936, págs. 313 y siguientes, hemos discutido esta cuestión, y allí, pág. 316, hemos escrito:
«Chacón da en su manuscrito a las *Soledades* la fecha de 1614, y esta
fecha que algunos han tenido por absurda no lo es ni mucho menos.»
Hay que tener en cuenta que aunque la primera versión del *Polifemo*
y de la *Soledad Primera* estuviera terminada en mayo de 1613, el poeta
sometió ambos poemas a severa revisión. La *Segunda Soledad* (incon-
clusa) debió de ser divulgada o en ese mismo año o algo más tarde.
Chacón pudo dar no la fecha de redacción, sino la de divulgación de
la versión definitiva de estos poemas.

dimientos expresivos. También la declinación vital empuja-
ba inexorablemente al poeta hacia hondos problemas, y la
arquitectura, la nitidez exterior le iban a importar ya menos.
Es significativo lo que ocurre con el *Panegírico*. El *Panegírico*, escrito (en 1617) al final del período que ahora consideramos, es un poema cortesano, frío, pomposo, de trivial vida,
metaforizada en bronce, marmorificada para eternidad, donde debía tener especial interés lo formal y arquitectónico.
Pues bien, en ese poema áulico ya hemos visto que la proporción de bimembres finales de octava [21] ha bajado, en números redondos, un 40 por 100 de la que ofrece el *Polifemo*.
Resultado que admirablemente casa con los que nos dan los
sonetos.

VIDA Y BIMEMBRACIÓN. LA DESILUSIÓN SENIL

El último período (1618-1624) comienza cuando Góngora
acaba de trasladarse definitivamente a Madrid. Va para sesentón, y ese sesentón lleva a la Corte —¡aún!— ilusiones de
medro. A ellas responden, sin duda, tanto soneto a Villamediana, a Lemos, al Infante Cardenal, a Paravicino, o los que
escribe lo mismo para impetrar la salud de Felipe III [22], que
para tener favorable al próximo Felipe IV o para adularle,
ya rey. Una quiebra profunda se produce en sus ilusiones y
en su arte con las muertes desastrosas de D. Rodrigo Calderón y de Villamediana. Patente está en sonetos de 1622, y
sobre todo en los de 1623 [23]. El biógrafo que atienda a las
abundantes cartas de estos años ofrecerá una imagen engañosa.

---

[21] Véase más arriba, pág. 137.
[22] Sonetos 346 y 347, de Millé; no pertenece aquí el 361, que debe
de ser por la salud de Felipe IV (y así lo entendió Salcedo-Coronel),
aunque otra cosa diga el manuscrito Chacón.
[23] Son los sonetos, de Millé, núms. 370, 372-374, 376-380.

Las cartas dan el pormenor vital con su alternancia; los sonetos, la sustancia vital con su constancia de sentido. Téngase en cuenta además que las cartas de Góngora revelan una política y en el fondo una hipocresía. Es evidente que, como pretendiente, se engañó una y otra vez: creyó poder triunfar con el apoyo de Lerma, cuando éste estaba ya para caer: y mayor desacierto fué buscar tardíamente el arrimo de don Rodrigo Calderón cuando ya estaba, como quien dice, para subir al cadalso; un destino fatal persigue a los amigos del poeta: el conde de Lemos muere desterrado, y el conde de Villamediana, por brutal impulso soberano. Pero en las cartas a Cristóbal de Heredia, aunque Góngora reconoce sus fracasos, siempre hace brillar cualquier destello de esperanza: se trata de hacer creer a la gente de Córdoba que aún puede manejar mucho influjo en la Corte, que no es un artista incapaz de obtener nunca un resultado práctico. En las cartas de esos años Góngora aparece casi imperturbablemente optimista; soporta todos los golpes y adapta inmediatamente, o trata de adaptar, su posición a cualquier súbito cambio en el sistema oligárquico. Pero quien lee los sonetos de esa misma época —sobre todo, desde 1622—, comprende que algo se ha roto irremediablemente en el espíritu del poeta. Los temas son nuevos: la desilusión, el desengaño, los achaques de la vejez. ¿Dónde el gusto por los colores brillantes, contrastados? Ahora, si hay matices, son los de la ceniza. ¿Y aquella atmósfera irreal, suntuosa, nítida, en la que la naturaleza se ordenaba por categorías estéticas? Ahora el ambiente es hosco y gélido. Alguna vez asoma un rayito: la esperanza. No; en el fondo, el poeta no se engaña: ya no espera, o sólo migajas. Porque estos sonetos, ocres, acres y torvos, son todavía memoriales en verso, dirigidos a poderosos (de unos, lo sabemos; de otros,

10

lo adivinamos). Góngora pide aún, pero ya no lo pide adulando al grande, envolviéndole, eternizado, en una especie de fanal estético; no, ahora pide exponiendo a la luz su propia miseria y su abandono [24]. No he visto que nadie haya resaltado como se merece [25] ese final, verdaderamente sobrecogedor, de la carrera de Góngora como sonetista. Pues bien: en este extremo desilusionado y amargo, la frecuencia de bimembres, que desde 1614 venía en declinación, llega a su índice más bajo: 0,73 por soneto. Si ese período de 1618 a 1624 lo subdividimos ahora en dos (repartiendo por igual los datos del año 1621), uno de 1618 a 1621 y otro de 1621 a 1624, la proporción de bimembres en el primero de estos dos subgrupos es de 0,83 por soneto; en el segundo, de 0,67. De estos dos subperíodos, el primero aumenta ligeramente la frecuencia de bimembres con respecto al subperíodo anterior (aumento desde 0,73 a 0,83); el último (que es el último de la vida de Góngora como sonetista) es ese nuevo bajón hasta 0,67: la proporción menor de bimembres de toda la vida del poeta.

Y esa ligera subida hasta 0,83 en el penúltimo subperíodo es una última llamaradita de esperanza. Repásense los sonetos de 1620 (al Infante Cardenal; sobre Fray Luis de Aliaga, confesor de Felipe III; a Felipe IV y su esposa, antes de reinar, dos sonetos): son última ilusión de pretendiente que se prolonga aún con el cambio de monarca y de validos en 1621 (de un jabalí que mató Felipe IV, a una enfermedad del

---

[24] No importa nada que en estos mismos años escriba unos cuantos sonetos (muy pocos: sólo dos en el 1623, núms. 371 y 375, de Millé, y los dos que se conservan de 1624, núms. 381 y 382), adulatorios, entusiastas y suntuarios: es la rutina, la velocidad adquirida. Lo interesante, lo significativo, es lo nuevo que aparece en su arte: una veta enteriza de negro desengaño.

[25] Artigas apenas se detiene un momento para agrupar tres de estos sonetos (*Don Luis de Góngora*, pág. 182).

mismo; al túmulo de Felipe III) [26]. No pudiendo hacer una división exacta hemos tenido —como ya se ha dicho— que repartir los datos de ese año 1621 entre los dos últimos subperíodos. Si prescindimos de 1621, los tres últimos años de que hay sonetos (1622-1624), dan una proporción de bimembres aún más baja: 0,57 por soneto; y en esos años se acumulan los tristes sonetos de la desesperanza.

VIDA Y BIMEMBRACIÓN. RESUMEN

Esa curva (fig. 1) cuyas oscilaciones representan el aumento o disminución de bimembres en los sonetos de Góngora habla, pues, con toda claridad, y un lenguaje cuyo sentido resulta comprensible, razonable, junto al de la misma vida de Góngora. A su entusiasmo por juventud o por engañosa ilusión vital corresponde una alta proporción de versos bimembres; a sus desilusiones, un índice bajo. La huella de los modelos y el entusiasmo estético de la juventud determinan quizá la alta proporción de bimembres en sus primeros años de sonetista: es la proporción más alta de toda su carrera. Hay pronto una desilusión juvenil (1590-1596) y la inducimos de una cuádruple coincidencia: el poeta escribe *a*) muy pocos sonetos; *b*) una sola canción lírica; *c*) abundante poesía jocosa; *d*) la proporción de bimembres es escasa. Luego, o por ambición de gloria o por deseo de medro, aumenta el uso del soneto, muchas veces cortesano; paralelamente aumenta la proporción de bimembres. Desde esta nueva cima, que para el uso de bimembres está entre 1604 y 1610, viene —con algún altibajo— la larga vertiente, pri-

---

[26] Son los sonetos 360, 361 y 363. Sobre el 361 véase más arriba, página 144, nota 22; el 360 debe pertenecer ya a Felipe IV, cuyas hazañas cinegéticas fueron ensalzadas en seguida por la adulación. (Véase D. Alonso, *Poesía Española*, segunda edición, 1952, págs. 448-454.)

mero del cansancio técnico y, en seguida, de la desilusión
final, y el fondo de esta hoya está en los sonetos de 1623.
Cuatro años más, y el poeta, enfermo, fracasado, desmemo-
riado, muere en su Córdoba natal.

III.—ANTECEDENTES

LA BIMEMBRACIÓN EN GARCILASO Y CETINA

Habría ahora que justificar el alto empleo de bimembres
con que este muchacho de Córdoba irrumpe en el arte del
soneto en 1582. ¿Es una técnica que se inventa él? De ningún
modo. Pues, ¿de dónde le vienen? Vamos, en seguida, a echar
una ojeada fuera de España. Pero, aun en España mismo, los
antecedentes son tan innegables en su conjunto como difíciles de perseguir en el zigzag o en la ramificación de su pro-
pagarse. Un rápido hojear de lo más comparable en Garcilaso
(la Egloga III y los sonetos) muestra cuán ajena le era esta
técnica al poeta de Toledo. En la Egloga III apenas hay un
solo verso que sea perfecto bimembre

> *(cantando el uno, el otro respondiendo)*
>
> (Verso 304.)

y aun éste viene impuesto por el carácter amebeo del canto
de Tirreno y Alcino. Usa, en cambio, bastante, Garcilaso, versos con simetría bilateral, o por lo menos que contienen un
par de conceptos, pero no perfectamente bimembrados:

> *tomando ora la espada, ora la pluma.* (f)
> *alegrando la vista y el oído.* (f)
> *vido de flores y de sombra lleno.* (f)
> *del verde sitio el agradable frío...*

cestillos blancos de purpúreas rosas...
la dulce vida entre la hierba verde (f)

(*Egloga III*, versos 40, 64, 73, 86, 222, 232.)

Esta tendencia al equilibrio dual, que viene, como veremos, de la poesía petrarquista, llega a Garcilaso, pero él no siente necesidad de hacerla plasmar en netas bimembraciones como las que esmaltan por todas partes el *Polifemo* o los sonetos de Góngora. Si tomamos a Garcilaso y a Góngora como característicos de la poesía de los fines del primero y del último tercio del siglo XVI, respectivamente, el contraste entre ambos no puede ser más rotundo.

¿Qué hay, pues, entre estos dos polos? ¿Cómo se pasa del uno al otro? No puedo tratar de resolver una cuestión cuyo planteamiento implicaría toda la historia de la poesía del siglo XVI, que (aunque parezca increíble) [27] conocemos tan mal. Si tomamos otros dos puntos intermedios, podríamos elegir Cetina, como de la generación siguiente a Garcilaso, y Herrera de la anterior a Góngora.

Se encuentra a veces en Cetina la tendencia a una bimembración formal muy neta, aunque el verso no cuaje en bimembre perfecto:

la vida le faltó, no la osadía. (F)

(Son. XI.)

_____

[27] Toda nuestra poesía está mal conocida, porque se ha creído siempre que «historia de la poesía» quería decir «historia de los poetas». Ni aun la crítica del siglo XIX, cuando más se ha encarado con el objeto verdadero (la poesía), ha hecho más que lanzar una rápida mirada y rasguear una apresurada impresión (y concedemos que esta impresión puede ser a veces profundamente intuitiva, genial). Pero un poema es siempre un complicadísimo sistema de elementos espirituales y materiales. Sólo el desintrincarlos es labor ardua. No digamos el tratar de rastrear la procedencia histórica de cada elemento.

Hay también versos de perfecta, o casi perfecta, bimembración:

> *a los ojos un yelmo, al alma escudo.* (F)
>
> (Son. XV.)
>
> *Cercado de temor, lleno de espanto...* (P)
>
> (Son. XXVII.)
>
> *allí se purifica, allí se afina...* (p)
>
> (Son. LXIV.)
>
> *A vos os hiela el fuego, a mí me enciende...* (p)
>
> (Son. LXVI.)
>
> *De error en error, de daño en daño...* (P)
>
> (Son. LXVIII.)
>
> *Eterno lamentar, lloroso verso,*
> *lágrimas de dolor, oscuro luto...*
>
> (Son. LXIX.)
>
> *un émulo de Orfeo, un nuevo Apolo.* (f)
>
> (Son. LXXXVI.)
>
> *gloria de mi dolor, bien de mi pena...* (p)
>
> (Son. CXXVI.)
>
> *la causa callo y los efectos digo.* (F)
>
> (Son. CXXVIII.)
>
> *dígase sólo el mal; el bien se calle.* (F)
>
> (Son. CXXXII.)
>
> *o por cegarme más, o por holgarse.* (F)
>
> (Son. CXXXVI.)
>
> *el blanco lirio y la bermeja rosa...* (f)
> *falta seguridad, sobran temores.* (f)
>
> (Son. CCXXII.)

· Parece lista bastante larga (aún se podrían haber agregado algunos casos más), pero hay que tener en cuenta la gran cantidad de sonetos que se consideran obra de Cetina. [28]

---

[28] 224 contiene la ed. de Hazañas.

Y aun en esta lista no son muchos los versos en los que la bimembración parece desempeñar una función exterior, digamos arquitectónica. Frecuentemente, el bimembre es en Cetina sólo una consecuencia de la técnica de contrarios. Cetina empleaba, pues, muchos más bimembres perfectos que Garcilaso, pero muchos menos que Góngora; los que usó no tienen sino muy pocas veces esa nitidez exterior, ese destello estético que aún nos sorprende en Góngora y fué en él móvil para tal técnica.

BIMEMBRES EN HERRERA

Todavía más claro es el caso de Herrera. Tiene este poeta cierta inclinación a una como geminación conceptual de tradición petrarquesca. Sin embargo, en su abrumadora sonetada no son frecuentes los bimembres perfectos:

> *lazos purpúreos, lúcidos manojos...*
> (Son. XI, lib. I.)
>
> *Corta alegría, inútil vanagloria...* (P)
> (Son. XV, lib. I.)
>
> *Veo el ajeno bien, veo el contento...* (P)
> (Son. XVI, lib. I.)
>
> *Veste negra, descuido recatado...* (p)
> (Son. XX, lib. I.)
>
> *De bosque en bosque, de uno en otro llano...* (P)
> (Son. XXI, lib. I.)
>
> *por el rosado cuello y blanca frente,*
> *dorada diadema, ardor luciente...*
> (Son. XXXIII, lib. I.)

Son, probablemente, menos aún los bimembres en Herrera que en Cetina. Herrera desconoce, casi, la técnica de cerrar el soneto con un cortado bimembre; pero Cetina, como hemos visto, la practicaba algunas veces.

Otros poetas del siglo XVI, de los más italianizados, Francisco de la Torre, Francisco de Figueroa, por ejemplo, usan quizá el bimembre algo más, o con más frecuente intención estética. Pero ninguno en proporciones que ni siquiera se aproximen a las del arranque de Góngora.

BIMEMBRES EN PETRARCA

Es que, aunque Góngora esté (como evidentemente está) en relación con estos antecedentes, ellos y él proceden en esto de una enorme corriente común: la del petrarquismo. Asomémonos a esta corriente, en su origen mismo.

Sería tarea sin fin intentar un recuento de los versos bimembres que en Petrarca ocurren. A veces (unos, perfectos; otros, con alguna imperfección) se amontonan de tal modo en un mismo soneto, que éste se diría escindido en sentido longitudinal:

> *Qui tutta umile e qui la vidi altera,*
> *or aspra or piana, or dispietata or pia;*
> *or vestirsi onestate or leggiadria,*
> *or mansueta or disdegnosa e fera.*
> *Qui cantò dolcemente, e qui s'assise;*
> *qui si rivolse e qui rattenne il passo...*
> *Qui disse una parola e qui sorrise...*

(112 [29].)

De estos versos, sólo el segundo es bimembre perfecto, pero la bilateralidad es patente en los demás, y reiterada se comunica a todo el centro del soneto. Compárese aún:

---

[29] Todas las citas de Petrarca son del *Canzoniere,* según la numeración seguida, con la modificación de Mestica.

> *Fontana di dolore, albergo d'ira,*
> *scola d'errori, e tempio d'eresia...*
> *O fucina d'inganni, o prigion dira,*
> *ove'l ben more, e'l mal si nutre e cria...*
>
> (138. Soneto.)

Estas divisiones a lo largo de varios versos es muchas veces el tema de contrarios lo que las determina:

> *Amor mi sprona in un tempo ed affrena,*
> *assecura e spaventa, arde ed agghiaccia,*
> *gradisce e sdegna, a sè mi chiama e scaccia.*
> *Or mi tene in speranza ed or in pena...*
>
> (178. Soneto.)

También conoce Petrarca y abundantemente usa el efecto del bimembre final. Los que siguen, unos perfectos, otros con ligeras imperfecciones, son todos finales de soneto:

> *mal chi contrasta e mal chi si nasconde.* (F)
>
> (69.)
>
> *colpa d'Amor, non già difetto d'arte.* (F)
>
> (74.)
>
> *che la morte s'appressa e'l viver fugge.* (F)
>
> (79.)
>
> *e tremo a mezza state, ardendo il verno.* (F)
>
> (132.)
>
> *quant'io parlo d'Amore e quant'io scrivo.* (F)
>
> (151.)
>
> *fiamma i sospir, le lagrime cristallo.* (F)
>
> (157.)
>
> *e come dolce parla e dolce ride.* (F)
>
> (159.)
>
> *le mie speranze e i miei dolci sospiri.* (F)
>
> (171.)
>
> *ella più tardi, ovver io più per tempo.* (F)
>
> (205.)

lo spirto è pronto, ma la carne è stanca. (F)

(208.)

di duol mi struggo e di fuggir mi stanco. (F)

(209.)

ei perchè ingordo, ed io perchè si bella. (F)

(240.)

perchè'l cammin è lungo e'l tempo è corto. (F)

(244.)

O felice eloquenza! o lieto giorno! (F)

(245.)

non per elezion, ma per destino. (F)

(247.)

ma che vien tardo o subito va via. (F)

(260.)

io gloria in lei ed ella in me virtute. (F)

(289.)

è ancor chi chiami, e non è chi risponda. (F)

(318.)

piangendo il dico; e tu piangendo scrivi. (F)

(354.)

Claro está que también abundan los bimembres en fin de estrofa:

non Giove e Palla, ma Venere e Bacco (f)

(137.)

egli in Gierusalem, ed io in Egitto (f)

(139.)

in Grecia affanni, in Troia ultimi stridi (f)

(260.)

Muchos de estos versos están predeterminados por la ahitante técnica de contrarios; muy pocos poseen la espléndida irradiación exterior que tendrán muchos de los bimembres de Góngora: «fiamma i sospir, le lagrime cristallo», podría ser del gran cordobés, pero «perchè'l cammin è lungo e'l tempo è corto», a pesar de la antítesis, no evoca nada específicamente gongorino [30].

Pero atendamos ahora a su número. La lista de bimembres finales perfectos o casi perfectos podría aumentarse aún algo más. Y basta para probar cómo Petrarca se ilusionó por esta dualidad del último verso que permite terminar el poemita con una compensación de dos elementos que se suman o contrastan en la mente del lector, y de este modo aclaran o concentran la imagen de todo el soneto. Y también se recorta y apura la imagen fonética con el contrabalanceo de los dos miembros.

Pero la lista aumenta mucho si hacemos más flexibles los límites de nuestro concepto del endecasílabo bimembre. Entonces vienen a acrecer la suma versos como los siguientes, casi todos finales de soneto:

e tanto più di voi, quanto più v'ama. (F)

(21.)

ragionando con meco, ed io con lui. (F)

(35.)

o spirto ignudo, od uom di carne e d'ossa. (F)

(37. Canción.)

non è per morte, ma per più mia pena. (F)

(87.)

danno a me pianto, ed a' piè lassi affanno. (F)

(117.)

che bel fin fa chi ben amando more. (F)

(140.)

lagrime rare e sospir lunghi e gravi. (F)

(155.)

che s'ella mi spaventa, Amor m'affida. (F)

(172.)

---

[30] Claro que se encontrarían versos así en la obra de Góngora, especialmente en las *Soledades*.

tal frutto nasce di cotal radice. (F)

(173.)

quand'io caddi nell'acqua, ed ella sparve. (F)

(190.)

ne di ciò lei, ma mia ventura incolpo. (F)

(202.)

può far chiara la notte, oscuro il giorno,
e'l mel amaro, ed addolcir l'assenzio. (F)

(215.)

vostro, donna, il peccato, e mio fia'l danno. (F)

(224.)

e'l pianto asciuga e vuol ancor ch'i'viva. (F)

(230.)

spesso a vergogna e talor mena a morte. (F)

(232.)

ma se più tarda, avrà da pianger sempre. (F)

(248.)

s'acquistan per ventura, e non per arte. (F)

(261.)

quando mostrai di chiuder, gli occhi apersi. (F)

(279.)

non dirò d'uom, un cor di tigre o d'orso. (F)

(283.)

tanto si vede men, quanto più splende. (F)

(339.)

ch'or fostu vivo com'io non son morta. (F)

(342.)

per la lingua e per gli occhi sfogo e verso. (F) [31]

(344.)

non a caso è virtute, anzi è bell'arte. (F)

(355.)

parrà a te troppo, e non fia però molto. (F)

(362.)

---

[31] Los elementos duales están entrelazados; es decir: «per la lingua sfogo e per gli occhi verso» (correlación).

Creemos que los sonetos de final o netamente bimembre,
o por lo menos, claramente bilateral, son cerca de un 15
por 100 en el *Canzoniere* [32].

Eso por lo que toca a los finales. En interior de poema los
versos bimembres (perfectos o imperfectos) y los que tienen
una clara bilateralidad, o, por lo menos, una resaltada geminación conceptual y verbal, abundan tanto en Petrarca que

---

[32] Hay todavía otros finales con un fuerte corte en el último verso;
no nos detendremos mucho aquí porque en rigor caen fuera de nuestro
actual campo. Ocurren cuando entre el verso penúltimo y el último se
produce un encabalgamiento, y, en cambio, el verso último lleva hacia
su centro una fuerte pausa. Petrarca usó este procedimiento, que es
muy afectivo, con distintos matices de expresión:

> *Ben si può dire a me: frate, tu vai*
> *mostrando altrui la via dove sovente*
> *fosti smarrito, ed or s' più che mai.* (F)

(99.)

> *Pur mi consola che languir per lei*
> *meglio è che gioir d'altra; e tu mel giuri*
> *per l'orato tuo strale; ed io tel credo.* (F)

(174.)

> *... il di sesto d'aprile*
> *nel labirinto intrai; nè veggio ond'esca.* (F)

(211.)

> *or tristi augurii e sogni e pensier negri*
> *mi danno assalto; e piaccia a Dio che'n vano.* (F)

(249.)

En algunos casos, como en el 211, se forma una verdadera bimembración (que en ese soneto es por contrarios: *entrare, uscire*), pero distinta de las que estudiamos ahora, pues excede las dimensiones de un
verso. En todos resalta o se suelta, de toda la masa del soneto, un
como apéndice, retrasado ligeramente por humor o melancolía, en el
que, sin embargo, viene como a intensificarse el valor afectivo de toda
la composición. Esta técnica, aunque distinta de la bimembración,
mantiene con ella algunas relaciones, y comprueba cuán finas preocupaciones, cuán sutiles matices de ejecución reglaban y variaban los
finales en la creación de Petrarca.

son la tendencia predominante en todo el *Canzoniere*, y en especial en los sonetos. Es esto tan evidente, que no puede caber duda: el sistema estético de Petrarca era fundamentalmente binario.

Toda la tradición petrarquista lo es. Probarlo para toda esa corriente, como acabo de hacerlo para el mismo manantial, no sería difícil, sí demasiado largo. Esa estética binaria se exacerba en las formas extremas del petrarquismo (Góngora, Marino). Se exacerba porque se hace más constante, más acrisolada. Caracteriza así la más profunda concepción artística del poeta; y está presente —sin que el lector se dé cuenta— en la delicia que producen los versos.

EL HALLAZGO DE GÓNGORA

En lo que toca a los bimembres, como en tantas supuestas novedades formales de la poesía gongorina, Góngora no inventa, sino que recoge lo que había ya en Petrarca y en toda la tradición petrarquista. No inventa: potencializa, que es una forma especial de hallazgo. Góngora reitera, acumula, acendra, carga de un complejo alusivo los versos bimembres: los reitera, como la poesía anterior española jamás lo hizo, y los coloca ya en posición inicial, ya en el interior de estrofa, ya como remate, pero bien vemos que es esta última colocación la que más le interesa, porque él sí que ya sabe, con toda conciencia, lo que Petrarca quizá sólo entreveía: qué partido se puede obtener de un final bimembrado. Aumenta también el riguroso contraste o la semejanza entre las dos partes del bimembre. Y tiende sutiles hilos o refuerzos al concepto, que vienen de lo fonético, por medio de la aliteración o de la colocación de los acentos rítmicos, o que vienen del campo sensorial del color. El endecasílabo bimembre de Góngora es así una criatura estética superior a todo lo que le precede, lo mismo por su hiriente resalte, por su contraste nítido, que por su evocadora complejidad de matización.

IV.—La huella de Góngora

BIMEMBRES DESPUÉS DE GÓNGORA

Otro problema sería el de las relaciones que en este punto de la bimembración existen entre Góngora y sus contemporáneos, o entre Góngora y las generaciones sucesivas. Hemos visto ya algunos bimembres de Lope, y se podrían citar en abundancia. Todo hace pensar que la técnica juvenil de Góngora, y luego la incrementación y gran uso que llegan casi, en él, hasta 1614, determinaron en gran parte el empleo de la bimembración en Lope. Pero esto no pasa de ser una apreciación general que habría que probar con un análisis cronológico de la obra de Lope, y una comparación, también cronológica, con la de Góngora. No olvidemos que son casi rigurosamente contemporáneos.

Que el ejemplo de don Luis fué decisivo para el empleo de la bimembración a lo largo del siglo XVII, sí que creo no requiere demostración: el influjo gongorino es arrollador en esa centuria, y el uso de la bimembración es sólo una partecilla dentro del total torrente.

Quevedo (nacido en 1580) es el mejor representante de la primera generación posterior a la de Góngora y Lope (nacidos en 1561 y 1562). Pues bien: Quevedo utiliza escasamente la técnica bimembre en sus sonetos; en cambio, la usa con evidente gusto y reiteración en sus primeras canciones líricas [33]:

> *invidia al olmo y a la vid pasiones.* (f)
> *su voz requiebros y su pluma abrazos.* (f)
> *sin prado rosas y sin cielo estrellas.* (f)
>
>> (Canción, Astrana, pág. 8.)
>
> *llanto al clavel y risa a la mañana.* (F)
>
>> (Soneto, *ibíd.*, pág. 10.)
>
> *piérdome en todo, y por perder me muero.* (f)
> *al alma julios y a la orilla mayos.* (f)
> *agua en mis ojos, hierba en mis saetas.* (f)
>
>> (Canción, *ibíd.*, págs. 13-14.)
>
> *elocuente rubí, púrpura hermosa...*
> *ya sonoro clavel, ya coral sabio.* (F)
>
>> (Soneto, *ibíd.*, pág. 61.)

No va a ser una característica de su estilo. Pero bien se ve cómo el juvenil Quevedo embebe primero lo que el maestro de la generación anterior, Góngora, ha implantado en la técnica. Luego, en seguida, Quevedo atacará a Góngora, y afirmará su gusto y su genio situándose en una relativa oposición respecto al maestro en cuyo propio terreno no puede competir. La técnica de la bimembración será poco usada en la obra posterior de Quevedo.

Pero, en general, los contemporáneos y las generaciones sucesivas beben a raudales esa corriente que brota de Góngora. Sí, todo el siglo XVII, y aun el XVIII. El siglo XIX usa también de la bimembración, pero en proporciones mucho menores y con menos impregnación determinadamente estética. En nuestro siglo XX se produce un contacto mucho mayor con la poesía del siglo XVII (labor sobre todo de la genera·

---

[33] Comp. D. Alonso, *Poesía española. Ensayo de métodos y límites estilísticos*, 2.ª edición, 1952 (Biblioteca Románica Hispánica), páginas 503-507.

ción poética a la que pertenezco); algunos poetas usan, en determinados sectores de su arte, los versos bimembres con un criterio no muy diferente del gongorino. Daremos sólo unos cuantos jalones de ese gran fluir de siglos.

BIMEMBRES EN AMÉRICA EN EL SIGLO XVIII

El P. Juan Bautista Aguirre escribe en el territorio hoy del Ecuador, a mediados del siglo XVIII. He aquí versos, casi todos finales, de su *Rasgo épico...* [34].

> *néctar de luz, ardor del Febo trino.* (f)
> *del Erebo terror, del cielo encanto.* (f)
> *conchas los siglos, peces las estrellas.* (f)
> *ondeando furias y encrespando llamas...*
> *su silbo trueno si su vista rayo.* (f)
> *fuego sus ojos, sus narices fuego.* (f)
> *terror del orbe, de la esfera susto.* (f)
> *batió la cola y le postró sus garras.* (f)
> *bosquejo de marfil, sombra de nieve...*
> *formas los casos, bultos los sucesos.* (f)
> *se lavan culpas y se anegan perlas.* (f)
> *lluvias de montes, montes de cristales.* (f)
> *alzó la frente y recobró su asiento.* (f)
> *el mar abierto, el risco desgajado...*
> *ciérrase el mar, encálase el vacío.* (f)
> *sin manchas él y sin espinas ella...*
> *con luces Dios, mi pluma con borrones.* (F)

---

[34] Varios de estos versos han sido citados como ejemplo de bimembración en el excelente estudio del argentino Emilio Carilla, *El gongorismo en América*, Buenos Aires, 1946, pág. 203. Véase también, del mismo Carilla, *Un olvidado poeta nacional* [el P. Aguirre], Buenos Aires, 1943, donde publica las poesías de Aguirre, precedidas de un estudio crítico. Juan Bautista Aguirre, nacido en 1725, en el territorio del actual Ecuador, ingresó en la Compañía de Jesús, y por la orden de expulsión de Carlos III tuvo que pasar a Italia, donde murió en 1786. Carilla cita también bimembres procedentes de otros poemas del P. Aguirre.

Y lo mismo podríamos citar muy numerosos bimembres,
principalmente finales de estrofa, de *A la rebelión y caída de
Luzbel*, de la *Descripción del mar de Venus* o de otros poemas suyos.

BIMEMBRES EN PORTUGAL. LA «FÉNIX RENASCIDA»

Dirijamos la vista ahora hacia otra orilla del influjo poético español. La *Fénix Renascida*, cuyos cinco tomos se publi-
can de 1716 a 1728 [35], es una colección que tiene que sernos
muy interesante a nosotros, españoles, pues prueba la impregnación profunda, casi total, de sustancia y forma española que sufre la poesía de Portugal durante todo el siglo
XVII y que aún se prolonga en el XVIII [36]. Muchos de los poetas
de esa época escriben en castellano. Pero, además, es indife-
rente la lengua: tan imitadores son de lo español cuando
escriben en portugués. Cito versos de las *Saudades de Lydia
e Armido* [37]:

> *inchava as ondas e batia as velas.* (f)
> *Gemia a tuba, o bronze retumbava...* (p)
> *plantas de galas e jardim de plumas.* (f)

---

[35] Es la primera edición. La segunda salió en 1746. Poseo un ejemplar de la segunda edición (más completa que la primera), regalo de
mi amigo Eugenio Asensio Barbarin, a quien expreso aquí mi agradecimiento. Tiene menos interés (por repetir buena parte de la *Fénix*)
O Postilhão de Apollo, colección publicada en dos *Ecos*, el 1.º en 1761
y el 2.º en 1762. El título es bien característico de la época: *Eccos que
o clarim da Fama dá: Postilhão de Apollo montado no Pegaso girando
o Universo para divulgar ao Orbe litterario as peregrinas flores da
Poesia Portuguesa...*

[36] Téngase en cuenta que lo mismo pasa en el siglo XVI y, en parte,
en el XV: son casi cuatro siglos de voluntario bilingüismo de la poesía
portuguesa. No se hable de imposición filípica: antes de 1580 y después de 1640 ocurre exactamente lo mismo que entre esos dos años.

[37] *Fénix Renascida*, 2.ª ed., tomo I, págs. 32 y sigs.

> *graças da natureza, alentos da arte...*
> *galhardias de Adonis, leis de Marte...*
> *aceyo sem dezar, talhe sem vicio.* (f)
> *uma assiste a quem deixa, outra a quem parte.* (f)
> *que a pezar destas e a pezar daquellas...*
> *uma morte vencia em outra morte.* (f)
> *em duas mortes troque duas vidas.* (f)
> *oceanos de neve, Etnas de fogo...*
> *fogo no pranto, e na partida fogo...*
> *pois ao porse dous Sóes nascem dous mares.* **(f)**
> *por flor Adonis, por crystal Narciso.* (f)
> *razoens as ancias, vozes os suspiros.* (f)
> *mimo da Aurora, lastima da tarde.* (f)

Todo esto, sólo en las once primeras octavas del poema. El número de ejemplos se doblaría aún si en vez de versos casi todos netamente bimembrados hubiéramos recogido los que muestran una clara tendencia a la repartición bilateral.

BIMEMBRES EN POESÍA MODERNA

El uso de los versos plurimembres en sus diversas posibilidades expresivas llega hasta la poesía contemporánea. Quiero aquí sólo atraer, como ejemplo, un poeta, Rafael Alberti, en cuya obra las mayores novedades no han impedido una presencia de la tradición, ya difuminada, ya evidentísima: en él esta diferencia de matiz suele responder a la índole del tema. Si abrimos su libro *A la pintura. Poema del color y la línea*[38], podemos comparar dos poemas escritos en sextinas[39], uno al arte de Zurbarán y otro al de Tiziano. El gozo

---

[38] Buenos Aires, 1948.
[39] ABABCC: Es, por tanto, la misma estrofa que usaron en el siglo XVII Venegas de Saavedra (en los *Remedios de Amor*) y Quevedo (*Flores*, de Calderón, núms. 144-145).

de la forma, el juego de simetrías renacentistas, la delicia del color, se expresan en la composición a Tiziano, entre otras cosas por la ordenada y ondulada variación de versos plurimembres:

> *Fué Dánae, fué Calixto, fué Diana,*
> *fué Adonis y fué Baco, fué Cupido...*
> *basamentos, columnas, capiteles* (f)

Otras veces, una pluralidad trimembre se distribuye exactamente en tres versos seguidos:

> *Tu música, su fuente calurosa.*
> *Tu belleza, el concierto de su mano.*
> *Tu gracia, su sonrisa numerosa.*

Pero lo mismo que en toda la tradición renacentista, que el poeta quintaesenciadamente nos da, predominan las dualidades plasmadas, muchas veces con absoluta exactitud, en un verso:

> *Fué a toda luz, a toda voz el tema.* (f)
> *Lúdica edad, preámbulo sonoro...*
> *mejor cintura ni mayor cadera.* (f)
> *venablo luminoso, flecha clara...*
> *altor de luna, miramar de estrella* (f)
> *dichoso juvenil, vergel florido...*
> *Príapo el pincel, Adonis los colores.* (F) [40]

Una fuerza tradicional lleva al poeta a cerrar la estrofa con un bimembre (o un trimembre). El poemita no tiene sino ocho sextinas. Como acabamos de ver, de las ocho, cuatro terminan en bimembre, una en trimembre. Bimembre tenía que ser también, claro, el verso final de la composición.

---

[40]   Obra cit., págs. 71-73.

Interesante en extremo es pasar ahora al otro poema, al dedicado a Zurbarán [41]. La estrofa es la misma. Pero ¡qué diferencia! Si hay algún verso plurimembre está al principio de la estrofa:

> *Ni el humo, ni el vapor, ni la neblina...*
> *Piensa el tabique, piensa el pergamino...*

Ninguna armonía, ningún gozo de vivir en este ambiente ascético. (Sólo el placer de la rigurosa exactitud.) Ningún resquicio para juegos, ondulaciones, variaciones simétricas. El poeta da a su pensamiento una precisión que duplica el rigor de esa pintura en que la materia se define, casi conceptual, para la vista.

También son aquí ocho las sextinas: ni una sola termina en verso plurimembre.

V.—Apéndice

BIMEMBRACIÓN DISTRIBUÍDA EN DOS VERSOS

Hemos visto cuán frecuentemente un sintagma no progresivo bimembre se encierra en un verso: la cohesión del verso, su medida y acentuación, en una palabra, su ritmo, y aun su brevedad (el hecho de que el endecasílabo sea una tan breve y tan bien definida unidad dentro de la elocución humana), tienen como consecuencia que la bimembración resulte especialmente neta, que se grabe más rápida y profundamente en el cerebro del lector cuando el concepto se ha revestido esa exacta envoltura.

Pero la bimembración de ningún modo va ligada al molde del verso: es una noción y una realidad del lenguaje mucho

---

[41] Obra cit., págs. 145-147.

más amplia y general. La tendencia bilateral puede plasmar en unidades más amplias: en el conjunto de dos versos; dentro de una estrofa; entre la primera y la segunda mitad de una estrofa misma; en el conjunto de dos estrofas, etc.

Expondremos, sólo, como ejemplo más sencillo, algunos pasajes, todos de la poesía de Góngora, en los que una bimembración se completa entre dos versos, de tal modo que el primer miembro ocupa el primer verso, y el segundo, el segundo.

Muchos de estos ejemplos son finales de soneto (algunos, finales sólo de cuarteto o de terceto):

> ... *o ya para experiencia de fortuna*
> *o ya para escarmiento de cuidados.* (f)

(Son. 267.)

> ¿*Quién con piedad al andaluz no mira,*
> *y quién al andaluz su favor niega?* (f)
> ... *en la sortija el premio de la gala;*
> *en el torneo, de la valentía.* (F)

(Son. 273.)

> ... *o nubes humedezcan tu alta frente,*
> *o nieblas ciñan tu cabello cano.* (f)
> ... *o ya de los dos soles desatada,*
> *o ya de los dos blancos pies vencida.* (F)

(Son. 282.)

> ... *de los dos mundos uno y otro plano,*
> *de los dos mares una y otra espuma.* (F)

(Son. 329.)

> ... *en las cortezas que el aliso viste,*
> *en los suspiros cultos de su avena.* (F)

(Son. 366.)

En todos estos casos, pues, se establece una especie de «paralelismo» [42] entre dos versos finales, y el paralelismo se

---

[42] Para las relaciones entre «paralelismo», «plurimembración» y «correlación» véase D. Alonso y C. Bousoño, *Seis calas en la expresión*

intensifica, muchas veces, por la repetición anafórica. Pero una pareja de versos de ese tipo puede expresarse por la fórmula A_1-A_2. Decimos en ese caso que una dualidad está regularmente distribuída entre dos versos. El verso bimembre perfecto es sólo la expresión más nítida de dualidad. Ahora, ante las unidades bimembres regularmente distribuídas en dos versos, comprendemos mejor el hecho de que su efecto estético sobre el lector sea próximo al del endecasílabo bimembre: en uno y otro caso son muy parecidas las relaciones que se pueden producir entre ambos miembros, y los poetas que saben el especial efecto que consigue un endecasílabo bimembre como final, conocen también que parecida virtualidad tiene, colocada al fin de estrofa o de poema, una bimembración distribuída entre dos versos.

Ese prurito estético de usar una fórmula bimembre para terminar una estrofa o una composición, y en especial un soneto, que acucia una y otra vez, siempre creciente, a los poetas desde Petrarca hasta Góngora [43], aparece aquí de otra manera. Lo que habíamos observado hasta ahora era la insistencia con que un verso bimembre claramente o matemáticamente contrabalanceado aparece en posición final:

> *O felice eloquenza! O lieto giorno!* (F)
> (Petrarca, 245.)
> *ni el mar argentes, ni los campos dores.* (F)
> (Góngora, 221.)

Ahora esa bilateralidad afecta a la pareja de los dos últimos endecasílabos: el eje de la relación está situado entre el fin del primer verso y el principio del segundo:

---

literaria española, «Biblioteca Románica Hispánica», Madrid, 1951, *passim*.

[43] Y hasta en nuestros mismos días, si bien con menos frecuencia que en el siglo XVII.

> *él de la espada del sangriento Marte,*
> *vos, de la lira del sagrado Apolo.* (F)
>
> (Góngora, son. 236.)

¿Qué necesidad se aquieta así, allá en el fondo de alguna galería de nuestro recinto estético? Algo se serena o se equilibra, cuando los poetas tanto han repetido el procedimiento. Lo cierto es que, como acabamos de ver, la bimembración final puede estar contenida en un solo verso o distribuída regularmente entre dos. Y así como dentro de un solo verso terminal la bimembración puede estar intensificada (y lo está con frecuencia) por un violento contraste —«grana el gabán, armiños el pellico». (F)—, así entre los endecasílabos de las parejas finales se establecen, además de la relación fundamental (la fundamental es la de igualdad de ciertos elementos con variación de otros) [44], otras varias. Frecuentemente, la de contraste (o de contrarios) que en el verso bimembre habíamos encontrado tantas veces. En este ejemplo el contraste se produce entre *revocar* (= 'hacer volver') y *perder* (hay una alusión al mito de Eurídice y Orfeo):

> *Mas, ay, que cuando no* [45] *mi lira, creo*
> *que mil veces mi voz te revocara*
> *y otras mil te perdiera mi deseo.* (F)
>
> (Soneto 260.)

Aquí se contrastan ahora *días* y *noches*, y dentro del mismo

---

[44]   Es decir, igualdad y variación en la igualdad, o sea género próximo y última diferencia. Comp. D. Alonso y C. Bousoño, *Seis calas*, páginas 25 y 47-48. Así, en el ejemplo que acabo de citar, del soneto 236, de Góngora, el género próximo es 'noble actividad humana' y las últimas diferencias 'militar' y 'literaria'.

[45]   Corríjase la fea errata de la edición de Millé.

sistema *ojos de la cara* y *ojos de los rabos* (se alude al sucísimo «¡agua va!»):

> ... *que sirvan los balcones*
> *los días, a los ojos de la cara;*
> *las noches, a los ojos de los rabos?* (F)
>
> (Soneto 278.)

O *Sol* y *Luna*:

> ... *en sus ojos del Sol los rayos vemos*
> *y en su arco los cuernos de la Luna.* (F)
>
> (Soneto 286.)

Rico y *pobre* (se alude al amante apasionado y pobre y al dadivoso y rico):

> ... *halla ya paso más llano*
> *la bolsa abierta el rico pelicano*
> *que el pelicano pobre abierto el pecho.* (f)
>
> (Soneto 295.)

Rebeldes y *mordidos* (es decir, 'que no se dejan labrar' y 'que se han dejado labrar', respectivamente):

> *en pórfidos rebeldes al diamante,*
> *en metales mordidos de la lima.* (f)
>
> (Soneto 343.)

Otras veces la contrastación se obtiene por un juego paronomástico [46]. También, claro está, se daba frecuentemente dentro del endecasílabo bimembre.

---

[46] Incluyo aquí la paronomasia propiamente dicha y artificios emparentados.

Si recordamos el verso *(tálamo-túmulo)*

> tálamo *es mudo,* túmulo *canoro*[47] (f)
>
> (Góngora, canción 405.)

comprenderemos cómo análogas intuiciones fructifican en la bimembración dentro de un verso que en la distribuída en dos, al comparar con esta pareja *(limado-lamido)*

> *de la disposición antes* limado
> *y de la erudición después* lamido. (f)
>
> (Soneto 314.)

Puerto-puerta:

> puerto *hasta aquí del bélgico pirata,*
> puerta *ya de las líbicas arenas.* (f)
>
> (Soneto 316.)

Otras veces se obtiene una especie de diferenciación in-tensificada repitiendo un término en cada uno de los miembros, es decir, en cada uno de los versos:

> *con la* muerte *libraros de la* muerte
> *y el* infierno *vencer con el* infierno. (F)
>
> (Soneto 324.)

Si representamos *muerte* por *x* e *infierno* por *y*, podríamos obtener la siguiente fórmula:

$$A_1 \ (x, x) - A_2 \ (y, y)$$

---

[47] En el que la cuasi paronomasia está aún reforzada por el contraste *mudo-canoro*.

En ella, A_1 y A_2 designan [48] el primer miembro y el segundo, pero dentro de los paréntesis que, respectivamente, les siguen se da una representación esquemática del contenido de cada miembro: que el primero contiene dos elementos *(x)* iguales; y otros dos *(y)*, el segundo.

Una variación de la anterior es ésta:

$$A_1 \ (x, \ y) \ - \ A_2 \ (x, \ z)$$

Por ejemplo:

> *más con el silbo que con el cayado*
> *y más que con el silbo con la vida* [49]

(Soneto 294.)

Otra variación:

$$A_1 \ (x, \ y) \ - \ A_2 \ (y, \ z)$$

ocurre, v. gr., en:

> *las horas que limando están los días,*
> *los días que royendo están los años* [50]

(Son. 374.)

---

[48] Es la notación general explicada en D. Alonso y C. Bousoño *Seis calas*, pág. 25.

[49] Por no complicar las cosas más, prescindo de tener en cuenta la inversión quiasmática de las funciones sintácticas entre ambos versos. En el ejemplo que se cita a continuación *(vendido-adorado)* hay quiasmo léxico, pero no sintáctico.

[50] Pertenece al mismo tipo el ejemplo citado hace poco, del soneto 295. Este encadenar los versos con repetir al principio de uno la palabra final del anterior se suele llamar anadiplosis. El hecho en sí no tiene nada que ver con la bimembración (por lo menos con el tipo de bimembración que aquí estudiamos); muestro sólo que puede venir

En fin, otra posibilidad es:

$$A_1 (x, y) - A_2 (y, x)$$

como en este caso:

> de quien por no adorarle *fué* vendido
> por haberle vendido *fué* adorado

(Son. 380.)

Otras veces la unidad bimembre terminal, distribuída entre dos versos, recibe la configuración de la fórmula «si no A₁, A₂»[51]:

---

a reforzar la oposición en la bimembración antitética. (Véase sobre anadiplosis, Jörder, *Die Formen des Sonetts bei Lope de Vega*, páginas 215-218, y la bibliografía allí citada.) Otras veces se producen encadenamientos de otro tipo. En el terceto

> Muro *que sojuzgáis el verde llano,*
> torres *que defendéis el noble* muro,
> *almenas que a las* torres *sois corona,*

(Son. 257.)

la palabra inicial de cada verso se repite al final (o hacia el final) del verso siguiente.

Desde el punto de vista sintáctico y conceptual, en cambio, el ejemplo del soneto 374 debe de ir asociado con el inmediatamente anterior, del soneto 294 (la *vida* más poderosa que el *silbo*, el *silbo* más poderoso que el *cayado;* las *horas* van deshaciendo los *días*, los cuales van deshaciendo los *años*).

[51] Véase mi libro *La lengua poética de Góngora*, I, cap. IV. Es el tipo que allí estudié con la fórmula *A, si no B*. Hago ahora $B = A_1$ y $A = A_2$ para mostrar que me interesan sólo los casos de fórmula «*A*, si no *B*», en los que los términos *A* y *B* son, en realidad, miembros de una unidad bimembre enmascarada. El ejemplo que mencionamos en el texto equivale a 'la servirá o bien maese Duelo en capirotada (A₁), o bien maese Bochorno en sopa (A₂)'.

> *si masse Duelo no en capirotada,*
> *la servirá masse Bochorno en sopa.* (F)
>
> (Soneto 315.)

Compárese el mismo uso contenido en un solo verso final:

> *de sucesión real, si no divina.* (F)
>
> (Soneto 289.)

RESUMEN: CLASIFICACIÓN DE LAS BIMEMBRACIONES

Quede bien fijo esto: la bimembración, aun en poesía, no está ligada a la medida de un verso. Puede excederla, distribuyéndose regularmente en dos endecasílabos. Este procedimiento, frecuente en Góngora, se emplea preferentemente en posición final, lo mismo que el endecasílabo bimembre; las relaciones intermembrales son también muy parecidas en uno y otro caso [52]. Pero hay otros muchos en que una dualidad no está repartida exactamente en dos versos, sino en más de uno y menos de dos (dualidad distribuída irregularmente) o en más de dos (dualidad diseminada).

Góngora siente también bastante inclinación a usar como finales dualidades irregularmente distribuídas. Habla del rey de España:

> *¿Qué mucho si el Oriente es cuando vuela*
> *un ala suya y otra el Occidente?* (F)

Esta clasificación puede ser generalizada para cualquiera pluralidad. Así lo expondremos en el estudio sobre la «Función de las pluralidades» que sigue a continuación en el presente libro.

---

[52] Hay una diferencia y es que las relaciones intermembrales pueden ser más complicadas en la dualidad distribuída, porque la mayor extensión de cada miembro permite más riqueza de elementos y, por tanto, más complejidad.

FUNCION ESTRUCTURAL
DE LAS PLURALIDADES

I.—EN EL SONETO (DE PETRARCA A GÓNGORA).

PREÁMBULO [1]

Llamo pluralidad *n*-membre al conjunto de *n* nociones (o juicios) que tienen la peculiaridad de expresar cada uno una última diferencia de un mismo género común. Por ejemplo, «vista, oído, olfato, gusto» es una pluralidad cuatrimembre (el género común es «sentido»). Los poetas de muchas épocas (Petrarca, petrarquismo del siglo XVI, gongorismo, marinismo) se aficionan de modo extraordinario al uso de pluralidades. El caso más neto y claro es que una pluralidad se engaste exactamente en un verso. Por ejemplo:

> *l'occhio, l'udito, l'odorato e'l gusto*
>
> (Luigi Groto.)

El acopio de versos plurimembres que puede hacerse en las literaturas italiana y española desde Petrarca es enorme (el lector no se da cuenta de la increíble abundancia); eso ateniéndonos a los plurimembres perfectos (en los que una pluralidad *n*-membre está perfectamente contenida en un solo verso):

---

[1] Resumo en este «Preámbulo» (para que el lector pueda comprender el sentido de lo que sigue) lo que con más detenimiento he expuesto en D. Alonso y C. Bousoño, *Seis calas*, págs. 11-42, y en D. Alonso, *Versos plurimembres y poemas correlativos. Capítulo para la estilística del Siglo de Oro*, Madrid, 1944, *passim*.

N.º de miembros	
2	*senz'acqua il mare e senza stelle il cielo* (Petrarca).
2	*la Sena a l'Ocean, l'Arno al Tirreno* (Annibal Caro).
2	*a Venus bella, a Faetón luciente* (Herrera).
3	*solco onde e'n rena fondo e scrivo in vento* (Petrarca).
3	*col martel, coi colori e con l'inchiostro* (Vicenzo Martelli).
3	*ver a Dios, pisar luz, vestir estrellas* (Góngora).
4	*e gli augelletti e i pesci e i fiori e l'erba* (Petrarca).
4	*los cabellos, la boca, el cuello, el pecho* (Cetina).
5	*O poggi, o valli, o fiumi, o selve, o campi* (Petrarca).
6	*oídos, ojos, pies, manos, boca, alma* (Cetina).
9	*vid, flor, voz, aura, abril, sol, luz, cielo, alma* (Lope de Vega).

En ambas literaturas se podrían citar muchos centenares de versos que, como éstos, tienen una perfecta plurimembración. El lenguaje no es matemática, y no hay inconveniente en agregar también otros en los que la plurimembración presenta algunas evidentes imperfecciones: una o varias palabras que son comunes a todos los miembros. Por ejemplo, un sustantivo:

> *Fresco, ombroso, fiorito e verde colle...* (Petrarca).
> *o sacro, avventuroso e dolce loco* (Petrarca).

Un verbo:

> *I' benedico il loco, e'l tempo e l'ora* (Petrarca).

El lector podrá creer que no hay especial artificio o particular sentido estético en plurimembraciones de este tipo: que son troqueladas por la mera necesidad de expresión conceptual. En los sonetos de Petrarca y Góngora que comento a continuación, quedará bien probado que el uso de las pluralidades (moldeadas en versos plurimembres, ya perfectos, ya imperfectos) está en Petrarca, como en Góngora, ligado a la más profunda y oscura concepción del poema: al estado manante del fenómeno poético [2].

---

[2] Y eso que no considero aquí los artificios correlativos en los que,

La pluralidad puede rebasar el marco de un verso. En el estudio que antecede en este libro hemos visto cómo una dualidad puede expresarse con distribución perfectamente exacta en dos versos. Una pluralidad de tres (o más) miembros puede, del mismo modo, distribuirse casi exactamente en tres (o más) versos:

> *Gusano, de tus hojas me alimentes;*
> *pajarillo, sosténganme tus ramas;*
> *y ampáreme tu sombra, peregrino.*

> (Góngora.)

(la irregularidad es mínima: se esperaría que «peregrino» estuviera al principio del tercer verso).

Otras veces, una pluralidad está distribuída irregularmente por varios versos. Cuando Petrarca, en un famoso soneto, exclama:

> *e benedetto il primo dolce affanno*
> *ch'i'ebbi ad esser con Amor congiunto,*
> *e l'arco e le saette ond'io fui punto*
> *e le piaghe ch'infin al cor mi vanno...,*

estamos ante un sintagma no progresivo [3] cuajado en una expresión cuatrimembre (elementos representativos de cada miembro: 1.º, *affanno*; 2.º, *arco*; 3.º, *saette*; 4.º, *piaghe*) [4]. Pero estos miembros están distribuídos irregularmente a lo largo de una estrofa: es lo que llamamos «pluralidad cuatrimembre irregularmente distribuída».

---

en Petrarca, como en la tradición petrarquista, las pluralidades encarnan unas veces en plurimembres perfectos y otras en imperfectos.

[3] También un sintagma progresivo puede encerrar una pluralidad (en general, sólo de dos miembros, es decir, una dualidad). Verso final de un soneto de Herrera.

> *que en vuestro* hielo *encienden mi impio* fuego

Se trata de la dualidad *hielo-fuego;* pero el sintagma progresivo hace imposible toda simetría sintáctica entre los dos miembros.

[4] Podría considerarse trimembre si se prefiere que *arco* y *saette* formen un solo miembro.

LAS PLURALIDADES Y LA ARQUITEC-
TURA DEL SONETO, EN PETRARCA

Un verso plurimembre no es una piedra preciosa aislable sino un elemento cuya eficacia sólo se puede comprender si se le contempla en su función dentro del organismo poemático a que pertenece. Fácil es el acopio de plurimembres; difícil —por lenta— la consideración en cada caso del valor funcional. Todo se complica cuando se considera que en tal análisis no se puede prescindir de otras criaturas menos lúcidas y compactas, pero no menos interesantes como producto del sistema estético de un poeta: las pluralidades que dentro del poema no aparecen contenidas en un verso.

Vamos a estudiar la función de las pluralidades en algunos sonetos, de la cabeza y de un extremo del movimiento petrarquista: Petrarca y Góngora.

Lo más inmediato es pensar que en la estructura del soneto de Petrarca los elementos estructurales, como en todo soneto, son cuartetos y tercetos. Vamos a ver cómo la realidad temática del soneto puede tender hacia una expresión plural que le individualiza. Cuartetos y tercetos son elementos estructurales rígidos, se diría que pétreos; el fluir del pensamiento ya unitario, ya plural, en brazos que se entrecruzan o subdividen —con repeticiones y variaciones que recuerdan las de la danza—, es uno de los elementos que más contribuyen a crear para cada soneto la peculiaridad, la unicidad de la obra de arte.

No de modo igual en todos los poetas. Sí con extraordinaria, con característica intensidad en Petrarca. Siguen algunos ejemplos.

ESTRUCTURA DUAL

> *Due rose fresche, e còlte in paradiso*
> *l'altr'ier, nascendo il di primo di maggio,*
> *bel dono, e d'un amante* antiquo e saggio,
> *tra duo minori egualmente diviso;*
> *con si dolce* parlar *e con un* riso
> *da far* innamorar *un uom* selvaggio,
> *di* sfavillante *ed* amoroso *raggio*
> *e l'uno e l'altro fe cangiare il viso.*
> *«Non vede un simil par d'amanti il sole»,*
> *dicea* ridendo *e* sospirando *insieme;*
> *e stringendo ambedue, volgeasi attorno.*
> *Cosi partia le* rose *e le* parole:
> *onde'l cor lasso ancor s'*allegra *e* teme.
> *O felice eloquenza! | o lieto giorno!*

Núm. 245.

En este delicioso soneto la dualidad unas veces es simplemente de adjetivos: «antiquo» y «saggio»; «sfavillante» y «amoroso». En otros versos implica un contraste suave o duro: «innamorar» y «selvaggio» (dualidad progresiva); «ridendo» y «sospirando»; «s'allegra» y «teme». En un caso señala sólo la real dualidad de seres «l'uno» y «l'altro». Otras veces ha plasmado en bimembres perfectos o más o menos imperfectos:

> *Con si dolce parlar e con un riso...*
> *Cosi partia le rose e le parole...*
> *O felice eloquenza! o lieto giorno!* (F)

Todo el movimiento dual del soneto —como una pugna en busca de una forma— va a aquietarse y al par a expresarse en el perfecto bimembre que lo remata.

En el anterior soneto la dualidad venía fomentada, sugerida y a veces exigida por el tema (dos rosas, dos amantes)[5].

Sin embargo, aun en las ocasiones en que el tema no lo fomentaba, en el profundo molde del sistema estético de Petrarca había una tendencia hacia la bimembración, que encontraba descanso en la repartición dual de materia en el verso, es decir, en la bimembración más o menos perfecta. A veces en una pluralidad de tres o más miembros, dos de los miembros fraguan en endecasílabo bimembre. Se produce, pues, como una pugna entre el número total de elementos de la pluralidad (por ejemplo, tres) y el moldeamiento en verso bimembre. Este juego, este paso, da origen a graciosas variaciones que colaboran en la individualización del poema.

En el soneto que transcribo a continuación, uno de los más famosos del poeta, Petrarca alaba en Laura cuatro elementos: *viso, chiome, core, occhi*. Pero Petrarca ha separado el último, al que dedica el primer terceto entero. El movimiento de los cuartetos abarca, pues, tres elementos *(viso, chiome, core)*. Como ocurre frecuentemente en los sonetos del *Canzoniere*, el desenvolvimiento del segundo cuarteto es más rápido (y a él corresponden, por eso, dos elementos: *chiome* y *core)*; el primero se dedica todo al *viso*. El segundo cuarteto está dividido exactamente por su mitad. Por tanto: *viso*, versos 1.º-4.º; *chiome*, versos 5.º-6.º; *core*, versos 7.º-8.º Primer terceto: *occhi*. En el segundo terceto vienen

_____

[5] Sin embargo, no veo (entre los recursos que manejo) que esa dualidad en que a lo largo del soneto parece haberse trasfundido la dualidad del tema, haya sido notada por los comentadores.

alabadas tres acciones de Laura: *sospira, parla, ride*. He aquí
el soneto:

> *In qual parte del ciel, | in quale idea*
> *era l'esempio onde Natura tolse*
> *quel bel viso leggiadro, in ch'ella volse*
> *mostrar* quaggiù *quanto* lassù *potea?*
>
> *Qual'ninfa in fonti, | in selve mai qual Dea*
> *chiome d'oro sì fino a l'aura sciolse?*
> *Quando un cor tante in se virtuti accolse?*
> *Benchè la somma è di mia morte rea.*
>
> *Per divina bellezza indarno mira,*
> *chi gli occhi di costei giammai non vide,*
> *come soavemente ella gli gira.*
>
> *Non sa com'Amor sana e come ancide,*
> *chi non sa come dolce ella sospira,*
> *e come dolce* parla *e dolce* ride.

Núm. 159.

Separado el elemento *occhi* (que está en el primer terceto), los cuartetos encierran una pluralidad ternaria que, a
primera vista, parece recalcada por el mismo giro sintáctico
de las tres interrogaciones: *In qual...? Qual...? Quando...?*
A pesar de esta base ternaria, el movimiento del verso es binario y de relaciones binarias casi toda la fluencia del soneto.
A veces la bilateralidad está sólo señalada por contraposición
(*quaggiù, lassù*: dualidad progresiva). Pero el primer endecasílabo tiene ya un corte bimembre:

> *In qual parte del ciel, | in quale idea...* (P)

Este corte bimembre se refleja exactamente en la dualidad
quaggiù-lassù del último verso de ese primer cuarteto. Y de

nuevo, en correspondencia con el primer cuarteto, el arranque del segundo:

> *Qual ninfa in fonti,* | *in selve mai qual Dea...*

Notemos ahora que en esos versos iniciales de los cuartetos (casi perfectos bimembres) el movimiento no se serena al fin del endecasílabo, porque en ambos el sentido se liga por encabalgamiento al verso siguiente (en busca de los verbos, respectivamente, «era» y «sciolse»), de modo que aquí el avance dual da más bien viveza a la expresión, la sacude, pues el segundo miembro detiene la ligazón con el verbo que se espera. Manifiesta así el poeta su asombro: «¿Dónde, en qué idea platónica pudo estar el dechado de este rostro?» «¿Qué belleza de la antigüedad fabulosa poseyó cabellera semejante?» El verso bimembre no sólo expresa, pues, serenidad y armonía: ligado por encabalgamiento al siguiente puede dar también viveza o inquietud a la expresión [6].

El terceto 1.º es un descanso: los tres versos fluyen seguidos, sin la habitual doble estribación.

Pero en el 2.º terceto, el principio repite otra vez el arranque dual de los cuartetos. Y es aquí un bimembre por contrarios de amor:

> *Non sa com' Amor sana e come ancide...* (p)

Y ahora seguirán los tres elementos espirituales, o de transmisión de lo espiritual *(sospira, parla, ride)*. Pero de esta trimembración, los dos últimos elementos han cuajado en un bimembre casi perfecto:

> *e come dolce parla e dolce ride.* (F)

---

[6] Véase más abajo «Relaciones verticales en el soneto de Petrarca» (página 197).

El soneto se cierra con bimembre, y ésta es la representación
de la más interior rítmica, que queda en la mente del lector:
1) Arranque bimembre del 1.er cuarteto; 2) Arranque bimembre del 2.º cuarteto; 3) Variante sin bimembración del 1.er
terceto; 4) Arranque bimembre del 2.º terceto; 5) Verso final
bimembre del 2.º terceto. Otros elementos (*quaggiù-lassù;
sana-ancide*) completan la imagen dual. He aquí cómo el contenido doblemente trinario de los cuartetos y del 2.º terceto
se ha conformado en un molde binario.

MOVIMIENTO BINARIO Y VARIACIO-
NES TERNARIAS Y CUATERNARIAS

La predominancia binaria, lo acabamos de ver, puede forzar aún a pluralidades trinarias. Pero otras veces estas últimas encarnan en perfectos ·versos trimembres. Aun así, la
base binaria del sistema poético de Petrarca es inalterable, y
en seguida surgen las dualidades y los versos bimembres. Se
produce entonces una como danza imaginativa entre el movimiento básico binario y la variación ternaria.

En el siguiente soneto el arranque haría prever un predominio de lo ternario:

> *Dolci ire | dolci sdegni | e dolci paci,*
> *dolce mal, | dolce affanno | e dolce peso,*
> *dolce parlar | e dolcemente inteso,*
> *or di dolce ôra, | or pien di dolci faci.*
> *Alma, non ti lagnar, ma soffri e taci,*
> *e tempra il dolce amaro che n'ha offeso,*
> *col dolce onor che d'amar quella hai preso*
> *a cu'io dissi: | tu sola mi piaci.*
> *Forse ancor fia chi sospirando dica,*
> *tinto di dolce invidia: «Assai sostenne*
> *per bellissimo amor questi al suo tempo».*

Altri: «*O fortuna agli occhi miei nemica!*
perchè non la vid'io? | perchè non venne
ella più tardi, | ovver io più per tempo?»

Núm. 205.

Cuarteto 1.º Versos 1.º y 2.º, trimembres. Versos 3.º y 4.º, bimembres.

El 2.º cuarteto pasa a una dualidad reducida, expresada por copulación de verbos *(soffri, taci)* o por contraste interno del adjetivo con su sustantivo («dolce amaro»). Todavía en el cuarteto la bimembración, también contrastada, establece relaciones entre dos versos («tempra il *dolce amaro...* col *dolce onor*»). El verso último del segundo cuarteto no es bimembre sino en un sentido puramente rítmico:

a cu'io dissi: | tu sola mi piaci. (f)

El 1.er terceto discurre sin bimembración, salvo en lo que toca a la fuerte pausa en el centro de su 2.º verso; ese pormenor no altera el carácter de fluencia unitaria del terceto: compárese con el ejemplo inmediatamente anterior (soneto 159).

Pero en el 2.º terceto, el verso 2.º:

perchè non la vid'io? perchè non venne...?

es claramente bimembre. Y de nuevo, como en el soneto antes estudiado, el hecho de que la interrogación bimembre se ligue por encabalgamiento al verso que sigue, expresa otra vez, no armonía, sino vivo afecto, pasión de ánimo. El soneto, por medio de otro fuerte encabalgamiento, va a terminar en un perfecto bimembre donde «ovver» sirve de eje de simetría:

ella più tardi, ovver io più per tempo. (F)

. He aquí ahora otro soneto abundante en pluralidades (binarias, ternarias y cuaternarias), pero.de estructura muy distinta de la del anterior:

> Cantai, *or* piango, *e non men di dolcezza*
> *del pianger prendo,* | *che del canto presi;*
> *ch'alla* cagion, *non all'*effetto *intesi*
> *son i miei sensi vaghi pur d'altezza.*
>
> *Indi e* mansuetudine *e* durezza
> *ed atti* feri *ed* umili *e* cortesi
> { *porto egualmente; nè mi gravan* pesi,
> { *nè l'arme mie punta di* sdegni *spezza.*
>
> *Tengan dunque ver me l'usato stile*
> *amor,* | *Madonna,* | *il mondo* | *e mia fortuna;*
> *ch'i'non penso esser mai se .non felice.*
>
> Viva[7] *o* mora *o* languisca, *un più gentile*
> *stato del mio non è sotto la luna;*
> *si* dolce *è del mio* amaro *la radice.*

Núm. 229.

Cinco relaciones duales que no forman verso bimembre («cantai»-«piango»; «cagion»-«effetto»; «mansuetudine»-«durezza»; «pesi»-«sdegni»; «dolce»-«amaro»).

Dos relaciones ternarias que no forman versos trimembres[8] («feri»-«umili»-«cortesi»; «viva»-«mora»-«languisca»).

Un verso bimembre ligeramente imperfecto (el 2.º).

Un verso cuatrimembre (el 10.º).

El movimiento binario está determinado por el tema: «cantai», «piango» (en donde está implícito el contraste: felicidad-infelicidad[9]). Pero la dualidad sólo cuaja en los cuar-

---

[7] Variante: «arda».
[8] Podrían también considerarse trimembres imperfectos.
[9] El tema completo es: por tal dama, vivir, morir, gozar, padecer, todo me es felicidad.

tetos en el mencionado bimembre; como variación notamos
una pluralidad ternaria (verso 6.º). Nótese el contraste con
los sonetos anteriores, cuyos cuartetos reflejaban en netos
versos plurimembres las pluralidades contenidas. Allí el primer terceto (como variación) fluía unitario; aquí, en el primer terceto, un verso cuatrimembre parece que satisface ese
prurito de prefecta distribución de materia, esa tendencia del
soneto típico de Petrarca. El segundo terceto vuelve a contener dos pluralidades (una ternaria, verso 12.º, y una binaria,
verso último), que no han fraguado en versos plurimembres,
aunque la posición resaltada de *dolce-amaro*, el contraste y
aun la distribución de ambos elementos en el verso dejan en
el lector una idea de final bimembre que resume y refleja el
tema lo mismo que el «cantai»-«piango» del verso 1.º

Las profundas necesidades estéticas que buscaban forma
en el espíritu de Petrarca tendían a expresarse, a moldearse,
según un sistema equilibrado por un movimiento de contrabalanceo, un movimiento binario, que surge de una diríamos
bimembración del pensamiento poético [10]. Esta dualidad manante fragua en sintagmas no progresivos bimembres, muchas veces encerrados en un endecasílabo que exactamente
los contiene, de preferencia en posición resaltada (final, inicial). Otras veces las dualidades no cuajan en versos bimembres; también a veces están constituídas por sintagmas progresivos (sobre todo si se trata de contrastes, colores, etc.).

---

[10]   Gianfranco Contini, en su obra *Saggio d'un commento alle corre-
zioni del Petrarca Volgare*, Florencia, 1943, págs. 32-36, ha visto y estudiado agudamente algunos aspectos de la dualidad del sistema estético de Petrarca. Al escribir los estudios que ahora publico yo desconocía esas páginas. He sido llevado hasta la estética binaria de Petrarca desde la bilateralidad simétrica del verso de Góngora, estudio
que publiqué en la *Rev. de Filología Española* en 1927.

Con la tendencia general binaria alterna, como una variación, la ternaria, en sintagmas no progresivos que encarnan o no en versos trimembres. Menos frecuentes, pero en condiciones semejantes a las ternarias, aparecen pluralidades cuaternarias, quinarias, senarias, etc. [11].

En general, el soneto de Petrarca se caracteriza por una enorme tendencia a las pluralidades y a las plurimembraciones del endecasílabo. Produce esa sensación del curso de agua constantemente dividido en brazos, ya dos, ya a veces tres, y aun más. El curso vuelve casi siempre a reposarse en la división binaria; de vez en cuando corre también unido por un solo cauce. Y hay una constante movilidad en el paso del 2 al 3 y al 1: las aguas travesean con gozo, y son, variando, una fiesta de la imaginación.

Si consideramos un soneto como un trayecto de curso, ese juego es único para cada trayecto, lo caracteriza, es uno de los elementos determinantes de la «unicidad» artística, es decir, pertenece al más básico estilo. Este fluir pasa por moldes fijos (cuartetos y tercetos) que resultan así también impregnados de individualidad, formándose una serie de juegos, intercambios y compromisos, entre la forma establecida (el cuarteto, en realidad binario [12], y el terceto, ternario) y la

---

[11] La pluralidad de más miembros es la enumeración de ríos del número 148 del *Canzoniere*, que apenas tiene interés para nosotros; el verso plurimembre de más miembros es, en ese soneto, el cuarto (heptamembre). También es heptamembre el verso 5.º del núm. 303:

Fior, frondi, erbe, ombre, antri, onde, aure, soavi...

[12] Se ve esto, y como se reinfluyen tal carácter binario y el de la fluencia poética, en las que hemos llamado relaciones verticales. Véase más abajo, págs. 197-199.

materia fluyente con sus variaciones (ya binaria, ya unitaria, ya ternaria, etc.). La sucesión de cuartetos y tercetos, de este modo impregnados, es también caracterizadora [13].

Estos juegos, estas variaciones son característica esencial no sólo de Petrarca, sino de todo el petrarquismo italiano.

Pero todo el siglo XVI, en Italia, no es sino una exacerbación de las características formales del petrarquismo.

El barroquismo de Italia y España (Marino, Góngora) recibe esa herencia.

Veámosla en el soneto de Góngora. Saltamos infinitos vínculos intermedios. Pero si reconocemos en Góngora lo que acabamos de ver en Petrarca, habremos de admitir que en esos vínculos encontraríamos la misma repartición de materia.

LAS PLURALIDADES Y LA ESTRUCTURA DEL SONETO EN GÓNGORA

Que Góngora en su juventud bebió ávidamente la belleza formal del soneto italiano, que esto fué lo que reelaboró con su genio, es en absoluto evidente, y las fuentes conocidas de muchos de los sonetos no hacen sino confirmarlo. Tratemos de comprender y matizar en nuestra especial perspectiva este italianismo. Analizo algunos ejemplos.

---

[13] A veces la plasmación de versos que contienen pluralidades y versos que son plurimembres afecta a los cuartetos; frecuentemente entonces el 1.er terceto tiene un curso unitario (así en los núms. 159 y 205 del *Canzoniere*. Véase más abajo el núm. 273, de Góngora), y el 2.º terceto vuelve a la pluralidad. Otras, la tendencia a la repartición en perfecto plurimembre no triunfa hasta precisamente el 1.er terceto (como en el 229). Podrían establecerse muchos tipos y subtipos, pero nunca definir la última individualidad de cada soneto.

A DON LUIS DE VARGAS.

Tú (cuyo ilustre entre una y otra almena
de la Imperial Ciudad, patrio edificio,
al Tajo mira en su húmido ejercicio
pintar los campos | y dorar la arena),

descuelga de aquel lauro enhorabuena
aquellas dos (ya mudas en su oficio),
reliquias dulces del gentil Salicio,
heroica lira, | pastoral avena.

Llégalas, oh clarísimo mancebo,
al docto pecho, | a la süave boca,
poniendo ley al mar, | freno a los vientos;
sucede en todo al castellano Febo
(que ahora es gloria mucha y tierra poca),
en patria, | en profesión, | en instrumentos.

(Millé, núm. 250.)

Observemos en este soneto de 1588 —Góngora tenía veintisiete años— cómo a veces se nos ofrecen expresiones binarias (con contraste) que no han dado origen a bimembres
perfectos («una» y «otra almena» [14]; «gloria mucha» y «tierra
poca»); otras veces hay una duplicidad conceptual bien con-
trapesada que serena un verso, aunque el sintagma es progresivo («reliquias *dulces* del *gentil* Salicio»: la adjetivación
está casi barruntando el bimembre). Esta oscura tendencia
de todo el curso del soneto que pugnaba por hallar armónica
expresión ha plasmado en dos felices bimembres perfectos,
colocados, como por pauta, al fin del cuarteto 1.º y del 2.º:

pintar los campos y dorar la arena (f)
heroica lira, pastoral avena. (f)

---

[14] Este «una» y «otra», esta necesidad de deshacer lo dual en expresión bimembre, es totalmente petrarquista, como he mostrado, hablando también de Góngora, en *Poesía española. Ensayo de métodos y
límites estilísticos*, 2.ª ed., págs. 371-372. V. también más abajo, página
190, nota 16.

Semejanzas análogas entre el 1.º y el 2.º cuarteto las acabamos de ver en Petrarca. Pero en Petrarca bastantes veces [15] el primer terceto es una variación por contrastada fluencia, como un descanso a la bimembración de los cuartetos. Aquí no, y el primer terceto, con sus dos versos últimos bimembres, parece que condensa, a escala menor, toda la rítmica interna de los cuartetos:

> *Llégalas, oh clarísimo mancebo,*
> *al docto pecho, | a la süave boca,*
> *poniendo ley al mar, | freno a los vientos* (f)

He aquí, pues, el esfuerzo máximo de condensación del avance dual del soneto. En el terceto segundo apenas si esta dualidad será recordada informalmente («gloria mucha»; «tierra poca»); y el soneto va a terminar con un sorprendente giro variado en un perfecto trimembre:

> *en patria, en profesión, en instrumentos.* (F)

Los ejemplos nos los brinda Góngora por cualquier parte (en sus sonetos juveniles). El siguiente es también de 1588:

AL MARQUÉS DE SANTA CRUZ.

> *No en bronces que caducan, mortal mano,*
> *oh católico Sol de los Bazanes,*
> *que ya entre glorïosos capitanes*
> *eres deidad armada, | Marte humano,*
> *esculpirá tus hechos, sino en vano,*
> *cuando descubrir quiera tus afanes,*

---

[15] Pero no siempre: recuérdese el número 229 del *Canzoniere*, que he analizado más arriba, pág. 185.

> *y los bien reportados tafetanes*
> *del Turco, | del Inglés, | del Lusitano.*
> ⎧ *El un mar de tus velas coronado,*
> ⎨ *de tus remos el otro encanecido,*
> ⎩ *tablas serán de cosas tan extrañas.*
> *De la inmortalidad el no cansado*
> *pincel las logre, y sean tus hazañas*
> *alma del tiempo, | espada del olvido.*

(Millé, núm. 249.)

. El 1.er cuarteto se cierra en casi perfecto bimembre. La variación trinaria se ha introducido aquí en el 2.º cuarteto, que acaba en perfecto trimembre. Tal variación, temprana, parece exigir la amplia alentada bimembración que señala el comienzo del 1.er terceto, abarcadora de dos endecasílabos (cada miembro, un verso):

> *El un mar de tus velas coronado,*
> *de tus remos el otro encanecido...* [16]

Restablecido el equilibrio, el soneto terminará en su fiel, en su reposo, con un perfecto bimembre:

> *alma del tiempo, | espada del olvido.* (F)

La misma alternancia en la repartición entre lo bimembre y lo trimembre, pero con algunas características especiales, en este soneto de 1603:

---

[16] Esta descomposición de la dualidad (ambos) en «el uno... el otro...» es muy gongorina, y, como acabamos de decir, de abolengo petrarquista. Comp. en Petrarca «questo e quell' altro emispero», 4; «l'un stil con l'altro misto», 186; «l'una e l'altra stella», 299. Góngora: «una y otra almena», Millé, 250; «de los dos mundos, uno y otro plano; / de los dos mares, una y otra espuma», 329; «una y otra luminosa estrella», *Polifemo*, v. 101.

> *Hermosas damas, si la pasión ciega*
> *no os arma de desdén, | no os arma de ira,*
> *¿quién con piedad al andaluz no mira,*
> *y quién al andaluz su favor niega?*
> *¿En el terrero, quién humilde ruega,*
> *fiel adora, | idólatra suspira?*
> *¿Quién en la plaza los bohordos tira,*
> *mata los toros | y las cañas juega?*
> *¿En los saraos, quién lleva las más veces*
> *los dulcísimos ojos de la sala,*
> *sino galanes del Andalucía?*
> *A ellos les dan siempre los jüeces,*
> *en la sortija el premio de la gala,*
> *en el torneo, de la valentía.*

(Millé, núm. 273.)

El momento binario de los cuartetos queda perfectamente realzado, en cada uno, por dos bimembraciones:

1.er cuarteto: verso 2.º, bimembre perfecto; versos 3.º y 4.º forman una bimembración perfectamente distribuída (primer miembro, verso 3.º; segundo miembro, verso 4.º).

2.º cuarteto: los versos 2.º y 4.º son, los dos, perfectos bimembres.

Observemos que este cuarteto segundo contiene dos pluralidades ternarias (1.ª: *humilde ruega - fiel adora - idólatra suspira;* 2.ª: *los bohordos tira - mata los toros - las cañas juega*). He aquí una ocasión (como hemos señalado otras en Petrarca) en que se establece un aparente conflicto entre la fluencia (ternaria) y el molde que aprisiona exactamente sólo dos miembros de la terna. En este caso, la simetría entre los versos 5.º y 6.º, de un lado, y de otro, los 7.º y 8.º, es total (nótese, pues, la múltiple oscilación entre lo ternario y lo binario, con predominio de esto último hacia donde la expresión tiende siempre). Después de la fuerte plasmación bi

membre de los cuartetos, ahora el 1.er terceto discurre unitario: exactamente lo mismo que hemos visto varias veces
en Petrarca.

Y como repetidas veces en Petrarca, el segundo terceto
vuelve a la dualidad; pero aquí es una dualidad distribuída
exactamente entre los versos 13.º y 14.º

Es un soneto diáfano: algo de una noble gracia andaluza
parece haberse posado en él. En esa sensación participa, en
gran parte, no nos cabe duda, su aérea, su luminosa plasmación binaria y el traveseo reprimido de pluralidades ternarias.

Recuérdese ahora el famoso soneto a Córdoba (de 1585):

> *¡Oh excelso muro, | oh torres coronadas*
> *de honor, | de majestad, | de gallardía!*
> *¡Oh gran río, | gran rey de Andalucía,*
> *de arenas nobles, | ya que no doradas!*
> *¡Oh fértil llano, | oh sierras levantadas,*
> *que privilegia el cielo | y dora el día!*
> *¡Oh siempre glorïosa patria mía,*
> *tanto por plumas | cuanto por espadas!*
> *¡Si entre aquellas* rüinas y despojos
> *que enriquece Genil | y Dauro baña*
> *tu memoria no fué alimento mío,*
> *nunca merezcan mis ausentes ojos*
> *ver tu muro, | tus torres | y tu río,*
> *tu llano | y sierra, | oh patria, | oh flor de España!*

(Millé, núm. 244.)

El cambio imaginativo entre el movimiento binario y el
ternario es tan evidente que nos limitamos a indicar la plurimembración de los versos (ya perfecta, ya imperfecta) con
rayas verticales. Hay geminaciones no moldeadas en verso,
como *rüinas-despojos*. El verso final no sería un verdadero
bimembre, en el sentido en que los hemos considerado; pero

tiene un fuerte corte central y una dualidad a cada uno de los lados (*llano* y *sierra, patria* y *flor*). Esquema:

1.er cuarteto. Versos bimembrados: 1.º, 3.º y 4.º Verso trimembre: 2.º

2.º cuarteto. Versos bimembrados: 5.º, 6.º y 8.º

1.er terceto. Versos bimembrados: 10.º (el 9.º contiene una dualidad).

2.º terceto. Verso bimembrado: 14.º (contiene dos dualidades, una en cada miembro). Verso trimembre: 13.º

Es notable el encabalgamiento que liga a todos los versos de cada uno de los tercetos. Esa fluencia corresponde a la pasión nostálgica del poeta ausente de su tierra, pero se remansa un momento en la bimembrada contemplación de las bellezas de Granada («que enriquece Genil y Dauro baña»), y, luego, en gozo, en plenitud, al llegar a la meta del deseo: la pluralidad pentamembre *muro-torres-río-llano-sierra* queda dividida por el ritmo en un trimembre casi perfecto que comunica su variada gracia y su nitidez al paisaje:

> *ver tu muro, tus torres y tu río...*

y dos miembros retrasados que condensan, aún más elementalmente, el paisaje de la ciudad natal:

> *tu llano y sierra.*

Aquí termina —exactamente a la mitad del verso último— el largo movimiento encabalgado. Desligado, el vocativo aún se duplica, porque el soneto, la afectividad, la estética del escritor habían de ser fieles a sí mismos hasta el final [17].

---

[17] El ligarse por encabalgamiento en el soneto, el verso penúltimo

Este a Córdoba es quizá el mejor ejemplo, el más nutrido y claro, y lleno a la par de pormenores, que Góngora nos puede dar de sutilísimas reacciones internas entre bilateralidad fundamental, variación trimembre o monomembre, encabalgamiento y corte central del endecasílabo.

Pero en ese pequeño organismo hay todavía otras delicadas relaciones cohesivas que aún no hemos estudiado.

RELACIONES VERTICALES EN EL SONETO A CÓRDOBA

Observemos ahora las relaciones mutuas entre los dos cuartetos del soneto a Córdoba. Todos los versos impares comienzan con la interjección ¡oh!, y también comienzan así los segundos miembros de los primeros versos, en ambos cuartetos. Esos dos primeros versos son bimembres, y también lo son, en los dos cuartetos, los dos últimos.

Se produce así una especie de correspondencia entre los dos cuartetos, correspondencia formada por la idéntica colocación de valores conceptuales, rítmicos y afectivos, ya iguales, ya homólogos. Esta correspondencia sería casi perfecta si no estuviese alterada por una variación: el verso 2.º del 1.er cuarteto es un gallardo trimembre; mientras que el correspondiente en el 2.º cuarteto es un bimembre ligeramente irregular.

Tratemos de presentar sinópticamente todos los elementos analizados:

---

con el último, y detenerse éste, como quebrándose, en su mitad, para dejar un final desligado, retrasado, en el que se condensa la emoción, recuerda algo el procedimiento que hemos visto ya en Petrarca; entonces (véase más arriba, pág. 157, nota 32) indicamos cómo por esta técnica se cargaba de afecto, de expresión, el final del soneto.

Primer cuarteto:

<pre>
1.er verso . . . ¡OH ──── MURO │ OH TORRES ────
2.º verso . . .   │ ──── │ ──────!
3.er verso . . . ¡OH ──── RÍO ──────────
4.º verso . . .   ──────│──────!
</pre>

Segundo cuarteto:

<pre>
1.er verso . . . ¡OH ────LLANO │ OH SIERRAS ────
2.º verso . . .   ──────│ ──────!
3.er verso . . . ¡OH ──────── PATRIA ────
4.º verso . . .   ──────│──────!
</pre>

Si ahora comparamos los versos en su plenitud, vemos cómo se intensifica aún la perfecta correspondencia:

<pre>
Oh excélso múro, │ oh tórres coronádas
 │   │   │   │   │   │
Oh   fértil lláno, │ oh siérras levantádas
</pre>

Los vocablos se corresponden por el número de sílabas [18], por la función gramatical, por su posición y agrupamiento (bimembración). Hasta la -rr- de *torres* ha tenido su correspondencia en *sierras*. Claro que la acentuación es idéntica en ambos versos: tienen los dos (como otros muchos bimembres) un neto acento en 4.ª sílaba, que haría presagiar la normal acentuación en 4.ª y 8.ª; pero el comienzo del segundo miembro manifiesta que el verso se decide por la acentuación en 6.ª [19]. Ambos endecasílabos ligan por sinalefa sus dos miembros: *muro oh, llano oh*. Comparación, pero no

---

[18] Salvo *excelso*, que sinalefa su *e-* inicial.
[19] Comp. D. Alonso, *Poesía española. Ensayo de métodos y límites estilísticos*, 2.ª ed., Madrid, 1952 (Biblioteca Románica Hispánica), páginas 59-60.

tan extremada, permiten los versos 3.º de ambos cuartetos [20], y también los versos 4.ºs. Sólo los versos 2.ºs, como hemos dicho, presentan notable contraste: la división trimembre del primero parece como una explosión inicial, que da un arranque entusiasta a todo el soneto.

Vemos, pues, surgir en el soneto unas afinidades entre versos o entre las estrofillas (cuartetos, tercetos) que están íntimamente relacionadas con las que hasta ahora hemos estudiado. La mayor parte de las que habíamos estudiado se producen en la representación gráfica en sentido horizontal; a estas que surgen ahora las llamaremos relaciones verticales, pues ligan entre sí versos o estrofas distintos. Una pluralidad regularmente distribuída en tantos versos como miembros, o una pluralidad regularmente diseminada entre tantas estrofas (o partes de estrofa) como miembros, son buenos ejemplos de relaciones verticales [21]. Frecuentemente (así en todos los ejemplos que siguen) el arranque anafórico realza la comunidad genérica de los distintos miembros. En el ejemplo anterior los miembros de la pluralidad son seis: *muro, torres, río, llano, sierras, patria* (éste, condensativo); la iniciación de tipo anafórico *¡Oh!*, vivifica afectivamente la evocación de cada miembro, pero los sitúa a todos simétricamente en la vinculación de la pluralidad. Aprovechando el movimiento binario de los cuartetos, el poeta da rigurosamente un miembro al arranque de los versos 1.º *(Oh... muro)*, 3.º *(Oh... río)*, 5.º *(Oh... llano)* y 7.º *(Oh... patria)*. Pero los versos 1.º y 5.º bimembres emparejan cada uno dos elementos

---

[20] El 3.º del primer cuarteto es imperfectamente bimembre, pero no es bimembración que afecte a la estructura general de los seis miembros que forman la pluralidad total del soneto.

[21] Son ejemplos de las que ahora llamamos relaciones verticales los sintagmas binarios distribuídos perfectamente en dos versos que hemos estudiado más arriba, págs. 165-173.

conceptualmente cercanos (1.º, *Oh... muro / oh torres...*) o
contrastados (5.º, *Oh... llano / oh sierras*).

RELACIONES VERTICALES EN
EL SONETO DE PETRARCA

No podemos detenernos en un tema que exigiría enorme
desarrollo. Queremos sólo mostrar que ese uso de Góngora
no hace sino reproducir un esquema petrarquesco.

Cualquier lector del *Canzoniere* ha observado en el soneto
de Petrarca repeticiones anafóricas (que no hacen sino subrayar los distintos miembros de una pluralidad). Una distribución favorita es, por ejemplo, la del soneto núm. 145. Nu-
meramos los versos:

1.º *Ponmi...*   3.º *Ponmi...*   5.º *Ponmi...*   7.º *Ponmi...*

El paso a los tercetos señala un cambio de la distribución, de binaria a ternaria.

9.º *Ponmi...*   12.º *Ponmi...*

A veces la distribución elige como iniciales de etapa los
versos primero y cuarto de cada cuarteto. Núm. 348:

En varios sonetos la distribución va en cada miembro
iniciada por la interjección *O*. Por ejemplo en el núm. 146:

1.º *O... alma...*; 3.º *O... albergo...*; 5.º *O fiamma...*; 7.º *O pia-cer...* Comp. aún el núm. 253.

Frecuentemente versos colocados con cierta pauta (muchas veces en posición simétrica en el 1.º y en el 2.º cuarteto), se parten bimembres, y se aprovecha el segundo miembro del verso para introducir otro miembro de la pluralidad general. Véase en los versos 1.º y 5.º del núm. 348, cuyo esquema acabamos de dar. O éste, del núm. 161:

1.er cuarteto...

O PASSI ———— | O PENSIER ————
O ——— MEMORIA, | O ————— ARDORE,
O ——— DESIRE, | O ————— CORE,
O OCCHI ——————

2.º cuarteto...

O FRONDE ——————————,
O ——— INSEGNA ———————,
O ——— VITA, | O ——— ERRORE
——————————————

Véase aún el esquema de un soneto ya estudiado más arriba, el número 159:

1.er cuarteto...

IN QUAL ———, | IN QUALE ————
——————————————
——————————————
——— QUAGGIÙ ——— LASSÙ ———

2.º cuarteto...

QUAL ———, | ——— QUAL ———
——————————————
QUANDO ——————————

Basta comparar estos esquemas [22] para ver la indeleble impronta petrarquesca del de Góngora. La distribución por

---

[22] Podríamos comparar también los núms. 146, 299, 300, 313, etc., del *Canzoniere*.

los versos 1.º, 3.º, 5.º y 7.º, coincide con los números 348, 159, 146, 299, 145, del *Canzoniere;* lo mismo que en el 159 y en el 348, una distribución pautada se junta a la bimembración con reiteración anafórica de los versos 1.ᵒˢ de los dos cuartetos (compárese también, como variación, el núm. 161). En fin, en el soneto gongorino los miembros de la pluralidad tan simétricamente distribuída están introducidos por la interjección *Oh,* como en italiano por *O* los de los números 146, 161, 253, etc.

Compárense aún con estos modelos de Petrarca la distribución de los sonetos de Góngora núms. 224, 227, 228, 233 y 273. He aquí el esquema del 233:

Es como una intensificación de la fórmula del núm. 159 de Petrarca, citado hace un momento.

Estos sonetos de Góngora, comparables por su distribución a los de Petrarca, que acabo de analizar, son todos de los años 1582, 1583, 1585 y 1603. No cabe duda de que al llegar Góngora a la poesía viene empapado de los jugos estéticos del soneto de Petrarca: y lo refleja inequívocamente en su uso de las pluralidades (que había de mantener con altibajos toda su vida) y en la distribución de estos sonetos afectivos (que emplea entre 1582 y 1585, y luego una sola vez en 1603). La mayor imbibición estética juvenil de Góngora es petrarquista; mejor dicho, es un petrarquismo que, en parte, parece llegarle directamente del *Canzoniere* del cantor de Laura.

II.—En la octava real (entre Góngora y Marino).

Un estudio de la función estructural de las pluralidades y en especial de los versos plurimembres en la octava, exigiría considerar los antecedentes italianos de la estrofa y su desarrollo en Italia y en España durante el siglo xvi.

Limitaciones de tiempo y espacio nos obligan también aquí a elegir dos ejemplos característicos que ahora serán los dos del siglo xvii (en el estudio que precede uno era del siglo xvii y otro del xiv). La misma tendencia a las pluralidades, el mismo gusto por la variación con predominio binario, que hallábamos hasta el soneto de Góngora, desde el de Petrarca, los vemos ahora en la octava barroca. Aunque prescindamos de la historia particular de esta estrofa, *a priori*, comprendemos que en ella —binaria por naturaleza— podía realizarse mejor que en forma alguna la tendencia binaria del endecasílabo petrarquesco.

LA PLURIMEMBRACIÓN EN LA ARQUI-
TECTURA DE LA OCTAVA: GÓNGORA

Sería necesario un estudio detenido de la construcción de la octava gongorina. El problema es aquí más complejo que en los sonetos estudiados hace poco. En los sonetos nos hemos limitado a los juveniles. Esos sonetos de juventud son la poderosa condensación del petrarquismo, bebido, ya en la fuente, ya en la poesía española e italiana del siglo XVI: nitidez, esplendor, armonía, sensualidad, *morbidezza* [23]. Pero si nos propusiéramos estudiar ahora las *octavas* del *Polifemo* (como primer esfuerzo en octavas, de Góngora), nos encontraríamos con un elemento nuevo: nuevo y perturbador. Es un elemento inarmónico, irregular, áspero, monstruoso. No podemos sino rozar una cuestión que es muy compleja.

En la obra misma, sus dos principales personajes, Galatea y Polifemo, representan esos dos temas contrastados; el movimiento de la octava refleja ese contraste. La octava trae en su tradicional arquitectura una tendencia a la distribución equilibrada de masas. El tema de belleza (el de Galatea) lo favorece. Estúdiese esta octava. (Es el momento de la unión amorosa entre Acis y Galatea, excitados al amor por el ejemplo de una pareja de palomas. «Clavel» es metáfora que representa los labios de Galatea) [24]:

---

[23] De los dos elementos, el de exacerbada belleza y el de terrible desasosiego, que confluyen en el Barroco y que vemos en el texto representados dentro de la *Fábula de Polifemo* (y que hemos analizado con más extensión en *Poesía española. Ensayo de métodos y límites estilísticos.* Madrid, 1950, págs. 333-418), hemos considerado en los sonetos, como acabamos de decir, sólo el primero, porque es, en realidad, casi el único que aparece en los juveniles. Pero téngase en cuenta lo que ya dijimos en un estudio que va más arriba en el presente libro (págs. 144-147) acerca de los sonetos seniles de Góngora. Sin embargo, que un elemento de hosco desasosiego comienza pronto en el soneto del poeta y va insinuándose irregularmente en él, podría verse tomando como puntos de referencia algunos como los núms. 228 (del año 1582, pero ya con el nihilismo del verso 14.º), 258 (1594), 261 (1596), 270 (1603), 324 (1612), etc.

[24] Versos 329-336.

No a las palomas concedió Cupido
juntar de sus dos picos los rubíes,

_____   _____

cuando al clavel el joven atrevido
las dos hojas le chupa carmesíes.

Cuantas produce Pafo, | engendra Gnido,
negras violas, | blancos alelíes,
llueven sobre el que Amor quiere que sea)
tálamo de Acis ya | y de Galatea.   )

La estructura misma de toda octava real es rítmicamente
bimembre, pues lleva siempre una pausa al terminar el verso 4.º que hemos señalado con una raya horizontal. Pero al
final de la octava los dos versos últimos riman pareados.
Hay, pues, dos asociaciones binarias: 1.ª La de los cuatro
primeros versos y los cuatro últimos, separados por una
pausa. 2.ª La de los dos versos últimos, a los que la rima co-
pula. Se diría que esta última copulación repitiera al final de
la estrofa el movimiento dual de la estrofa misma, reducido
o condensado, y transportado del ritmo a la rima, es decir,
que la copulación de los versos 7.º y 8.º es como una condensación o abreviación de la de los versos 1.º-4.º con los 5.º-8.º
(expresada ahora en el pareado final por rima y por ritmo
a la vez). Esto (salvo raras excepciones) [25] en cualquier octava, en poesía italiana, o española, o portuguesa.

En la octava que comentamos, esta fundamental distribución binaria ha sido aún reforzada desde muchas perspec-
tivas idiomáticas. Los cuatro primeros versos han quedado

_____

[25] Algunas veces, falta la pausa tras el verso 4.º

divididos en dos grupos de dos versos cada uno (con lo que la acción de las palomas se enfrenta a la de los amantes), gracias al giro sintáctico («no..., cuando...»). (Hemos querido indicar esta subdivisión entre el verso 2.º y el 3.º con una raya discontinua, para indicar que es menos fuerte que la que separa el verso 4.º del 5.º) Es muy frecuente en la octava (y evidentemente en la gongorina) que la segunda parte de la estrofa acumule bilateralidades: así ésta, pues en ella los versos 5.º, 6.º y 8.º son bimembres (uno perfecto, dos imperfectos). Esta octava repite en la imaginación del lector una serie de movimientos binarios, unos que parten sólo de la sintaxis («no..., cuando...»), otros de la distribución de los versos, otros de la rima, otros del color («violas», «alelíes»), otros de la bimembración. Unos son propios de la forma de toda octava; otros, peculiares de ésta. Unos son amplios y afectan a la estructura de la estrofa; otros, breves y de pormenor. La necesidad de expresión dual resulta como reiterada, condensada, significada con elementos más breves en el final de la estrofa misma. La sensación es de dulzura, belleza y armonía en la segunda mitad de la estrofa. Nada de vehemente, de impetuoso, de violento, en este amor que se pinta: es una dulce languidez que invade a dos bellos cuerpos.

Reproduzco ahora el conjunto de relaciones binarias hacia el que suele tender la octava renacentista, en el esquema con que lo he representado en otro libro [26].

---

[26] *Poesía española. Ensayo de métodos y límites estilísticos*, 2.ª edición, Madrid, 1952, pág. 74.

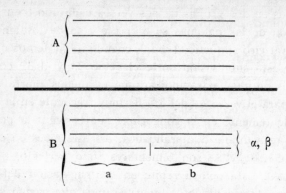

La tendencia al cumplimiento de este esquema es aún mayor en la octava barroca: por ejemplo, la bimembración del verso último se da con mucha más constancia, como sabe todo lector del *Polifemo*. Pero frecuentemente surgen en la estrofa más relaciones binarias que las que contiene ese esquema. Si recordando el análisis que acabamos de hacer de la octava «No a las palomas concedió Cupido», quisiéramos señalar esquemáticamente todas las relaciones binarias que contiene, podríamos hacerlo así:

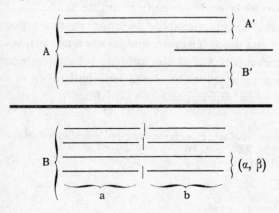

(Prescindimos de distinguir con letras los dos miembros que constituyen los versos 5.º y 6.º)

Así se condensan las relaciones binarias en una estrofa de belleza y languidez. Pero la incertidumbre o el temor pueden alterar esa equilibrada armonía. Un ejemplo encontramos, dos estrofas más allá, en el mismo *Polifemo*. El gigante ha empezado a tocar su monstruoso caramillo. La ninfa que está abrazada a su amante Acis, oye, desde lejos, esa feroz música de su otro enamorado, Polifemo, y teme la furia del monstruo:

> *Arbitro de montañas y ribera,*
> *aliento dió en la cumbre de la roca*
> *a los albogues que agregó la cera,*
> *el prodigioso fuelle de su boca;*
> *la ninfa los oyó y ser más quisiera*
> *breve flor, | hierba humilde | y tierra poca,*
> *que de su nuevo tronco vid lasciva*
> *muerta de amor | y de temor no viva*[27].

Toda la primera mitad de la estrofa va muy ligada, como lo pide la fuerte trabazón sintáctica que no se perfecciona hasta el final del verso 4.º. Ese alentado movimiento a través de cuatro versos parece corresponderse con el prodigioso aliento con el que el cíclope tañe su caramillo. La segunda mitad de la octava muestra la reacción de Galatea, que escucha la disforme música. El habitual cierre bimembre también se presenta aquí, pero el poeta lo aprovecha para expresar la dualidad contrastada de los sentimientos que luchan en el alma de la moza («amor» y «temor»). La lítote («no viva» = 'muerta') apenas tiene valor conceptual, pero sirve

---

[27] Versos 345-352. Claro que en el v. 350 la *y* se sinalefa con la vocal anterior.

para contraponer otra pareja («muerta», «viva») que realce el contraste («amor», «temor») entre los dos miembros del endecasílabo. Más interés ofrece el verso 6.º: ya va éste inicialmente movido por el encabalgamiento del 5.º:

> *y ser más quisiera*
> *breve flor, hierba humilde y tierra poca...*

El temor de la ninfa buscaría de buena gana un término pequeño en que encarnar: ese sobresalto introduce el movimiento ternario, que aquí no es mera variación, sino muy expresivo.

Una sola estrofa del tema de Polifemo bastará para mostrar lo ancho y hondo del abismo que en el poema separa el tema de lo monstruoso del tema de la sensual belleza. Es la caverna del gigante Polifemo:

> *De este, pues, formidable de la tierra*
> *bostezo, el melancólico vacío*
> *a Polifemo, horror de aquella sierra,*
> *bárbara choza es, albergue umbrío,*
> *y redil espacioso, donde encierra*
> *cuanto las cumbres ásperas cabrío*
> *de los montes esconde: copia bella*
> *que un silbo junta y un peñasco sella* [28].

Penetrar en esta estrofa es como avanzar por una selva intrincada, que hubiera sido profundamente conmovida por una catástrofe sísmica. Todas las voces están fuera de su sitio; los violentos encabalgamientos tuercen el verso y parece que hacen imposible en él toda simetría bilateral. Todo es un gran hipérbaton, dentro del cual distinguimos otros menores: «formidable de la tierra / bostezo», «cuanto las cum-

---

[28]   Versos 41-48.

bres ásperas cabrío». Dentro de una gran maraña, penosas distensiones (como las que separan «formidable» de «de la tierra», y «cuanto» de «cabrío»). Palabras ásperas y aliteraciones de erres, que terminan de producir la impresión de horror y oscuridad cavernosa, de rustiquez, de cumbres ásperas, que el poeta ha querido darnos. Todo, verso encabalgado y distorsionado. Pero, en los versos antepenúltimo y último, con la imagen luminosa y clara de los rebaños de Polifemo, este mundo de horror se aclara y se ordena en belleza, y en el verso último se aquieta en un sereno bimembre la estrofa que comenzó en tiniebla y laberinto:

> *copia bella*
> *que un silbo junta y un peñasco sella*[29].

Las languideces y bellas dulzuras, y la ordenada plurimembración, era la herencia de todo el petrarquismo y, sobre todo, del italiano del siglo XVI. Estas fuerzas telúricas, esta furia, este horror que retuerce el verso y no le deja tiempo de asentarse para plurimembración, es el nuevo elemento que Góngora capta inmediatamente, antes quizá que nadie y con más genio que nadie en Europa. Pero el barroquismo no es ese nuevo fermento aislado, sino que es el choque de esta convulsión con aquella armónica serenidad: por reflejar concentrada como en ningún otro sitio, esa contradicción, en el tema de Polifemo y en el de Galatea, es por lo que la *Fábula de Polifemo* es el más mostrable, el más compactamente genial ejemplo de la poesía barroca europea.

---

[29] Véase nuestro comentario pormenorizado a esta estrofa en *Poesía española. Ensayo de métodos y límites estilísticos*, 2.ª ed., Madrid, 1952, páginas 333-347.

LA PLURIMEMBRACIÓN EN LA ARQUI-
TECTURA DE LA OCTAVA: MARINO

Sería. interesante terminar por una comparación con Marino.

Basta asomarse al enorme *Adone,* escrito también en octavas. ¡Pero qué diferencia! *La Fábula de Polifemo* se resuelve en 63 apretadas estrofas; la trama del *Adone* le exigió a Marino 20 diluídos cantos, con 5.107 octavas, es decir 40.856 versos. ¡Qué fertilidad, qué abundancia! ¡Qué cúmulo de historias [30], pero sobre todo de simbolizaciones que quieren moralizar, o simplemente adular a María de Médicis! [31]. ¡Qué enciclopedia de conocimientos! En una serie de estrofas se explica cómo el sonido a través de delicadas piezas fisiológicas llega a ser una sensación del cerebro. He aquí una de estas octavas:

> *Concorrono a ciò far d'osso minuto*
> *et incude e triangolo e martello,*
> *e tutti son nel timpano battuto*
> *articolati, et implicati a quello;*
> *et a quest'opra lor serve d'aiuto*
> *non sò s'io deggia dir corda o capello,*
> *sottil cosi, che si distingue apena*
> *se sia filo o sia nervo, arteria o vena.*

> (C. VII, estr. 16.) [32]

---

[30]   No faltó en España quien acusara a Marino de haber robado de Lope los episodios del *Adone.* V. *Rev. de Filología Española,* XXXV, 1951, págs. 349-351.

[31]   Algunas chispitas nos tocan a nosotros. El trueque de princesas en el Bidasoa, que dió a Lope ocasión para las «Dos estrellas trocadas o los Ramilletes de Madrid», es cantado por Marino, canto X, estrofas 204 y sigs.; la casa de Austria, canto XI, estrofas 119 y sigs.

[32]   Cito siempre por la siguiente edición: *L'Adone poema del Ca-*

Artes y ciencias son definidas en la larga tirada de octavas en que se describe la «Casa dell'Arte». He aquí el objeto de la Filosofía:

> *Attion, passione, atto e potenza,*
> *qualità, quantità mostra in ogni ente,*
> *genere e specie, proprio e differenza,*
> *relation, sostanza et accidente,*
> *con qual legge Natura e providenza*
> *cria le cose e corrompe alternamente*
> *la materia, la forma, il tempo, il moto*
> *dicchiara, e'l fito, e l'infinito e'l voto.*

(C. X, 131.)

Esta pedantería enciclopédica es característica del arte barroco (y de la ciencia barroca). En España, si afecta a Góngora, es de un modo muy distinto. Quien entre nosotros reúne este afán pedagógico y acumulativo no es Góngora, sino Lope de Vega. Es que en muchos sentidos, el Marino español no es Góngora, sino Lope. Porque cada vez nos parece más evidente que el representante más general y extenso del barroquismo en la literatura española es Lope [33]; así como el más especial e intenso es Góngora.

¡Qué maremágnum, el *Adone!* ¡Cuánta técnica, qué derroche de facultades, qué ligereza de mano, qué superficialidad, pero cuánta delicadeza, qué matices, qué suave e invasora *morbidezza!* Qué constante estudio o intuición del arte

---

valier Marino con gli argomenti del Conte Fortuniano Sanvitale et l'allegorie di Don Lorenzo Scoto. In Venetia dal Sarzina con privilegio (sin año de impresión).

[33] Comp. nuestro estudio «Lope de Vega, símbolo del Barroco», en *Poesía española. Ensayo de métodos y límites estilísticos*, 2.ª ed., páginas 419-478.

de variar, aunque al fin, cansados de tanta variación, la mis
ma variación se nos convierta en una especie de monotonía.

Las dos octavas que hemos citado, en especial la última,
son típicos ejemplos de plurimembres, más suscitados al
poeta en función de su contenido conceptual que por causas
afectivas, aunque tampoco el gusto de la variación esté ajeno al ordenamiento de pluralidades en esas octavas. Esta es
la sucesión de los versos en la reproducida últimamente:
cuaternario, binario, binario, ternario, binario, binario, cuaternario, ternario. Así, toda la octava: unos, plurimembres
perfectos; otros, más o menos imperfectos.

Pero esa estrofa es excepcional (aunque en la inmensidad
del *Adone* se podrían citar docenas de excepciones parecidas [34]). No son, en general, motivos conceptuales, sino estéticos, expresivos, los que en el *Adone* producen esa constante
fluencia y trenzamiento entre lo uno y todas las formas de lo
múltiple. Se puede decir que Marino en cada octava, lo
mismo que su enamorado músico, en competencia con el
ruiseñor,

> *pose ogni studio a variare il verso*
>
> (Canto VII, 49.)

Que la base del movimiento conceptual y de rítmica interna del poema es binaria, no puede caber la menor duda.
Podría, en su pórtico mismo, servir de ejemplo la invocación
a Venus (estrofa primera del *Adone*), llena de dualidades de
todos los tipos, bilateralidad represada que se liberta en el
verso último:

> *serena il cielo | ed innamora il mondo.* (f)

---

[34] Véanse, p. ej., en el mismo canto X, las estrofas 136 y 137.

Véase ahora la estrofa última del mismo canto primero:

> *Sceso in tanto nel mar Febo a colcarsi*
> *lasciò le piagge scolorite e meste,*
> *e pascendo i destrier fumanti ed arsi*
> *nel presepe del ciel biada celeste,*
> *di sudore e di foco humidi e sparsi*
> *nel vicino ocean lavar le teste*
> *e l'un e l'altro Sol stanco si giacque,*
> *Adon tra' fiori, | Apollo in grembo al'acque.*

Hay aquí dualidades de adjetivo («scolorite» y «meste»; «fumanti» y «arsi»; «humidi» y «sparsi»; «l'un» y «l'altro») y de sustantivo («sudore» y «foco») y aun alguna bilateralidad (aunque expresada en sintagma progresivo) como «nel presepe del ciel | biada celeste» (que tanto recuerda la gongorina «en campos de zafiro | pace estrellas»). Toda esa serie de duplicaciones sintácticas y conceptuales tiene su clarificación final en la igualación de Adonis y Apolo como uno y otro sol, que da origen a los dos versos del pareado; de ellos, el último, bimembre perfecto.

Doy aún un ejemplo: esta octava es parte de una serie en que se describen las delicias de amor entre Acis y Galatea:

> *Fatto qui pausa ai vezzi, e se non tronche*
> *lentate le dolcissime catene,*
> *segnavan con le pietre e con le conche*
> *dele gioie la somma e dele pene.*
> *Sù lo scoglio scolpian per le spelonche,*
> *per la riva scrivean sovra l'arene*
> *suggellando i caratteri co' baci,*
> *«Aci di Galathea, | Galathea d'Aci».*

> (C. XIX, estr. 136.)

La dualidad no guarda aquí siempre las lindes del verso:

tronche y *lentate* (unidos por la fórmula «A, si no B») se sitúan irregularmente entre dos endecasílabos. En cambio, los
dos versos 5.º y 6.º son cada uno perfectos miembros de una
clara bimembración (relación vertical). Otras veces se dupli-
can los sustantivos en versos que no llegan, sin embargo, a
ser bimembres («pietre» y «conche», «gioie» y «pene»; también, aunque en sintagma progresivo, «caratteri» y «baci»).
En fin, todo se ilumina en dos exactos haces de luz, en el
verso último.

Extremo de esta tendencia es la bimembración invariada.
De cuando en cuando aparecen estrofas cuyos versos son casi
todos, y aun todos, bimembres.

En la estrofa que cito a continuación, los insultos al amor
llevan a Marino a un tan neto bimembrismo de los versos,
que la estrofa se diría escindirse longitudinalmente, como
en dos gajos:

> *Lince primo di lume,* | *Argo bendato,*
> *vecchio lattante* | *e pargoletto antico,*
> *ignorante erudito,* | *ignudo armato,*
> *mutolo parlator,* | *rico mendico.*
> *Dilettevole error,* | *dolor bramato,*
> *ferita cruda di pietoso amico,*
> *pace guerriera* | *e tempestosa calma:*
> *la sente il core* | *e non l'intende l'alma.*

(C. VI, estr. 173.)

Tantas biparticiones en una estrofa serían intolerables si
no fueran muy raras [35]. Se puede decir que cuando aparece

---

[35] Están basadas en los consabidos «contrarios» y recuerdan bastante las burlescas de Góngora, unos cuarenta años más antiguas:

> *Ciego que apuntas y atinas,*
> *caduco dios y rapaz,*

la invariación es, ella misma, como una variación para alejarse de la ya monótona variación.

Sin embargo, en el *Adone* de Marino, como en el tema de Galatea, del *Polifemo* de Góngora, lo normal es que el movimiento binario, casi constante, se enmascare, varíe sus formas, disminuya su intensidad y cese a veces totalmente, ya para producir versos de fluencia continua (monomembres), ya —como veremos— para alternar con alguno tripartito: es todo como un variado baile, danza de la rítmica imaginativa, en la que la fundamental bilateralidad del escenario se enturbia en muchas figuras que pueden ir a plasmar momentáneamente en triparticiones o cuatriparticiones, etc., pero que con el desarrollo de las figuras mismas va, al fin, a aquietarse en la bimembración perfecta o casi perfecta.

Los plurimembres de más de dos miembros aparecen, ya por una necesidad conceptual (como en el ejemplo que vimos más arriba), ya por una variación de la distributiva rítmica, o bien para más vivos efectos de representación expresiva. Más frecuente es, aún, que varios de estos motivos colaboren. Véanse estas estrofas, vivas, saltantes, variadas, animadas con la vitalidad o la juventud de los seres que en ellas se describen:

> *Quanti favoleggiò Numi profani*
> *l'etate antica han quivi i lor soggiorni.*

> vendado que me has vendido
> y niño mayor de edad...

(Del año 1580. Millé, núm. 1.)

Recuérdese también en la *Soledad Segunda*:

> ¡Oh del ave de Júpiter vendado
> pollo —si alado, no, lince sin vista—
> político rapaz...

(Versos 652-654.)

Lari, | Sileni | e Semicapri | e Pani,
la man di thirso, | il crin di vite adorni,
Genii salaci | e rustici Silvani,
Fauni saltanti | e Satiri bicorni,
e di ferule verdi ombrosi i capi
senza fren, | senza vel | Bacchi | e Priapi.

(C. VII, estr. 116.)

El verso 3.º, cuatrimembre, da una acumulación de seres, caracterizados en el verso 4.º (también bimembre). Después de este agolpamiento, una enumeración más lenta (versos 5.º y 6.º): cada vital criatura lleva ahora su adjetivo, y estos versos son perfectos bimembres. Y, en fin, en una caracterización conjunta (en el verso 7.º), ỹ en la primera parte del 8.º correlativa [36], los «Bacchi» y los «Priapi». Nótese, además, la estructura doblemente bimembre del verso último: cada miembro es, a su vez, bimembre, como formado de dos submiembros («senza fren, | senza vel» y «Bacchi | e Priapi»). Luego, aún en la misma escena, para reproducir a su modo los cantos bacanales, echa Marino mano —como nuevos colaboradores— de los esdrújulos: en cada verso hay tres [37], de modo que se produce una como trimembración por esdrújulos que comunica a toda la estrofa un ritmo juvenil y saltador. En realidad, se trata de una señaladísima acentuación en 2.ª, 6.ª y 10.ª sílaba; lo espaciado de los acentos y la idéntica amplitud de los intervalos (siempre cuatro sílabas) producen esa sensación de verdaderos trimembres rítmicos.

---

[36] Correlativa, porque «senza fren(o)» se refiere a los Bacchi, y «senza vel(o)» a los Priapi.

[37] «Bromio» y «encomio» (versos 7.º y 8.º) son esdrújulos a la manera latina (no considerando la -i- como semiconsonante: *Bromĭus).*

> *Hor* d'hellera | *s'adornino e* | *di* pampino
> *i* Giovani *e* | *le* Vergini | *più tenere,*
> *e gemina* | *nel'amina* | *si stampino*
> *l'imagine* | *di* Libero *e* | *di* Venere.
> *Tutti* ardano, | *s'accendano* | *et* avampino
> *qual Semele,* | *ch' al folgore* | *fù cenere;*
> *e cantino a* | Cupidine *et* | *a* Bromio
> *con numeri* | *poetici* | *un' encomio.*
>
> (C. VII, 118.)

Pero notemos que del lado conceptual y —claro está— sintáctico, aún sigue predominando la dualidad («hellera» y «pampino», «Giovani» y «Vergini», «Libero» y «Venere», «Cupidine» y «Bromio»). Esa especie de trimembración rítmica puede coincidir con una dualidad conceptual. Sólo en el verso 4.º la fuerte distribución de acentos va a subrayar las tres partes de un verso trimembre. El mismo procedimiento, rígidamente llevado, dura aún cuatro estrofas más (lo que dura el canto báquico) [38].

Estas bimembraciones o trimembraciones mecánicas son, como he dicho, raras. Y no es en ellas cuando Marino logra prodigios de expresión, sino variando incansablemente las plurimembraciones en cada octava. Ejemplo maravilloso es la descripción del canto del ruiseñor (página de *virtuoso del verso*):

---

[38] En ellas surgen bastantes trimembres:

> *col zuffolo, col timpano e col pifero...*
> *tra frassini, tra platani, tra salici...*
> *col Rhodano, con l'Adige o col Tevere...*
> *ch'è perfido, sacrilego e dannabile...*
> *chi tempera, chi 'ntorbida, chi 'ncorpora...*
>
> (C. VII, estrs. 119-121.)

Aun con eso, sigue predominando el avance dual, ya que no verdaderos bimembres.

N.º de
miembros

       Udir musico mostro (o meraviglia)
2   *che s'ode sî, | ma si discerne apena,*
2   *come hor tronca la voce, | hor la ripiglia,*
4   *hor la ferma, | hor la torce, | hor scema, | hor piena*
2   *hor la mormora grave | hor l'assottiglia,*
       hor fà di dolci groppi ampia catena,
2   *e sempre, o se la* sparge *o se l'*accoglie,
2   *con egual melodia la* lega *e* scioglie.
2   *O che* vezzose, | *o che* pietose *rime*
2   *lascivetto cantor* compone *e* detta,
2   { *Pria flebilmente il suo lamento esprime*
      { *poi rompe in un sospir la canzonetta.*
2   *In tante mute, hor* languido, *hor* sublime
3   *varia stil | pause affrena | e fughe affretta,*
2   *ch' imita insieme | e insieme in lui s'ammira*
5   *cetra, | flauto, | liuto, | organo | e lira.*

                                  (C. VII, estrs. 33-34.)

Aún predomina en estas estrofas lo dual, que se produce ya en versos bimembres perfectos o imperfectos (en total, cinco versos), ya por geminación de adjetivo o verbo (tipo que afecta a cuatro versos: «sparge» y «accoglie», «lega» y «scioglie», etc.), ya por bimembración que liga dos versos (los 3.º y 4.º de la segunda estrofa). Variantes son: un verso cuatrimembre (el 4.º [39], es decir, ante la pausa, en la 1.ª estrofa), uno trimembre (el 6.º de la 2.ª estrofa) y uno pentamembre (el final de la 2.ª estrofa). El ejemplo es doblemente interesante, porque toda la prodigiosa movilidad de la voz del

---

[39] Este verso, rigurosamente hablando, tiene un corte dual; y cada una de sus dos partes se divide en dos miembros: «scema» y «piena» son adjetivos, mientras que «torce» y «ferma» son verbos. Sin embargo, el verso produce impresión de cuatrimembre.

pájaro está expresada mediante la variación del verso desde una base de fluencia continua hasta una quinaria, pasando por binaria (la más frecuente), ternaria y cuaternaria. No cabe duda de que Marino no era sino muy consciente cuando empleaba estos medios.

Góngora y él estaban, pues, en el extremo de una larga tradición: se trata de la tradición petrarquista (que en los sonetos procede del mismo Petrarca, y en la octava, de la aplicación de su sistema estético a la octava por el petrarquismo posterior). La misma base dual, fundamental en el *Canzoniere*, sigue siéndolo en los dos grandes representantes del barroquismo de principios del siglo XVII. La misma variación desde la base binaria hacia avances ternarios o cuaternarios que era frecuente en el cantor de Laura, la encontramos en los dos poetas dos siglos y medio posteriores a él. Pero esa técnica ha sido sutilizada, adelgazada, enriquecida en mil matices y delicadezas, siempre dentro de una tonalidad más grave en Góngora, siempre con una inclinación a la galantería y a un brillo exterior y facundo en Marino. Ni uno ni otro serían lo que fueron, ni uno ni otro estarían situados en el extremo de la técnica petrarquesca del verso, sin una cadena de vínculos intermedios que no hemos estudiado, porque no podemos alargar desmesuradamente este capítulo: el petrarquismo formalista, especialmente el del siglo XVI.

Me temo que estos aspectos de la herencia de Petrarca no han sido debidamente atendidos: el petrarquismo de contenido (como explicable reacción contra una crítica totalmente formalista) se ha llevado en nuestra época, no ya la mejor parte, sino la totalidad [40]. Situándonos en el plano de lo que

---

[40] Y aun éste, si ha merecido consideración, ha sido, en general — de De Sanctis a Croce—, para negar o rebajar el valor de la poesía de Petrarca.

llamo *forma exterior* [41], es decir, en el punto de cruce en
donde la modificación puramente fisiológica que produce el
sonido se cambia en una sensación espiritual, si queremos
comprender [42] el poema en su unicidad, debemos estar atentos a su fluencia, ya unitaria, ya dual, trinaria, cuaternaria,
etcétera (que puede cuajar o no en versos ya monomembres,
ya bimembres, trimembres, cuatrimembres, etc., perfectos o
imperfectos). En los poemas en endecasílabos tiene todo esto
especial importancia, porque los avances múltiples están fa-
vorecidos por las dimensiones del verso y porque el fijador
de una larga tradición, Petrarca, dió expresión exterior a un
sistema estético binario que le bullía dentro (con variación
de un lado hacia la fluencia continua, de otro hacia los plurimembres de más de dos miembros). El modo, único, de esta
variación es como un hondo molde de la personalidad del
poema mismo. Pensar que cuando hemos analizado, en el
sentido corriente, un endecasílabo (es decir, cuando hemos
contado sus sílabas y acentos, etc.), lo hemos hecho todo, es
mantenerse en exterioridades, que tienen su valor, sí, pero
que por sí solas no pueden explicar la estructura poemática.
Tomemos un soneto: cuartetos, tercetos, ritmo endecasílá-
bico (éste con algunas variaciones), son, digamos, moldes fijos
exteriores. Del otro lado existe, antes de la creación, el bullir, aún informe, del pensamiento poético. Como una primera forma de mil y mil figuras cambiantes, mucho más va-

---

[41] Véase *Poesía española. Ensayo de métodos y límites estilísticos*,
2.ª ed., págs. 32-33, 193-198.
[42] Como indagación científica; algo totalmente distinto de la comprensión del lector, puramente intuitiva. Pero no olvidemos que esta
comprensión del lector es la más alta y la única indispensable (junto
a la del autor) en la obra literaria (V. D. Alonso: *Poesía española*, segunda edición, págs. 37-45). Claro está que en esa intuición del lector
de Petrarca juega un papel importante el mundo de las pluralidades:
el lector las ignora; pero, ignorándolas, siente su encanto.

riante y profunda que esa de meras estrofas y versos y muy
anterior a ella, mucho más ligada a la entraña, al manantial
de donde surge el impulso creativo, vinculada a la misma
plasmación del pensamiento conceptual, pero agitada también por impulsos afectivos y representaciones sensoriales [43],
está esa profundísima moldeación en que el lenguaje (en el
mismo instante que el pensamiento) se troquela, ya unitario,
ya plural, variando en su fluencia de lo uno a lo múltiple,
de lo binario a lo ternario, a lo cuaternario, etc. Qué es esta
variación, vista en un ejemplo extremo, puede apreciarse re-
leyendo aún el canto del ruiseñor del *Adone*, que hemos transcrito más arriba.

He querido, pues, llamar la atención hacia una especie de
rítmica más profunda, anterior a esto que se suele entender
por ritmo, y que es a la par su vivificador y su contenido
impregnante, hacia ese molde más hondo ligado a muy profundas impresiones estéticas y a la troquelación manante de
nuestro pensamiento. El análisis de pluralidades excede en
absoluto las lindes de una posible ciencia de la literatura;
afecta a todas las artes; plurimembración y variación percibe inmediatamente quien contempla un edificio ya renacentista, ya barroco. Pero excede también los límites literarios
en otra dirección más importante: las pluralidades (y, ante
todo, los sintagmas no progresivos) deberían ser objeto preferente de una lógica psicológica: no son sino trasparencias
hacia este lado no sólo del pensamiento —como todo el lenguaje—, sino de las elementales posibilidades de manancia
de nuestro pensamiento.

Este campo, tan dilatado, nosotros lo hemos estudiado

---

[43]   Qué funciones imaginativas puede desempeñar la variación de pluralidades, está bien patente en el transcrito canto del ruiseñor, del
Adone.

sólo en la tradición petrarquista, porque dentro de ella el valor de las oscilaciones en el fluir de las pluralidades es especialmente claro.

PETRARQUISMO Y BARROQUISMO

En otra ocasión he dicho: Gongorismo y marinismo son, en gran parte, las formas extremas que había de tomar el petrarquismo en España e Italia allá entre fines del siglo XVI y principios del XVII.

No se crea que queremos reducir el barroquismo sólo a una última consecuencia de la tradición formal petrarquesca. Sin esa tradición (y especialmente sin la vinculación con el petrarquismo del siglo XVI) Góngora y Marino no serían lo que fueron (y tampoco Lope); pero en el barroquismo poético hay otros elementos nuevos: es un hervor, un bullir, una vitalidad, una fuerza que todo lo invade. Esa fuerza se manifiesta de modos distintos: en Marino y en Lope, en abundancia, amontonamiento, ligereza y, al fin, en superficialidad [44]. En Góngora, para ver su abundancia —artista prolijo—, hay que aplicar la lente al pormenor. Y no es un poeta galante, como Marino. Concisamente expresa lo duro, lo áspero, lo monstruoso. Marino ha incluído también en su *Adone* una breve fábula de Polifemo y Galatea (canto XIX, estrofas 125-148). Las descripciones de paisaje (en lo que llamo «tema de Galatea») son a veces de limpia belleza y diafanidad (por

---

[44] Salvemos, claro, al Lope que da en el hito, con acierto genial ignorado por todos los poetas europeos de su época: es decir, el Lope que sin atención a modelos clásicos, con las palabras de todos, transforma día a día su amor y su dolor en materia de arte. Véase nuestro «Lope de Vega, símbolo del Barroco», en *Poesía española. Ensayo de métodos y límites estilísticos*, 2.ª ed., págs. 417 ss.

ejemplo, estrofas 129-131), las lánguidas caricias de los amantes están expresadas con colores casi musicales, con palabras
que son casi besos (estrofa 134): una invasora sensualidad.
Pero el «tema de Polifemo» es un completo fracaso: léase,
por ejemplo, la descripción de la zampoña del Cíclope (estrofa 138): el poeta necesita impresionar, y echa mano de la
más gruesa exageración. Nada consigue: la estrofa es perfectamente chata. No existe, si se la compara con la estrofa correspondiente en Góngora [45]. Motivos monstruosos, violentos
o simplemente desagradables hay bastantes más en el *Adone*.
Nada comparable, por ejemplo, a la fuerte concisión removi-
da de la octava «De este, pues, formidable de la tierra | boste-
zo» (estrofa sexta del *Polifemo* de Góngora) que antes (muy
ligeramente) hemos estudiado.

---

[45] «Cera y cáñamo unió, que no debiera...» *(Polifemo,* estrofa XII).

LA CORRELACION
EN LA POESIA DE GONGORA

> Para la comprensión de las líneas que siguen
> téngase presente la nomenclatura empleada en
> D. Alonso y C. Bousoño, *Seis calas en la expre-*
> *sión literaria española*, Madrid, 1951, Biblioteca
> Románica Hispánica [1].

E<small>N</small> el año 1943 —después de llevar unos veinte años dedicado al estudio de Góngora— escribí lo siguiente:

Don Luis de Góngora..., [el] sistema correlativo nunca lo llegó a
practicar en su pureza. Todos sus sonetos correlativos lo son muy mo-
deradamente, con discontinuidad, con escasas pluralidades [2] o enmas-
carando a fuerza de irregularidades la diseminación. Por donde sucede que estos poemas escasamente coloreados de correlación son los
únicos, dentro de tal sistema, que se asoman a la verdadera, a la
auténtica poesía. Son sonetos como los que empiezan «No destrozada
nave en roca dura» [Millé, 239], «Ni en este monte, este aire ni este

---

[1] Esa nomenclatura es, con ligeras variaciones, la ya establecida
en D. Alonso, *Versos plurimembres y poemas correlativos. Capítulo*
para la estilística del Siglo de Oro, Madrid, 1944. Tirada aparte de la
Revista de la Biblioteca, Archivo y Museo [del Ayuntamiento de Ma-
drid], año XIII, núm. 49.

[2] Pongo «pluralidades», en vez de «unidades [de correlación]» que
era el nombre que usaba entonces.

río» [232]..., o como... «Raya, dorado Sol, orna y colora» [221], «Mientras por competir con tu cabello» [228], «Ilustre y hermosísima María» [235], «Oh excelso muro, oh torres coronadas» [244], pues en todos ellos, ya más evidente, ya más disimulada, existe correlación... El más temprano de estos sonetos es de 1583, y el más tardío, de 1585: sólo dos años le duró el gusto por esta moda; y si luego alguna vez toca en ella, es al escribir el soneto «Si ociosa no asistió naturaleza» (pero es que el verso final que se le había dado como pie era de tipo recolectivo)³.

Escribía yo juntando los recuerdos, dispersos, de las primeras lecturas hechas en una época en que no tenía idea clara de los sistemas correlativos. Después, por causas que ahora no importan, tuve que volver a hacer un análisis minucioso de la obra gongorina. Me quedé asombrado: la ordenación correlativa penetra profundamente la poesía de Góngora: es una característica de su mundo poético. Es cierto que el uso de la correlación es más intenso que nunca en la juventud y que desde ella (prescindiendo ahora de pormenores)⁴ va decreciendo, pero *decreciendo a lo largo de toda su vida*, sin dejar de ser usada aun en los últimos años del poeta. Es, por tanto, totalmente inexacto lo que en 1943 afirmé: que la correlación fuera para Góngora un mero capricho entre los años 1582 y 1585. La gran falsedad que había en mis palabras procedía de no haberme dado cuenta de la importancia de la ordenación correlativa en la poesía de nuestro don Luis. Es lo que ahora tratan de poner en claro las líneas que siguen. Analizaré sólo los indispensables ejemplos.

---

³ *Versos plurimembres y poemas correlativos*, págs. 188-189.
⁴ Hablo ahora sólo de la tendencia general: que en realidad se completa en tres tiempos (el segundo de signo contrario): decrecimiento juvenil; crecimiento de madurez; decrecimiento senil. Véase más abajo, páginas 240-243.

En Góngora la correlación progresiva es poco frecuente
en su tipo más puro. Soneto 232:

> *Ni en este monte* (A_1), *este aire* (A_2) *ni este río* (A_3)
> *corre fiera* (B_1), *vuela ave* (B_2), *pece nada* (B_3),
> *de quien con atención no sea escuchada*
> *la triste voz del triste llanto mío;*
> *y aunque en la fuerza sea del estío*
> *al viento mi querella encomendada*
> *cuando a cada cual de ellos más le agrada*
> *fresca cueva* (C_1), *árbol verde* (C_2), *arroyo frío* (C_3),
> *a compasión movidos de mi llanto*
> *dejan la sombra* (D_1), *el ramo* (D_2) *y la hondura* (D_3)...

El resto del soneto no es correlativo. En lo citado hay
cuatro pluralidades trimembres progresivas, perfectamente
ordenadas. El modelo de Góngora es aquí un soneto de Luigi
Groto; pero el soneto de Groto no es de amor y tiene ¡ quince
pluralidades!; es, por tanto, de un artificio extremo: un mero juego de geometrización poética [5]. El de Góngora es una
lamentación de amor que encierra como una travesura esa
serie de correspondencias; tiene un valor poético; no es una
fría extravagancia, como el de Groto.

---

[5] He reproducido el soneto de Groto en *Versos plurimembres*, página 132. Sobre la misma pluralidad básica («fieras - aves - peces») cons-
truyeron ya poemas correlativos los alejandrinos. Véase: D. Alonso,
Antecedentes griegos y latinos de la poesía correlativa moderna, en
Estudios dedicados a Menéndez Pidal (Consejo Superior de Investigaciones Científicas), t. IV, Madrid, 1953, págs. 7-10.

Soneto 223 (año 1582):

> Suspiros (A₁) *tristes, lágrimas* (A₂) *cansadas*
> *que lanza* (B₁) *el corazón, los ojos llueven* (B₂),
> *los troncos bañan* (C₂) *y las ramas mueven* (C₁)
> *de estas plantas a Alcides consagradas;*
>
> *mas del viento las fuerzas conjuradas*
> *los suspiros* (D₁) *desatan y remueven,*
> *y los troncos las lágrimas* (D₂) *se beben,*
> *mal ellos* (E₁) *y peor ellas* (E₂) *derramadas.*
>
> *Hasta en mi tierno rostro aquel tributo*
> *que dan mis ojos, invisible mano*
> *de sombra o de aire me lo deja enjuto,*
>
> *porque aquel ángel fieramente humano*
> *no crea mi dolor, y así es mi fruto*
> *llorar* (F₂) *sin premio y suspirar* (F₁) *en vano.*

Correlación bimembre en seis dualidades. Dualidad básica: «suspiros»-«lágrimas». Las dualidades 1.ª, 2.ª, 3.ª y 6.ª son versos bimembres perfectos o casi perfectos.

Soneto 228 (año 1582):

> *Mientras por competir con tu cabello* (A₁)
> *oro* (B₁) *bruñido al sol relumbra en vano,*
> *mientras con menosprecio en medio el llano*
> *mira tu blanca frente* (A₂) *el lilio* (B₂) *bello,*
>
> *mientras a cada labio* (A₃), *por cogello,*
> *siguen más ojos que al clavel* (B₃) *temprano,*
> *y mientras triunfa con desdén lozano*
> *del luciente cristal* (B₄) *tu gentil cuello* (A₄),
>
> *goza cuello* (A₄), *cabello* (A₁), *labio* (A₃) *y frente* (A₂),
> *antes que lo que fué en tu edad dorada*
> *oro* (B₁), *lilio* (B₂), *clavel* (B₃), *cristal* (B₄) *luciente,*
>
> *no sólo en plata o víola troncada*
> *se vuelva, mas tú y ello juntamente*
> *en tierra, en humo, en polvo, en sombra, en nada.*

Es un soneto de correlación reiterativa cuatrimembre en tres pluralidades: la primera tiene un desarrollo paralelístico de dos elementos (A, B) y está exactamente distribuída por los cuartetos (dos versos, cada miembro); la segunda recoge desordenadamente los elementos A (A_4, A_1, A_3, A_2); la tercera, con perfecto orden, los elementos B.

Es un soneto de una emoción y una belleza extraordinarias. Su tema es el tópico «carpe diem». Lo que intensifica este soneto[6] es su desolado final. Interesa ahora esto: ese final forma como una nueva pluralidad de la correlación (la cuarta): «tierra», «humo», «polvo», «sombra»; en el extremo, «nada» sería como un resumen de los cuatro términos anteriores. Tal correlación es sólo una apariencia: esos cuatro miembros no son verdaderos correlatos de A_1, A_2, A_3, A_4, o de sus respectivas imágenes B_1, B_2, B_3, B_4, porque cada uno de ellos puede aludir indeterminadamente a la destrucción de cualquiera de los términos A (o, lo que es lo mismo, de los B). Pero en la mente del lector queda impresa la sensación de una continuidad correlativa[7].

Interesaba sólo observar esto, y también que un soneto que está aún vivo para la sensibilidad del lector moderno tiene dentro (en los cuartetos y tercetos) el más riguroso sistema de correspondencias matemáticas, y aun allí donde concentra su emoción (en el último verso) lo logra prolongando, o aparentando prolongar, el movimiento correlativo.

---

[6] Mucho más intenso que el 235, sobre el mismo tema; aunque éste (que también tiene correlación) es asimismo muy bello.

[7] Si pensamos que ese último verso es verdaderamente la última pluralidad voluntaria del soneto, hay que reconocer que Góngora la hizo bien borrosa.

Soneto 239 (año 1584):

> No destrozada nave (A_1) en roca (B_1) dura
> tocó (C_1) la playa (D_1) más arrepentida (E_1),
> ni pajarillo (A_2) de la red (B_2) tendida
> voló (C_2) más temeroso (E_2) a la espesura (D_2);
>
> bella Ninfa (A_3) la planta (D_3) mal segura
> no tan alborotada ni afligida (E_3)
> hurtó (C_3) de verde prado (B_3), que escondida
> víbora regalaba en su verdura,
>
> como yo, Amor, la condición airada (F_1),
> las rubias trenzas (F_2) y la vista bella (F_3)
> huyendo voy, con pie ya desatado,
>
> de mi enemiga, en vano celebrada.
> Adiós, Ninfa cruel; quedaos con ella,
> dura roca (A_1), red (A_2) de oro, alegre prado (A_3).

Tres pluralidades trimembres de correlación híbrida progresiva y reiterativa; la tercera es reiterativa del elemento **A** de la primera. En la primera correlación el análisis permite reconocer que entre los tres miembros existe [8] un amplio movimiento paralelístico (que hemos señalado por cinco elementos, de A a E).

La fórmula es, pues,

$$A_1 B_1 C_1 D_1 E_1 \qquad A_2 B_2 C_2 D_2 E_2 \qquad A_3 B_3 C_3 D_3 E_3$$
$$F_1 \qquad\qquad F_2 \qquad\qquad F_3$$
$$A_1 \qquad\qquad A_2 \qquad\qquad A_3$$

---

[8] En el tercer miembro hay una pequeña irregularidad: el elemento que hemos designado por D_3 no tiene una correspondencia perfecta con los D_1 y D_2. La «playa» (D_1) y la «espesura» (D_2) son los lugares donde buscan la salvación la «nave» y el «pajarillo». La «planta» es sólo aquello con que se salva la Ninfa (al conseguir apartarla del engañoso prado).

El movimiento paralelístico, con tantos elementos, en que se desenvuelven las tres imágenes es bien artificioso.

Soneto 250 (año 1588):

En este soneto, cuyas dualidades hemos analizado más arriba (véase más arriba página 188), hay una sencilla correlación bimembre en las dos dualidades representadas por los versos 8.º y 10.º: el poeta pide a don Luis de Vargas que llegue la lira al pecho y la pastoral avena a la boca.

$$lira\ (A_1)\quad avena\ (A_2)$$
$$pecho\ (B_1)\quad boca\ (B_2)$$

Soneto 256 (año 1593):

En este soneto el poeta juega con el apellido de don Cristóbal de Mora, a quien va dedicado. Le considera, pues, árbol de la mora, o moral. Y dice en los tercetos:

Gusano (A_1), *de tus hojas* (B_1) *me alimentes* (C_1),
pajarillo (A_2), *sosténganme* (C_2) *tus ramas* (B_2)
y ampáreme (C_3) *tu sombra* (B_3), peregrino (A_3).
    Hilaré (D_1) *tu memoria entre las gentes*,
cantaré (D_2) *enmudeciendo ajenas famas*,
y votaré (D_3) *a tu templo mi camino.*

Dos pluralidades de correlación trimembre: la primera pluralidad tiene un claro desarrollo paralelístico, en el que pueden señalarse tres elementos (A, B, C) [9]. Fórmula:

$$A_1B_1C_1\quad A_2B_2C_2\quad A_3B_3C_3$$
$$D_1\qquad\quad D_2\qquad\quad D_3$$

---

[9] Con alguna imperfección desde el punto de vista gramatical.

Soneto 293 (año 1607):

Aconseja al hijo del marqués de Ayamonte que abandone el ejercicio de la montería; le propone el ejemplo de Adonis (A_1) (en los cuartetos) y del garzón de Ida, es decir, Ganimedes (A_2). Y con alusión a estas fábulas (Adonis, muerto por un jabalí, transformación del celoso Marte; Ganimedes, arrebatado por un águila, transformación del enamorado Júpiter), termina el último terceto:

> *Cruel verdugo el espumoso diente* (B_1),
> *torpe ministro fué el ligero vuelo* (B_2);
> *no sepas más de celos* (C_1) *y de amores* (C_2).

Tres dualidades correlativas. Dualidad básica: «Adonis»-[«Ganimedes»].

Soneto 313 (año 1611):

En este soneto hay dos sistemas de correlación distintos. Se trata de un arzobispo de Granada consagrado en plena juventud. Versos 2.º-4.º:

> *... con invidia deja*
> *al bordón* (A_1) *flaco, a la capilla* (A_2) *vieja,*
> *báculo* (B_1) *tan galán, mitra* (B_2) *tan moza.*

'El báculo tan galán, la mitra tan moza, del nuevo arzobispo dejan llenos de envidia al bordón y la capilla (o sea, capucha) de los frailes ancianos y con ganas de obispar'. Dos dualidades correlativas. En el segundo cuarteto le exhorta a visitar la ciudad de su arzobispado para calmar los deseos de su grey,

> *pues cada lengua* (A_1) *acusa, cada oreja* (A_2)
> *la sal* (B_1) *que busca, el silbo* (B_2) *que no goza.*

Dos dualidades correlativas.

Soneto 351 (año 1620):

Soneto al infante cardenal (hijo de Felipe III): le augura el trono pontificio. Conceptos atribuídos al infante y a Felipe III en los versos 5.º-6.º. Segundo cuarteto:

> *De coronas, entonces vos* (A_1) *la frente,*
> *vuestro padre* (A_2) *de orbes coronado,*
> *deba el mundo un redil* (B_1), *deba un cayado* (B_2),
> *a vuestras llaves* (C_1), *a su espada ardiente* (C_2).

Como si dijera: «Siendo vos (A_1) Papa, ojalá que vuestras llaves (C_1) logren que toda la grey humana se encierre en un solo redil (B_1) (la Iglesia Católica); siendo vuestro padre rey (A_2), ojalá que su espada (C_2) logre que toda la grey humana se gobierne por un solo cayado (B_2) (el imperio español).»

Analicemos ahora algunos sonetos de correlación reiterativa.

Soneto 221 (año 1582):

> *Raya, dorado sol, orna y colora*
> *del alto monte la lozana cumbre* (A_1),
> *sigue con agradable mansedumbre*
> *el rojo paso de la blanca Aurora* (A_2);
>   *suelta las riendas a Favonio y Flora,*
> *y usando al esparcir tu nueva lumbre*
> *tu generoso oficio y real costumbre*
> *el mar argenta, las campañas dora* (A_3),
>   *para que desta vega el campo raso*
> *borde saliendo Flérida de flores;*
> *mas si no hubiere de salir acaso,*
>   *ni el monte rayes, ornes ni colores* (A_1)
> *ni sigas de la Aurora el rojo paso* (A_2)
> *ni el mar argentes, ni los campos dores* (A_3).

Soneto diseminativo-recolectivo. Las notaciones A_1, A_2 y A_3 han sido colocadas al final de todo el período a que afectan.

En la recolección (segundo terceto) se prohibe lo mismo que se mandaba en la diseminación (que tiene aquí lugar en los cuartetos).

Soneto 244 (año 1585):

Es el soneto a Córdoba, que en lo que toca a sus pluralidades y a sus relaciones verticales hemos analizado más arriba (págs. 192-197). Desde el punto de vista correlativo, ha de definirse así: soneto diseminativo-recolectivo hexamembre («muro»-«torres»-«río»-«llano»-«sierras»-«patria»). La primera pluralidad está diseminada irregularmente por ios cuartetos. La recolección tiene lugar en los versos 13.º y 14.º y en el mismo orden de la diseminación. En esta pluralidad hexamembre es de señalar que el último miembro («patria») es como un resumen o condensación de los otros cinco. Por eso el poeta lo ha hecho resaltar en la recolección usándolo como vocativo y doblándolo con la expresión de origen metafórico («oh flor de España») [10].

Hemos dicho que la primera pluralidad está diseminada «irregularmente». Pero esta irregularidad (desde el punto de vista correlativo) está sometida a una pauta rigurosa dentro de la estructura rítmica de los cuartetos.

> Verso 1.º: muro-torres
> Verso 3.º: río
> Verso 5.º: llano-sierras
> Verso 7.º: patria

Los sonetos de Góngora acabados de analizar son sólo una pequeña parte de los que su autor sometió a una estructura correlativa más o menos complicada. Una lista casi completa de todos los sonetos correlativos de Góngora puede verse más abajo (páginas 238-239).

---

[10] Véase el esquema que damos más arriba, pág. 195.

LA CORRELACIÓN EN EL «POLIFEMO»

Haré aquí lo mismo que al hablar de los sonetos: dar sólo unas muestras de versos correlativos. En mi ensayo *Monstruosidad y belleza en el «Polifemo» de Góngora* [11], en el que he analizado con algún detenimiento ocho estrofas de la primera parte del poema, ya quedó señalada la presencia de la correlación en las 4, 13 y 14 (añádanse la 7 y la 9, que hubo entonces que omitir) [12]. Prefiero, pues, dar ahora algunos ejemplos de correlación a partir de la 15.

Estrofas 16 y 17. En la estrofa 17 una ninfa huye corriendo por tierra, de un semidiós marino que, enamorado de ella, la persigue nadando cerca de la orilla.

> *Huye la ninfa bella y el marino*
> *amante nadador ser bien quisiera*
> *—ya que no áspid a su pie divino—*
> *dorado pomo a su veloz carrera.*
> *Mas, ¿cuál diente mortal, cuál metal fino*
> *la fuga suspender podrá ligera*
> *que el desdén solicita? ¡Oh, cuánto yerra*
> *delfín que sigue en agua corza en tierra!*

Correlación bimembre en dos unidades:

$$\begin{array}{ll} áspid \ (A_1) & pomo \ (A_2) \\ diente \ (B_1) & metal \cdot (B_2) \end{array}$$

---

[11] *Poesía española. Ensayo de métodos y límites estilísticos*, 2.ª edición, págs. 309-392.

[12] Numeración seguida, desde la primera octava de la dedicatoria. Téngase presente que en mi mencionado trabajo di una numeración seguida a las estrofas escogidas para mi comentario; la 4, la 13 y la 14 llevaban allí los números 1, 7 y 8, respectivamente.

La primera dualidad es asimétrica por el empleo de la fórmula «ya que no A_1, A_2». La unidad básica subyacente es [Eurídice]-[Atalanta]. 'Quisiera el amante nadador ser para Galatea, si no áspid que la detuviera mordiéndola en el pie (como a Eurídice), por lo menos, manzana de oro que la detuviera excitándole la codicia (como a Atalanta). Pero ¿qué diente envenenador, qué metal precioso detendrá la fuga que nace del desdén?' La exclamación última no pertenece a esta correlación, pero el poeta establece aquí un vínculo correlativo con el final de la estrofa 16. Estrofa 16:

> ... *aún no le oyó, y, calzada plumas,*
> *tantas* flores (A_1) *pisó como él* espumas (A_2).

Estrofa 17:

> ... *¡Oh, cuánto yerra*
> delfín (B_2) *que sigue en* agua (C_2) corza (B_1) *en tierra* (C_1).

Correlación en dos dualidades, de las cuales la segunda tiene un sencillo desarrollo paralelístico de dos elementos:

$$A_1 \qquad A_2$$
$$B_1\,C_1 \qquad B_2\,C_2$$

Este sistema, pues, comienza al final de la estrofa 16; queda interrumpido mientras, en la estrofa 17, se desarrolla el sistema [Eurídice]-[Atalanta]; pero se completa al final de la misma estrofa 17 [13].

---

[13] Nótese la bilateralidad resultante de esta acumulación de sistemas duales: el verso 8.º de la estr. 16 y los 5.º y 8.º de la 17 son bimembres (el 8.º es en realidad un sintagma progresivo; pero deja una fuerte impresión de simetría bilateral).

Es característica del *Polifemo* la sencillez de los sistemas correlativos, junto a su gran abundancia. Como aquí: dos sistemas sencillos, no ya próximos, sino, diríamos, entretejidos. Estrofa 18:

> *Sicilia, en cuanto oculta* (A_1), *en cuanto ofrece* (A_2)
> *copa* (B_1) *es de Baco* (C_1), *huerto* (B_2) *de Pomona* (C_2);
> *tanto de frutas* (D_2) *ésta* (E_2) *la enriquece* (F_2)
> *cuanto aquél* (E_1) *de racimos* (D_1) *la corona* (F_1).

Correlación en tres dualidades. El análisis descubre en la 2.ª dualidad un desarrollo paralelístico de dos elementos, y en la 3.ª, un desarrollo, algo más complicado, de tres elementos. La dualidad básica es la que forman los elementos C_1-C_2 (Baco-Pomona). La isla es rica en vinos (= racimos), que «oculta» en sus bodegas, y en frutas, que «ofrece» en sus campos [14]. Fórmula:

$$
\begin{array}{cc}
A_1 & A_2 \\
B_1C_1 & B_2C_2 \\
D_1E_1F_1 & D_2E_2F_2
\end{array}
$$

Estrofa 19. Sigue hablando de la isla de Sicilia:

> *A Pales* (A_1) *su viciosa cumbre* (B_1) *debe*
> *lo que a Ceres* (A_2) *y aún más su vega* (B_2) *llana,*

---

[14] Respecto a los elementos que designo por F_1 y F_2 hay que tener en cuenta que «corona» se dice tópicamente de los racimos; en cambio «enriquece» no parece tan ligado a «frutas»; sin embargo, el paralelismo de los dos versos en que están F_1 y F_2 es evidente, así como su perfecta correspondencia palabra a palabra. Medrano tiene un soneto correlativo, en que se contraponen *racimos* y *espigas*. Pues bien, lo mismo que luego (salvo una mínima variación) haría Góngora, «corona» es el verbo usado para «racimos», y «enriquece» se aplica a «espigas». (Véase D. Alonso, *Vida y obra de Medrano*, I, Madrid, 1948, páginas 216-217.)

pues si en la una (C₂) granos (D₂) de oro (E₂) llueve (F₂),
copos (D₁) nieva (F₁) en la otra (C₁), mil, de lana (E₁).
De cuantos siegan (G₂) oro (H₂), esquilan (G₁) nieve (H₁)...

Correlación en tres dualidades. Dualidad básica A_1-A_2 (Pales, diosa de los rebaños de corderos; Ceres, de los cereales). Cada una de estas dualidades tiene un desarrollo paralelístico: la 1.ª, de dos elementos (A, B); la 2.ª, de cuatro (C, D, E, F); la 3.ª, de dos (G, H). Fórmula:

$$A_1\,B_1 \qquad A_2\,B_2$$
$$C_1\,D_1\,E_1\,F_1 \qquad C_2\,D_2\,E_2\,F_2$$
$$G_1\,H_1 \qquad G_2\,H_2$$

La bimembración se distribuye de modo regular entre los versos 1.º y 2.º, y entre el 3.º y 4.º, para las dos primeras dualidades; la tercera plasma en el 5.º verso, bimembre imperfecto.

Estrofa 24, versos 7.º y 8.º

... su boca (A_1) dió y sus ojos (A_2) cuanto pudo
al sonoro cristal (B_1), al cristal mudo (B_2).

Acis bebe agua del arroyo *(da su boca... al sonoro cristal)* mientras contempla a Galatea dormida *(da sus ojos... al cristal mudo)*.

Estrofa 25, versos 5.º y 6.º

... el bello imán (A_1), el ídolo (A_2) dormido
que acero (B_1) sigue (C_1), idólatra (B_2) venera (C_2).

Fórmula:

$$A_1 \qquad A_2$$
$$B_1\,C_1 \qquad B_2\,C_2$$

Sigue habiendo dualidades correlativas hasta, por lo menos, la estrofa 28. Una lista de todas las octavas del *Polifemo* y de las del *Panegírico*, en que he observado la existencia de correlación, se encontrará más abajo, págs. 239-240. En el *Panegírico* existe todavía frecuente correlación, pero con menos abundancia que en el *Polifemo*.

LAS «SOLEDADES»

La estructura dual de la octava [15] favorecía mucho en el *Polifemo* el empleo de la correlación bimembre, y algo semejante se puede decir de los sonetos. En cambio, el período poético (sin verdaderas estrofas) de la silva en que están escritas las *Soledades*, con desordenada mezcla de endecasílabos y heptasílabos y libres combinaciones de rima, no era ciertamente terreno conveniente para un gran desarrollo de versos correlativos. No se puede, pues, esperar la abundancia del *Polifemo*.

Hay, sin embargo, unos cuantos pasajes de gran perfección. En éste la correlación fué ya señalada por Leo Spitzer [16]:

> ... *mancebos tan veloces*
> *que cuando Ceres* (A_1) *más dora* (B_1) *la tierra* (C_1)
> *y argenta* (B_2) *el mar* (C_2) *desde sus grutas hondas*
> *Neptuno* (A_2), *sin fatiga*
> *su vago pie de pluma*
> *surcar* (D_2) *pudiera mieses* (E_1), *pisar* (D_1) *ondas* (E_2),
> *sin inclinar espiga* (F_1),
> *sin violar espuma* (F_2)
>
> (*Soledad I*, v. 1.027-1.034.)

Son tres dualidades correlativas: la 1.ª contiene un desarrollo paralelístico de tres elementos (A, B, C); la 2.ª contiene un

---

[15] Véase más arriba, págs. 202 y sigs.
[16] *Revista de Filología Hispánica*, II, 194, pág. 17.

desarrollo paralelístico de dos elementos (D, E), que ofrece la particularidad de tener el trueque de atributos, frecuente en Góngora: el elemento D_2 («surcar») se atribuye al E_1 («mieses»), en vez de al E_2 («ondas»); y recíprocamente el D_1 al E_2, en vez de al E_1. Fórmula:

$$A_1 B_1 C_1 \quad A_2 B_2 C_2$$
$$D_2 E_1 \quad D_1 E_2$$
$$F_1 \quad F_2$$

El pasaje tiene antecedentes conocidos, ya señalados por los comentaristas del siglo XVII. Especial interés tiene la comparación con Claudiano, *In tertio Consulatu Honorii*:

> *Vobis Ionia virides Neptunus in alga*
> *Nutrit equos, qui summa freti per caerula possint*
> *Ferre viam, segetemque levi percurrere motu*
> *Nesciat ut spumas nec proterat ungula culmos.*

En estos versos hay ya una sencilla correlación (dos dualidades), mientras que no existe correlación en los otros antecedentes mencionados (Homero, Virgilio, Ovidio). No creo pueda existir duda de que Góngora siguió a Claudiano, que era poeta suyo predilecto [17].

Doy ahora un ejemplo de la *Soledad Segunda*:

> *Esta, pues, culpa mía*
> *el timón* (A_1) *alternar menos seguro*

---

[17] Añádase ese pasaje a los otros ejemplos de correlación en Claudiano, que cité en *Antecedentes griegos y latinos de la poesía correlativa moderna*, en *Estudios dedicados a Menéndez Pidal*, t. IV, Madrid, 1953, págs. 21-23. Para el trueque de atributos, *ibidem*, pág. 15, n. 2.

> *y el báculo* (A₂) *más duro*
> *un lustro ha hecho a mi dudosa mano...*
>
> *Naufragio* (B₁) *ya segundo*
> *o filos pongan de homicida hierro* (B₂)
>   *fin duro a mi destierro,*
> *tan generosa fe, no fácil onda* (C₁)
>   *no poca tierra* (C₂) *esconda:*
> *urna* (D₁) *suya el Océano* (E₁) *profundo*
> *y obeliscos* (D₂) *los montes* (E₂) *sean del mundo.*
>
>   *Túmulo tanto debe*
> *agradecido amor a mi pie errante;*
>   *líquido pues diamante* (F₁)
> *calle mis huesos y elevada cima* (F₂)
>   *selle sí, mas no oprima*
> *esta que le fiaré ceniza breve,*
> *si hay ondas* (G₁) *mudas y si hay tierra* (G₂) *leve.*
>
>   (*Soledad II*, v. 144-171.)

Todo el final del canto del peregrino está sujeto a una correlación dual (salvo una discontinuidad de los versos entre el cuarto y el quinto de los citados aquí). Las dualidades son seis, y la básica es [mar] - [tierra].

Bastan estos ejemplos para probar la presencia de la correlación en las *Soledades*. Más abajo (pág. 240) se encontrará una lista de todos los pasajes correlativos que he podido observar en el poema.

RECUENTO DE SONETOS, OCTAVAS O PASAJES
CORRELATIVOS EN LA POESÍA DE GÓNGORA

Sonetos que contienen correlación. Van señalados con asterisco los que han sido comentados en las páginas que preceden:

Año	N.º en Millé	Año	N.º en Millé
1582	216	1607	290
»	218	»	291
»	221	»	292
»	* 223	»	* 293
»	* 228	1608	294
1583	231	1609	300
»	* 232	»	302
»	235	1611	* 313
1584	236	»	316
»	237	»	317
»	* 239	»	318
»	242	»	319
»	243	1612	323
1585	244	1614	328
»	245	»	329
»	246	1615	338
»	247	1617	344
1588	* 250	1620	* 351
»	254	»	356
1589 ?	255	»	359
1593	* 256	1621	361
1596	262	»	363
1604	281	1623	374
· 1606	286	1624	381

De estos 48 sonetos [18], hay unos pocos que tienen una correlación sumamente sencilla, casi se diría que natural; otros pocos que la tienen muy complicada y artificiosa. En la mayor parte, sin embargo, el artificio es evidente; pero la complicación, moderada (casi siempre, dos dualidades). El número total de sonetos de Góngora [19] es 167; de ellos, pues, casi una tercera parte está afectada por la correlación: exactamente, un 30 por 100.

Un recuento semejante en el *Polifemo* nos muestra que en este poema contienen correlación las estrofas 4, 7, 9, 13, 14, 16-17, 18, 19, 24, 25, 28, 41, 44-45, 49, 53, 57, 58.

---

[18] En algunos el sentido es dudoso y del sentido pende el que haya correlación o no: he desechado los más problemáticos.

[19] Hablo de los de autenticidad indudable, núms. 216-382.

De 63 estrofas que tiene el *Polifemo,* 19 contienen correlación: es decir, exactamente, la misma proporción (30 por 100) que daban los sonetos. Lo mismo que allí, hay alguna estrofa en que la correlación parece casi natural; en las demás el artificio es evidente, pero pocas veces extremado.

En el *Panegírico* las estrofas en que existe correlación son las siguientes: 12, 14, 38, 39, 41, 60, 63, 72-73, 75-76.

La proporción de correlaciones es mucho menor que en el *Polifemo:* son 79 las estrofas, y sólo 11 las afectadas; resulta un 14 por 100.

Pasajes de las *Soledades* en que hay correlación:

Soledad I: versos 247-250, 503-506, 536-539, 562-572, 827-830, 832-839, 904-908, 1.027-1.034.

Soledad II: versos 144-148 y 158-171, 216-238, 435-440.

No hay modo de establecer para las *Soledades* un porcentaje que pueda compararse con los de los poemas en octavas o de los sonetos. La frecuencia es escasa; y mucho menor la de la *Soledad Segunda* que la de la *Primera.* En la *Segunda,* dos de los pasajes mencionados tienen una correlación floja, y nada estricta del lado gramatical.

LA CORRELACIÓN A LO LARGO DE LA OBRA DE GÓNGORA

Para ver la evolución de la técnica correlativa a lo largo de la vida del poeta, nada mejor que la lista que hemos dado más arriba (pág. 239). La simple inspección de ella nos muestra: 1.º Que Góngora usa la correlación desde su primer año de sonetista (1582) hasta el último (1624). 2.º Que la usa más frecuentemente que nunca en los años mozos (1582-1585).

Debemos aplicar aquí un procedimiento semejante al que ya usamos para estudiar los versos bimembres de Góngora

Si repartimos toda la producción de sonetos en los seis períodos de siete años [20] que allí establecíamos, y dividimos el número de sonetos en que hay correlación, de cada período, por el número total de sonetos del mismo, obtenemos la proporción de correlaciones por soneto en cada período. Con este resultado:

Años	Número de sonetos	Correlaciones en los sonetos	Proporción
1582-1589	40	20	0,50
1590-1596	7	2	0,29
1597-1603	18	0	0
1604-1610	33	9	0,27
1611-1617	32	10	0,31
1618-1624	37	7	0,19

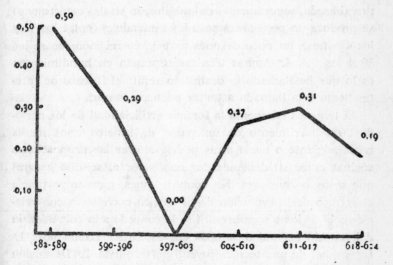

Figura 2.—*Proporción de correlaciones en los sonetos de Góngora* (1582-1624).

---

[20] Salvo el primer período, en el que contamos un año más (que queda de non).

Si comparamos esta curva [21] (fig. 2) con la que allí obtu-
vimos para los bimembres (fig. 1, pág. 139) veremos que el
sentido general de aquélla coincide con el de ésta: 1.º El
punto más alto de uso de bimembres y de uso de correlación
es el de arranque juvenil (el Góngora entre los 21 y los 28
años). 2.º Sigue un período de hundimiento de la estética de
los bimembres y correlaciones, que para los bimembres tiene
su sima entre los 29 y los 35 años, y para la correlación entre
los 36 y los 42: es lo que hemos llamado desilusión temprana, cuando Góngora escribe poca poesía elevada, pero su
musa picaresca y materialista sigue fértil. 3.º Desde esa sima
viene un nuevo crecimiento de la técnica de bimembraciones
y correlaciones: la cima de esta nueva oleada de ilusión estética (basada, seguramente, en una ilusión vital, de cortesano)
se produce un poco antes para los bimembres (entre los 43 y
los 49 años), un poco después para la correlación (entre los
50 y los 56). 4.º Ambas técnicas terminan en hundimiento:
es lo que he llamado la desilusión senil: el fracaso del pretendiente y la llamada a temas poéticos sombríos.

Si tenemos en cuenta la forzosa artificialidad de los períodos (un corrimiento de un grupo de sonetos unos meses
hacia adelante o hacia atrás podría alterar las proporciones
vecinas entre sí) debemos dar más valor al sentido general
que a los pormenores. No concedo, pues, gran importancia
al retraso de la evolución de la técnica correlativa con relación a la de los bimembres. Sí se la concedo a la coincidencia
del sentido general de ambas curvas, caracterizada por: 1.º
Intensidad de una técnica juvenil petrarquista. 2.º Desilusión

---

[21] No es posible otra comparación que la del sentido general, porque las ordenadas (que son allí proporciones de bimembres y aquí de
correlaciones) no tienen escalas relacionables.

entre el fin de la juventud y la madurez. 3.º Nueva ilusión de la madurez. 4.º Desilusión senil.

Agreguemos ahora los datos que nos proporcionan el *Polifemo* y el *Panegírico*: casan de modo perfecto con los anteriores. La proporción de lo correlativo en el *Polifemo* es exactamente la misma que resulta de la obra conjunta de los sonetos. La del *Panegírico* (1617), en cambio, es mucho menor. Nótese que está compuesto en el último año de nuestro período quinto (1611-1617). Ese descenso no hace sino adelantarse un año con respecto al que los sonetos manifiestan en el período 1618-1624. Nótese que en el *Panegírico*, si el tono suntuario y cortesano parecía favorecer el uso de artificios correlativos, en cambio el poeta tenía que narrar muchos hechos: ocurre que en el *Polifemo* las estrofas más «narrativas» tienen menos correlación que las descriptivas.

LA CORRELACIÓN EN GÓNGORA, FENÓMENO DEL MANIERISMO PETRARQUISTA

En lo que inmediatamente antecede (y en otros estudios que, más arriba, están en este mismo libro) queda probado (me atrevo a creer) *que correlación y plurimembración no son en Góngora fenómenos propiamente barrocos,* quiero decir, que no pertenecen a las tumultuosas, apasionadas novedades que trae el barroquismo al arte, sino que *son típicos manierismos de la tradición petrarquista del siglo XVI. La impregnación máxima de correlaciones y plurimembraciones está en los sonetos petrarquistas juveniles.* Mucho, muchísimo, le viene a Góngora del mismo Petrarca, cuyo *Canzoniere* debió beber en las mocedades. Pero también mucho le viene de la cadena (de bastantes eslabones oscuros) del petrarquismo italiano (y de algo del español) del siglo XVI. En este sentido Góngora es hijo de Groto, nieto de Veniero, bisnieto de Tansillo y de Ariosto, siempre en la directa descendencia de Petrarca.

Muy disminuídas en la que he llamado desilusión juvenil, correlaciones y plurimembraciones tienen una reflorescencia en los diez primeros años del siglo XVII (crecimiento que para las correlaciones se prolonga algo más): van en auge las ilusiones del pretendiente.

En el *Polifemo* aún predominan estos elementos de nítida y simétrica exactitud, pero en él apuntan otros nuevos, bullentes y distorsionantes. Y en el poema pesa ya tanto el tema de lo monstruoso (Polifemo) como el de lo bello (Galatea). En las *Soledades* predomina la pena de amor, la melancolía, la disimetría de la forma (silva) y un concepto nuevo mucho más amplio realista (en cierto sentido) y pormenorizado de la Naturaleza; la simetría, la bimembración, la plurimembración y la correlación aún existen en cierta abundancia en ellas: pero sirven para remansar o subrayar la serena belleza de algunos momentos; a veces también para resaltar duramente los contrastes. Góngora, con las alternativas que las curvas de nuestros gráficos reflejan, va moderando y espaciando su técnica inicial de arquitectónicas pluralidades; pero *sin abandonarla nunca* [22]. Y su vida poética termina con una intensa disminución de los temas de belleza y de los brillantes juegos de simetrías y pluralidades, porque la vida le ha impuesto definitivamente los temas graves

---

[22] Véase lo que dije en *Versos plurimembres y Poemas correlativos*, páginas 182-183. Creo exacta la teoría expuesta allí: plurimembración y correlación son manierismos de gran vitalidad en el siglo XVI que siguen viviendo en el barroco, «porque es característico de éste no perder ningún elemento de la tradición anterior, como enorme *coincidentia oppositorum* que es». Claro que entonces no me había dado cuenta de la gran importancia que tiene la correlación en gran parte de la poesía de Góngora.

y los colores sombríos; pero aun en los últimos esfuerzos hay algún aislado rebrote de su estética juvenil, quizá también, a la par, de sus pobres esperanzas.

He dicho antes que en esto de la correlación era hijo de Luigi Groto y nieto de Veniero. Ya hemos visto que imita de cerca un soneto de Groto. Pero hay algo que le separa totalmente, radicalmente, de estos correlativistas italianos: ellos toman la correlación como un artificio exterior, lo manejan en frío, exageran la mecánica precisión del sistema y llegan a las últimas extravagancias: Veniero intenta hacer avanzar un soneto correlativo hexamembre:

M'arde (A_1), *impiaga* (A_2), *ritien* (A_3), *squarcia* (A_4), *urta* (A_5) *e pre-*
[*me* (A_6)
foco (B_1), *stral* (B_2), *nodo* (B_3), *artiglio* (B_4), *impeto* (B_5) *e peso* (B_6)...

¿Qué hará Groto? No hay más posibilidad de superación sino meter dos pluralidades trimembres en cada verso:

Col bel (A_1), *vivi* (A_2), *aurei* (A_3), *ciglio* (B_1), *occhi* (B_2), *capelli* (B_3),
ond'arco (C_1), *fiamma* (C_2), *rete* (C_3), *ha* (D_1), *trahe* (D_2), *torciglia* (D_3),
la mia Dea...

Nada de esto le interesa a Góngora: la correlación es para él un elemento expresivo. Usa pocas veces la correlación de muchos miembros. Cuando lo hace en algunos sonetos juveniles es con un fin: en el soneto cuatrimembre «Mientras por competir con tu cabello» (núm. 228) que hemos comentado antes, los cuatro miembros iluminan en la imaginación del lector durante los cuartetos un mundo de claros y brillantes colores, que arde en los tercetos y queda al fin aniquilado:

en tierra, en humo, en polvo, en sombra, en nada.

Y este soneto —que encierra un riguroso artificio— queda convertido en una presencia viva de la poesía española. En otra ocasión usa una correlación hexamembre en el soneto a Córdoba (núm. 244), pero del tipo diseminativo-recolectivo, complicado con una serie de relaciones verticales en la estructura, como hemos ya dicho: esa diseminación le sirve para demorar la imagen de las bellezas de la patria mientras las enumera, y la recolección final se precipita en un borboteo apasionado. Y el soneto a Córdoba —donde tanta complicación y artificio se acumulan— es aún hoy para cualquier lector de sensibilidad una bellísima explosión del más sincero amor a la ciudad nativa.

Pero los casos de plurimembraciones de muchos miembros son, además de juveniles, raros. Predomina, y cada vez más, la correlación bimembre, que el poeta prolongará hasta sus últimos años. Correlación sencilla, pues, por el número de miembros; sencilla también, en general, por el breve número de las dualidades. Es la correlación bimembre, junto con el uso abundantísimo de dualidades, lo que el poeta se ha asimilado, lo que le es propio.

CORRELACIONES Y PLURALIDADES EN
EL SISTEMA ESTÉTICO DE GÓNGORA

La correlación impregna profundamente —de lado a lado— la obra de Góngora, aunque el punto más alto de su uso esté en la juventud. Es curioso que la crítica (incluyo la mía) no haya visto nunca estos hechos: el poeta emplea la correlación en los sonetos, hasta en los últimos que compone; en el *Polifemo,* casi de cada tres estrofas, una tiene correlación; en el *Panegírico* y las *Soledades* estos artificios están —aunque menos que en el *Polifemo*— ampliamente atestiguados y repetidos por todo el desarrollo de estos poemas.

Aquellas afirmaciones mías —nuestro punto de partida— que daban escaso valor al empleo de la correlación en Góngora eran bien apresuradas, bien inexactas. El uso de la correlación ha de ser considerado como formando organismo con el de los versos bimembres y plurimembres, y con el de las dualidades y pluralidades en general; esa masa de simétricas, exactas distribuciones y correlaciones (sobre todo, duales) del mundo exterior y de su representación estética, forma parte integrante, fundamental, esencial del sistema estético gongorino. No hay manera de comprender el cosmos gongorino si no vemos que su síntesis estética estriba precisamente en estas distribuciones y correspondencias analíticas.

La correlación no es en Góngora un juego frío, exterior, matemático y extravagante, como en Veniero o en Groto. Es una de las legítimas condensaciones formales —y una de gran importancia— de su sistema poético.

III

CUESTIONES TEXTUALES

PUÑO Y LETRA DE DON LUIS
EN UN MANUSCRITO DE SUS POESIAS

D^E la escritura de Góngora conocíamos únicamente firmas
en documentos oficiales y algunas cartas. ¡Ni un solo
verso![1] Pues bien: existe un manuscrito en el que el poeta
posó su mano varias veces: para completar o corregir poesías suyas; para rechazar, total o parcialmente, otras que
le achacaban. Es, por tanto, un manuscrito de un interés
extraordinario.

Lo tuve varios años en mi casa porque, con generosidad
rara entre bibliófilos, el poeta Joaquín Montaner —que era
entonces su propietario— me lo prestó para su estudio y me
autorizó para utilizarlo como quisiera.

Cuando yo lo tuve en mi poder medía el volumen 21 × 15
centímetros y estaba encuadernado en pergamino. En la parte alta del lomo se leía «Obras de Góngora», y en la inferior,
«I». Constaba de 473 folios, bastantes de ellos en blanco. Estaba escrita la guarda inicial (no foliada), y en una hoja moderna que recubría la parte de la guarda adherida a la encuadernación se leía: «Manuscritos autógrafos de puño y
letra de don Luis de Góngora», afirmación falsa, o, mejor
dicho, sólo en mínima parte verdadera (por lo que toca a
este manuscrito), como vamos a ver.

He empleado el pretérito porque no puedo ya decir que

---

[1] Véase más abajo, en el presente libro, *Una carta inédita de Góngora*, págs. 378-379.

algunos de estos pormenores no hayan cambiado en el estado actual.

De Joaquín Montaner pasó el manuscrito (no sé si directa o indirectamente) a don Arturo Sedó, poseedor de una magnífica colección de obras de teatro (es que en el manuscrito se contiene un fragmento de *Las firmezas de Isabela*).

Pasaron años y quise volver a ver el manuscrito. Gracias a las gestiones de bondadosos amigos y a la exquisita amabilidad del actual propietario, pude hacerlo, aunque no con el mismo vagar que antes. El manuscrito está ahora encuadernado en tafilete rojo profusamente cuajado en oro.

La fuerte encuadernación no deja leer algunas notas de los márgenes interiores (así ocurre en la muy importante del folio 191 v.º).

DATOS PARA LA HISTORIA DEL MANUSCRITO PÉREZ DE RIVAS

No es, ni mucho menos, un manuscrito desconocido. Sí mal utilizado. Daré primero lo que puedo rastrear de su historia.

1) El colector del manuscrito, por lo menos su más antiguo poseedor conocido, es José Pérez de Rivas. La firma Ioseph Pz. de Ribas (grabado 3), de extravagantes y grandes caracteres, puede leerse con toda claridad en el vuelto del folio 419. Cordobés, contemporáneo y seguidor de Góngora, toma parte en la justa poética celebrada en Córdoba con motivo de la beatificación de Santa Teresa en 1614 [2], así co-

---

[2] *Paez de Valenzuela. Relación... de las fiestas... a la beatificación... de Santa Theresa*, Córdoba, 1615 (comp. Valdenebro, *La imprenta en Córdoba*, núm. 90): «La confessión de una confusión con que se ha-

GRABADO 3.—La firma Ioseph Pz. de Ribas en el folio 419 v.º del manuscrito.

mo en la de 1617 en honor de la Concepción, también en la
misma ciudad [3]. En ambas fué premiado. Según Vaca de
Alfaro, *Catálogo de los Obispos*, murió Pérez de Rivas en
1654 y yace en Córdoba, en la iglesia de San Pablo, «en la

---

llaron estos señores proporcione y califique la humildad de el segundo
premio que se dió al licenciado Ioseph Perez de Ribas, por un soneto
muchas vezes dulze y erudito y muchas más digno de mayor remune-
ración que pareció un corte de tafetán negro ajedrezado, ofreciendo
con él tantos deseos como se le deven alabanzas.

SONETO

Y de armonía dulcemente muda.

Del licenciado
Joseph Pérez
de Rivas

> *Tanto oración profunda, tanto inflama*
> *a la que illustra santa oy el Carmelo*
> *que, si desnuda no del mortal velo,*
> *rapta aspira a la gloria que la llama.*
>   *Su Esphera solicita, cual la llama*
> *la ardiente pide con ligero vuelo:*
> *tal escaló ya el aire y pisó el Cielo*
> *Pablo, altamente unido a lo que ama.*
>   *«Trato qualquier mortal, o Virgen, dexa»*
> *(alta le dixo voz), «y en el más grave*
> *colloquio humano una Sirena duda;*
>   *Angeles alimenten ya tu oreja,*
> *de silencio loquazmente suave*
> *y de armonía dulcemente muda.»*

(Fols. 15-15 vuelto.)

El primer premio se dió a soneto anónimo y el tercero a Fray Roque
de Vera. Todos glosaban el mismo pie.
    [3] *Justa poetica a la Pureza de la Virgen Ntra. Señora celebrada
en la parroquia de San Andrés de la ciudad de Córdoba en 15 de enero
de 1617*, Sevilla, 1617 (Escudero y Perosso, núm. 1.155; Ramírez de
Arellano, 3.036; este folleto fué reproducido en 1889 por D. José M.ª de
Valdenebro). Entre los poetas figura con un romance «el Licenciado
Ioseph Perez de Ribas».

sala capilla del Capítulo, junto a la sacristía»[4]. Según el mismo Vaca de Alfaro, se conservaban de él un manuscrito de poesías con el título de *Flores juveniles*, que tenía en su biblioteca cordobesa don Juan de Villarán y Ramírez, y una *Relación de la forma que se alzó el pendón Real por el rey D. Felipe 4.º y muerte de Felipe 3.º*[5]. Vemos, pues, a Pérez de Rivas en plena actividad literaria en años de gran importancia en la obra de Góngora, desde 1614 a 1621. Don Aureliano Fernández Guerra le atribuyó las poesías contenidas en otro manuscrito. De esto hablo más adelante en nota.

2) Algunos (por lo menos) de los cuadernillos que formaron este manuscrito estuvieron en manos de Góngora, y el gran poeta puso en ellos correcciones y anotaciones de su puño y letra. Este es, precisamente, el tema principal del presente trabajo.

3) Gallardo vió este manuscrito y lo describe en el *En-*

---

[4] Don José de la Torre, ilustre gongorista cordobés, hizo, a ruego mío, algunas indagaciones para averiguar qué había sido de esa sepultura: «Estuve esta mañana en la iglesia de San Pablo, y allí no existe vestigio alguno de la sepultura del licenciado José Pérez de Rivas; ni los PP. del Corazón de María, que la tienen a su cargo actualmente, recuerdan haberla visto nunca, ni en el sitio indicado, ni en otra parte.» (Carta de don José de la Torre al autor, de 13 de junio de 1943.)

[5] El *Catálogo de los Obispos de Córdoba* se conserva manuscrito en la Colombina. No lo he visto. Tomo estas noticias de Ramírez de Arellano, *Catálogo de escritores de Córdoba*, I, pág. 482. ¿Sería quizá hermano suyo el P. Andrés Pérez de Ribas, jesuíta? (Véase Ramírez de Arellano, *ibídem.*) Vaca de Alfaro dice que José Pérez de Ribas murió hacia 1654. Era presbítero, hijo de Francisco Pérez de Ribas y primo de una doña Teresa Juana de Ribas, según una escritura que otorgó el 8 de febrero de 1628 (A. Protocolos, oficio I, tomo LXXXIX, fol. 156) y que me fué comunicada por don José de la Torre. También (pero sin puntualizar la fuente) me comunicó los siguientes datos: era hijo de Beatriz de Ribas; tuvo una hermana, Teresa de Villalobos, que profesó en el convento de Santa Marta; otra hermana, Beatriz de Ribas, casó con Melchor de Herrera.

sayo, tomo IV, cols. 1.229-1.233. Da cuenta (aunque sin pormenor y con errores de bulto) de las anotaciones de mano de Góngora. Habla de dos foliaciones: una, «a trechos» (la que yo llamaré «antigua»), y otra, hecha por el mismo Gallardo. Mas la foliación de Gallardo es sumamente defectuosa. No folió las numerosas hojas en blanco, y el folio que según su orden debía haber sido el 180 lo señaló, por error, con el número 149; siguió otra vez, de ahí adelante, por la serie natural de los números; hay, pues, 30 folios con numeración repetida. Esto, aparte de otros descuidos menos importantes. Inserta también Gallardo en el *Ensayo* un índice de primeros versos de este manuscrito; pero, no se sabe por qué, no pasó del folio 128 de su numeración (que es el 145 de la mía; véase más abajo); dejó, pues, sin registrar los folios 145-473 de mi foliación[6].

---

[6] Gallardo habla de dos manuscritos: éste de que tratamos y otro que, según parece, rezaba también en el lomo «Obras de Góngora» *(Ensayo*, IV, cols. 1.227 y 1241), señalado con un II (en vez del I que distinguía al manuscrito de que tratamos en este artículo). Para Gallardo las poesías de este «II» (que, evidentemente, no son de Góngora) eran obra del capitán de jinetes de Vélez D. Juan de Córdoba: para ello se basaba el erudito extremeño en el rótulo y texto de una de las poesías del volumen *(Ensayo*, IV, col. 1.238, texto y n. 1). Esta opinión fué contradicha por don Aureliano Fernández Guerra *(Ensayo*, IV, col. 1.234, y el *Cancionero de la Rosa*, de don Juan Pérez de Guzmán, págs. 267-272), porque «alguna de las poesías que Gallardo da como de Córdoba están impresas en aquel tiempo como de Pérez de Rivas».
Lo mismo Gallardo que Fernández Guerra llaman a este poeta «Rivas Tafur», y don Juan Pérez de Guzmán le llama «Pérez de Rivas Tafur»; y así Menéndez Pelayo (en *Bibliografía Hispano-Latina*, I, página 227, Edición Nacional). Confieso mi ignorancia: no sé de dónde viene el apellido «Tafur», porque los textos antiguos que conozco coinciden con la firma del manuscrito de que trato en este artículo, en llamarle «Joseph Pérez de Ribas». Pero quizá Gallardo y Fernández Guerra que vieron ese manuscrito «II», que yo no he visto, tendrían

4) Don Luis Fernández Guerra era poseedor en 1871 de este manuscrito. A su muerte pasaría a don Aureliano[7]. Evidentemente, es uno de los cuatro gongorinos de que habla Artigas (*Don Luis de Góngora*, págs. 219 y 225), que a la muerte de don Aureliano fueron a parar a su deudo el señor Valdés[8].

---

sus razones para llamarle «Rivas Tafur»: frecuente es que personajes del siglo XVII figuren y aun firmen con apellidos distintos. De todos modos esta cuestión (que me gustaría ver aclarada por algún erudito cordobés) no afecta fundamentalmente al tema del presente artículo.

[7] «Otro códice de todas las poesías de don Luis, con enmiendas y arrepentimientos de su pluma, puestas en limpio por su discípulo el licenciado José de Rivas Tafur.» Luis Fernández Guerra, *Don Juan Ruiz de Alarcón y Mendoza*, Madrid, 1871, nota 342. El autor cita varias composiciones del manuscrito, y da en cada caso el folio exacto de la numeración de Gallardo (menos una vez que lee 247 en vez de 297). Es indudable que el manuscrito de que tratamos en este artículo es el mismo que fué propiedad de don Luis Fernández Guerra. Los Fernández Guerra debieron poseer también el otro («II») de que hablamos en la nota precedente.

[8] Añádase aún que por intermedio de Fernández Guerra tuvo noticia del códice don Adolfo de Castro y lo utilizó para dos o tres notas de su edición de poesías de Góngora, Rivadeneyra, XXXII.

Véase Alfonso Reyes, *Cuestiones gongorinas*, Madrid, 1927, págs. 152-161, donde se reproducen entre las notas de Castro las que pueden importar ahora. La lista es larga, y habría que añadir aún: «Pág. 540 *c: La cítara que pendiente*: Rivas Tafur no la tiene por de Góngora». Sustitúyase también *En buen hora, oh gran Filipo*, en lugar de *Abrevia el difícil paso*, pues el primer verso de la composición a que se refiere la nota es aquél y no éste (es la llamada *Congratulatoria*).

Castro se expresa allí (en lo que ahora nos interesa) de varias maneras que pueden reducirse a tres tipos: A) «Según Rivas Tafur»; B) «Según un códice del señor Guerra y Orbe»; C) «Según parece del códice de Rivas Tafur, hoy del señor Guerra y Orbe»... (una sola vez). El tipo C concuerda con el contenido del manuscrito estudiado en el presente artículo. El tipo A (muy frecuente) sólo una vez concuerda. Y sólo otra, el B. Es indudable que las afirmaciones de Castro proceden de varios códices de Fernández Guerra. Uno de ellos contenía, sin duda,

Grabado 4.—Manuscrito Pérez de Rivas. Soledad Primera, versos 909-924. Pasaje de la primitiva versión tachado y sustituído.

5) Don Miguel Artigas vió también, como acabamos de decir, el manuscrito; sin duda, de prisa, pues se limitó a copiar de él la lista de «Obras del Sr. don Luis de Góngora que no se hallan», que figura en los folios 459-461 v.º (de mi foliación) y en el *Don Luis de Góngora*, de Artigas, en las páginas 219-223.

6) El manuscrito fué adquirido después de un librero de Madrid (el señor Barbazán) por don Joaquín Montaner.

7) Fué entonces cuando lo tuve varios años en mi casa. En vista del desorden de su numeración, lo folié escrupulosamente de nuevo con lápiz a una mano. Tiene hoy, pues, tres foliaciones fácilmente distinguibles: la mía, a lápiz (que es la única que citaré en lo sucesivo, salvo aviso en contrario), y dos a pluma: la de Gallardo y la antigua.

---

el *Escrutinio:* todas las notas del tipo A, menos una (la que concuerda con nuestro manuscrito) coinciden con las afirmaciones del *Escrutinio.* Es indudable que Fernández Guerra atribuía a «Rivas Tafur» el texto del *Escrutinio* que él poseía. En qué se basaba tal atribución, lo desconozco. Las dos únicas notas de Castro basadas seguramente en nuestro códice son las de las poesías «Por qué llora la Isabelitica» y «Urnas plebeyas, túmulos reales»; en todo caso, quizá también la de «Larache, aquel africano». Las tres figuran en el manuscrito que comento, y en él se rechaza, en apunte marginal, la atribución a Góngora. La desautorización de las dos primeras poesías ha sido tachada luego. Las dos décimas de «Larache» llevan cada una de ellas la indicación «Sí» que ha sido también tachada. Doy muy poco valor a estas notas marginales, puestas por cualquier lector.

LA MANO DE GÓNGORA EN EL CÓDICE

Los folios 1-22 y 31-42 están ocupados, respectivamente, por la primera y la segunda de las *Soledades* [9]. Ocupado en rastrear desde hace años la versión primitiva de estos poemas, anterior a la censura de Pedro de Valencia, son estas hojas del códice las que para mí ofrecen un mayor interés, porque en ellas creo haber encontrado la redacción más próxima al venero original entre todas las conocidas. Comprueba plenamente este códice la reconstrucción del texto primitivo de las *Soledades*, que a base de diversos manuscritos publiqué hace años; pero me da nuevos pasajes, totalmente desconocidos, del más auténtico gongorismo, que representan también el inicial arranque poético del gran artista, moderado luego por los prudentes consejos de Pedro de Valencia. De todo esto hablo más por extenso en el artículo que se publica a continuación en este mismo libro. Apuntaré sólo que este hecho de contener el manuscrito Montaner la más antigua redacción del poema, le da ya una venerable autoridad entre los códices gongorinos; va bien con la naturaleza o vecindad cordobesa de José Pérez de Rivas; nos indica que esta copia [10] se produjo tempranamente dentro del amistoso círculo de compatriotas que seguían anhelantes los avances del poema.

Debo considerar, sin embargo, aquí la cuestión de la letra. Este texto de las *Soledades* tiene la misma característica que casi todos los demás que representan la primitiva ver-

---

[9] La *Segunda* incompleta. Reservo otros pormenores para mi nueva edición de *La versión primitiva de las «Soledades»*.

[10] La copia de las *Soledades*. No se puede generalizar a todo el volumen.

De Don Luis
de Góngora.

no es mía

GRABADO 5.—Manuscrito Pérez de Rivas, fol. 106 vuelto. Góngora rechaza de su puño y letra una de las poesías que el manuscrito le atribuye.

sión: la redacción primitiva ha sido tachada [11] y en los márgenes se ha anotado el texto que podemos llamar definitivo, *i. e.*, el representado por el manuscrito Chacón. La explicación es evidente: los poseedores de manuscritos no querían estar anticuados; querían tener el texto mejor, el moderno, el que representaba la lima última del poeta; tachaban y corregían, pues, en sus manuscritos los versos o pasajes que ya no estaban «al día» (véase el grabado 4).

Gallardo nos dice que esta copia de las *Soledades* «parece un borrón de Góngora» (*Ensayo*, IV, col. 1.229). Ahora bien: es absolutamente claro que ni el texto ni las correcciones marginales de las *Soledades* son de mano de don Luis. Entre otros muchos rasgos divergentes, el trazo final de la *a* y de la *e* remata en una curva hacia arriba (casi siempre en el texto, y a veces en las correcciones, que son de letra más apresurada) con una especie de punto más grueso. Nada de esto en los escritos indudablemente autógrafos del poeta (las cartas del manuscrito Gor, y, como muestra, la publicada por Linares, la carta y los dos fragmentos de carta que reproduzco más abajo en este mismo libro —grabados 9 y 11 y los diez últimos renglones del 10, páginas 374, 380 y 379— y lo que de mano de Góngora hay en los grabados 5, 6 y 7 que acompañan al presente artículo).

En la copia de este manuscrito, lo mismo en el texto de las *Soledades* que en los de las otras composiciones, intervinieron varias manos; ninguna la de Góngora. Pero podemos afirmar que el poeta posó la suya, por lo menos, sobre

---

[11] Véase, por ejemplo, el grabado 4, que corresponde a los versos 909-924 de la *Soledad Primera*. Seis versos de la redacción primitiva han sido tachados y sustituídos por los 913-918 de la definitiva (que es la representada por el manuscrito Chacón).

varios cuadernos de los que hoy forman el volumen y que escribió en esas hojas unas cuantas breves palabras. Ya es mérito bastante. Ya dijimos al principio que es el único manuscrito gongorino en que semejante cosa ocurre: es la única letra de Góngora aplicada a sus versos [12].

En el folio 106, vuelto, aparece copiada (precisamente por la misma mano que copió las *Soledades)* la composición que suele figurar en las listas de poesías atribuídas a Góngora, «Ia el trato de la verdad» (grabado 5). Al margen, la misma mano ha escrito: «De don luis de Góngora». Lo emocionante empieza aquí: otra mano, seguramente indignada, ha tachado esas palabras últimas, ha trazado dos firmes rayas horizontales y paralelas, y entre ellas ha escrito «no es mía». Los caracteres de esas tres palabras coinciden en absoluto con los habituales de la letra de don Luis. Bórrese, pues, definitivamente esa composición de toda lista de atribuciones a Góngora.

En el folio 191 está copiada como «De Don luis de Góngora» la letrilla de las *higas,* que empieza «Vn buhonero a empleado» (grabado 6). El orden de las estrofas es el mismo que en Chacón (Comp. Millé, págs. 303-305), pero faltan en el manuscrito de Pérez de Rivas la tercera («Al otro que le dan jaque») y cuarta («Al marido que es ya llano»). Góngora ha ido leyendo la copia hasta la estrofa que empieza «Al moçuelo que en Cambrai». Junto al verso penúltimo de esa estrofa ha escrito en el margen «faltan». Evidentemente son las dos estrofas antes citadas las que ha echado de menos. Después, entre dicha estrofa, «Al moçuelo, etc.», y la siguiente, ha trazado dos gruesos rasgos paralelos y horizontales

---

[12] Ni el códice de la Biblioteca Menéndez Pelayo ni el soneto exhibido en la Biblioteca Nacional son autógrafos. Comp. Artigas, *obra citada,* págs. 225-226.

GRABADO 6.—Manuscrito Pérez de Rivas, fol. 191. «No son mía[s] las que se sig[uen]». Góngora rechaza la atribución de dos estrofas. Las últimas letras están ocultas por la encuadernación.

(como en el .caso del folio 106, vuelto). Pero esta vez ha sido debajo de ambos trazos horizontales donde ha escrito «no son mía[s] las que se sig[uen]». Góngora escribía esas palabras cuando el cuadernillo estaba aún suelto. Más tarde el encuadernador antiguo, al coser los pliegos, ha dejado tapadas la *s* de «mías» y las letras últimas de «siguen» [13].

Resultan confirmadas las dudas que siempre hemos tenido sobre la autoridad ilimitada de Chacón. Porque esas dos estrofas que la mano de Góngora rechaza son precisamente las dos con las que termina la letrilla en el manuscrito del señor de Polvoranca.

Presenta también gran interés el soneto «Téngoos S.ª tela gran mancilla», que aparece en el folio 86 del manuscrito. El copista no había entendido algunas palabras del original que copiaba y las había dejado en blanco. Fueron dos los blancos: uno, al principio del verso tercero; otro, al principio del noveno. En esta dificultad, alguien acudió a Góngora. Y el poeta rellenó de su mano esos huecos. Las palabras escritas de su letra son: «como estais aca fuera?» (el hueco terminaba por una interrogación; no ha bastado para la letra de Góngora: el primitivo signo de interrogación ha quedado montado sobre la *a* final; el poeta ha repetido el signo de interrogación) y «pues que haceis ay?» (grabado 7) [14].

.

---

[13] En la antigua encuadernación, simplemente con forzarla un poco, se podía ver bien la *g* de «siguen», cuyo rasgo inferior se aprecia en el grabado. La dura encuadernación moderna ha tapado la *g*.

[14] Hay más correcciones de mano de Góngora en el manuscrito, pero muchas de ellas dudosas, pues la letra podría ser o no ser suya (se trata de una palabra o una sílaba, escritas entre líneas, etc.). No son para discutidas aquí. Creo de mano de Góngora, p. ej., muchas que aparecen entre los folios 184 y 191. Téngase presente que en el

folio 191 vuelto está la nota «no son mías las que se siguen», la cual (aun prescindiendo de su inequívoco texto) tiene todos los rasgos característicos de la nerviosa mano del gran poeta. En mi edición de las *Obras de Góngora*, actualmente en prensa, doy a conocer todas las variantes de este manuscrito y discuto todas las correcciones, seguras y probables, de letra de Góngora.

Lisonjas d[ic]e la gran manzilla   de don luis
d[e]is la lengua de tos S[eño]r sol dado   de Gongora.

como estais aca fuera? oi me an echado
por vaga mundos fuera de la villa

Donde estan los Galanes de Castilla?
Donde pueden estar. Pisa enel prado.
Muchas Lanças abren en vos quebrado?
mas res peto me tienen, ni aun hastilla

pues que hazeis ay? J[uan]º. lo q[ue] esa Puente
Puente de Anillo, Isla de cedaço
de ser hombres como Dios ella

Hombres de duro pecho y fuerte braço
Adios Isla q[ue] Sois mui mal diciente
y esas no. Son palabras de doncella,

Antes q[ue] alguna Casa Sicerana
en vierta a Hernandico en Mochillero,   Don luis
i antes q[ue] algun Abad i vallestero   de Gongora
le de algun Sacnaço a Sebastiana

Procurad q[ue] antes q[ue] mañana
como padre cristiano i Caballero

UN SONETO MAL ATRIBUIDO A GONGORA

E<small>N</small> el ms. Chacón figura· el siguiente soneto, «En la partida del Conde de Lemos y el Duque de Feria a Nápoles y a Francia»:

> *El Conde mi señor se fué a Nápóles;*
> *el Duque mi señor se fué a Francia:*
> *príncipe, buen vïaje, que este día*
> *pesadumbre daré a unos caracoles.*
>
> *Como sobran tan doctos españoles,*
> *a ninguno ofrecí la Musa mía;*
> *a un pobre albergue sí, de Andalucía,*
> *que ha resistido a grandes, digo, soles.*
>
> *Con pocos libros libres (libres digo*
> *de expurgaciones) paso y me paseo,*
> *ya que el tiempo me pasa como higo.*
>
> *No espero en mi verdad lo que no creo;*
> *espero en mi conciencia lo que sigo:*
> *mi salvación, que es lo que más deseo*[1].

---

[1] Millé, núm. 312; he introducido dos correcciones en el texto de Millé: 1.ª, la diéresis en «vïaje» (v. 3); 2.ª, «lo que sigo», en vez de «lo que digo», en el verso penúltimo: «sigo» es la versión del manuscrito Pérez de Rivas, sobre cuya autoridad no puede haber discusión. La lectura «sigo» es tanto más probable cuanto que de otro modo se repetiría dos veces «digo» como palabra de rima y las dos veces con la misma acepción (además de una tercera vez, en el interior del verso 8.º); y «sigo» va mucho mejor al sentido de la frase. El texto de ese soneto, en el manuscrito de Pérez de Rivas, fué leído por Góngora:

Chacón fecha este soneto en 1611; pero Millé ha probado[2] que debe atribuirse a 1610. Ha sido comentado por Salcedo Coronel, y últimamente por Brockhaus en su discreto libro sobre los sonetos de Góngora[3]; pero no puede agregar gran cosa a lo dicho por el comentarista del siglo XVII. El soneto —salvo en algún pormenor no importante— es diáfano. Ambos grandes señores han marchado a cumplir sus misiones (el uno al virreinato de Nápoles, el otro a dar el pésame a María de Médicis). Poco se le ha importado al poeta de la partida. Ni se ofreció para que le llevaran en el séquito, visto que tantos otros literatos españoles se ofrecían. Sino que se fué a su casilla de Andalucía, que ha resistido a grandes..., no ya a grandes señores: a grandes soles. Allí pasa el tiempo con sus libros mientras el tiempo le va pasando a él. No espera las vanidades en que no cree. Espera la salvación de su alma, que es su mayor deseo.

Góngora tiene aún dos sonetos que principian de un modo semejante. Son los números 368 («El Conde mi señor se fué a Cherela...») y 369 («El Conde mi señor se va a Nápoles...»).

En 1906 publicó aún Foulché-Delbosc[4] otro soneto que pertenece a la misma serie estilística:

> *El Duque mi señor se fué a Francia,*
> *y tu musa a la tuya o a su estancia;*

en el verso 8.º del manuscrito estaba escrito «grandes, sean soles»; la mano del poeta ha corregido «sean» sustituyendo esa voz por «digo». Creo, pues, que la lectura «sigo» puede considerarse segura, a pesar de las tradiciones en contra.

[2] Véase la nota 312, de Millé.
[3] *Gongoras Sonettendichtung*, Bochum, 1935, pág. 188.
[4] En *Poésies attribuées à Góngora* (*Revue Hispanique*, XIV, 1906, página 76). Corrijo «Reñón» en el verso 5.º, según explico más abajo, página 270.

impertinente alhaja fuera en Francia,
pues tiene por provincia a Picardía.

  Demás que en el Reñón de Andalucía
han hecho sus dictámenes ganancia,
que musa que así agarra una distancia
menos tiene de musa que de arpía.

  Sea lo uno o lo otro, el tiempo lo ha acabado,
pues muestras por las ingles que ya orina,
que era vena que seca. A Dios sea dado.

  Deje su gracia la piedad divina;
pues la humana en tus versos ha expirado,
reza o escribe en coplas la dotrina.

Foulché-Delbosc incluyó después esta composición en el tomo III de las *Obras* de Góngora, es decir, entre las poesías cuya atribución al cordobés le parecía «fundada». Millé la reproduce (con alguna variante) entre las atribuíbles. Y Brockhaus la considera ya «so gut wie authentisch».

¿Es que no se leen los textos? ¿O es que se leen entre nieblas mentales? Porque en este último soneto (que está bastante corrupto) hay algunos versos de difícil interpretación; pero, a pesar de esto, una cosa resulta evidente: que no puede ser de Góngora. Quien lo lea con un mínimo de atención, verá en seguida que no es sino una despectiva contestación al primero, al que empieza «El Conde mi señor se fué a Napóles». En efecto, el anónimo maldiciente que compuso el segundo, va siguiendo el orden de los temas tocados por Góngora, y retrucándoselos en su daño. Góngora había dicho «ofrecí mi musa... a un pobre albergue», y el contradictor afirma «tu musa» se ha ido «a su estancia». Góngora aludía a su cualidad de andaluz («a mi pobre albergue... de Andalucía»), y esta localización da pie para los insultos que el replicante le lanza en el segundo cuarteto, con clarísima alusión a la musa interesada de don Luis. En fin, Góngora, desengañado del mundo, confía sólo en su salvación; y el otro le aconseja con sorna que procure la gracia divina, y pues ya no hay gracia humana en sus versos se dedique a rezar o a poner en coplas la Doctrina. ¡El soneto atribuído a Góngora, no es sino de un evidentísimo enemigo del poeta!

LA MUSA DE GÓNGORA AL SER-
VICIO DE ALGUNOS PODEROSOS

Antes de discutir en pormenor ese soneto contra Góngora (y hasta ahora tan mal atribuído a él) conviene recordar algunas de las ocasiones en que la musa del poeta cordobés se dedicó a servir o adular a poderosos aristócratas, entre 1606 y 1610. Con nadie concibió Góngora más esperanzas que con los Marqueses de Ayamonte: eso es, por lo menos, lo que se deduce de toda una serie de poesías que les dedicó en 1606 y 1607: un romance [5], dos letrillas [6], diez sonetos [7] y una canción [8]. Nada menos que catorce composiciones en dos años. Las más antiguas son del tiempo en que se creyó que el Marqués iría de Virrey a Méjico. Nunca Góngora acumuló alabanzas, metáforas y argentería poética sobre un noble, como sobre el Marqués y su casa en estos dos años.

Artigas sugiere [9] que quizá Góngora pensó en ir con el de Ayamonte a Méjico. La hipótesis no es descaminada. Luego, cuando ya se supo que no se haría lo del virreinato, todavía parecía Ayamonte muy en candelero. Y Góngora continúa cantándole. Se siente poeta áulico: y convoca a los poetas

---

[5]   Millé, 57.
[6]   Millé, 126 y 127.
[7]   Millé, 283-290 y 292-293.
[8]   Millé, 392.
[9]   Artigas, *Don Luis de Góngora*, pág. 98.

de Andalucía a que celebren al Marqués [10]; se trata de una pequeña Corte: «A los poetas de casa», es el título que lleva ese soneto en el ms. Pérez de Rivas. Mala suerte: porque de pronto el Marqués se le muere. ¡Oh ingratitud humana!: quien tanto le había celebrado en vida, no llora ni una sola lágrima poética en su muerte.

A esas alturas, en 1609, las obras de Góngora traen seguidos dos sonetos: uno al Conde de Lemos [11] y otro al Duque de Feria [12]. Y a continuación, en 1610, nos encontramos

---

[10] Millé, 290. El manuscrito Pérez de Rivas (del cual hablo en este libro en el artículo *Puño y letra de don Luis en un manuscrito de sus poesías*) está en relación directa con la casa de Ayamonte, sin que pueda decir si total o parcialmente (hay en él varias letras, y algunos de sus cuadernillos estuvieron sueltos mucho tiempo, antes de ser encuadernados); tampoco sé si la relación se establece por Pérez de Rivas al par que por Góngora (la de éste es indudable). Lo cierto es que estos sonetos a la casa de Ayamonte aparecen copiados dos veces en el manuscrito Pérez de Rivas (una de ellas, con buena caligrafía y mal texto), con títulos que evidencian una relación, digamos, de familiar. He aquí, además de la citada en el texto (folios 132 vuelto y 368 vuelto del manuscrito), otras rúbricas del mismo manuscrito para sonetos de esta serie (doy siempre entre paréntesis el número de Millé): folios 131 vuelto y 368: «A la flota quando iba la Marquesa» (283); folio 131: «Al Marqués enseñándome un retrato de mi Sra. la marquesa» (285), soneto repetido en el folio 367 vuelto, con título más breve; folio 130 vuelto: «Al marqués muerto», comp. folio 167 vuelto (286); folio 132: «A la marquesa», comp. folio 168 vuelto (288); folio 133 vuelto: «Al marqués oy don Francisco», comp. folio 369 (289). Creo muy interesante el epígrafe del soneto 285: es evidentemente el rótulo puesto por el mismo poeta y hace pensar que los demás son también suyos: la familiaridad con la casa queda comprobada; el del soneto 286 se refiere al marqués muerto en noviembre de 1607 (según Artigas, pág. 99); el del 289, a su hijo y heredero.

[11] Millé, 299, con ocasión de pasar el poeta por Monforte. Pero al Conde ya le había dedicado un soneto en 1604 (Millé, 282).

[12] Millé, 300.

en el primero de los otros dos sonetos que en este artículo comentamos, emparejados a los dos personajes:

> *El Conde mi señor se fué a Napóles;*
> *el Duque mi señor se fué a Francia.*

Yo creo que no hay más remedio que interpretarlo así: los dos sonetos, uno al Conde, otro al Duque, son de adulación a grandes personajes que están en favor («el que a buen árbol se arrí...»). ¡Y uno de ellos, el Conde, se dice que quiere rodearse de una corte poética, en Nápoles! [13]. El otro soneto en que se empareja a los dos magnates suena a despecho: o bien porque el poeta pretendió ir con ellos, y no se le admitió; o bien, simplemente, porque nadie se acordó de él. El Duque de Feria iba a dar, oficialmente, un «pésame»; el Conde de Lemos, a regir un virreinato. Sabemos que el viaje del segundo alborotó los corrillos literarios; conocida es la lista de los agraviados: al frente de ella, Cervantes; y, detrás, Cristóbal de Mesa y Suárez de Figueroa. Y la consiguiente enemistad hacia Lupercio Leonardo de Argensola, socretario del Conde. ¿Y Góngora? Pues sí, creo que Góngora también quiso ir [14]. No existe prueba ninguna; pero hay

---

[13] Fué nombrado el Conde en 21 de agosto de 1608. Alfonso Pardo Manuel de Villena, *El Conde de Lemos*, Madrid, 1911 (al fin: 1912), páginas 103, 108, 115; pero hasta la primavera de 1610 no expiraba el nombramiento del Conde de Benavente, predecesor en el cargo.

[14] Así lo afirmó ya A. Pardo Manuel de Villena, *El Conde de Lemos*, Madrid, 1912, págs. 111-112 (véase también pág. 20); lo repite Artigas, *Don Luis de Góngora*, pág. 114; lo rechaza O. H. Green en su excelente libro *The Life and Works of Lupercio Leonardo de Argensola*, Filadelfia, 1921, pág. 89 (comp. trad. española por Indurain, Zaragoza, 1945). Se aduce para la negativa, que en el soneto *El conde mi señor se va*

vehementes sospechas (ya las hemos tenido antes en ocasión parecida cuando Ayamonte parecía ir a Méjico). Si Góngora deseó ir, el primero de los sonetos que hemos reproducido aquí resulta diáfano: es soneto de pretendiente despechado que «renuncia a la mano de Doña Leonor». El segundo, el del anónimo y satírico contradictor de Góngora, sería de uno de los poetas elegidos por Lupercio: Mira de Mescua, y los oscuros Gabriel de Barrionuevo, Antonio de Laredo y Francisco de Ortigosa; o de algún amigo de éstos.

¡Pero el anónimo contradictor de Góngora no habla para nada del viaje de Lemos a Nápoles, sino del de Feria a Francia! No sabemos que se armara bullebulle literario alguno en torno a este viaje para un pésame. Es muy probable que Góngora, para disimular o diluir el despecho reuniera los dos viajes, el que le importaba más (el de Lemos) con el otro. Y es muy probable que el anónimo contradictor se asiera a esta oportunidad que el mismo Góngora daba, y contestara con el viaje de Francia, para enmascarar que él —el contradictor— era de los del viaje a Nápoles (o amigo de los del viaje a Nápoles). Claro está que, sin estas malicias, también pudo ser el que contestara uno de los del séquito del Duque, o un amigo de alguno de ellos [15], molesto por las insinuaciones de Góngora.

---

a Napóles (Millé, 369) el Conde es el de Villamediana; pero no es de ése, sino del 312 de Millé (el primero de los reproducidos en este artículo) del que se trata.

[15] Góngora siguió cultivando al duque de Feria (Millé, 337) y al conde de Lemos (Millé, 345): en 1614 lloró a este último creyéndole muerto (Millé, 400); y cuando Lemos pasó, de verdad, a mejor vida, no dejó de lamentarlo otra vez (Millé, 370).

TEXTO Y SENTIDO DEL SONETO CONTRA GÓNGORA

Conozco solamente dos manuscritos en los que aparezca el soneto «El Duque mi señor se fué a Francia»: uno es el 3.796 de la Biblioteca Nacional, y ese texto es el reproducido (con algún error) por Foulché-Delbosc en la *Revue Hispanique* [16]. El otro es el 1.148 de la Biblioteca de Palacio [17]. Ambos textos difieren en algunos pormenores. El texto impreso más arriba es el del ms. 3.796, o sea el de Foulché-Delbosc, pero éste leía «Peñon» en el verso 5.º, cuando el manuscrito dice «Reñon», si bien la tilde de la ñ está muy retrasada. No cabe duda de que la lectura «reñón» (variante de *riñón*) es la verdadera. «Peñón» no hace sentido. ¿Qué «Peñón»? ¿El de Gibraltar? ¿Por qué? La segunda acepción que da el *Diccionario* a *riñón* ('interior o centro de un terreno, sitio, asunto, etc.') cuadra perfectamente. Es acepción muy usada en el siglo XVII; comp.: «Tan diestro estaba en la lengua española como si en el riñón de Castilla se criara» (*Guzmán de Alfarache* [18]). No nos volveremos, pues, a ocupar de esta variante en la discusión que sigue.

---

[16] 1906, XIV, pág. 76, donde se dice equivocadamente «fol. 101 v.»; léase «201 v.». El manuscrito 3.796 parece continuación del 3.795, también gongorino (una nota en el folio 61 v. del 3.795 remite al 3.796, y una en el fol. 313 del 3.796 remite al 3.795).

[17] Folio 1 v. Es un «tomo 5.º» de «papeles manuscritos». Del siglo XVIII; al final, unos papeles del XVIII. Los 23 primeros folios son todo sonetos de Góngora.

[18] Ed. Gili Gaya, tomo I, Madrid, 1926, pág. 180. El manuscrito 1.148, de Palacio, lee «un rincón», variante muy explicable: porque con un sentido muy próximo es, desde el punto de vista estilístico, más vulgar que «el riñón» (variante, ésta, más rica: *lectio defficilior*).

Sentido general del soneto.

El anónimo contradictor viene a decir: 1.er cuarteto: 'tu musa apicarada estaría de sobra en Francia'. 2.º cuarteto: 'además de que ella tiene sus granjerías en un punto del territorio andaluz, especie de musa arpía, apta para la rebatiña'. 1.er terceto: 'El tiempo te ha secado ya la vena poética'. 2.º terceto: 'Que te dé el cielo la gracia divina. Pues en tus versos ya no hay gracia humana, dedícate a rezar o a poner en coplones la Doctrina'.

1.er cuarteto.

Variante del ms. de Palacio: v. 2, «a su instancia». Creo mejor la lectura del ms. de la Biblioteca Nacional: «a su estancia». Pero aun en ese manuscrito la palabra está confusamente enmendada y «estançia» es lo que se lee al margen. La lectura «a su estancia» aclara bien el sentido de todo el cuarteto: 'El Duque mi señor se fué a Francia; y tu musa se ha ido a la tuya, es decir, a tu «Francia», a tu mal francés [19], que es su estancia habitual [20]. En tierras de Francia, esa apicarada musa tuya no serviría de nada, pues ya Francia se tiene de suyo su Picardía, que es una de sus provincias'.

---

[19] La alusión al «mal francés» sale sencillamente de la interpretación gramatical: «se fué a Francia | y tu musa a la tuya», es decir, a tu Francia, a tu galicazo. Era insulto y alusión corriente (recuérdese, entre tantos otros ejemplos, el pasaje de Quevedo «la nariz entre Francia y Roma», en la descripción del Dómine Cabra).

[20] Al mentar la «estancia» de la musa de Góngora (*i. e.*, de Góngora), no hace sino devolverle lo de «a un pobre albergue», del soneto del gran cordobés.

2 º cuarteto.

El verso que ofrece dificultad es el tercero. El ms. de la Biblioteca Nacional lee «que musa que así agarra una distancia»; el de Palacio, «que musa que assí agarra una sustancia». Esto último hace sentido, pero sentido bien chato; en contradicción con la chispa del soneto, que es bastante. En cambio, «que así agarra una distancia» no parece ni casi castellano. Propongo leer [21]

> *Demás que en el riñón de Andalucía*
> *han hecho sus dictámenes ganancia,*
> *que musa que así agarra, aun a distancia,*
> *menos tiene de musa que de arpía.*

Lo propongo, pero no garantizo tal lectura.

Hay que tener en cuenta que el «dictamen» es lo que dicta o inspira la musa; es decir, los versos del poeta [22]. Dice, pues, el malévolo que la musa de Góngora ha convertido en granjería, en dinero, sus dictámenes, en un lugar de Andalucía. Había, según eso, un punto de Andalucía donde se recompensaban los poemas de Góngora con ventajas materiales. Hasta 1607 así había ocurrido con el Marqués de Ayamonte, para quien, como hemos visto, compuso muchas poesías y en cuya casa en Lepe, Huelva, estuvo hospedado, poeta, digamos, áulico de toda la familia. ¿Seguiría esa protec-

---

[21] Hay aún otra variante de poca importancia: B. Nac.: «sus dictámenes»; Palacio: «tus dictámenes». Ambas cosas, posibles: si bien, por razones obvias, prefiero la primera.

[22]   *Si arrebatado merecí algún día*
              tu dictamen, Euterpe, soberano...

Así empieza el *Panegírico* de Góngora.

ción después de la muerte del Marqués? Lo dudo. Pues ¿a qué otra protección andaluza alude el anónimo detractor? Lo ignoro. El sentido de los versos 3.º y 4.º de este cuarteto (admitida la corrección que he propuesto) vendría a ser: 'Tu musa, diestra en arrebatar —aunque sea desde lejos— cualquier lucro, más tiene de arpía que de musa'.

1.ᵉʳ terceto.

Es donde vamos a encontrar las mayores dificultades. El 2.º verso de este terceto, en el ms. de la Biblioteca Nacional, es «pues muestras por las ingles que ya orina»; en el de Palacio, «pues muestra por la sangre que ya orina». Debe preferirse «muestra» (es la «musa» quien «muestra»)[23]. Pero, entre «las ingles» y «la sangre», ¿qué adoptar? El sentido general del terceto no ofrece duda: 'Góngora, estás viejo, tu inspiración se ha acabado'. Creo que el maligno contradictor de Góngora dijo «muestra por las ingles que ya orina», aludiendo, con esa grosera expresión *(orinar las ingles)*, a la creencia popular de que los bubones se resolvían excretados por vía uretral. La musa enferma de Góngora, ya de tan enferma, *orinaba las ingles:* esto decía el enemigo del poeta. Mostraba así que se acababa, que era «vena que seca». Comprendemos ahora que «por las ingles» es la lección del sentido más concentrado, «por la sangre» no es sino la interpretación, de sentido razonable, de un lector que no entendió la malicia de la versión verdadera[24].

---

[23] Lo mismo «muestras» que «muestra» hacen sentido, igual que ocurría en el verso 2.º del segundo cuarteto en la vacilación entre «tus dictámenes» y «sus dictámenes» (pág. 272, nota 21). Y, lo mismo que allí, preferimos la variante que mantiene la continuidad de presencia de la «musa», que no se interrumpe hasta el principio del segundo terceto.

[24] Es curioso que Millé, que en su edición no cita el manuscrito

En el verso 3.º «A Dios sea dado» quiere decir 'déjalo, deja de pensar en ello'. Comp. «Dalas ya a Dios, y no hablemos más en ellas», en la *Segunda Comedia de Celestina*, de Feliciano de Silva [25]. Podemos recordar ahora todo el terceto y tratar de interpretarlo conjuntamente:

> *Sea lo uno o lo otro [26], el tiempo lo ha acabado,*
> *pues muestra por las ingles que ya orina,*
> *que era vena que seca. ¡A Dios sea dado!*

'Sea musa o sea arpía, sea lo que sea, el tiempo lo ha arruinado ya, pues ella, tu musa, nos demuestra en la materia o pus que ya orina (en los inmundos versos que produce), que era vena de las que se secan (que era inspiración que se extingue). Déjalo, pues, y no te preocupes: ¿qué le vas a hacer?'

2.º *terceto.*

> *Dete su gracia la piedad divina;*
> *pues la humana en tus versos ha expirado,*
> *reza o escribe en coplas la dotrina.*

Dete (Palacio) es mejor que *deje* (Bibl. Nac.). 'Que la piedad divina te dé su gracia; pues la gracia humana ya ha expirado en tus versos, dedícate a rezar o a poner en coplas la doctrina cristiana, como hacen ciegos y poetones'.

1.148, de Palacio, imprima «por la sangre». ¿Porque conocía el manuscrito? ¿O porque en su cerebro se repitió el proceso de interpretación de la lectura no entendida? (En el manuscrito de la Biblioteca Nacional la lectura «ingles» ha sido luego corregida en «ingres», con *r* sobre *l*.)

[25] Cena 27 (Ed. 1874, pág. 322). La expresión «dar a Dios» está en correspondencia con «dar al diablo», y ambas vienen a tener el mismo sentido.

[26] Así en el manuscrito de la Bibl. Nac.; en Palacio, «sea uno o otro», lectura peor.

Quítese, pues, este soneto de entre las listas de poesías atribuíbles a Góngora, donde absurdamente, incomprensiblemente, ha sido colocado [27].

---

[27] En el manuscrito 1.148 este soneto lleva como epígrafe «Góngora contra Musa». El lector del siglo XVII que lo puso conocía la polémica poética con Musa (Quevedo), de la época de Valladolid, y al ver que en el soneto se habla de una «musa» no necesitó más para imaginar que se trataba de una de esas composiciones.

LA PRIMITIVA VERSION DE
LAS «SOLEDADES»
(TRES PASAJES CORREGIDOS POR GÓNGORA)

Don Marcelino era poco amigo de la poesía de Góngora. Es muy probable que de haber vivido más tiempo hubiera rectificado sus ideas sobre nuestro gran poeta barroco, con tanta ingenuidad y honradez como lo hizo respecto a Calderón. Seguramente habría llegado a comprender mejor al poeta dentro del hervor del siglo xvii y de la tradición del xvi. Muchas cosas nos alejan hoy de la poesía de don Luis de Góngora, pero su grandeza europea, dentro de su siglo, su dinámico impulso, su frenético prurito de arte y de perfección, nadie los podrá ya negar.

Hasta lo mínimo llegaba en esta ocasión la antipatía de Menéndez Pelayo. Sabido es que Góngora envió al humanista Pedro de Valencia el *Polifemo* y las *Soledades*, apenas terminados, deseoso de saber qué opinión le merecían a su erudito amigo. O más exactamente, el *Polifemo* y la *Soledad Primera*, porque la *Segunda* debía de estar aún en el telar. Era esto por mayo de 1613. Pedro de Valencia le contestó con una famosa epístola censoria, que ha sido siempre muy mal entendida. En muchos manuales de literatura se puede leer que el humanista rechazó de plano las innovaciones del poeta. Y esto es verdad... sólo hasta cierto punto. Pedro de

Valencia le contesta con grandes alabanzas [1], pero, hombre sincero, le pone ciertos reparos: lo que no le gusta son las bromas, las maliciosas gracias que el poeta cordobés mezcla de vez en cuando en su tan levantado estilo. Ahora bien: ¿era sincero Góngora al pedir consejo antes de divulgar sus poemas? ¿Y qué caso hizo de las advertencias de su amigo?

Menéndez Pelayo supuso, sin más ni más, que la petición de consejo había sido fingida. Y esto es necesario rectificarlo rotundamente. La petición de consejo no sólo había sido sincera, sino que ha tenido un influjo directo e importante sobre la forma en que el *Polifemo* y las *Soledades* han llegado hasta nosotros. Estos poemas tienen dos versiones: una, la anterior a la censura de Pedro de Valencia; otra, la posterior a dicha crítica. Y, poco a poco, he ido rastreando manuscritos que representan esas primeras versiones, gracias a los cuales podemos reconstruir el texto original. Así, pude publicar en 1936 la *Primitiva versión de las «Soledades»* [2], de la que está ahora en prensa una nueva edición.

Entonces, aún sin el ms. Pérez de Rivas, me basé, principalmente, para reconstruir el texto, en varios manuscritos

---

[1] Poseo una carta inédita de Pedro de Valencia, en la que reitera su amistad hacia Góngora y su entusiasmo por la obra de éste. (Esta nota figuraba ya en la primera impresión de este trabajo, en el libro *Ensayos sobre poesía española*, Madrid, 1944, pág. 241, n. 1. La carta es la misma que ha sido publicada hace poco por la distinguida gongorista norteamericana Eunice Joiner Gates: *An Unpublished Letter from Pedro de Valencia to Góngora*, en *Modern Language Notes*, 1951, páginas 160-163).

[2] Para el proceso de reconstrucción de la versión primitiva, compárese (además de mi ed. de las *Soledades*, «Cruz y Raya», Madrid, 1936) el artículo «Góngora y la censura de Pedro de Valencia», que se imprime más abajo, págs. 286 y sigs.

de la Biblioteca Nacional de Madrid, en uno de la de Lisboa (que había dado a conocer Rodrigues Lapa) y en las variantes que dejó registradas Pellicer. Es indudable que Góngora fué corrigiendo, pausadamente, su obra, y que así se originaron una serie de versiones intermedias entre la primera redacción y la definitiva (o, por lo menos, mas tardía). Los amigos pedían siempre copias. Si consideramos el demorado proceso de corrección como un lento fluir, nos podemos imaginar los diferentes estados que hoy nos revelan los manuscritos como sangrías hechas a la vena a muy diferentes alturas del cauce. Ya en el prólogo a mi edición de la versión primitiva dije que era muy posible que algún día apareciera algún manuscrito que representara una toma de agua junto al mismo brote del hontanar: la auténtica versión primitiva.

Ese manuscrito creo haberlo encontrado hoy: es el manuscrito Pérez de Rivas. De la historia de ese manuscrito, de algunas de sus muchas curiosidades, de su importancia para los estudios gongorinos, he hablado ya en el artículo que precede en el presente libro, y me propongo hablar más extensamente en fecha próxima. Mientras tanto, y mientras se imprime mi nueva edición de la versión primitiva de las *Soledades*, puedo adelantar que, por lo que se refiere a este poema, el manuscrito ofrece reunidas todas las variantes que ya atribuí a la redacción original, más otras muchas, y de importancia, que hay que considerar como pertenecientes al mismo momento. Daré aquí sólo unas cuantas muestras.

PASAJE DE LAS «GALLINAS»

Hay un conocido pasaje en la *Primera Soledad* en el que unos serranos, cargados de presentes, se dirigen a unas pas-

GRABADO 8.—Manuscrito Pérez de Rivas. *Soledad primera*, versos 285-304. Son dos los pasajes de la versión primitiva que han sido tachados aquí: el primero ha sido suprimido; el segundo ha sido sustituído y cambiado de lugar (porque la nueva versión escrita al margen se corresponde con el segundo de los pasajes tachados).

toriles bodas. Ningún lector del poema habrá olvidado los seis versos en que se habla de los pendientes manojos de gallinas que alguno de los mozos lleva:

> *Cual dellos las pendientes sumas graves*
> *de negras baja, de crestadas aves,*
> *cuyo lascivo esposo vigilante*
> *doméstico es del Sol nuncio canoro,*
> *y —de coral barbado— no de oro*
> *ciñe, sino de púrpura, turbante.*

Que yo vertí del siguiente modo: «De las manos de uno de los mozos penden pesados manojos de gallinas: así va bajando por el camino estas negras y crestadas aves, cuyo lascivo esposo, el gallo, es el heraldo vigilante y cantarín que desde los corrales de las casas anuncia el Sol, y que, teniendo barbas de coral, se ciñe un turbante o cresta, no de oro, sino de púrpura.»

En lugar de ese texto, el manuscrito Pérez de Rivas (grabado 8) nos da los ocho versos, auténticamente gongorinos, que reproduzco a continuación:

> *Quien las no breves sumas*
> *de pendientes gallinas baja a cuestas*
> *—si corales las crestas,*
> *azabache las plumas—,*
> *tan saludables en edad cualquiera,*
> *que su borla creyera*
> *les dió la Medicina,*
> *a ser gualda la que es púrpura fina* [3].

Versos que podríamos libremente interpretar así: «Alguno de los serranos que bajan por el camino lleva colgados a la

---

[3] Se publicó en *Ensayos sobre poesía española*, 1944, pág. 244. En el ms. este pasaje ha sido tachado y sustituído por la versión definitiva escrita al margen. V. más abajo, pág. 280.

espalda grandes manojos de gallinas de crestas encendidas como el coral y plumas negras como el azabache. Y todas ellas, tan saludables en cualquiera edad, que podría yo pensar que debían su salud a sus conocimientos médicos... Sí; se podría pensar que su borla (su cresta) era la borla doctoral de la Medicina, si, en lugar de ser, como era, de la más fina y encendida púrpura, fuera de color amarillo.»

PASAJE DE LA «TERNERUELA»

No siempre sustituye para corregir el poeta; a veces, simplemente, suprime. Véase la reproducción que acompaña a este artículo (grabado 8), y que comprende los versos 285-304 de la *Soledad Primera*. Los pasajes tachados ahí son dos: uno, el de las gallinas (es el segundo de los tachados), ha sido sustituído; pero el primero ha sido eliminado sin más ni más. (Observemos que el nuevo pasaje de las gallinas ha sido escrito no al lado del que reemplaza, sino al lado del que se suprime.) Esos versos que salieron en el primer impulso de la pluma de Góngora y que éste no modificó, sino suprimió, los conocíamos ya antes de dar con el manuscrito Pérez de Rivas, porque Pellicer los cita como variante en sus *Lecciones solemnes*. Comenta este gongorista los versos 284-290, en que se habla de una vaca y de su terneruela, que son llevadas por los jóvenes serranos como regalo para las mismas bodas a que estaban destinadas las gallinas:

> ... —*de flores impedido*
> *el que ya serenaba*
> *la región de su frente, rayo nuevo—*
> *purpúrea terneruela, conducida*
> *de su madre, no menos enramada,*
> *entre albogues se ofrece, acompañada*
> *de juventud florida.*

Pasaje que hace años traduje así en prosa moderna: «...entre música de rústicos albogues y acompañada de jóvenes floridos, aparece una rojiza terneruela, cargados de flores los cuernecillos, que, como rayos de luz, ya empezaban a brillar en su frente; y con la terneruela iba la madre, no menos enramada y adornada que la cría.» Pellicer, después de comentar esos versos, agrega:

«En algunos M. S. [4] hallo empos de los versos de arriba un troço no vulgar que dize [5]:

> *Treinta robustos montarazes dueños*
> *de las que aun los Pytones dos pequeños*
> *en la tierna hijuela temer vieras,*
> *no ya a la vaca, no las empulgueras*
> *del arco de Diana:*
> *damería serrana.*

Como si dixera que la juventud florida que venía acompañando la Terneruela, eran treinta mancebos, hermanos o deudos de las Montañesas, que temían más los encuentros de la Terneruela y sus cuernezillos, con melindres de damas, que a la vaca que venía enmaromada o con guindaleta [6]. En

---

[4] Usa siempre para el plural esa abreviatura, que hoy escribiríamos «mss.».

[5] Sustituyo el texto poético que cita Pellicer por el que da el manuscrito Pérez de Rivas, que es, en general, mejor.

[6] O en una versión moderna: «Treinta robustos montañeses dueños (por parientes o novios) de las serranas, las cuales habrías de ver cómo fingían tener miedo a los pitoncillos de la terneruela, ellas que de fijo no temían a los cuernos de la vaca, ni aun temieran a los que forman los dos extremos o empulgueras del mismísimo arco de Diana. Melindre, afectado a lo dama, de estas mozas de los montes.» Con gracia comenta Serrano de Paz la «damería serrana»: «Concluye el Poëta, que el temer los cuernecillos de la Ternera y no los cuernos de la Vaca

los M. S. que emendó D. L. [7] no se hallan estos versos, pero no obstante quise estampallos, para que se entienda la bondad de sus escritos, pues las limaduras son del mismo metal que lo demás.»

Nótese la afirmación: «en los manuscritos que emendó don Luis no se hallan estos versos». En esas palabras de Pellicer está bien clara la distinción: manuscritos enmendados por Góngora o de acuerdo con las correcciones de Góngora (versión final); manuscritos no enmendados (versión primitiva). El manuscrito Pérez de Rivas es al mismo tiempo versión primitiva y final: la versión primitiva es lo tachado; por fortuna, tachado de tal modo que siempre se puede leer; lo escrito al margen son las correcciones de la versión definitiva.

PASAJE DE LAS «OVEJAS»

El manuscrito Pérez de Rivas nos ofrece variantes de la primitiva versión hasta bien al final de la *Soledad Primera*. Por ejemplo: después del banquete nupcial, una moza dirige un discurso de parabién a los novios, en el cual va enumerando las felicidades que desea para ellos: larga vida, espléndidas cosechas de trigo y aceite, grandes ganados de cabras, de vacas, de ovejas... El manuscrito Chacón da así los versos que tratan de la última de esas tres especies (versos 913-918):

> *Corderillos os brote la ribera*
> *que la hierba menuda*
> *y las perlas exceda del rocío*

---

era damería melindrosa de Serranas, como en las ciudades es damería el huir de un ratón, dar gritos al uer una lagartixa, temores proprios de damas, y que no se tiene por tal la que no los tiene; assí entre estas Serranas era damería el huir los cuernecillos de la Ternera, mostrando mucho temor a lo que era nada» (*Comentarios*, I, fol. 260).

[7] Don Luis.

> *su número, y del río*
> *la blanca espuma, cuantos la tijera*
> *vellones les desnuda.*

En mi versión: «Tantos corderillos os dé la ribera, que su número exceda el de las menudas hierbas y el de las perlas líquidas del rocío, los cuales, esquilados por la tijera, os den más vellones de lana que blancas espumas tiene el río.»

Contémplese ahora el grabado 4 del presente libro[8]. Esos versos, los de la versión definitiva, están al margen y sustituyen a éstos, que son la versión primitiva[9]:

> *En número de hoy más, con la menuda*
> *hierba, si no con la agua cristalina,*
> *compitan, de este río y su ribera,*
> *cuantas ovejas vuestras la tijera*
> *raso les hace blanco de la China*
> *la felpa que ya, riza, les desnuda*[10].

La versión primitiva es, evidentemente, mucho más complicada, mucho más «gongorina» que la que resultó de los retoques finales; en esa primera redacción hay un hipérbaton violentísimo, mejor dicho, un gran hipérbaton general acribillado de hipérbatos particulares. El sentido es: «Vuestras ovejas (a las cuales la tijera del esquilador les transforma en raso blanco de la China la rizada felpa que les quita) compitan, desde hoy, en número, con la menuda hierba, si no [en abundancia] con las mismas aguas de este río y de sus riberas.» Es imposible conservar exactamente el mismo

---

[8]   Más arriba, frente a la pág. 256.
[9]   Modernizo la ortografía.
[10]   Estos versos de Góngora se imprimen por primera vez en el presente libro.

giro sintáctico, porque el de Góngora está en esta ocasión lleno de violencias: «cuantas ovejas» es complemento indirecto de «hace»; por este lado, se esperaría, pues, «a cuantas ovejas». Pero «cuantas ovejas» es al mismo tiempo sujeto de «compitan». «Número» va bien a «hierba» (compuesta de individuos), pero va mal a «agua» (y así yo he tenido que suplir «en abundancia»)[11]. La idea de asociar aquí como amplificación del concepto ovejas la apariencia de la piel antes de la esquila (como rizada felpa) y después de la esquila (como raso blanco de la China) es muy del sistema gongorino (caprichosa y luminosa), pero exige a la imaginación del lector un rápido tranco, y no esperado. El pasaje está complicado aún por el uso de la fórmula A, si no B[12].

GÓNGORA CONTRA GÓNGORA

¿Qué vió Góngora de malo en estos tres pasajes (el de las «gallinas», el de la «terneruela» y el de las «ovejas») para eliminar el segundo y corregir los otros dos?

Confieso que no comprendo por qué suprimió el de la «terneruela», con la «damería serrana», tan malicioso, tan sugerido y ligero, de una belleza clásica; esa escena rural y festiva de mozos y músicas y reses enramadas en el avance hacia las bodas.

De los otros dos, a primera vista se creería que en el de las «ovejas», la sintaxis no del todo domeñada, disgustara a

---

[11] Consideramos el agua como materia continua. Para pensar en «número» habría que considerar, p. ej., las gotas de que consta, lo que no creo que estuviera en la mente de Góngora.

[12] Aquí no hay verdadera oposición entre A y B. Como si dijera «que compitan en cantidad con la hierba y con las aguas del río». Es pues el empleo de la fórmula con su sentido casi totalmente desgastado; véanse ejemplos en *La lengua poética de Góngora*, I, págs. 145-147.

Góngora. No: más bien creo que lo mismo este de las «ovejas» que el de las «gallinas» fueron cambiados porque resbalaban hacia el chiste. Pedro de Valencia quizá los repudió explícitamente; por lo menos censuró a don Luis otros que también se arregostaban a lo jocoso [13] (como el de la «camuesa» y el «acero del cuchillo» [14]). Este chiste del «tomar el acero», como el de las «borlas» doctorales en el pasaje de las «gallinas» o como el de la «felpa» y el «raso» en el de las «ovejas», interrumpían la gravedad del alentado poema con una burlesca y traída por los cabellos alusión a materias muy vulgares y de la vida cotidiana.

Creo que Góngora probablemente corrigió los de las «gallinas» y las «ovejas», como ciertamente corrigió el del «acero del cuchillo», por someterse al criterio de su amigo el docto humanista. Al corregirlos, en cierto modo se contradecía: porque el chiste extemporáneo, la remota y apicarada alusión eran tendencias naturales de la musa de Góngora y —lo he dicho otras veces— para satisfacer totalmente al grave humanista habría necesitado el poeta no revocar unos cuantos lugares, sino rehacer y desustanciar toda la obra.

---

[13] Hay dos versiones de la epístola censoria de Pedro de Valencia a Góngora: en una se afean unos cuantos pasajes (entre ellos el del acero del cuchillo); en la otra se anuncia el envío de una lista (en un papel adjunto) de los pasajes censurados. Véase sobre todo esto, más abajo, *Góngora y la censura de Pedro de Valencia*, págs. 290-293.

[14] Del chiste de la «camuesa» y el «acero del cuchillo» he hablado extensamente en *Poesía española. Ensayo de métodos y límites estilísticos*, 2.ª ed., págs. 349-358.

GONGORA Y LA CENSURA DE PEDRO
DE VALENCIA

L AS relaciones entre Góngora y Pedro de Valencia han sido casi siempre mal entendidas por los historiadores de
la literatura. Se aduce con frecuencia todo lo que hay de
desaprobación en la *Carta en censura* [1] *del «Polifemo» y de
las «Soledades»*, pero se calla o se cita parcamente, y sin establecer su verdadero sentido, todo lo laudatorio, aquello que
podría demostrar la profunda admiración literaria que el
humanista sentía por el poeta cordobés. Que la carta no era
de desaprobación ni menosprecio de la poesía gongorina lo
podría probar —caso de ser absolutamente cierto— el hecho
de que Góngora la estimara y quisiera retener como un
tesoro [2], pero lo demuestran mejor aún las palabras mismas
del censor, el cual no sólo alaba en general la poesía de Gón-

---

[1] Es muy probable que en la falsa idea de que Pedro de Valencia
desaprobara la poesía de Góngora, haya influído no poco el sentido pe-
yorativo que triunfa hoy en la palabra *censura;* sobre causas tan pueri-
les como ésta se han formado muchos de los juicios corrientes acerca
del gran poeta cordobés y de su arte.

[2] «Escriuiendo ésta entró el señor licenciado Pedro Díaz, acusando
a v. m. la omisión de la carta de Pedro de Valencia; restitúianosla
vuestra merced breuemente» (carta de Góngora a persona residente en
Luque, escrita año 1614, reproducida en *Obras poéticas de D. Luis de
Góngora*, Nueva York, 1921, III, 279 (= Millé [Epistolario], núm. 4).
Véase *Revista de Archivos*, 1899, pág. 406, y Artigas, *D. Luis de Góngora y Argote. Biografía y estudio crítico*. Madrid, 1925, pág. 137). Es
casi seguro que Góngora se refiere a la carta censoria, aunque no es
imposible que se trate de otra diferente. Pedro Díaz de Rivas pudo perfectamente interesarse por cualquier otra carta del erudito.

gora, sino en especial y repetidamente la de las *Soledades* [3]. Y si no es bastante aún, agréguese el testimonio unánime de los gongoristas del siglo XVII, en cuyos escritos de polémica y apología se incluye siempre a Pedro de Valencia entre los partidarios y defensores de Góngora [4]. Pero ¿qué mejor testimonio que la cordial amistad que, hasta la muerte del eru-

---

[3] Pedro de Valencia insiste una vez y otra en el reconocimiento del valor de la poesía de Góngora, sin excluir las *Soledades* y el *Polifemo*, pero señalando con absoluta independencia y honradez los lunares que, a su juicio, afeaban algunos pasajes de estas obras. A las frases laudatorias ya citadas por Artigas —tan claras que no dejan lugar a duda— agréguense aún las siguientes: «[Los antiguos] señalaban a los lugares insignes que lucían como estrellas con un asterisco desta manera (*); éste pongo yo a estas dos obras de v. m. dende el principio al fin, quitándoles los lunares i manchas que señalo criticíssimamente como v. m. me mandó» (*Obras poéticas...*, III, 247 = Millé, número 126, pág. 1131). «...siendo tan lindo i tan alto este poema de las *Soledades*, no sufro que se afee en nada» (*Ibid.*, pág. 263 = Millé, número 126 bis, pág. 1143). «En las materias i poesías más graves en que v. m. a querido hazer prueva de no mucho tiempo a esta parte, reconozco la misma loçanía i excelencia del ingenio de v. m., que en cualquier género se levanta sobre todos, i señaladamente en lo lírico destas *Soledades*, que se me offrece dezir lo que un Epigramma Griego de Píndaro: 'Que quanto (se levanta) sobrepuja la trompeta, gritando encima de las flautas de los corços, resuena sobre todas vuestra lira'» (*Ibid.*, pág. 244 = Millé, núm. 126, pág. 1128; pasaje reproducido casi con las mismas palabras en la otra redacción de la *Carta, Ibid.*, páginas 258-259 = Millé, núm. 126 bis, pág. 1140. Para las dos versiones de la carta de Pedro de Valencia, véase más adelante el texto del presente artículo).

[4] Le citan como defensor de Góngora, entre otros, el Abad de Rute, *Examen del Antídoto*, y Vázquez Siruela (?) en una lista incluída en el manuscrito de la Nacional 3.893 (véase Artigas, *Ob. cit.*, págs. 237 y 238). Lo mismo Angulo y Pulgar en su *Egloga Fúnebre...*, Sevilla, 1638: «Venerado igualmente | de Príncipes, de Grandes, de Señores | y de Historiadores... | de Pedro de Valencia, | que, muerto inmortal, lo admira el mundo» (fol. 12).

dito, unió a ambos escritores? [5] Ante pruebas tan repetidas
e irrefutables como éstas resulta incomprensible la obstina-
ción de Menéndez Pelayo en considerar a Pedro de Valencia
como un adversario del gongorismo [6]. Afortunadamente, el
error ha sido rectificado ya por Miguel Artigas [7], y sólo falta
esperar que la verdadera interpretación se abra paso —labor
de años, si no de siglos— por los manuales para la enseñanza
de nuestra literatura.

Si Pedro de Valencia admiraba a Góngora, éste sentía sincera veneración por el humanista. En cuanto hubo terminado
su *Polifemo* y la *Soledad Primera* [8], uno de sus primeros cui-

---

[5] «Nuestro buen amigo Pedro de Valencia murió el viernes pasado; helo sentido por lo que deuo a nuestra nación, que ha perdido el
sujeto que maior podía ostentar i oponer a los extrangeros» (carta de
Góngora a Francisco del Corral, 14 de abril de 1620, *Obras poéticas*...,
III, 172 = Millé, núm. 39, pág. 1013).

[6] *Historia de las ideas estéticas*, tercera edición, 1920, III, 485-486
y 489, nota.

[7] Artigas, *Ob. cit.*, págs. 228-230.

[8] Pedro de Valencia, en las dos redacciones que poseemos de su
Carta, habla constantemente de «las *Soledades*», «estas *Soledades*», «el
papel de las *Soledades*», pero los versos que cita pertenecen únicamente
a la primera. Lo mismo ocurre en el *Antídoto*. El lapso de tiempo que
debió mediar entre la composición de la primera y de la segunda se
ve más claramente por este pasaje del *Examen del Antídoto*, del Abad
de Rute: «...estas *Soledades* constan de más de una parte, pues se
diuiden en quatro: si en la primera, que sola oy a salido a luz, este
mancebo [el peregrino, protagonista del poema] está por baptiçar, tenga v. m. paciencia, que en la segunda o la tercera se le baptiçará»
(Artigas, *Ob. cit.*, pág. 406). Ahora bien: el *Antídoto* y, por consiguiente, el *Examen del Antídoto* deben ser posteriores a la carta de
Pedro de Valencia. Góngora envió a éste el *Polifemo* y las *Soledades*
(léase: la *Soledad Primera*), con una carta de 11 de mayo de 1613

dados fué inquirir el dictamen que merecían a su docto amigo. Menéndez Pelayo, en su *Historia de las ideas estéticas*,
afirma lisa y llanamente, sin aducir prueba alguna, que Góngora envió su *Polifemo* y sus *Soledades* a Pedro de Valencia

---

(Obras poéticas..., III, 243 = Millé, núm. 126, pág. 1127). Antes de esa
fecha el *Polifemo* era ya conocido entre algunos amigos de Góngora
en Madrid, según se desprende de este pasaje de una de las dos redacciones de la carta del humanista: «Deste [del *Polifemo*] avía una tarde oído leer parte al Sr. Don Henrique Pimentel en presencia del Padre Maestro Hortensio, i también me avía recitado mucho dél el conta-
dor Morales, i ambos prometídome copia, pero no dádomela» *(Obras
poéticas...*, III, pág. 243 = Millé, núm. 126, pág. 1128). En cambio la
Soledad Primera debió ser enviada a Pedro de Valencia pidiendo consejo antes de pasar a divulgarla; así resulta de estas palabras de la
otra redacción de la carta censoria: «El Sr. don Henrique Pimentel
a estado ausente; vino pocos días a i le di la de v. m., i dige le daría
las *Soledades;* el Sr. don Pedro [de Cárdenas, que había sido portador
de la carta y de los poemas de Góngora] las comunicó al Sr. don
Alonso Cabrera antes que a mí, *que yo las zelara i zelava por aora»*
(Ibid., pág. 268 = Millé, núm. 126 bis, pág. 1148). Resulta, pues, con-
firmado que: 1) El *Polifemo* fué conocido antes que la *Soledad Primera*. 2) Y ésta divulgada (y probablemente escrita) bastante antes que
la segunda. El manuscrito Chacón asigna al *Polifemo* la fecha 1613, y
a la primera y a la segunda *Soledad* la de 1614 *(Revue Hispanique*,
1900, VII, 480). Estas fechas parecen estar en contradicción con las de
la carta de Góngora a Pedro de Valencia y de la censoria de éste; en
contradicción también con las declaraciones de Angulo y Pulgar: «En
el año 1612 sacó don Luys a luz manuscrito al *Polifemo*, y poco después la *Soledad Primera;* consta de muchas cartas suyas» *(Epístolas
Satisfatorias...*, fol. 39 vuelto), citado por A. Reyes, *Cuestiones Gongorinas*, Madrid, 1927. Véase, en el presente libro, *Crédito atribuíble
al gongorista D. Martín de Angulo y Pulgar*, págs. 421 ss. Las fechas
que proporciona Angulo no me parecen absurdas. Las contradicciones
con Chacón pueden ser sólo aparentes: las fechas de Angulo serían
las de *redacción;* las del manuscrito del señor de Polvoranca, las de
divulgación o *publicación* (manuscrita) de estos poemas. Hoy conocemos un texto de las *Soledades* distinto del corriente, que representa
la forma *no* divulgada que tenía el poema cuando fué enviado a la

«en fingida demanda de consejo»[9]. ¿Por qué *fingida?* Como vamos a ver, los hechos demuestran precisamente todo lo contrario.

De la célebre carta de Pedro de Valencia poseemos dos versiones bastante diferentes. Las dos han sido reproducidas últimamente[10] por M. Foulché-Delbosc en el *Epistolario* contenido en el tomo III de su edición de *Obras poéticas de Góngora*. Designaré una y otra por el número de orden que en dicho *Epistolario* se les asigna: *56* y *56 bis*[11]. ¿Cuál es la re-

---

censura del humanista. (Véase *La primitiva versión de las «Soledades»*, en mi ed. del poema, Editorial «Cruz y Raya», 1936. La 2.ª ed., muy variada, está actualmente en prensa. V. también, más arriba, páginas 276-285.)

[9] *Historia de las ideas estéticas*, III, 485. El antigongorismo de Menéndez Pelayo es para nosotros perfectamente comprensible —y respetable—. El gran crítico no pudo gustar de Góngora: se lo vedaban época, medio y educación literaria. Lo contrario hubiera exigido un rompimiento genial de tales trabas. Pero es inadmisible invocar, como hacen algunos, la autoridad del historiador de las ideas estéticas en España, para condenar dogmáticamente el gusto que por la modalidad lírica del siglo XVII siente nuestra época. La historia del criticismo literario es una constante rectificación. Hoy se reivindica a Góngora porque la época actual ve en él resueltos de mano maestra algunos —sólo algunos— de los problemas de creación literaria que en el presente nos acucian. Respetemos, pues —con visión histórica—, las opiniones críticas de Menéndez Pelayo, aun sin compartirlas. Pero rectifiquemos sus objetivas inexactitudes. Un claro ejemplo de estas últimas es el tema del presente artículo.

[10] Serrano y Sanz reprodujo ya en su artículo *Pedro de Valencia*, en *Revista de Archivos*, 1899, págs. 406-416, la que en la edición de *Obras poéticas...* lleva el número 56 bis, dando en nota las variantes de más interés de la número 56.

[11] En la ed. de Millé tienen los números 126 y 126 bis, conservando entre paréntesis los de la ed. de F.-D. La *56 bis* procede del manus-

lación entre ambas? Como ya ha indicado el señor Serrano y
Sanz [12], las dos proceden directamente de la pluma de Pedro
de Valencia, debiéndose la duplicidad al escrupuloso trabajo
de lima que solía emplear el autor. En la *56 bis* se queja éste
de tener que escribir «... de priessa (que me dieron tarde la
de v. m., i después acá e estado con un gran catarro, i aora
me pide un criado del señor don Pedro de Cárdenas que res-
ponda luego)» [13], y todavía al final pide perdón por «los borrones, que no uvo lugar para copiar ésta i enmendarla» [14].
¿Lo hubo quizá después? En ese caso la *56 bis* sería la versión primera, y la *56* la corregida.

Contra esta hipótesis parece oponerse el estar la *56 bis* fechada a 30 de junio de 1613, y la *56* en el mismo mes y año,
sin que sea dado leer el día, oculto por la encuadernación del
manuscrito. Admitida la exactitud de las fechas, no caben
más que dos posibilidades: o la *56* es la versión corregida, y
en ese caso tuvo que ser escrita el mismo día 30 de junio (cosa
poco probable, dada la extensión de la carta), o la versión corregida es la *56 bis*, y entonces resultaría mendaz la afirmación de Pedro de Valencia de que «no uvo lugar para copiar
ésta i enmendarla» (lo cual parece contradecir la veracidad
y rectitud de alma, atribuídas de modo unánime al erudito).
Para mí el caso es absolutamente dudoso: falle quien pueda.

---

crito 3.906 de la Nacional (manuscrito Cuesta Saavedra, formado todo
él por textos, comentarios y papeles de controversia gongorina, más
la edición impresa de la *Egloga Fúnebre...*, de Angulo y Pulgar). La *56*
está en el manuscrito 5.585, también de la Nacional (formado por papeles pertenecientes a Pedro de Valencia; una traducción por Arias
Montano, borradores de cartas de Pedro de Valencia, cartas dirigidas
al mismo, etc.). Ambas redacciones son indudablemente autógrafas.
[12] *Revista de Archivos*, 1899, pág. 406.
[13] *Obras poéticas...*, III, 265 = Millé, núm. 126 bis, pág. 1145.
[14] *Ibid.*, III, 268 = Millé, núm. 126 bis, pág. 1148.

Sea de esto lo que fuere, la diferencia esencial entre ambas redacciones es ésta: en la *56 bis* hay una parte en la que Pedro de Valencia critica algunos de los procedimientos estilísticos de Góngora y también los cuatro pasajes de que en el presente artículo voy especialmente a tratar; en la *56* toda esta crítica es mucho más breve y menos pormenorizada, y dichos pasajes no aparecen citados. En cambio, la segunda parte, dedicada a aducir ejemplos de vicios poéticos entre los grandes escritores de la antigüedad, es mucho más extensa en la redacción *56*. Pero nótese que, lo mismo en una que en otra, Pedro de Valencia anuncia el adjunto envío de una lista de pasajes defectuosos. En la *56*: «Aquí embío a v. m. dos papeles (*en nota*: en un papel van ambos) en que fui señalando los lugares que juzgué dignos de enmienda: uno de las *Soledades* i otro del *Polyphemo*. No son sentencias definitivas, que yo sé que avrá muchos que elijan essas partes que a mí me desagradan por diamantes o por estrellas» [15]. Y en la *56 bis*: «... manchas o lunares... Algunos embío notados a v. m. en particular...» [16]. ¡Lástima grande que no tengamos completa esta lista de lugares defectuosos! Cuatro son, pues, los pasajes del *Polifemo* y de las *Soledades* que conocemos, de los desaprobados por Pedro de Valencia. Los cuatro debieron llegar a conocimiento del poeta cordobés. Si la redacción que recibió Góngora fué la *56 bis*, porque en el texto de ella aparecían explícitamente los cuatro, y si la que llegó a sus manos fué la *56*, porque hemos de pensar lógicamente que los pasajes habían sido desglosados del texto e incluídos en el «papel» de lugares dignos de enmienda que a la carta acompañaba [17]. Tenemos, además, como vamos a ver, una

---

[15] *Obras poéticas...*, III, 247 = Millé, núm. 126, págs. 1130-1.
[16] *Ibid.*, III, 264 = Millé, núm. 126 bis, págs. 1144 - 5.
[17] Lo mismo que con los cuatro pasajes desaprobados ocurre con

comprobación evidente de que Góngora conoció la censura adversa que Pedro de Valencia hacía de estos cuatro pasajes de las *Soledades* y el *Polifemo*.

Veamos ahora cuáles son y a qué versos de Góngora corresponden. Reproduciré [18] el trozo de la versión *56 bis* en que aparecen citados: «Tan solamente quiero i suplico a v. m. que siga su natural, i hable como en la estancia 7, i en la 52 del *Polyphemo*:

> *Sentado, al alta palma no perdona*
> *su dulce fruto mi valiente mano,* etc.

i como en casi todo el discurso destas *Soledades,* alta i grandiosamente, con sencilleza i claridad, con breves períodos i los vocablos en sus lugares, i no se vaya, con pretensión de grandeza i altura, a buscar i imitar lo estraño, oscuro, ageno, i no tal como lo que a v. m. le nasce en casa; *i no me diga que la camuesa pierde el color amarillo en tomando el azero del cuchillo, ni por absolvelle escrúpulos al vaso, ni que el arroyo revoca los mismos autos de sus cristales, ni que las islas son parénthesis frondosos al período de su corriente;* por más i más que estos dichos i sus semejantes sean los

---

el fragmento de una oda de Píndaro que Pedro de Valencia cita al principio de su carta: en la redacción *56* aparece ese fragmento en nota; en la *56 bis,* dentro del texto. O bien el fragmento de la oda y los cuatro pasajes figuraron primero en el texto (caso de ser la *56 bis* la primera versión) y luego pasaron (en la *56*) a nota marginal el fragmento, y al papel aparte los pasajes, o bien ocurrió todo lo contrario (caso de ser la primera versión la *56*). Pero el proceso correctivo fué el mismo para fragmento y pasajes.

[18] Reproducido ya fragmentariamente por Reyes y Artigas.

recibidos con mayor applauso...; siendo tan lindo i tan alto este poema de las *Soledades,* no sufro que se afee en nada ni se abata con estas gracias o burlas, que pertenescían más a las otras poesías que v. m. solía *ludere* en otra edad» [19].

He ahí —subrayados por mi cuenta— los cuatro pasajes que Pedro de Valencia desaprobó. Pues bien: tan absolutamente falsa es la idea de que Góngora enviara a su amigo sus poesías «en fingida demanda de consejo», que en vano buscará el lector en los textos que representan —si no la definitiva— la versión más tardía de las obras del poeta —en el manuscrito Chacón, por ejemplo—, estos lugares desaprobados. Sólo Pellicer, que vió manuscritos de la época de redacción del *Polifemo* y las *Soledades,* da acogida en las *Lecciones solemnes* a tres de los cuatro lugares rechazados por Pedro de Valencia. En todas las demás ediciones, y en casi todos los manuscritos de que tengo noticia, los cuatro han sido corregidos o suprimidos completamente [20]; véase hasta qué punto «fingía» Góngora al pedir consejo al humanista residente en Madrid. Corregidos o desaparecidos estos lugares, se nos presenta ahora el problema de identificarlos, de ver a qué versos del *Polifemo* y de las *Soledades* corresponden.

Alfonso Reyes —maestro y precursor de todos los nuevos estudiantes del gongorismo—, en su excelente trabajo *Los textos de Góngora* [21], ha identificado ya el primero: «la camuesa pierde el color amarillo en tomando el azero del cu-

---

[19] *Obras poéticas...,* III, 262-263 = Millé, núm. 126 bis, pág. 1143.

[20] Véase *La primitiva versión de las Soledades* en *Soledades,* ed. D. Alonso, «Cruz y Raya», 1936, págs. 328-330.

[21] Reproducido en *Cuestiones gongorinas,* págs. 79-83. Apareció primeramente en el *Boletín de la Real Academia Española,* 1916, III, números 13 y 14.

chillo». En efecto; en todas las ediciones los cuatro últimos
versos de la octava X del *Polifemo* aparecen así:

> La serba, a quien le da rugas el heno;
> la pera, de quien fué cuna dorada
> la rubia paja, y —pálida tutora—
> la niega avara y pródiga la dora[22].

Este texto da también Pellicer, pero en el comentario
añade: «En algunos M. S. se lee la mitad de esta estancia
distintamente y no sé si diga mejor:

> La delicada serua, a quien el heno
> rugas le da en la cuna, la opilada
> comuesa, que el color pierde amarillo
> en tomando el azero del cuchillo»[23].

He aquí, pues, los dos versos en la forma en que aparecen desaprobados por Pedro de Valencia, y la corrección de
Góngora, la cual, como vemos, no se limitó a los dos, sino
que alcanzó a los cuatro que forman la segunda mitad de la
estrofa. Repito que esta identificación pertenece al señor Reyes. Por mi parte, sólo tengo que objetar al admirable poeta
y erudito mejicano el ser un poco injusto con Pellicer. Pellicer no «se inclina a preferir la versión desechada por el poeta
y su censor»[24], no; da en el texto —es decir, prefiere— el

---

[22] Cito por *Fábula de Polifemo y Galatea*, Biblioteca Indice, Madrid, 1923 [edic. de Alfonso Reyes].
[23] Pellicer, *Lecciones solemnes a las obras de D. Luis de Góngora*,
Madrid, 1630, cols. 70-71.
[24] Reyes, A., *Cuestiones Gongorinas*, pág. 80. Para la personalidad
literaria de Pellicer, véase el artículo *Pellicer en las cartas de sus contemporáneos*, por A. Reyes (*RFE*, 1919, VI, 268-282, reproducido en
Cuestiones Gongorinas, págs. 209-232) y, en el presente libro, páginas 470 ss.

pasaje corregido, y sólo en el comentario recoge la interesante forma primitiva, haciendo tímidamente constar que no sabe si decir que es mejor que la otra.

Ahora bien: ¿demostraría Pellicer estar «ayuno de sentido crítico»[25], caso de ser cierto que prefiriera la complicada forma primitiva con su, a primera vista, inoportuna alusión a la costumbre de *tomar el acero* y a la *opilación?* La versión primitiva figura también en el texto del *Polifemo* que da el manuscrito Cuesta Saavedra[26]. En el mismo manuscrito están las notas al *Polifemo* del licenciado Andrés de la Cuesta, el cual también conoce la primera versión —por intermedio de las *Lecciones solemnes*, según se desprende de sus palabras—, y, como Pedro de Valencia y Alfonso Reyes, prefiere decididamente la versión corregida: «Los cuatro últimos versos desta otava advirtió Pellicer que se leen en algunos manuscritos así... [reproduce la variante dada por Pellicer]. Por cierto elegantes, mas no llegan a los primeros [es decir, a la versión corregida], porque si bien los desentrañamos no dexaremos de hallar algunas cosas menos dignas del ingenio de D. L.[uis] i mui inferiores al artificio que se halla en los de arriba...; *la metáfora del cuchillo es más para entremés que para cosa de veras.* Pudo ser que D. L.[uis] escriviese así al principio i después lo enmendase, mas io pienso que no son de D. Luis estos versos»[27]. Andrés de la Cuesta seguramente desconocía la carta de Pedro de Valencia; en otro caso no hubiera hecho esta equivocada afirmación final. (Lo que el anotador ha pretendido es arrojar un nuevo dardo al

---

[25] *Cuestiones Gongorinas,* pág. 80.
[26] Manuscrito 3.906 de la Biblioteca Nacional. Véase *Cuestiones Gongorinas,* pág. 80.
[27] Manuscrito 3.906, fol. 313.

no incólume crédito de Pellicer, ni pierde ocasión de hacerlo siempre que se le presenta una.)

En lo que Pedro de Valencia, Andrés de la Cuesta y Reyes coinciden es en rechazar el chiste conceptuoso mezclado a un asunto serio. Pronto veremos que todas las desaprobaciones explícitas de Pedro de Valencia responden a un criterio semejante. Vuelvo a repetir la pregunta: ¿Quién interpretaba mejor el sentido intangible —pena de total desmoronamiento— del gongorismo, Pellicer al mostrarse benévolo con la rebuscada forma primitiva, o Pedro de Valencia y Andrés de la Cuesta al rechazarla? Intentaré contestar al final.

Tratemos ahora de identificar los otros pasajes censurados en la carta, a los cuales designaré con las primeras letras del alfabeto:

A *por absolvelle escrúpulos al vaso...*
B *el arroyo revoca los mismos autos de sus cristales...*
C *las islas son parénthesis frondosos al período de su corriente...*

Para el *B* y el *C*, Pellicer nos va a dar la inequívoca clave. Pero en vano buscaríamos en éste o en los otros editores de Góngora un rastro del pasaje *A*. En balde lo había buscado yo en gran número de manuscritos. Afortunadamente, en uno de la Biblioteca Nacional he hallado una copia de las *Soledades* que presenta una redacción extraordinaria, llena de variantes de gran interés [28]. Merced a este manuscrito, podemos afirmar que el pasaje *A* pertenecía a la *Soledad Primera*, y en ella figuraba inmediatamente antes del actual verso 147.

---

[28] Es el ms. 3.795, que utilicé en mi edición de la versión primitiva, publicada en 1936. Hoy el ms. Pérez de Rivas me da un texto mucho más antiguo: es el que publico en mi nueva edición, ahora en prensa.

En efecto; los versos 143-150 de la primera de las *Soleda-*
des aparecen en todas las ediciones y en todos los manuscritos hasta ahora usados, del siguiente modo:

> *Limpio sayal, en vez de blanco lino,*
>   *cubrió el cuadrado pino;*
> 145 *y en boj, aunque rebelde, a quien el torno*
> *forma elegante dió sin culto adorno,*
> *leche que exprimir vió la Alba aquel día*
>   *—mientras perdían con ella*
> *los blancos lilios de su frente bella—,*
> 150   *gruesa le dan y fría...* [29].

En cambio, en el manuscrito antes aludido los versos 145-
148 presentan una redacción muy distinta, que doy a continuación, reproducida con absoluta fidelidad:

> *y no con más adorno,*
> *en box, que aun descubrir le quiero el* torno
> *el coracon* (sic), *no acaso,*
> *por absolberle de escrúpulos al vaso,*
> *leche, que exprimir vio l'alua aquel dia,*
>   *mientras perdia con ella...*

Mas esta copia (preciosa porque nos conserva el texto primitivo del pasaje citado y de otros muchos) abunda lamenta-
blemente en descuidos y equivocaciones. Nótese cómo el
error *perdía* (en vez de *perdían*) destroza el sentido. Aun el
mismo verso «por absolberle de escrúpulos al vaso», en el
cual reconocemos en seguida el pasaje *A*, censurado por Pedro de Valencia, ha sido estropeado por el copista al introducir un *de* tras el verbo *absolverle*, quedando así rota la
medida del endecasílabo. Estos errores (y tal vez otros que

---

[29] Véase *Las Soledades*, «Cruz y Raya», Madrid, 1935, págs. 68, 368.

no vemos) hacen que el pasaje en la forma ahora hallada resulte poco comprensible; pero no enturbian en lo más mínimo la indudable autenticidad y prioridad de esta redacción. He aquí, pues, reencontrado el pasaje *A*. Pedro de Valencia rechazó este verso por poco oportuno y rebuscado, y Góngora se apresuró a suprimirlo. Al hacer la corrección, tuvo que suprimir también el verso consonante: «el corazón, no acaso», y que modificar grandemente los 145 y 146.

Desgraciadamente, si esta corrección, considerada aisladamente, es decir, sin atender al sentido total del arte de Góngora, nos puede parecer acertada, otras, consideradas con el criterio que se quiera, fueron rotundamente erróneas e inconvenientes. Hay un pasaje de la *Soledad Primera* (versos 194 y sigs.) en el cual el peregrino y un cabrero que le acompañaba contemplan desde un alto miradero el amplio y majestuoso fluir de un río, que desde los montes en que nace se dilata hasta el mar, en el que va a morir. La descripción, en la parte que nos interesa, dice así en la edición de Pellicer: [El río...]

200   *con torcido discurso, aunque prolijo,*
      tiraniza los campos útilmente;
      orladas sus orillas de frutales,
      si de flores, tomadas, no, a la Aurora,
      derecho corre mientras no provoca
205   *los mismos altos el de sus cristales;*
      huye un trecho de sí, y se alcanza luego;
      desvíase, y, buscando sus desvíos,
      errores dulces, dulces desvaríos
      hacen sus aguas con lascivo fuego;
210   *engazando edificios en su plata,*
      de quintas coronado, se dilata
        majestuosamente
      —en brazos dividido, caudalosos,
      de islas, que paréntesis frondosos

215 *al período son de su corriente—*
     de la alta gruta donde se desata
     hasta los jaspes líquidos, adonde
     su orgullo pierde y su memoria esconde[30].

Es éste uno de los trozos más bellos de todas las *Soleda-*
des. Quizá nunca en poesía castellana se han descrito con
tan gallardo avance las peripecias topográficas del curso de
un río. Adelantemos que este trozo, en la forma en que aquí
lo hemos dado, no aparece más que en las *Lecciones solem-*
nes, de Pellicer. He aquí cómo el mismo Pellicer lo comenta,
y esto probará de rechazo que, aunque era algo aturdido y
jactancioso, no estaba, sin embargo, tan «ayuno de sentido
crítico» como pudiera creerse:

«Grandemente y sin imitación ha logrado esta pintura con
las mayores alusiones que pudo formar la idea de Don Luis...
Un río, hijo de aquellos montes, desatado de sus cumbres,
torciendo su carrera —propio de los ríos—, prolijamente
ocupaua, tiraniçaba vtilmente aquellos campos, fertiliçándo-
los. O quién pudiera dezir esto como merece? Orladas sus
márgenes de árboles, de frutas, corre un rato derecho, man-
so, en tanto que él mismo no se embaraça en algunas alturas
de tierra, o piedras, donde o se empina o se humilla. Tal vez
huye un trecho de sí, se desvía algún pedaço de agua de la
corriente principal, y luego se alcança, se buelve a juntar,
desviándose vn rato y buscando las aguas mismas de que se
desvió, va travesando con su misma corriente, haziendo erro-

---

[30] *Lecciones solemnes*, col. 404. Este texto di en mi edición *Soleda-*
des de Góngora, Madrid, «Revista de Occidente» [1927], numerando los
versos en la forma en que van arriba. Comp. mi ed. «Cruz y Raya», Madrid, 1936, págs. 70-71 y 370-371, en la que adapto la numeración a la
de *Obras poéticas*, II, 59-60 y Millé, págs. 668-669.

res gustosos sus cristales lascivamente. La edición de Madrid lee diferente, pero no verdadera... Pero a mi juicio está cón más gala pintado el río de la otra suerte» [31].

En esta ocasión no se puede negar que Pellicer dió pruebas de buen gusto. Efectivamente; en todas las demás ediciones —«en la... de Madrid» (es decir, en la de Vicuña), y lo mismo en Hozes y Salcedo Coronel— y en la mayor parte de los manuscritos [32] aparecen modificados los trece versos que siguen al 202 y sustituídos por estos seis:

> quiere la Copia que su cuerno sea,
> si al animal armaron de Amaltea
> diáfanos cristales;
> engazando edificios en su plata
> de muros se corona,
> rocas abraza, islas aprisiona,
> de la alta gruta...

La corrección —porque, como luego veremos, se trata de una corrección— ha sido completamente desafortunada: la vívida descripción de la corriente, el encanto de las sucesivas incidencias y juegos del curso, el amplio desarrollo del pe-

---

[31] *Lecciones solemnes*, cols. 404-405.
[32] Uno de los pocos manuscritos que dan la versión de Pellicer pertenece a la biblioteca del Excmo. Sr. Duque de Medinaceli. En 8.º, carece de portada; al primer folio una tabla de primeros versos, y al frente de ella: «Sonetos, soledades y canciones, de D. Luis de Góngora.» Copia esmerada (en cuanto a la letra), pero de amanuense inculto, que con frecuencia comprende el texto mal. Véase, en este mismo libro, *Crédito atribuíble al gongorista D. Martín de Angulo y Pulgar* (pág. 432, nota). El pormenor que allí refiero hace sospechar que tal vez se aprovechó para este manuscrito el texto de ediciones impresas. El coincidir el que da para las *Soledades* con el de Pellicer nos inclina a creer que este último haya sido el dechado. (Debo la noticia de estos manuscritos a los Sres. Artigas y Longás.) V. ahora nota 35 a la página 303.

ríodo poético, isócrono compañero del largo fluir de las aguas, todo esto ha desaparecido para dar paso a una comparación violenta y trivial, de lugar común mitológico, una de tantas como agobian la obra gongorina. La corrección había sido desacertada. Pero ¿qué poderoso motivo había tenido Góngora para hacerla? Desde luego, no el evitar la asonancia *aurora-provoca* (versos 203-204). Sin ser tan frecuentes como en los versos de otros escritores de aquel tiempo, tampoco faltan asonancias en la silva de Góngora. Otra fué, pues, la causa.

Recordemos los pasajes *B* y *C* censurados por Pedro de Valencia, y comparémoslos con los versos 204-205 y 214-215 del largo período que acabo de citar, tal como aparecen en la edición de Pellicer. No cabe duda de que el pasaje *C*,

> *las islas son parénthesis frondosos al período de su corriente,*

se refiere a los versos 214-215 [33]:

> *de islas, que paréntesis frondosos*
> *al período son de su corriente.*

Un poco más de dificultad —y por lo mismo mucho más interés— ofrece la comparación del pasaje *B*,

> *el arroyo revoca los mismos autos de sus cristales,*

con los versos 204-205:

> *mientras no provoca*
> *los mismos altos el de sus cristales.*

---

[33] Versos 206₄-206₅ de la primitiva versión en mi ed. Madrid, «Cruz y Raya», 1935.

Encontramos, desde luego, una diferencia: el poeta habla de
un río, y el censor, de un arroyo; pero no nos debe embarazar lo más mínimo; se trata, indudablemente, de un error
de Pedro de Valencia, tanto más disculpable cuanto que la
palabra *río* no aparece en los versos sino seis renglones más
arriba. Las otras diferencias son más interesantes: Pedro de
Valencia usa la forma verbal *revoca* y el sustantivo *autos*.
Pellicer hace decir a Góngora *provoca* y *altos*. En vista del
texto de Pellicer y de la censura de Pedro de Valencia, creo
que estamos autorizados para reconstruir estos dos versos
en su prístina forma, en la forma en que los envió el poeta
a su amigo el día 11 de mayo de 1613 [34], del siguiente modo:

> *derecho corre, mientras no revoca*
> *los mismos autos el de sus cristales* [35].

Efectivamente: la versión que nos ofrece Pellicer no podría
indignar a nadie; que «el río corría derecho mientras la altura de sus aguas no iba a chocar con la altura de las márgenes» era un pensamiento perfectamente vulgar y expresado además de una manera, no feliz, pero sí demasiado llana
para poder producir asombro. En cambio, en la forma reconstruída que ahora presento —y que, por las razones dichas y la que expondré, considero indudable— hay una sutil
y recóndita alusión.

Una nota distintiva del arte gongorino —y una de las que
le hacen esencialmente culto— es la de estar de modo incesante tendiendo nexos alusivos a las disciplinas científicas

---

[34] Véase la nota 8 a la página 288.
[35] Esta hipótesis mía de 1927 fué confirmada por el descubrimiento
del manuscrito de Lisboa editado por Rodrigues Lapa. V. mi edición
de *Las Soledades*, Madrid, «Cruz y Raya», 1935. He conocido después
otros mss. que traen la misma primitiva versión.

más variadas: a la Geografía, a la Matemática, a la Historia, a la Historia Natural, a la Medicina, etc. También al Derecho. Para no citar más que un ejemplo, en la *Fábula de Píramo y Tisbe* necesitan ser interpretados, en relación con la ciencia jurídica, los versos 211, 213-216, 221-224, 260-270. Particularmente interesantes nos resultan los 219-224: Una esclava negra servía de intermediaria en los amores de Píramo y Tisbe. Pero un día encontró Tisbe en la pared del desván de su casa una hendedura que iba a dar a la de Píramo, su vecino medianero. La esclava partió a comunicar la noticia a Píramo y citarle para hablar con su amada por la grieta. Y no iba muy gozosa la mandadera, pues veía terminado su cometido, fuente de fructuosos gajes:

> ... *su ejercicio ya frustrado*
> *le dejó el ébano sucio.*
> *Otorgó al fin el infausto*
> *avocamiento futuro,*
> *y, citando la otra parte,*
> *sus mismos auctos repuso*[36].

Salazar Mardones, en su *Ilustración y defensa de la «Fábula de Píramo y Tisbe»*, comenta: «Los Forenses y personas versadas en autos de justicia y processos saben qué es reponer los autos, y assí no es necesario aduertir a nadie de estos modos de hablar lo que significan...»[37].

He querido aducir este ejemplo porque la comparación con otro texto de Góngora viene a comprobar la indudable exactitud de la versión que considero primitiva de los versos 204-205 de la *Soledad Primera*. Nótese la semejanza de las

---

[36] *Obras poéticas...*, II, pág. 292. Millé, núm. 74, vv. 219-224.
[37] *Ilustración y defensa de la Fábula de Píramo y Tisbe... Escrívialas Christóval de Salazar Mardones*, Madrid, 1636, fol. 96.

dos expresiones: «sus mismos autos repuso» y «mientras no revoca / los mismos autos...» Es decir, en los citados versos de la *Soledad Primera* el curso del río se compara con el curso de un proceso, el cual sigue su desenvolvimiento normal, mientras no se pronuncia un *auto* que *revoca* los *autos* anteriores; así, el río sigue su natural y recta dirección mientras la fuerza de sus cristalinas aguas («el [auto] de sus cristales») no modifica su curso anterior («no revoca los mismos autos»). Tal sutileza, excesiva y rebuscada, sí podía chocar con el ponderado criterio de Pedro de Valencia.

Resulta, pues, que de toda la descripción del río hay que admitir tres formas variantes:

1.ª La censurada por Pedro de Valencia. En ella aparecían los versos 214-215 y los 204₁-205₁ en la forma reconstruída por mí.

2.ª La dada por Pellicer. Aparecían en ella los versos 214-215 y 204-205.

3.ª La que se halla en todas las demás ediciones y en la mayor parte de los manuscritos, y en la cual toda la descripción del río, desde el verso 204, ha sido modificada.

Es absolutamente indudable que esta tercera versión representa la corrección introducida por Góngora siguiendo el consejo de Pedro de Valencia. El poeta se encontró con que para dar gusto a su sabio amigo tenía que modificar cuatro versos, distribuídos en dos frases de a dos versos cada una y comprendidos los cuatro en un pasaje de trece versos. La dificultad de una doble corrección, llevada a cabo en estas condiciones, le obligó, sin duda, a sustituir todo el trozo. Con cuánta torpeza, con cuánta desventaja, júzguelo el entendido en poesía.

El problema que se nos presenta ahora es el de determinar las relaciones mutuas de las variantes 1.ª y 2.ª ¿Representa la segunda un primitivo intento de corrección hecho por Góngora aprovechando la facilidad de convertir *autos* en *altos*, *revoca* en *provoca*, sin destrozar por ello los dos versos censurados? ¿O es la segunda sólo una falsa variante, originada por no haber entendido el pasaje y haber leído mal —Pellicer o el copista del manuscrito utilizado— las palabras *autos* y *revoca*? El problema es por hay insoluble. Pero si se considera que Pellicer nos ofrece un texto casi siempre fidedigno y que es difícil confundir una *u* con una *l* y la sílaba *re* con la *pro*, se comienza a dudar de la posibilidad de haberse originado dos errores tan groseros y tan seguidos, y gana en verosimilitud la hipótesis de que quizá estemos en presencia de una corrección parcial, intentada por el mismo Góngora y difundida por algunos manuscritos; es decir, que tal vez el poeta comenzó por corregir el primero de los dos lugares censurados: los versos 204_1-205_1, convirtiéndolos en los 204-205, que aparecen en el texto de Pellicer, y sólo después de haber fracasado en la corrección de los 214-215 se vió obligado a sustituir todo el fragmento de trece versos que contenía los cuatro puestos en entredicho. Explicación ésta que sólo me atrevo a adelantar, sin hacer en ella hincapié alguno [38].

Quiero, antes de terminar, recoger el total sentido que se desprende de la desaprobación explícita por Pedro de Valencia de estos cuatro lugares. En dos casos (en el de «la camuesa» y el de «absolvelle escrúpulos al vaso») era un juego de palabras lo que repelía al erudito; en los otros dos, la asociación metafórica de elementos inconexos y muy dis-

---

[38] Comp. ahora mi edición de *Las Soledades*: Madrid, «Cruz y Raya», 1935, pág. 412.

tantes (las islas comparadas a paréntesis de períodos ora-
torios, las desviaciones y curvas de un río explicadas por las
del curso de un proceso), y en los cuatro, el rebuscamiento
conceptuoso, la nota cómica y casi grotesca introducida en
un asunto serio. No conocemos los otros pasajes desaprobados, cuyo envío se anunciaba en la carta; ni sabemos, por
tanto, si Góngora los corregiría todos, aunque la exactitud
con que en éstos siguió los consejos de su amigo nos inclina
a pensar que sí. Pero ¡cuánto no habría tenido que corregir
el poeta si el erudito hubiera llevado su censura a todos los
lugares parecidos a estos cuatro, que ocurren en el *Polifemo*
y las *Soledades!*

Porque —esto es lo importante— al seguir el consejo de
Pedro de Valencia y hacer estas correcciones, Góngora se
contradecía a sí mismo, negaba una de las cualidades inhe-
rentes a su poética: la sutileza, la asociación entre lo inconexo, el juego de palabras, el chiste. Y es esta cuestión importante, porque, en último término, nos llevaría a plantear
todo el problema de la literatura del siglo XVII: las relaciones entre el conceptismo y el gongorismo, y entre el plano
universal y absoluto y el contingente y a ras de tierra. Por
lo que a Góngora se refiere, creo que la especial característica de su estilo es la de ser una síntesis, una condensación
intensificada de todos los elementos anteriores. En ella entran —y no de modo escaso— los elementos cómicos mane-
jados anteriormente en romances y letrillas. Esto lo apunta
—aunque sin comprender su alcance— Pedro de Valencia
en aquellas palabras que citábamos: «estas gracias o burlas,
que pertenescían más a las otras poesías que v. m. solía *ludere*...» Recordemos que Góngora acostumbraba decir que
de todas sus obras la preferida era la *Fábula de Píramo y*

Tisbe [39]. ¿Sería por ver en ella la fórmula completa de su propio estilo? Porque esa *Fábula* es precisamente el punto de la poesía de Góngora donde se cortan más claramente los dos planos; tema serio tratado de un modo que es serio y humorístico al mismo tiempo, composición con todas las complejidades de las *Soledades* y el *Polifemo*, más los donosos realces de romances y letrillas o romance arreado con todos los recargamientos del *Polifemo* y el *Panegírico*. Si éste es el ejemplo más claro, también en toda la obra de Góngora aparece repartido y más o menos constante el *scherzo*, como un elemento esencial del dinamismo gongórico. No sólo se ve esto en el tratamiento de temas análogos y en el uso de las mismas metáforas con intención ya grave, ya cómica [40], sino aún más claramente en la naturalización defini-

---

[39] Hay varios testimonios de ello. Pellicer *(Lecciones solemnes,* col. 775): «Entre las obras que más estimó en su vida don Luis de Góngora, según él me dixo muchas veces, fué la principal el romance de *Píramo y Tisbe.*» Salazar Mardones en la dedicatoria (a D. Francisco de los Cobos y Luna) de la *Ilustración y defensa de la «Fábula de Píramo y Tisbe»*: «Dióme ocasión [para escribir el libro]... lo licencioso de vna copla que se diuulgó contra esta obra (con ser la que más lima costó a su Autor, y de la que hazía mayores estimaciones)...» En la misma *Ilustración y defensa*...: «Don Antonio Cabreros Auendaño... a los lectores»: «...esta obra, que en la estimación de su dueño, fué la que le lleuó embuelta en su buen gusto la admiración.»

[40] Por ejemplo: Acis (en el *Polifemo*) y Píramo (en *Píramo y Tisbe*) son tan bellos garzones que el autor los tiene por armas que Cupido emplea para herir el corazón femenino. Véase cómo se dice de Acis:

Era Acis un venablo de Cupido.

Y, ahora, en cambio, de Píramo:

> *...en Píramo quiso*
> *encarnar Cupido un chuzo,*
> *el mejor de su armería,*
> *con la herramienta al uso.*

La imagen es la misma. Pero, en el poema serio, el arma de Cupido es el noble venablo (empleado en el deporte de la caza, etc.). En el burlesco, el chuzo, arma plebeya. Además, el último caso está complicado con pormenores chistosos y grotescos.

tiva, en su estilo, de fórmulas sintácticas de origen humorístico, que suelen conservar siempre un vago recuerdo de ingenua travesura[41].

---

[41] Tal vez la fórmula estilística más repetida por Góngora sea la del tipo *A, si no B* («si piedras no lucientes, luces duras», *Obras poéticas*, II, pág. 277; «Ícaro de bayeta, si de pino | cíclope no», *Ibid.*, II, página 6; «despedido, si no digo burlado», *Ibid.*, I, pág. 298, etc. = Millé, números 420 [v. 462], 315, 298), tan imitada luego por los gongoristas como parodiada por los adversarios. Este giro aparece, antes de 1600, sólo en las composiciones cómicas del poeta, para producir una chistosa contraposición entre términos ligados por un juego de palabras, o una picante malicia.

> *Castillo de San Cervantes,*
> ... ...
> *cuando más mal de ti diga,*
> *dejar de decir no puedo,*
> *si no tienes fortaleza,*
> *que tienes prudencia al menos.*
>
> (*Ibid.*, I, 147-148 = Millé, núm. 34.)

> *Habló allí un rocín más largo*
> *que una noche de diciembre:*
> ... ...
> *«La calle Mayor abrevio,*
> *y la carrera del Prado*
> *desde el copete a la cola,*
> *la ocupo, si no la paso.»*
>
> (*Ibid.*, I, 167-168 = Millé, núm. 38.)

Entiéndase, '...si no la paso de parte a parte, como una espada: tan delgado y largo soy'.

> *Tres hormas, si no fué un par,*
> *fueron la llave maestra*
> *de la pompa que hoy nos muestra*
> *un hidalgo de solar.*
>
> (*Ibid.*, I, 210 = Millé, núm. 112.)

Paulatinamente va dándose cuenta Góngora de las posibilidades expresivas de esta fórmula y empleándola en sus composiciones poste-

Sería necesario, pues, un estudio total del *humor*, como elemento integrante del gongorismo. Felicitémonos mientras tanto de que la censura de Pedro de Valencia no fuera tan pormenorizada como hubiera podido. Dada la veneración que por él sentía el poeta cordobés, hubiéramos tal vez perdido una gran parte de los versos de Góngora. ¿La parte defectuosa? Imposible contestar; en Góngora, como en casi todos los artistas verdaderamente originales, hay que admitirlo todo, comprenderlo todo, porque lo que por la haz son sus defectos, por el envés son sus cualidades, sus personalísimas virtudes.

Tema amplio. Quede por hoy esto: Pedro de Valencia rechaza de un modo concreto solamente cuatro pasajes: de las *Soledades*, tres, y uno del *Polifemo*. Góngora se apresura a corregir los cuatro. ¿Con qué fundamento se podrá, pues, afirmar que el autor de las *Soledades* tan sólo *fingía* pedir consejo al enviar sus obras a Pedro de Valencia?

---

riores, cada vez con valores más distintos. Pero aun entonces se pueden descubrir frecuentemente en ella estigmas de su primitiva comicidad, de lo cual son ejemplos dos de los tres citados al principio de esta nota. No faltan casos en los que se trata de un chiste conceptual: («si piedras no lucientes, luces duras»), o de una galante gracia:

> *Cloris, el más bello grano,*
> *si no el más dulce rubí,*
> *de la Granada a quien lame*
> *sus cáscaras el Genil.*

(*Ibid.*, II, 16 = Millé, núm. 66.)

Naturalmente, la fórmula *A, si no B* existía en español antes de Góngora. Pero éste la hace, a fuerza de repetición, típica de su estilo. Se aficiona a ella con intención cómica; la sigue luego usando en lo serio, pero frecuentemente, para introducir un juego de palabras o una gracia discreta.

ESTAS QUE ME DICTO RIMAS SONORAS...

Eʟ primer verso del *Polifemo* se hizo pronto famoso[1]:

> *Estas que me dictó rimas sonoras...*

Obsérvese el hipérbaton. El demostrativo va separado de su sustantivo; y el *que* introductor de la oración de relativo «dictó» se presenta antes que su antecedente «rimas» (es lo que llamaré «tipo A»).

---

[1] Lope lo cita en el *Laurel de Apolo* (impreso entre fines de 1629 y principios de 1630): el río Betis

> *a Góngora previene*
> *que estaba en los cristales de Hipocrene*
> *escribiendo a las cándidas auroras*
> *«Estas que me dictó rimas sonoras».*
>
> (Silva, 11.)

Lo vuelve a citar en el soneto dialogado entre él y su pluma (mientras el poeta la corta):

[Lope] —*Pluma, las Musas de mi genio auroras*
versos me piden hoy. ¡Alto: a escribillos!

[Pluma] —*Yo sólo escribiré, señor Burguillos,*
estas que me dictó rimas sonoras.

[Lope] —*¿A Góngora me acota a tales horas?*
¡Arrojaré tijeras y cuchillos!

[Pluma] —*Pues en queriendo hacer versos sencillos,*
arrímese dos musas cantimploras.

> (*Rimas de Burguillos*, 1634, fol. 14 v.º)

Tal hipérbaton no tiene nada de especialmente gongorino. Góngora había usado desde sus años mozos la separación del demostrativo con relación a su sustantivo:

> Deste *más que la nieve blanco* toro
>
> (1586, Millé, 248.)

> ... *en* esta *bien por sus cristales clara,*
> *y clara más por su pincel divino,*
> Tebaida *celestial*...
>
> (1607, Millé, 291.)

Y es uso que sigue practicando siempre [2]. Pero la anteposición del relativo con separación del sustantivo, es decir, nuestro tipo A, no se encuentra tempranamente más que en algunos ejemplos sencillos:

> y estas *que te cantamos* alabanzas
>
> (1590, Millé, 386.)

> *tras* esa *que te huye* cazadora
>
> (1609, Millé, 59.)

Los casos más característicos no aparecen hasta fecha poco anterior al *Polifemo*, y siempre de modo escaso:

> Este *que Babia al mundo hoy ha ofrecido*
> poema...
>
> (1611, Millé, 314.)

> Esta *que admiras* fábrica...
>
> (1616, Millé, 343.)

---

[2] Véanse otros ejemplos en *La lengua poética de Góngora*, I, 203-204.

Frente a la escasez o vacilación de los ejemplos tempranos de Góngora, antes de 1607 había usado esta fórmula abundantemente (en su obra brevísima) don Francisco de Medrano:

> esta *que pueblan hoy* vega *hermosa*
> (Ode XXV, 3)[3]

> Esta *que te consagro fresca* rosa
> (Soneto XXI.)

> estas *que grandes ves* alteraciones
> (Soneto XVI.)

> Estos *de pan llevar* campos *ahora*
> (Soneto XXV.)

Este último verso no es exactamente el tipo que estudiamos, aunque próximo; lo cito porque iba a tener especial fortuna: él fué lo que determinó el arranque de la *Canción a las ruinas de Itálica,* según su versión perpetuada, que parece ser de 1614[4]:

> *Estos, Fabio, ¡ay, dolor!, que ves ahora*
> *campos de soledad, mustio collado...*

Apenas puede caber duda de que la primacía es de Medrano, pues sabemos que éste murió a principios de 1607.

Digamos, de una vez, para esquivar casos próximos que nos podrían confundir, que el tipo de expresiones en cuya pista estamos no se caracteriza sólo por ser una perturbación del orden más usual de las palabras, sino que (como

[3] Cito por Rivadeneyra, XXXII.
[4] V. Montoto, *Rodrigo Caro. Estudio biográfico-crítico,* Sevilla, 1915, págs. 50-54.

en nuestros versos del *Polifemo,* o como en los de las *Ruinas de Itálica,* o en el soneto XXI de Medrano) se trata del principio de un poema: es un modo de arrancar, una voluntad deíctica de condensar y atraer desde el principio mismo la atención del lector arrojándola sobre algo.

En las *Flores...,* de Calderón, aparece el giro en alguna troquelación bien clara:

> Estas *que la piedad* piras *quebranta*
>
> (núm. 54, de 1611.)

Probablemente no hay poeta que se aficionara más a este lugar común estilístico que don Francisco de Quevedo. Frente al uso, tan parco, por Góngora, extraña la reiteración quevedesca:

> Esta *que duramente enamorada*
> piedra...
>
> (Astrana, pág. 59.)

> Esta *que miras grande* Roma *agora*
>
> *(Ibíd.,* pág. 500.)

(Es el comienzo de la célebre imitación de Propercio. Sobre sus primeros versos también influyó el soneto a Itálica de Medrano.) Otros ejemplos de Quevedo:

> Esta *que ves colgada y muda* trompa...
>
> *(Ibíd.,* pág. 467.)

> Estas *que ves aquí pobres y escuras*
> ruinas...
>
> *(Ibíd.,* pág. 504.)

¿De dónde nos llegaron estos hiperbatonizados principios de poema? Indudablemente, de Italia. Véanse ejemplos sacados de un poeta que influyó en España, Benedetto Varchi (1503-1565). Todos son arranque de composición:

> Queste, *ch'io colsi dianzi da pungenti*
> *rami,* uve e spine...
>> *(Opere... ora per la prima volta raccolte,*
>> Milán, s. a., II, pág. 887.)

> Questa, *che'l mio Damon fido e cortese*
> *mi donò via l'altr'ier, vaga* calandra...
>> *(Ibíd.,* pág. 896.)

> Quella *che splende innanzi al giorno* fiamma
>> *(Ibíd.,* pág. 989.)

> Quella, *Carlo, ch'a Dio* strada *conduce*
>> *(Ibíd.,* pág. 989.)

Mas si queremos comprender la confusión de caminos que nos traen este giro es menester que tengamos en cuenta que junto a él vivían otros muy próximos, y que todos mutuamente se influyeron.

En efecto, el tipo más sencillo, el que está más próximo de la lengua hablada, es aquel en que al demostrativo sigue sin separación alguna el sustantivo correspondiente:

> *Esta cueva que veis toda vestida*
> de *yedra...*
>> (Lupercio L. Argensola, núm. 29, ed. Blecua.)

De aquí sale por mera inversión del sustantivo nuestro tipo A. Con gran frecuencia, sin embargo, el sustantivo no se pospone, sino que, sencillamente, diríamos, se disuelve; su misión queda ahora encomendada a toda una oración encabezada con *Este que...* (es lo que voy a llamar tipo B). El demostrativo, con la oración de relativo, cobra un valor sustantivo, y todo ese conjunto es sujeto o complemento de un verbo más o menos retrasado (con frecuencia, enormemente retrasado). En resumen: en nuestro tipo A el demostrativo iba separado de su sustantivo («*Estas* que me dictó *rimas...*»), pero esa condición ya no la encontraremos en el tipo B, sencillamente porque en él no existe el sustantivo hiperbatonizado [5]:

> Questa *ch'a l'asta in mano e l'elmo in testa,*
> *ne' cui begli occhi un vivo ardor sfavilla,*
> *Ippolita non è, non è Camilla*
> *od altra in arme forte, in gonna onesta:*
> *figlia è di Carlo...*
>
> (T. Tasso, *Rime*, DCXL.)

> Questi, *ch'a i cori altrui cantando spira*
> *fiamme d'amore e di pietade ardenti,*
> *e si dolce risuona i suoi lamenti*
> *ch'ogni odio placa e raddolcisce ogn'ira,*
> *ch'il crederia?, si move e si raggira...*
>
> (T. Tasso, *Rime*, DLIV.)

> Estos *que al impio turco en cruda guerra,*
> *al moro, al anglo y al escoto airado,*

---

[5] Hay muchos ejemplos con sustantivo hiperbatonizado y al mismo tiempo con gran posposición del verbo: por tener sustantivo son del tipo A, aunque el rasgo de la gran distensión (como en el soneto de Herrera, que cito en seguida en el texto) sea frecuentísimo en el B. El verso de Góngora que da origen a estas líneas tiene esos dos caracteres; véase más abajo, pág. 319.

> y vencen al tudesco y al dudado
> francés y al belga en su cercada tierra,
> y los estrechos que el mar hondo encierra
> sobran, pasando por lugar vedado,
> con valor cual vió nunca el estrellado
> cielo, que tantas cosas mira y cierra,
> bien muestran en la gloria de sus hechos
> que son tus hijos...

(Herrera, Riv., XXXII, pág. 334.)

Nótese en el anterior ejemplo la separación entre «Estos» y «muestran».

> Esta que tiene de diamante el pecho,
> y al claro sol excede en hermosura,
> pues abrasarme sin razón procura,
> solicita en mi daño su provecho...

(L. Martín, *Flores*, núm. 152.)

> Estas que fueron pompa y alegría
> despertando al albor de la mañana,
> a la noche serán lástima vana...

(Calderón, *El príncipe constante*, II, esc. XIV.)

Dos afectos dan valor inicial al giro: de una parte, la presentación súbita (de los elementos que introduce el relativo *que*), y, de otra parte, la suspensión, la distensión en la espera del verbo, bien patente en el ejemplo de Herrera, en el que el verbo principal («muestran») no aparece hasta el verso noveno. Esta distensión resulta particularmente afectiva por la reiteración anafórica del demostrativo + *que*, subvariante que se encuentra varias veces en Quevedo:

> Esta que veis delante,
> fulminada de Dios y fulminante,
> que en precipicios crece y se adelanta
> y para derribarse se levanta;

esta *que con desprecio el mundo mira*
contra su propia prevención armada;
esta *en ningún peligro escarmentada,*
blasón de la ignorancia y la mentira;
esta *que viste púrpura aparente,*
de Tiro no, de sangre sí inocente,
es *la soberbia...*

(Astrana, pág. 490.)

Esta *que está debajo de cortina*
como si fuera tienda de barbero,
que con rostro severo
hermosa y grave a todos amohina;
esta *que con la saya azul entera*
cubre la negra honra decentada;
aquesta *de diamantes empedrada,*
por de dentro más blanda que la cera;
esta *que se entretiene*
con el perro de falda que allí tiene,
siendo sus faldas tales de ruines
que aun no la guardarán treinta mastines;
esta fué *cotorrera...*

(Astrana, pág. 93.) [6]

La fórmula ha pasado con este último ejemplo del más
noble estilo al más plebeyo. Su valor, intensamente demostrativo (deíctico, diríamos), va muy bien para el verdadero
epigrama: inscripción que acompaña a una estatua, a un
retrato... Repásense los ejemplos de vario tipo A y B, y
véase cuán frecuente es la presencia de un verbo que expresa «ver» («Esta que admiras fábrica...», «Estos, Fabio,
¡ay dolor!, que ves ahora...», «Esta que miras grande Roma
ahora...», «Esta que ves colgada y muda trompa...», «Estas
que ves aquí pobres y oscuras...», «Estas que veis delante...», etc.). Todos son comienzos de poema, y casi todos per-

---

[6] Otro ejemplo de este tipo en *Flores*, 2.ª parte, núm. 197.

tenecen a Quevedo. Y nótese, sobre todo, lo que más nos interesa ahora: cómo sentimos ligados en valor expresivo los tipos A y B. Nuestro tipo A, el de

> Estas *que me dictó* rimas *sonoras,*
> *culta sí, aunque bucólica, Talía...,*

ha nacido especificándose dentro de un conjunto de expresiones caracterizadas por su valor inicial y deíctico. Frecuentemente en él existe también el valor suspensivo (distensión del vínculo con el verbo principal), que tan característico es en muchos ejemplos del tipo B. Así, en nuestro pasaje

> Estas *que me dictó* rimas *sonoras,*
> *culta sí, aunque bucólica, Talía*
> *(¡oh excelso conde!), en las purpúreas horas*
> *que es rosas l'alba y rosicler el día,*
> *ahora que de luz tu Niebla doras,*
> *escucha...*

La suspensión le sirve ahora al poeta, entre otras cosas, para introducir uno de sus pequeños cosmos lumínicos: horas purpúreas, rosas de la aurora, rosicler del día, niebla traspasada o dorada por la luz.

Este giro, ya consagrado en el principio de poemas tan famosos como las *Ruinas de Itálica* y el *Polifemo,* sigue siendo favorito a lo largo del siglo XVII. Es, por ejemplo, predilecto de López de Zárate:

> Esta, *a quien ya se le atrevió el arado,*
> *con púrpura fragante* adornó *el viento...*
>
> (Tipo B, en *Obras*, ed. J. Simón Díaz, I, 181.)

Este *que ves de acero el pecho armado,*
mortalidad negando en el semblante,
sólo el silencio tiene *de pintado...*

> (A un retrato del rey; tipo B, *ibíd.*, II, 3.)

Esta *que obras titánicas aprueba*
máquina...

> (Tipo A, *Ibíd.*, 36.)

Este *que en vagos términos del viento,*
llenándolos, fundaba *monarquía...*

> (Tipo B, *Ibíd.*, 86.)

Y en otros autores:

Esta *que libre al regalado viento*
la madeja derrama de oro hermosa,
sin duda que es *Fortuna poderosa...*

> (Tipo B, Soto de Rojas, ed.
> A. Gallego Morell, pág. 78.)

Estos *que afectuoso, no atrevido,*
compulsé folios...

> (Tipo A, Trillo y Figueroa, ed.
> A. Gallego Morell, pág. 337.)

Este *que ves, oh huésped, vasto* pino...

> (Tipo A, Rioja, Rivad., XXXII, 378.)

Al estudio del tipo que hemos llamado A dedicó varias páginas Miguel Antonio Caro en sus *Annotationes* a la *Canción a las Ruinas de Itálica* [7]. No nos detendremos en su in-

---

[7] Véase la bella edición publicada recientemente en Colombia: *La «Canción a las Ruinas de Itálica», del licenciado Rodrigo Caro, con introducción, versión latina y notas por Miguel Antonio Caro, publicadas por José Manuel Rivas Sacconi*, Bogotá, 1947. («Publicaciones del Instituto Caro y Cuervo», II.)

teresante defensa del hipérbaton inicial de la *Canción* (que
para él no es tal hipérbaton); sí en los antecedentes que aduce. Cita a Propercio [8], que empieza de este modo una de sus
elegías:

> *Hoc quodcumque vides, hospes, qua maxima Roma est*
> *Ante Phrygem Aeneam collis et herba fuit*
>
> (4, 1, 1)

y a Catulo, que inicia así un poema:

> *Phasellus ille, quem videtis, hospites,*
> *Ait fuisse navium cellerrimus*
>
> (1, 4)

La indicación es certera. Sabido es que el texto de Propercio fué imitado de cerca por Quevedo. («Esta que miras
grande Roma ahora», etc, ya citado más arriba). No creo, en
cambio, que se haya dicho (no lo vió Menéndez Pelayo) que
el soneto de Rioja mencionado hace poco («Este que ves,
oh huésped, vasto pino») es imitación cercana del poema
de Catulo. (Compárense también los finales

> *Sed haec prius fuere: nunc recondita*
> *senet quiete seque dedicat tibi*
> *gemelle Castor et gemelle Castoris.*

> *Mas no firme a sufrir del mar ahora*
> *los ímpetus, por voto a los marinos*
> *dioses Cástor y Pólux se dedica.)*

No cabe, pues, duda: esos pasajes de Propercio y Catulo están a la cabeza de los giros que estudiamos. Las expresiones
«Esta que ves», «Esta que miras», no son sino calco de las

---

[8] «... Propertius, aut quisquis auctor fuit Elegiae illius 'Roma' ins-
criptae...» (pág. 76).

latinas. Surge ahora una nueva nota de estas fórmulas: su carácter culto, arqueológico (Rodrigo Caro, Quevedo). Este influjo clásico (predominante en el tipo B) es evidente también muchas veces en el A («*Esta* que miras grande *Roma*», «*Esta* que admiras *fábrica*»). Pero el antecedente inequívoco del tipo A lo hemos visto ya en Varchi, de mediados del siglo XVI (y, sin duda, se podrá señalar en otros poetas italianos).

Clasicismo e italianismo (ya de por sí bien entremezclados) daban como consecuencia giros próximos, que en ocasiones se entremezclaban a su vez y en otras se mantenían diferenciados. Este conjunto de expresiones deícticas para arranque de poema es uno de los rasgos estilísticos del siglo XVII, pero es uno de los que proceden de los poetas manieristas del siglo XVI; no es específicamente barroco, pero el barroquismo lo acepta y lo propaga.

Digamos, para terminar, que el carácter arqueológico, clásico, de estas fórmulas, tuvo una consecuencia inesperada: el siglo XVIII, que odia los rasgos barrocos, las respeta, y el hipérbaton inicial del *Polifemo* pervive lozanamente —¿quién lo imaginaría?— en don Leandro F. Moratín:

> Esta *que me dictó fácil Talía*
> *moral* ficción...

> Estos *que levantó de mármol duro*
> *sacros* altares *la ciudad famosa*...

> Estos *que formo, de primor desnudos,*
> *no castigados de tu docta mano,*
> *fáciles* versos...

> Ese *que duermes en ebúrnea cuna*
> *pequeño* infante...

Esa *que ves venir* máquina *lenta...* [9]

Extraña pervivencia la de esta fórmula latina, usada por los manieristas clasiquizantes del siglo XVI y por los españoles de fines del XVI y principios del XVII, aceptada por los principales poetas barrocos españoles de ese siglo, utilizada de nuevo por los neoclásicos del XVIII.

---

[9] Estos ejemplos de Moratín los saco de la mencionada nota de Miguel Antonio Caro (*La Canción a las ruinas de Itálica...*, págs. 145-152). Podrían también citarse ejemplos de otros poetas del siglo XVIII.

LA SUPUESTA IMITACION POR GONGORA DE LA «FABULA DE ACIS Y GALATEA»

Don Justo García Soriano dedicó su talento al estudio de la literatura española. Allá hacia el año de 1927 —centenario de Góngora— él, llevado quizá por su afición a Cascales, veía las cosas de modo muy distinto que yo. De esas discrepancias salió este artículo, escrito entonces con la viveza de aquella sazón y de mi mocedad. Al reimprimirlo ahora, muy lejos de aquel apasionamiento y muerto ya don Justo García Soriano, quiero declarar aquí mi respeto por la simpática personalidad del desaparecido escritor. ¡Que Dios armonice en su gran verdad estas pequeñas rencillas literarias!

Las relaciones entre el *Polifemo*, de Góngora, y la *Fábula de Acis y Galatea*, de Carrillo, fueron estudiadas científicamente por primera vez por L.-P. Thomas, en su libro *Gongora et le gongorisme considérés dans leurs rapports avec le marinisme*. El ponderado trabajo del hispanista belga sirvió, indudablemente, de punto de partida para el que el ilustre erudito don Justo García Soriano publicó en 1926 con el título de *D. Luis Carrillo y Sotomayor y los orígenes del culteranismo* [1]. La tesis de Thomas aparecía aquí exagerada.

---

[1] En el *Boletín de la Real Academia Española*, 1926, XIII, cuaderno LXV, 591-629. Algunos otros trabajos sobre el tema se han publicado en España en los años últimos: literatura periodística, no contienen datos nuevos, y caen totalmente fuera del terreno científico. De

Thomas había señalado algunas que él creía reminiscencias de Carrillo en Góngora. Para García Soriano, Góngora sería un vulgar plagiario.

Ultimamente Walther Pabst, en su libro *Gongoras Schöpfung in seinen Gedichten Polifemo und Soledades* [2], dedica especial atención a rechazar las afirmaciones del señor García Soriano. El éxito de Pabst era relativamente fácil: bastaba atender al valor creativo del *Polifemo* gongorino, al que ni de lejos se acerca la obra del joven cuatralbo.

Hay otros aspectos de la cuestión que Pabst no trata, y sobre los que quiero hablar brevemente, explicar las distintas causas del supuesto parecido y llamar la atención de los eruditos hacia un hecho desatendido —aunque parezca absurdo— hasta ahora: que Góngora y Carrillo no son dos casos aislados de imitación de esta fábula de Ovidio, sino sólo dos eslabones de la rama española de una larga cadena.

Desde luego, lo más importante es la incomparable intensidad poética del *Polifemo.* Aunque fuera verdad que Góngora hubiera copiado algunos pasajes, ello no disminuiría en nada el valor del poema, como no importa nada tampoco que los primeros versos de las *Soledades* sean una imitación indudable de Camoens [3] (imitación, pero no plagio), porque

---

la *Fábula* de Carrillo, además de la fiel edición que da Thomas en su *Góngora et le gongorisme*, se ha publicado en la República Argentina una excelente edición con ortografía modernizada, precedida de interesante prólogo, *Fábula de Atis y Galatea...*, al cuidado de Pedro Henríquez Ureña y Enrique Moreno [La Plata], 1929. Puede verse también en mi edición de *Poesías completas* de Luis Carrillo de Sotomayor, Madrid, 1936 (Colección «Primavera y Flor»).

[2] Tirada aparte de la *Revue Hispanique*, LXXX, 23-34.

[3] Esto le echa en cara a Góngora el señor García Soriano (pág. 625, nota). Pellicer había dicho ya lo mismo muchos años antes (*Lecciones solemnes*, col. 364). Para la antigüedad de la perífrasis empleada

hay una absoluta diferencia de *temperatura* poética: lo que
en sus predecesores estaba expresado con lenguaje realista,
en Góngora está convertido en imagen. Este valor creativo

---

en estos versos («Era del año la estación florida», etc.) como designación de la primavera, véase Thomas, *Ob.. cit.*, pág. 146, nota. En poesía
española, la costumbre de dar a conocer las estaciones por los nombres de las constelaciones zodiacales o cuasi-zodiacales era ya un tópico
antes de las *Soledades* de Góngora. Véanse ejemplos anteriores a 1603:

> *En la estación ardiente cuando el año*
> *con los rayos del sol el Perro dora.*
>
> (Quevedo, *Flores de Espinosa*, Edic. Rodríguez
> Marín y Quirós de los Ríos, pág. 16.)

> *El sol, robando el lustre de su hermana,*
> *el mundo claro, el estrellado pelo*
> *del celestial León tornaba de oro.*
>
> (D. Lope de Salinas, *Flores de Espinosa*, pág. 213.)

Lo mismo en Góngora, en fecha tan temprana como 1585:

> *Tres veces de Aquilón el soplo airado*
> *del verde honor privó las verdes plantas,*
> *y al animal de Colcos otras tantas*
> *ilustró Febo su vellón dorado.*
>
> (*Obras poéticas*, I, 69 = Millé, 245.)

Y en el *Polifemo:*

> *Salamandria del Sol, vestido estrellas,*
> *latiendo el Can del cielo estaba...*
>
> (Edic. Reyes, Madrid, 1923, pág. 21 = Millé,
> vv. 185-6.)

Se pueden dar ejemplos muy anteriores. Véanse algunos procedentes
de *Los doce triunfos de los doce Apóstoles*, del Cartujano:

> *Phebo...*
> *doraba los cuernos del rígido Toro,*
> *quando nos muestra su rico tesoro*
> *Ceres, y Vesta con rostro florido,*
> *y Venus su fuerza con arco de oro.*
>
> (*Nueva Bibl. de Aut. Esp.*, XIX, 306.)

es, pues, lo que hace que, siendo el poema de Carrillo una obra muy bella, llena de elegancia y ternura, el *Polifemo* de Góngora se nos aparezca como genial, como una de las cumbres de la poesía española. No; no importarían nada los pormenores, las acusaciones de plagio de unos cuantos pasajes. Pero lo mejor del caso es que no hay ni un solo pasaje del *Polifemo* de Góngora que pueda suponerse «copiado» de Carrillo.

COINCIDENCIAS ENTRE GÓNGORA Y CARRILLO

Las semejanzas entre Góngora y Carrillo proceden de muy distintos fenómenos históricos y literarios. Voy a intentar formar con ellos cuatro grupos:

> *Phebo de parte del Euro salido*
> *doraba con rayos del fuego divino*
> *los cuernos y piel del real Bellocino...*

> *(Nueva Bibl. de Aut. Esp., XIX, 291.)*

Constantemente Padilla repite una representación igual a la de Camoens o Góngora: la de ver al animal de la constelación traspasado por la luz solar.

Expresiones de este tipo eran ya tópicos a mediados del siglo XVI, hasta tal punto que Barahona de Soto censura, aunque tenuemente, la misma perífrasis del Toro, que luego ha de emplear Góngora:

> *Decir, por la mañana: entonces cuando*
> *el gran cochero que en las ondas mora*
> *va del Paropamiso transmontando.*
> *Y por verano: al tiempo que el Aurora*
> *a su morada antigua vuelve, y Febo*
> *el uno y otro cuerno a Tauro dora.*

> **(Rodríguez Marín, *Barahona de Soto*, pág. 705.)**

A) *Por la fuente común.*

El parecido provendría, en la mayor parte de las veces, de la fuente común, Ovidio, con la diferencia de que en estos casos Carrillo traduce al pie de la letra o imita muy de cerca; Góngora da una interpretación hiperbólica o imaginativa, y mezcla con la imitación ovidiana el recuerdo de pasajes más o menos polifémicos de la *Eneida* y las *Bucólicas*, recuerdo que está ausente de Carrillo.

Todos los ejemplos que siguen pertenecen a los elegidos por el señor García Soriano como prueba de su tesis (y es, en verdad, extraño que ni una sola vez mencione el citado señor los modelos comunes, procedentes del libro XIII de las *Metamorfosis*, de los lugares aducidos; sólo en una ocasión, en nota, dice que Carrillo había tenido presentes, «a lo sumo, las Metamorphosis de Ovidio»):

Ovidio [habla el cíclope]: *Aspice, sim quantus* [4].

Carrillo: *Mira qué grande soy...* [5]

Góngora: *Sentado a la alta palma no perdona*
              su dulce fruto mi robusta mano, etc. [6]

Carrillo traduce exactamente. Góngora desarrolla la idea de modo original y en toda una octava, cuyo final («y en los

---

[4] *Metamor.*, 842. (Siempre que no se indique el libro, entiéndase que las citas de la *Metamorfosis* proceden del XIII. Utilizo el texto de la *Collection des Universités de France*, París, 1930.)

[5] Modernizo siempre la ortografía de las citas españolas. *Obras... de Carrillo*, Madrid, 1613, fol. 30 v.

[6] *Fábula de Polifemo*, edic. Reyes, Madrid, 1923, pág. 36. (= Millé, 416, vv. 409-410.)

cielos desde esta roca puedo / escribir mis desdichas con el dedo»), inhallable en Ovidio o Carrillo, se relaciona con la descripción de Polifemo, según Virgilio: «...Ipse arduus, altaque pulsat / Sidera»[7]. Otro ejemplo:

Ovidio: *Certe ego me noui liquidaeque in imagine uidi*
            Nuper aquae placuitque mihi mea forma uidenti[8].

Carrillo: *Testigo me es el agua hermosa y clara*
            del ódio injusto que a mi rostro tienes[9].

Góngora: *... espejo de zafiro fué luciente*
            la playa azul, de la persona mía,
            miréme[10].

En este caso las dos imitaciones son divergentes, bastante alejadas del original y alejadas entre sí. Por otra parte, aquí resulta patente, otra vez, la imitación de Virgilio (ahora de las *Bucólicas*). Ni en Carrillo ni en Ovidio hay referencia precisa a la calma del mar en el momento de mirarse el amante desdeñado. No así en Virgilio[11]:

    Nec sum adeo informis: nuper me in littore vidi,
    Quum placidum ventis staret mare...[12]

De manera semejante, Góngora expresa la calma de las

---

[7] *Eneida*, lib. III, 61-62.
[8] *Metamor.*, 840-841.
[9] Fol. 30 v.
[10] Pág. 36. (= Millé, vv. 419-421.)
[11] *Bucólicas*, lib. II, 25-26.
[12] Lo mismo que en Virgilio, en Teócrito, *Idilio*, VI.

aguas mediante la referencia al alción [13] que antecede a los versos del *Polifemo* acabados de citar.

Además, este mirarse en el agua el amante desdeñado y encontrarse hermoso es uno de los incidentes de la lamentación de Polifemo más imitados en el siglo XVI dentro y fuera de España.

Pellicer *(Ob. cit.,* col. 322) cita a Garcilaso en le égloga primera:

> *No soy, pues, bien mirado*
> *tan disforme ni feo;*
> *que aun agora me veo*
> *en esta agua que corre clara y pura...*

Podría, aunque no lo hace, haber añadido que Góngora usa el mismo lugar, pero con intención jocosa, en una de sus composiciones primeras:

> *Mírame, ninfa gentil,*
> *que ayer me miré en un charco*
> *y vi que era rubio y zarco*
> *como Dios hizo un candil* [14].

---

[13]   *Marítimo Alcïón, roca eminente,*
        sobre sus huevos coronaba el día
        que espejo de zafiro, etc.

                                          (Millé, vv. 417-419.)

[14] Año 1582. *Obras poéticas,* I, 43. La misma comparación, claro está, existe en literatura italiana:

>   *no son io*
> *da disprezzar, se ben me stesso vidi*
> *nel liquido del mar, quando l' altr' ieri*
> *taceano i venti, ed ei giacea senz' onda...*

                                    (Aminta, acto II, escena I.)

Veamos otro de los casos de semejanza:

Ovidio: *Vnum est in media lumen mihi fronte...*
             ... Quid? non haec omnia magnus
             Sol uidet e caelo? Soli tamen unicus orbis [15].

Carrillo: *Ciñe mi larga frente un ojo, el cielo*
             como el hermoso Sol lo alumbra todo [16].

Góngora: *miréme y lucir vi un Sol en mi frente*
             cuando en el cielo un ojo se veía [17].

La comparación entre el ojo y el Sol, que está en Ovidio y Carrillo, se hace en Góngora identidad absoluta: lo que el cíclope ve en el cielo es un ojo, lo que ve en el agua al mirarse es un sol. También en esta ocasión ha debido de estar presente en Góngora, además del de Ovidio, el influjo de Virgilio. Porque la identificación entre el Sol y el ojo de Polifemo está implícita en el autor de la Eneida:

                                        ... lumen...
             Ingens, quod torva solum sub fronte latebat,
             Argolici clypei aut Phoebeae lampadis instar... [18].

Otro ejemplo aún:

Ovidio: *Adde quod in uestro genitor meus aequore regnat;*
             Hunc tibi do socerum [19].

---

[15] *Metamor.*, 851-853.
[16] Fol. 31.
[17] Pág. 36. (= Millé, vv. 421-422.)
[18] *Eneida*, III, 635-7.
[19] *Metamor.*, 854-855.

Carrillo: *Suegro te doy a aquel que el ancho suelo*
             abraza altivo de uno al otro polo,
             tu rey es y señor... [20]

Góngora: *Del Júpiter soy hijo, de las ondas,*
            aunque pastor, si tu desdén no espera
            a que el Monarca de esas grutas hondas
            en trono de cristal te abrace nuera [21].

La versión de Carrillo es una traducción literal. La de Góngora se aparta considerablemente.

B) *Por el natural desarrollo del argumento.*

Otras coincidencias proceden del natural desarrollo, según el gusto renacentista, de situaciones exigidas por el argumento ovidiano. Sirva de ejemplo la comparación entre el abrazo de los amantes y el de las vides o la yedra con los olmos o los muros (véase G. Soriano, pág. 622). Góngora había caído muchas veces en este lugar común antes que Carrillo [22].

---

[20]   Fol. 31.
[21]   Pág. 35. (= Millé, vv. 401-404.)
[22]   Y antes que Góngora, muchos poetas del siglo XVI; véase, para dar un ejemplo entre centenares, una situación semejante resuelta en la misma imagen:

> *Luego en medio del prado se asentaron*
> *y, trabándose estrecho con los brazos,*
> *la yerba y a sí mesmos apretaron,*
> *mezclando las palabras con abrazos.*
> *Nunca revueltas vides rodearon*
> *el álamo con tantos embarazos,*
> *ni la verde y entretejida hiedra*
> *se pegó tanto al árbol o a la piedra.*

> (Hurtado de Mendoza, *Fábula de Adonis, Hipomene y Atalanta*, en *Libros Rar. y Cur.* XI, 244.)

Más aún: cuando Suárez de Figueroa intenta en *El Pasajero* (Edic.

Citaré algunos pasajes que bastan para probar cómo el tema *olmos y vides = amantes* forma una continuidad en el

Rodríguez Marín, pág. 211) «ceñir» la fábula de Polifemo «en un soneto», esta misma es la representación que inmediatamente se le ocurre:

> *No tanto ardor por su rebelde Fedra*
> *cuanto por Atis* (sic) *Galatea espira,*
> *cuando el temor de las montañas mira*
> *hecho muro el garzón, la ninfa yedra.*

(Por cierto que en este soneto hay pocas trazas de imitación del *Polifemo* gongorino. El error *Atis*, por *Acis*, tal vez proceda de la lectura de las obras de Carrillo, donde —en las dos ediciones— aparece la misma equivocación. Por lo demás, el soneto de Suárez de Figueroa es, desde el final del segundo cuarteto, traducción de uno de los sonetos polifémicos de Marino. Compárese:

Parue la voce tuon, fulmine il	*Fué, si trueno la voz, rayo la*
[*sasso.*	[*piedra.*
Sasso crudel ch'al bel garzon tre-	*Instrumento cruel, golpe inhuma-*
[*mante*	[*no,*
nel più dolce morir la vita tolse,	*que, en medio del morir más*
nella felicità misero amante.	[*dulce, oprime*
	dos vidas que de amor eran des-
	[*pojos.*
Pianse la bella ninfa, e'n uan si	*Tiembla la amante y se lamenta*
[*dolse*	[*en vano*
e gli occhi appò l'amato almo	*vueltos en tanto que suspira y*
[*sembiante,*	[*gime*
che già sciolt'era in acqua, in ac-	*agua los miembros dél, della los*
[*qua sciolse.*	[*ojos.*
(Edic. Thomas, pág. 165.)	(Edic. Rodríguez Marín, pág. 211.)

Esto por lo que respecta al poco escrupuloso Suárez de Figueroa.)
Naturalmente la misma comparación *(vides y olmos = amantes)* se produce en otras literaturas de tradición renacentista:

> *...Con quanto affeto*
> *e con quanti iterati abbracciamenti*
> *la vite s'avviticchia al suo marito...*
> *(Aminta,* acto I, escena I.)

De vez en cuando se varían los objetos de la semejanza, permaneciendo ésta esencialmente la misma:

desarrollo poético de Góngora desde sus primeras obras hasta el *Polifemo:*

[Hablan dos viudas.]

> *Yedras verdes somos ambas*
> *a quien dejaron sin muros,*
> *de la muerte y del amor*
> *baterías e infortunios.*
>
> (1582) [23].

[En el siguiente ejemplo se refiere a las mujeres que dan su amor
interesadamente.]

> *... hay unas vides que abrazan*
> *unos ricos olmos viejos*
> *porque sustenten sus ramas*
> *sus codiciosos sarmientos.*
>
> (1585) [24].

[Habla ahora con un amante favorecido.]

> *Y vos, tronco a quien abraza*
> *la más lujuriosa vid*
> *que este lagrimoso valle*
> *ha sabido producir.*
> *Vivid en sabrosos nudos,*
> *en dulces trepas vivid,*
> *siempre juntos...*
>
> (1590) [25].

> *Non con piu nodi i flessuosi acanti*
> *le colonne circondano e le travi*
> *di quelli, con che noi legammo stretti*
> *e colli, e fianchi, e braccia, e gambe, e petti.*
>
> (*Orlando furioso,* canto 25, octava 69.)

[23] *Obras poéticas,* I, 39. (= Millé, 9.)
[24] *Obras poéticas,* I, 79. (= Millé, 18.)
[25] *Obras poéticas,* I, 140. (= Millé, 32.)

[Los versos siguientes pertenecen a una composición que tiene por tema el dolor de un amante que, ausente de su dama, siente envidiosos recuerdos al contemplar cómo se abrazan vides y olmos.]

> *Lloraba ausencias Rosardo...*
> *Dulces ausencias de Nise*
> *fuego le hacen llorar...*
> *Partiendo, pues, sus ausencias*
> *con la envidia que le dan*
> *abrazos de vides y olmos*
> *esto le oyeron cantar:*
>
> *«Ay, troncos, a mi pesar,*
> *lascivamente impedidos...*
> *... ... ...*
> *... mis penas*
> *tantas son, y con ser tantas*
> *las vencen, dichosas plantas,*
> *los abrazos que os veo dar.*
> *Ay, troncos, a mi pesar,*
> *lascivamente impedidos...»*
>   (1599) [26].

Probado que en el mundo poético gongorino, mucho antes de la aparición de Carrillo, existía un fuerte nexo *amantes = vides y olmos*, ¿vamos a decir ahora que es Carrillo quien ha imitado a Góngora? Claro que no, porque la existencia del nexo poético *amantes = vides y olmos*, o *amantes = vides y álamos*, o *amantes = muro y yedra*, es sencillamente uno de los más usados tópicos de la poesía del siglo XVI, en la cual la referencia a uno de estos grupos de ideas traía consigo, en gran número de casos, la presentación inmediata del otro [27].

---

[26] *Obras poéticas*, I, 199-200. (= Millé, 12.)
[27] Años después de escrito el *Polifemo*, aún sigue Góngora fiel a la misma representación:

Caso análogo es el de los amantes incitados por los arrullos de dos tortolillas o palomas [28], tópico que Góngora había usado varias veces antes que Carrillo. Por ejemplo: en el romance de Angélica y Medoro «En un pastoral albergue...», del año 1602, se describe la pasión de estos amantes en términos parecidos y en medio de un paisaje igual a los de la *Fábula de Polifemo*. Hay en el romance, como en la *Fábula*, sueños al lado de las fuentes, árboles que sirven de pabellones, alfombras de hierba sobre las que se reclinan los amantes, cuevas en donde entrelazan sus abrazos. Si en la *Fábula* los gemidos de las palomas son «las trompas de amor» que les urgen a la amorosa batalla, en el romance

> *tórtolas enamoradas*
> *son sus roncos atambores* [29].

(Tórtolas, como en Carrillo; pero mucho tiempo antes que éste.) Nótese bien: «trompas de amor», «roncos atambores». Lo que Góngora tenía en el oído al repetir dos veces con una separación de casi diez años la misma imagen bélica, era, según ya notó Pellicer, un pasaje del *Orlando*:

> *Guarda corderos, zagala;*
> *zagala, no guardes fe,*
> *que quien te hizo pastora*
> *no te excusó de mujer.*
>
> ....
>
> *Aquella hermosa vid*
> *que abrazada al olmo ves*
> *parte pámpanos discreta*
> *con el vecino laurel.*
>
> (*Obras poéticas*, II, 363 = Millé, 87.)

[28] García Soriano, pág. 622.
[29] *Obras poéticas*, I, 227 = Millé, 48.

> *Non rumor di tamburi o suon di trombe*
> *furon principio a l'amoroso asalto;*
> *ma baci ch'imitavan le colombe*
> *davan segno or di gire, or di far'alto* [30].

Más aún: la forma de introducir Góngora las palomas en su *Polifemo*:

> *... al mirto más lozano*
> *una y otra lasciva si ligera*
> *paloma se caló...* [31].

la había usado ya casi con las mismas palabras en 1605,

> *a un verde arrayán florido*
> *se calaron dos palomas* [33].

Resumen: Góngora asocia las palomas (o tórtolas) a las caricias de los amantes mucho antes de escribir el *Polifemo*, con las mismas palabras que en éste introduce a las mismas aves en 1605; la alusión bélica (trompas, atambores) que repite en el *Polifemo* y en el romance de Angélica, procede de Ariosto... Mal parada va la causa de la imitación de Carrillo.

Se ha dicho también que el final de la dedicatoria del *Polifemo*:

> *Alterna con las musas hoy el gusto,*
> *que si la mía puede ofrecer tanto*
> *clarín, y de la Fama no segundo,*
> *tu nombre oirán los términos del mundo* [34],

---

[30] *Orlando furioso*, canto 25, octava 68.
[31] Pág. 29 = Millé, 416, vv. 317-319.
[33] *Obras poéticas*, I, 248-249 = Millé, 56.
[34] Pág. 10. (= Millé, 416, vv. 21-24.) Suprimo los cuatro versos primeros de la octava, aducidos también por el Sr. García Soriano, el cual

procede de Carrillo:

> *... que irá cantando*
> *un desdichado, un firme, un fiero amante*
> *y con vuestra atención, si oís su vuelo,*
> *piensa afrentar estrellas en el cielo* [35].

En poesía española, esta costumbre de ofrecerse el poeta a cantar los hechos del señor a quien dedica su composición, procede de Garcilaso, égloga primera, estrofa segunda (ya en este caso asoma la hipérbole). A fines del siglo XVI se llega a expresar el mismo objeto con una fórmula casi anquilosada:

---

subraya —suponiendo «plagio»— la palabra *fiero* en Góngora y Carrillo («el *fiero* canto», «un fiero amante»). Pero este adjetivo es tradicional referido a Polifemo («ferus Ciclops», *Metamor.*, 780; «el fiero gigantazo», en la versión de Sánchez de Viana, fol. 151 —véase más abajo, página 344: «il fier Pastor», según Marino, apud Thomas, *Ob. cit.*, página 159). Para «atento» (Góngora) y «atención» (Carrillo) (palabras también subrayadas por el crítico) compárese:

> *Dadme, oh sacro señor, favor...*
>
> ....
>
> *favoreced mi voz con escucharme,*
> *que luego el bravo mar, viéndoos atento*
> *aplacará su furia y movimiento.*
>
> (*Araucana*, XVI, *Bibl. de Aut. Esp.*, XVII, 62.)

> *En el siguiente y nuevo canto os pido*
> *me deis vuestro favor y atento oído.*
>
> (*Araucana*, XXIII, *Bibl. de Aut. Esp.*, XVII, 89.)

Nótese cómo la palabra *atento* surge naturalmente en una ocasión análoga a la de los ejemplos de Góngora y Carrillo. (Ercilla se dirige siempre a Felipe II.)

[35] Fol. 26 v.

> *...Oídos preste el mundo al verso culto;*
> *que yo he de ser Virgilio de tal Marte,*
> *que esparza el nombre suyo y su memoria*
> *desde Pirene hasta aquella parte*
> *que inflama el fuego del Canopo oculto,*
> *y desde el Oceano*
> *hasta el mar que con yelos está cano* [36].

Compárese este ejemplo (anterior a la jornada de Inglaterra, 1588) con los pasajes citados, y se verá cómo Góngora está mucho más cerca de Tejada que de Carrillo. Pero a nadie tenía que imitar Góngora, porque a nadie se parece en mayor grado que a sí mismo. En efecto; en 1607 había dicho al marqués de Ayamonte:

> *De vuestra Fama oirá el clarín dorado,*
> *émulo ya del Sol, cuanto el mar baña...* [37].

Además, véase lo que escribía al fin de una canción de la misma época que la de Tejada (nótese la colocación al final, lo mismo que en la dedicatoria del *Polifemo*):

> *Canción, pues que ya aspira*
> *a trompa militar mi tosca lira,*
> *después me oirán (si Febo no me engaña)*
> *el Carro helado y la abrasada zona...* [38].

Estos dos ejemplos y el procedente del *Polifemo* son de una misma voz, responden a idéntica inspiración y cultura;

---

[36] Agustín de Tejada, *Al rey D. Felipe*, en *Flores de Espinosa*, edición Quirós de los Ríos y Rodríguez Marín, pág. 33.
[37] *Obras poéticas*, I, 280 = Millé, 289.
[38] *Obras poéticas*, I, 111 = Millé, 385.

en ellos se manejan las mismas palabras, los mismos conceptos; son la distinta manera de cuajar, en tiempos distintos, una misma materia y una misma situación poética. Góngora es, pues, en este caso, el legítimo antecedente de sí
mismo.

C) *Por giros o juegos idiomáticos de la época.*

Se ha intentado también hacernos pasar por imitación lo
que no eran más que fórmulas triviales, juegos o giros idiomáticos corrientes en la poesía de la época. Se ha dicho [39],
por ejemplo, que

> donde
> *hurta un laurel su tronco al Sol ardiente* [40]
>
> (Góngora)

es imitación de

> *y burlando del Sol, ufano, el viento*
> *robaba a varias flores el aliento* [41].
>
> (Carrillo.)

Claro está que no hay nada en común entre ambos pasajes, salvo el lejano parecido de las expresiones *hurtar su
tronco al Sol* y *burlar del Sol.* El empleo de «hurtar» con el
sentido de 'esquivar', 'ocultar', 'proteger', etc., es normal en
la lengua castellana. Además, da la pícara casualidad de que
hurtar... al Sol es frase del lenguaje de Góngora anterior al
Polifemo:

---

[39]   García Soriano, pág. 621.
[40]   Pág. 20 = Millé, vv. 177-178.
[41]   Fol. 27 v.

> *Donde armados de nieve los Triones*
> *al Sol le hurtan la Noruega fría.*

(1610) [42].

Lo mismo sucede con el juego acerca de la palabra «Niebla» [43] (Conde de), que ocurre en ambos poemas. ¡Qué lamentable casualidad! Góngora había ya usado [44] exactamente este mismo juego de palabras (entre *Niebla*, 'Condado de', y *niebla*, 'fenómeno natural') antes que Carrillo, casi de seguro en el año 1603, desde luego cuando la corte estaba en Valla-

---

[42] *Obras poéticas*, I, 382 = Millé, 421, vv. 1.026-1.027. Otro ejemplo de un uso análogo de «hurtar»:

> *Vuelve pues los ojos tristes*
> *a ver cómo el mar le hurta*
> *las torres, y le da nubes,*
> *las velas, y le da espumas.*

(1583, *Obras poéticas*, I, 53 = Millé, 13.)

[43] García Soriano, págs. 620-621. Esto de jugar con el sentido de los nombres propios es característico de la época, y en Góngora desde sus años juveniles una verdadera manía que llega a desesperar al lector moderno. (Véase *Obras poéticas*, I, 158, 282, 310, etc. = Millé, 256, 292, 136.) Todavía había de citar otra vez en sus versos el Condado de Niebla; automáticamente surge de nuevo el juego de palabras: «Sidonios muros besan hoy la plata | que ilustra la alta Niebla que desata.» (*Obras poéticas*, II, 265 = Millé, 420, vv. 119-120.) No faltaron otros poetas tentados por el fácil juego:

> *Los tiernos años del famoso conde*
> *de Niebla, luz de España, el mundo admira*

(Lope de Vega, *El peregrino en su patria*, citado en Rodríguez Marín, *Pedro Espinosa*, pág. 236.)

[44] Esta vez con intención jocosa. Es muy de Góngora este usar de los mismos materiales para sus composiciones serias y para las jocosas. Véase lo que digo sobre este asunto arriba, págs. 307-310, y especialmente notas 40 y 41.

dolid. (Comp. Artigas: *Don Luis de Góngora*, pág. 87, y *Obras poéticas*, I, 252 = Millé, 279.)

D) *Falsas coincidencias.*

En fin, nos quedan los casos de descuido o excesivo afán de probar del crítico que últimamente acusó a Góngora. Cuando el lector compara los versos de Carrillo,

> *Así el cruel de amor y enojo ciego*
> *Llenó frente y narices de humo y fuego,*

con los atribuídos por el señor García Soriano [45] a Góngora,

> *Su aliento humo, sus narices fuego*
> *cuando de amor el fiero jayán ciego,*

encuentra bastante parecido. El cual se desvanece tan pronto como el lector se da cuenta de que lo que escribió Góngora fué:

> *Su aliento humo, sus relinchos fuego*
> *—si bien su freno espumas—, ilustraba*
> *las columnas Etón que erigió el Griego,*
> *do el carro de la luz sus ruedas lava,*
> *cuando, de amor el fiero jayán ciego,*
> *la cerviz oprimió a una roca brava...* [46]

Es decir: 1) Que las «narices» que aparecen en esos versos tal como los cita el señor García Soriano no figuran en el texto. Góngora no escribió semejante cosa. 2) Que lo que

---

[45] García Soriano, pág. 624.
[46] *Polifemo*. (Millé, vv. 337-342.)

se quiere hacer pasar por un pareado son dos versos que
van, en realidad, separados por otros tres. 3) Que los dos versos de Carrillo tratan de Polifemo, y de los de Góngora, uno
se refiere ¡a los caballos del Sol! ¿Qué queda, pues? La asociación de las palabras *humo-fuego* (¿cuántos billones de veces no se habrán visto juntas en lengua de hombres?) y la
rima *ciego-fuego,* una de las más vulgares, de la cual se pueden encontrar miles de ejemplos en poesía del siglo XVI [47].
Precisamente Góngora había escrito, muchos años antes (en
1599), un pareado con la rima *ciego-fuego,* en el cual en un
mismo verso se reúnen las palabras *fuego* y *humo*:

> *Más ciegos sean vuestros nudos*
> *que amor ciego,*
> *mientras suspiro humo y lloro fuego* [48]

Y obsérvese que se trata, exactamente igual que en los
versos de Carrillo, de un amante desdeñado. ¿Vamos a decir
que Carrillo había «plagiado» a Góngora? [49].

---

[47] Véanse algunos casos de rima *ciego-fuego,* en las *Flores de Espinosa* (edic. Quirós de los Ríos y Rodríguez Marín, Sevilla, 1896): Luis
Martín de la Plaza, págs. 40, 122, 128, 222; Juan de Valdés y Melén-
dez, pág. 41; Góngora, pág. 26; Pedro de Espinosa, págs. 160, 164, 275;
D. Lope de Salinas, págs. 214-215; el Duque de Osuna, pág. 235, etc.

[48] *Obras poéticas,* I, 199 = Millé, 12.

[49] Del mismo modo compara el Sr. García Soriano, pág. 621, con
intención de mostrar un «plagio», estos dos versos: «La nieve de sus
miembros da a una fuente» (Góngora) y «Más que la blanca nieve intacta y pura» (Carrillo). Citados así, parece puede haber cierta lejana
relación. El verso de Góngora se refiere a Galatea. Si se hubiera citado
completa la frase de Carrillo («Más que la blanca nieve intacta y
pura | una pequeña cueva se mostraba», fol. 28), el lector habría com-
prendido que la pretendida relación es fantástica.

En fin; Góngora imitaba en este pasaje —y bien lo sabían los comentaristas antiguos—, pero no a Carrillo. Imitaba directamente a Ovidio, quien da a los caballos del Sol exactamente los mismos atributos de fogosidad que Góngora:

> ... *quadripedes animosos ignibus illis*
> *quos in pectore habent, quos ore et naribus efflant* [50].

Y en otro lugar:

> ... *Pyrois, et Eous, et Æthon,*
> *Solis equi, quartusque Phlegon, himnitibus auras*
> *flammiferis implent...* [51]

COINCIDENCIAS ENTRE TODOS LOS IMITADORES DE LA FÁFULA

Góngora tomó de Ovidio el argumento de la fábula. De modo semejante, Castillejo la había traducido parcialmente (el canto de Polifemo) [52]; Pérez Sigler [53] y Sánchez de Viana [54] la tradujeron entera (y precisamente en octavas reales);

---

[50] *Metamor.*, lib. II, 84-85.
[51] *Metamor.*, lib. II, 153-155.
[52] En *Bibl. de Aut. Esp.* XXXII, 122-125.
[53] *Metamorphoseos del excelente poeta Ovidio Nasson, traducidos... por el Doctor Antonio Pérez Sigler...*, Burgos, 1609, fols. 348 v. a 351. (Por un error aparece repetida la foliación en este pasaje. Llamaré *bis* a los folios repetidos.) La traducción de Pérez Sigler es inferior, desde un punto de vista literario, a la de Sánchez de Viana. La primera edición es de Salamanca, 1580.
[54] *Los Quinze libros de los Metamorphoseos*, Valladolid, 1589, folios 139-151. (Hay edición moderna: *Biblioteca Clásica*, tomos CV y CVI. El pasaje correspondiente está en el tomo CVI, 225-234.)

Carrillo la siguió muy de cerca; tan de cerca, que en largos pasajes su obra es una verdadera traducción libre[55], y, después de Góngora, aún había de reproducir el mismo argu-

---

[55] Toda la última parte del canto de Polifemo está en Carrillo traducida, con muy escasa variación, del original latino. Pongo aquí el índice de ideas de Carrillo y Ovidio desde la estrofa que comienza «No fué naturaleza tan avara» hasta la que empieza «Qual el valiente toro», y desde el verso 840 del libro XIII hasta el 873, respectivamente.

Carrillo: 1. No fué la naturaleza avara conmigo; no soy tan feo; testigo me es el agua.—2. Mira cuán grande soy.—3. No lo es tanto Júpiter que decís arroja rayos al mundo.—4. Tengo una gran cabellera que sirve de velo a mis hombros.—5. Tener vello duro y barba espesa está bien al hombre.—6. Tengo un solo ojo que, como el sol, él solo alumbra el cielo.—7. Te doy por suegro a tu propio rey [Neptuno].—8. No temo el rayo, y tiemblo ante tu pie.—9. Sufriera tu desdén si otros tristes me hicieran compañía.—10. ¡Que así quieras ser la causa de mis males!—11. ¡Gócese Acis en ti!: él verá lo que puede un cíclope.—12. Quedará deshecho por estos campos.—13. Por dondequiera que vayas verás parte de él.—14. En vano lamentaba sus amores y amenazas. Se levantó.—14 a. *Temblaba el Etna donde ponía el pie.—*15. Lo mismo que el toro que ha perdido su vacada.

Ovidio: 1. Me he visto en el agua y me agradó mi belleza.—2. Mira cuán grande soy.—3. No es mayor Júpiter, pues hablais de que reina cierto Júpiter.—4. Tengo una cabellera espesa que da sombra a mis hombros.—4 a. *El árbol sin hojas carece de belleza y el caballo sin crin. Los pájaros deben tener pluma. La lana adorna a las ovejas.—*5. La barba al hombre; al cuerpo le van bien los pelos hirsutos.—6. Tengo un solo ojo, *como un escudo.* El Sol no tiene más que uno y lo ve todo.—7. Mi padre [Neptuno] reina en vuestro mar. Te le doy por suegro.—8. *Apiádate, a ti sola me rindo.* Desprecio a Júpiter y al rayo: tu cólera temo más.—9. Sufriría mejor tu desdén si huyeras de todos.—10. ¿Por qué prefieres a Acis mejor que a mí?—11. ¡Que se agrade a sí mismo, que te agrade!: ha de sentir que tengo tantas fuerzas como cuerpo.—12. Desgarraré y esparciré sus miembros por el campo.—13. Los esparciré por tus aguas: así se unirá contigo.—13 a. *Mi fuego es mayor que el Etna: tú no te conmueves.—*14. Después de lamentarse en vano, se levantó.—15. Como el toro al que arrebatan su vaca...

Como se ve, Carrillo va siguiendo paso a paso a Ovidio; las mismas ideas y expuestas con el mismo orden (salvo las que he subrayado).

Ahora bien: no hay un pasaje en todo el *Polifemo* de Góngora que muestre esta fidelidad al modelo. Las reminiscencias de Ovidio están

mento Lope de Vega, en *La Circe* [56]. Para no hablar de imitaciones más o menos variadas, a veces en unos cuantos versos (Garcilaso), a veces en largos trozos (Gálvez de Montalvo, en *El pastor de Filida* [57]; Barahona de Soto, en *La Angélica* [58], y en la égloga que principia: «Juntaron su ganado en la ribera» [59]), etc., etc. [60].

---

esparcidas aquí y allá, desordenadamente. La diferencia es ésta: Carrillo tenía a la vista el original latino al tiempo de componer este largo pasaje de su poema. Góngora lo había leído y olvidado, y al evocar genialmente en su imaginación las figuras de los personajes, surgió de vez en cuando y sin orden el recuerdo de determinados lugares ovidianos.

[56] Canto II, *Obras sueltas*, III, 43-51.

[57] Imitación tal vez hecha por intermedio de la traducción de Castillejo. Véase *Bibl. de Aut. Esp.*, XXXII, 122-123.

[58] Véase Rodríguez Marín, *Luis Barahona de Soto*, págs. 360-364.

[59] *Segunda parte de las Flores de poetas ilustres*, edic. Quirós de los Ríos y R. Marín, Sevilla, 1896, págs. 38-41. La imitación existe en el canto amebeo al fin de la égloga; lejana en general, en algunos momentos se hace clarísima. Comp., por ejemplo, el siguiente pasaje:

> *Dos tiernos cachorrillos de una osa*
> *entre estas breñas vide estotro día...*
> *y dije: «Passatiempos de mi diosa,*
> *presa seréis de aquella diosa mía...»*

(Pág. 39.)

con el lugar correspondiente en Ovidio:

> *Inueni geminos...*
> *Villosae catulus in summis montibus ursae;*
> *Inueni et dixi: dominae seruabimus istos.*

(*Metamor.*, 834-857.)

[60] Prescindo de imitaciones lejanas como el canto del Genil, dirigido a la ninfa Cinaris en la *Fábula del Genil* (*Obras de Pedro Espinosa*, edic. Rodríguez Marín, Madrid, 1909, págs. 25-27), en el cual tal

Lo que me interesa hacer ahora constar es que no hay una barrera definida entre las imitaciones y las llamadas traducciones. De hecho, toda traducción en verso es más bien

---

vez pudo influir algo la elegía de Herrera que empieza: «El sol del alto cerro descendía» (edic. La Lectura, pág. 242), imitación, a su vez, lejana pero indudable, de Ovidio. Comp.: *Metamor.*, 838-839:

> *que todo cuanto abraça este gran río*
> *es mío y será tuyo si tú vienes,*
> *ven, oh ven, Galatea, al llanto mío.*

(Herrera, edic. cit., pág. 243.)

No hay por qué detenerse ahora tampoco (aparte la de Lope de Vega) en las imitaciones, casi siempre parciales, posteriores al *Polifemo* de Góngora, que ya (tanta fué su fama) derivan directamente de este poema. Hasta los enemigos de Góngora repiten versos polifémicos. Así, por ejemplo, Quevedo: «las tenebrosas aves | ... | volando torpes y cantando graves» (véase Diego, *Antología poética en honor de Góngora*, pág. 90). Se hacen jocosas parodias, como la conocida de Castillo Solórzano (en *Donaires del Parnaso*, 1624). Miguel Herrero García, en el eruditísimo capítulo dedicado a Góngora en las *Estimaciones literarias del siglo XVII*, ha podido encontrar numerosas interpolaciones procedentes del *Polifemo*, en poetas de aquel siglo (págs. 233-236). Por su parte, Edward M. Wilson, benemérito traductor al inglés de las *Soledades*, ha estudiado, en un bello trabajo *(Culteranism in the Spanish Drama)*, el influjo del *Polifemo* en el teatro. Las obras que cita Wilson son: *El auto sacramental del Polifemo*, de Montalbán; *Circe y Polifemo*, por tres autores (Amescua, Montalbán y Calderón); *El castillo de Lindabridis*, de Calderón; *Fieras de Celos y Amor* (zarzuela), de Bances Candamo; *Accis* (sic) *y Galatea*, de José de Cañizares (zarzuela representada en 1710). Wilson resume así el resultado de su estudio: «The influence of Góngora is perceptible in all these plays. The *Polifemo* of Montalbán derives partly from Góngora and partly from Ovid. The *Circe y Polifemo* incorporates much of the last play, but shews also much borrowing from Góngora's fable. From this play derive the zarzuelas of Bances and Cañizares, the former also shewings traces of the Metamorphoses. In these plays the influence of Góngora is less apparent; references to the *Polifemo* had ceased to be a theatrical novelty. In the *Castillo de Lindabridis*, Calderón recalls Góngora's poem

una imitación o interpretación. Así, la traducción de Anguillara (la más conocida de las italianas) se aparta tanto del
original como la obra de Carrillo. Anguillara introduce octavas de su cosecha siempre que le place, da al principio una
descripción de Polifemo (lo mismo que Góngora), cambia
totalmente (aunque no con mucho talento) el canto del gigante, y, en fin, pone en boca de Acis, ya convertido en río,
un discurso en el que pide a Galatea que no le olvide. E infi-
delidades semejantes (aunque no tan exageradas) se descubren con poco trabajo aun en las que a primera vista parecen traducciones más fieles: la de Sánchez de Viana, la de
Dolce, etc. [61], y, en cambio, ocurre que largos trozos de las

---

in one scene.» Hasta aquí Wilson. Influjos en pasajes aislados hay bastantes más. Por cualquier parte saltan reminiscencias. Véanse estos
versos de *La fiera, el rayo* y *la piedra,* que recuerdan, en representación y palabras, la caverna de *Polifemo:*

> ... *la puerta*
> *deste risco, que mordaza*
> *es de su boca funesta...*
> *Melancólico bostezo*
> *ya del centro de la tierra*
> *es la pavorosa gruta.*

(*Bibl. de Aut. Esp.,* 485.)

[61] Consideremos, por ejemplo, los versos 801-802 del libro XIII de
las *Metamorfosis:*

> *His immobilior scopulis, uiolentior amne,*
> *laudato pauone superbior, acrior igni...*

Sánchez de Viana los traduce así (en redonda todo lo que se puede
considerar amplificación):

> ¡Oh, Galatea mía!: ¿do crueza
> se halla, nunca vista, semejante,
> que *vences estas peñas* en dureza
> y *en no moverte nunca* y ser constante?

imitaciones de Barahona y Carrillo, como indicábamos antes, son verdaderas traducciones [62].

> *Tú tienes más rigor y más braveza*
> *que el río cuando corre más pujante.*
> *Más que el pavón soberbia, vana y ciega.*
> *El fuego en ser quemante no te llega.*

(Fol. 149 v.)

Y si queremos buscar este pasaje en la traducción italiana de Dolce, nos encontramos que el traductor se lo ha saltado lindamente (bien que en otras ocasiones añade las octavas que le parece oportuno).

En Pérez Sigler encontramos una versión muy fiel:

> *Más inmovible que peñasco estable*
> *y más que caudaloso río violenta,*
> *más que loado pavón presuntuosa*
> *y más que el fuego agria y rigurosa.*

(Fol. 347 *bis.*)

Pero el mismo Pérez Sigler, cinco octavas antes, no ha tenido inconveniente en exagerar el efecto de la figura del cíclope con versos que no tienen equivalente en el original:

> *Al pie del monte con sus pies llegaba*
> *sentado, y la cabeza en lo alto daba.*

(Fol. 346 *v. bis.*)

En vista de tanta infidelidad (aún mayor en la versión italiana de Agostini), hubo quien se curó en salud: *Le Metamorphosi d'Ovidio in Ottava rima col testo latino appresso, nuovamente tradotte da M. Fabio Marretti... senza punto allontanarsi dal detto poeta* (Venecia, 1570). Efectivamente: la traducción de Marretti, por su fidelidad, justifica la declaración del título.

[62] Para Carrillo, véase más arriba, pág. 345, nota; compárense con el original las siete primeras octavas del canto de Polifemo en Barahona *(Ob. cit.,* págs. 360-361) y se verá que, aunque hay alguna omisión y el orden es algo diferente, la traducción de las distintas expresiones es casi literal.

Del gran núcleo que forman los imitadores de la fábula entera, Góngora es el que más se aparta del modelo. Si se compara la obra de Carrillo con la traducción de Sánchez de Viana y con el *Polifemo,* se ve que está más cerca de la traducción que del poema gongorino. Carrillo no sólo traduce a veces casi al pie de la letra, sino que, en general, conserva el esquema de la fábula ovidiana (narración de Galatea a Escila). Góngora lo altera todo: inunda su poema de luz, de color; de terribles, sedientas, abrasadas fuerzas fisiológicas en contraste; nos presenta una Sicilia transida de amor por Galatea; describe con lánguida delicia los avances eróticos entre Acis y la hija de Doris, y hace —como también nota Pabst— extrahumano al cíclope y glorioso el fin de Acis, que en la versión de Carrillo se presenta como lamentable.

Naturalmente, Castillejo, Pérez Sigler, Sánchez de Viana, Barahona, Carrillo, Góngora y, luego, Lope de Vega, igual que los imitadores y traductores extranjeros, por tratar de un mismo argumento con las mismas situaciones y un modelo común, presentan todos grandes analogías, muchas veces incluso de léxico o de imagen.

COINCIDENCIAS DE CARRILLO
CON OTROS IMITADORES

Si se toma la obra de Carrillo y se la compara con la de cualquier imitador anterior de esta fábula, surgen por todas partes los parecidos de léxico, de frase, de rima. Esto ocurre, claro está, con casi todos los ejemplos de coincidencia entre Góngora y Carrillo; tales coincidencias casi siempre son comunes a los otros imitadores de Ovidio, y el que en estos casos las expresiones se parezcan más o menos (dado lo idéntico del asunto) pende en último término de la casualidad.

Véanse, por ejemplo, los parecidos de rima, de léxico, etc., que se producen entre las imitaciones (más o menos fieles) de un mismo pasaje. Y nótese que escojo un lugar que en vano se buscaría en el *Polifemo* de Góngora. Habla el cíclope para ponderar su abundancia de ganados:

> *Nec si forte roges, possim tibi dicere, quot sint.*
> *Pauperis est numerare pecus* [63].

He aquí la interpretación [64] de Castillejo:

---

[63] *Metamor.*, 823-824.

[64] Doy aquí, a título de curiosidad, algunas versiones del mismo pasaje en otras lenguas:

> *... Ne quanto sieno puoi da me sapere:*
> *da poueri è numer del gregge hauere.*
>> (Marretti, *Ob. cit.*, pág. 408.)

> *...d'esso il numer non conosco.*
> *Pouero è quel che le sue greggie puote*
> *annouerar, le mie son senza fine.*
>> (*Le trasformationi di M. Ludovico Dolce,*
>> Venecia, 1553, pág. 270.)

> *... Ne numero saprei mai dirne intero,*
> *quando bramasse alcun saperne il vero.*
> *E da persona pouera e mendica*
> *le capre hauer per numero e l'agnelle.*
>> (*Le Metamorfosi*, trad. Anguillara, Venecia,
>> 1563, fol. 231 *v*.)

> *Et si tu veux m'en demander le nombre*
> *Possible n'est que le tout ie te nombre.*
> *A pauure estat appartient de sçauoir*
> *Combien il peut en ses tropeaux auoir.*
>> (*Les quinze livres de la Metamorphose, inter-*
>> *pretéz en rime françoise par François Habert,*
>> París, 1557, fol. 363.)

> *No sabré dar dello nuevas*
> *ni recado;*
> *que nuncá las he contado*
> *ni visto tan mala vez;*
> *que de pobres hombres es*
> *poder contar su ganado* [65].

La de Pérez Sigler:

> *... y si me preguntases, ninfa mía,*
> *el número, decillo no sabría.*
> *Es de persona vil, pobre y mendiga*
> *el ganado contar...* [66]

La de Sánchez de Viana:

> *Si preguntas cuánto es, no tiene cuenta;*
> *de pobre, de mendigo y apocado*
> *es reducir a número el ganado* [67].

La de Barahona de Soto:

> *Ni sé lo que es, ni puede ser contado;*
> *que haberse de contar pobreza fuera* [68].

The number of them (if a man should ask) I cannot showe
Tush beggars of theyr Cattell vse the number for too knowe.

> *(The XV. Bookes of P. Ouidius Naso, entytul-*
> *ed Metamorphosis, translated oute of Latin into*
> *English meeter by Arthur Golding, Gentleman,*
> Londres [1567], fol. 170 v.)

[65] En *Bibl. de Aut. Esp.*, XXXII, 123.
[66] Fol. 348 *bis*.
[67] Fol. 150.
[68] En Rodríguez Marín, *Barahona de Soto*, pág. 362.

Y, en fin, la de Carrillo:

Número y cuenta excede su grandeza,
que el contarlo lo tengo por pobreza [69].

¿Quién se atreverá a coger dos eslabones de esta larga cadena y decir que uno es imitación del otro? Pues ¿cómo juzgaremos entonces las coincidencias entre Carrillo y Góngora?

Tomemos ahora una sola de las imitaciones más alejadas, la de Barahona de Soto, en la cual se han cambiado hasta los mismos personajes, pues el monóculo Polifemo se ha transformado en el ciego Orco, y Galatea y Acis (hasta cierto punto), en Angélica y Medoro.

Carrillo hace decir al cíclope que Galatea promete

en su frescura
del hermoso jardín el lirio y rosa [70].

En Barahona el Orco compara a Angélica con

la floresta
de lirio rica, de mosquete y rosa [71].

En Carrillo, Polifemo se alaba así:

Mira qué grande soy: no está en el cielo
Júpiter (que decís arroja airado
rayos al mundo) tal... [72].

---

[69] Fol. 30.
[70] Fol. 29.
[71] Pag. 360.
[72] Fol. 30 *v.*

Y en Barahona:

> *No es Júpiter tan alto ni tan fuerte*
> *que allá por Dios tenéis...*[73].

En Carrillo, el gigante amenaza a Galatea de este modo:

> *... por estos campos quedará deshecho*
> *el tierno cuerpo de tu dueño amado,*
> *y gustarás, en fin, que así lo quieres,*
> *ver siempre parte de él por donde fueres*[74].

A lo que corresponde en Barahona:

> *Yo despedazaré por más castigo*
> *sus miembros preciosísimos que amaste*
> *por riscos y por selvas sin abrigo*
> *do tú los puedas ver, pues lo causaste*[75].

Estos tres ejemplos se podrían aumentar considerablemente. No me interesa hacerlo porque no hay cosa más
ajena a mi ánimo que el querer probar que Carrillo imitó
a Barahona. Pero los he escogido por su distinta condición.
El primero no se puede referir exactamente a Ovidio, y es,
por tanto, idéntico a los que he agrupado antes bajo la letra
B): coincidencias de léxico, etc., producidas por el natural
desarrollo de un tema idéntico. Los otros dos, claro está,
tienen su explicación en que son imitaciones muy fieles de
lugares ovidianos; el segundo ejemplo le habíamos conside-

---

[73] Pág. 363.
[74] Fol. 31.
[75] Pag. 364.

rado ya al tratar de las coincidencias de Góngora con Carrillo; el tercero no existe en el *Polifemo* gongorino.

Aplicando los mismos procedimientos críticos de la acusación contra Góngora, tendríamos que inducir (si no estuviéramos en el secreto) que Carrillo había plagiado a Barahona, hipótesis que es una lástima sea muy poco probable. Lo mismo se podría probar —si nos dedicáramos a ese deporte— que había imitado a Anguillara. En efecto; según Ovidio, Polifemo, terminado su canto:

> *Surgit et ut taurus uacca furibundus adempta,*
> *stare nequit siluaque et notis saltibus errat* [76]

Si comparamos este pasaje con el correspondiente en Carrillo:

> *Cual el valiente toro, que ha perdido*
> *de la vacada el reino, que enojado*
> *espanta el bosque con feroz bramido,*
> *desafía al contrario* [77],

vemos que Carrillo se separa del modelo en dos puntos: 1, el bramido; 2, la mención del contrario. Pues estos dos elementos aparecen en la traducción de Anguillara:

> *Tal se' l toro talhor uinto si rende,*
> *e cede la giuenca al bue più forte,*
> *sen' ua in disparte, e mentre sen' ricorda*
> *il mondo col mugghiare, e' l ciel assorda* [78].

Nuestro entusiasmo de «investigadores de plagios» se en-

---

[76] *Metamor.*, 871-872.
[77] Fol. 31 *v.*
[78] Fol. 232.

fría un poco cuando nos encontramos con lo mismo en la traducción de Pérez Sigler:

> ...*como toro a quien quitado*
> *ha la vaca otro toro más valiente,*
> *bramando va por selva, monte y prado,*
> *tal salía Polifemo...* [79]

Ninguno de estos tres ejemplos prueba imitación, sino más probablemente la escasa originalidad del cerebro humano: las mismas causas producen los mismos efectos. En la palabra *adempta* estaba tácita la idea de un agente; el adjetivo *furibundus* lleva en seguida a la representación de los bramidos del animal. En Anguillara, en Pérez Sigler, en Carrillo, se ha verificado (por vías probablemente independientes) el mismo desarrollo representativo.

Por todas partes surgen las coincidencias. (Sería pueril, por tanto, pretender —como se ha hecho alguna vez— sacar consecuencias de fenómenos tan naturales como que al imitar los versos 821-824 del libro XIII de las *Metamorfosis* se produzca en Carrillo y en Góngora la misma rima —*ganados*—. Efectivamente, la misma palabra da la rima —*ganado*— cuando traducen o imitan este mismo pasaje Castillejo, Pérez Sigler, Sánchez de Viana y Barahona. Nada menos.)

PUNTOS DE CONTACTO DE GÓN-
GORA CON OTROS IMITADORES

Hemos visto, pues, cómo Carrillo descubre coincidencias múltiples y curiosas, achacables a diferentes causas, con los

---

[79] Fol. 350 *bis.*

otros imitadores de la fábula anteriores a él. Desde otro punto de vista, podemos afirmar ahora que, dejado aparte Carrillo, Góngora presenta puntos de contacto (que tampoco implican forzosamente imitación) con diversos traductores nacionales y extranjeros. Si Góngora, por ejemplo, dice por boca de Polifemo: «iguales / en número a mis bienes son mis males», Sánchez de Viana hace hablar al mismo gigante así: «aprenderá en sus males / que mis fuerzas y cuerpo son iguales» [80].

Entre Góngora y Anguillara se pueden encontrar también varios puntos de contacto. Ante todo, como ya he indicado, la descripción del gigante Polifemo al principio de la fábula. En una misma octava de Anguillara se encuentran los versos siguientes:

> *Era grande il fellone a par d' un monte.*
> ... ...
> *Un occhio sol nel mezzo havea la fronte* [81].

Y en una misma de Góngora:

> *Un monte era de miembros eminente*
> ... ...
> *de un ojo ilustra el orbe de su frente* [82].

Y en otra octava de Anguillara riman *Tifeo* y *Lilibeo*, del mismo modo que en la estrofa IV del *Polifemo*. ¿Serán éstas reminiscencias en Góngora de la lectura de Anguillara? Cri-

---

[80] El parecido es de rima y léxico; no lógico. Pero sobre semejanzas de esta clase se ha construído la teoría de la imitación de Carrillo por Góngora.

[81] Fol. 230 *v*.

[82] Pág. 12 = Millé, vv. 49, 51.

tiquemos estas coincidencias. Lo de la frente con un solo ojo
está en Ovidio, y carece de valor, por tanto. No así la comparación con el monte ni el unir en una misma estrofa (como
consonantes) *Tifeo* y *Lilibeo* [83]. Pero ¿no han colaborado la
Mitología y la Geografía para unir los nombres de *Tifeo* y
Lilibeo? Y ¿no es muy posible que a ambos poetas, dada la
estatura del cíclope, se les ocurriera lo mismo? [84]. Tan posi-

---

[83]   *Polifemo*, pág. 11 = Millé, vv. 28 y 26. Comp. Anguillara, *Ob. cit.*,
folio 232.

[84]   La comparación con el monte (que encontramos también en Marino: véase pág. 359) pasa después a Lope, a quien también se le pudo
ocurrir independientemente. Este la amplifica como sigue:

> *Vive en un alto monte Polifemo,*
> *que mirándole no he determinado*
> *cuál es el monte, y de mirarle temo*
> ... ...
> *... el monte de árboles se vale*
> *sobre las peñas, porque no le iguale.*
> *Pero, por más que .crezca, al fin le excede,*
> *y es tal la pesadumbre de su exceso,*
> *que se queja la mar de que no puede*
> *dos montes sustentar de tanto peso.*
>
> (*La Circe*, en *Obras sueltas*, III, 43-44.)

Lope de Vega sí que no podía disimular que conocía el *Polifemo* gongorino:

> *Un limpio canastillo*
> *de conservados nísperos y servas*
> *y antes que llueva el pálido membrillo*
> *para que dure entre olorosas hierbas.*
>
> (*La Circe*, pág. 49.)

> *la serva a quien le da rugas el heno;*
> *la pera de quien fué cuna dorada*
> *la rubia paja y —pálida tutora—*
> *la niega avara y pródiga la dora.*
>
> (*Polifemo*, pág. 14 = Millé, vv. 77-80.)

> *puedo alcanzar estrellas con la mano*
>
> (*La Circe*, pág. 48.)

ble, que en los sonetos polifémicos de Marino nos encontramos, dentro de un mismo soneto, con estos dos versos:

> ... *Vn pastor di statura emulo al monte:*
> *Vna luce (i' nol nego) ho sola in fronte...* [85]

Si los comparamos con los dos de Anguillara de que ahora tratamos, nos encontraremos con que el parecido que ofrecen unos y otros es igual o mayor que el de los de Góngora con relación a Anguillara. Es éste sólo un ejemplo más de cómo el mismo tema tiende a desarrollarse de idéntico modo llevando hasta curiosas semejanzas de léxico, rima, etc. Es mucho más racional pensar así que suponernos descubriendo imitaciones (o «plagios») a cada esquina.

> ... *en los cielos... puedo*
> *escribir mis desdichas con el dedo.*
> > (*Polifemo*, pág. 36 = Millé, vv. 415-416.)

Aunque en este ejemplo el gran dramaturgo, tal vez por intermedio de Góngora, parece haberse remontado a Virgilio (*Eneida*, III, 61-62). Pero donde Lope se descubre del todo es en el ejemplo siguiente:

> *Cuando baja el azor,* rayo de pluma;
> > (*La Circe*, pág. 45.)

> ... *el ave reina...*
> ... *desciende*
> rayo con plumas...
> > (*Polifemo*, pág. 25 = Millé, vv. 261-263.)

Por estas y algunas otras reminiscencias no vamos a decir —naturalmente— que Lope «plagió» su *Polifemo*. No; el pasaje de *La Circe* en que narra la fábula tiene el sello inconfundible de Lope (gracia, agilidad, afectos humanos, de repente versos que se iluminan con nítida luz, muchas caídas de prosaísmo, y —casi siempre— superficialidad).

[85] En Thomas, *Ob. cit.*, pág. 157.

UN HÉRCULES «POLIFÉMICO» DEL SIGLO XVI

El recuerdo de los pasajes polifémicos de Ovidio y Virgilio traspasa el ámbito de los poemas españoles que tienen por argumento la fábula de Acis y Galatea (ya hemos visto algún ejemplo antes: véanse pág. 346, notas 59 y 60, y páginas 353-355), dando lugar a curiosas semejanzas. José María de Cossío me señala una que lo es en extremo. Al tocar el capitán Aldana en la fábula de Hércules y Onfalia, describe así al héroe:

> *Tan alto era el jayán, que desde el suelo*
> *en las más altas cumbres se arrimaba,*
> *y el águila cogía pasando a vuelo*
> *si la mano robusta al aire alzaba;*
> *cuando en el mal peinado y largo pelo*
> *de la gran barba el fiero viento daba,*
> *un estruendo hacía cual selva espesa*
> *que animoso Aquilón desgaja y mesa.*
>
> (*Segunda parte de las obras*, Madrid, 1591, fol. 48.)

Cualquier lector del *Polifemo* reconoce a primera vista los puntos de contacto con la representación que años más tarde tendrá el gigante en Góngora. («Un monte era... eminente...»; «... y en los cielos... puedo / escribir... con el dedo...»; «... su barba... / ... / o tarde o mal... surcada aún de los dedos...», versos 49, 415-416, 61-64.) Pero esto lo único que nos indica es que en la segunda mitad del siglo XVI habían sedimentado los recuerdos polifémicos de Ovidio y Virgilio lo suficiente para formar un tópico representativo de gigante..., aunque de quien se habla sea de Hércules.

UN PASAJE DEL «POLIFEMO», IMITADO POR GÓNGORA

Sólo podremos, pues, hablar con seguridad de imitación directa, en el caso de que una coincidencia entre dos poetas que tratan la fábula ovidiana no exista en la fuente común y no se pueda explicar por el desarrollo natural y lógico de ésta, sino que sea un añadido cuyo carácter de invención resulte perfectamente claro.

Creo haber encontrado un caso de este tipo. *Il Polifemo. Stanze Pastorali di Tomasso Stigliani* (Milán, 1600)[86] es un verboso poema en octavas reales, que presenta para nosotros el interés de ser la primera imitación de la fábula en octavas, y a la par desligada de las *Metamorfosis*, siendo así antecedente inmediato de Góngora lo mismo que de Carrillo. Pues en esta composición de Stigliani (en la que el canto de Polifemo se dilata inacabablemente), el gigante, después de ofrecer a Galatea una serie de regalos, imitada más o menos directamente de la de Ovidio, continúa así:

> *O se tu fussi come è misia Arciera,*
> *che bello arco vorrei, che strali darti,*
> *ch'io già tolse a Liçaspe, huom che stato era*
> *spinto dalla procella in queste parti!*
> *Dipinta in oro è la faretra intera*
> *di vaghe historie ch'io non vo contarti*
> *devendo poi tu intenderle con gli occhi*
> *meglio ch' or da miei versi incolti e sciocchi*[87].

---

[86] Existe otra versión de *Il Polifemo* en *Delle Rime del Signor Tomaso Stigliani. Parte Prima*, Venecia, 1605, págs. 59-71. Esta versión suprime bastantes octavas y presenta variantes importantes en otras. El pasaje de que aquí tratamos aparece sólo ligerísimamente alterado.

[87] *Il Polifemo*, edic., cit., 17.

A pesar de esta promesa, cuenta una de las historias que figuraban en la aljaba (la de Apolo y Dafne), y luego concluye así el episodio:

Di cotai forme e di più scelte ornata
ha la nobil faretra ignoto autore;
greve è di frecce, et ogni freccia aurata
che non disdegnerebbe oprarle Amore[88].

Obsérvese que esta oferta de arco, flechas y aljaba no figuraba entre las comodidades y presentes que Polifemo ofrece a Galatea en Ovidio (versos 810-837). Es una invención formada sobre el tipo de los regalos y riquezas que en la obra latina se enumeran, pero invención al fin.

Encontramos ahora el siguiente pasaje en el *Polifemo* [descripción de un naufragio]:

En tablas dividida, rica nave
besó la playa miserablemente,
de cuantas vomitó riquezas grave
por las bocas del Nilo el Orïente
... ...

[Un náufrago «genovés», hospedado por Polifemo, paga la hospitalidad con un arco y una aljaba de marfil. Polifemo ofrece uno y otra a Galatea.]

Segunda tabla a un ginovés mi gruta
de su persona fué, de su hacienda.
La una reparada, la otra enjuta,
relación del naufragio hizo horrenda.
Luciente paga de la mejor fruta
que en yerbas se recline, en hilos penda,
colmillo fué del animal que el Ganges
sufrir muros le vió, romper falanges.

---

[88] *Il Polifemo,* loc. cit.

> *Arco, digo, gentil, bruñida aljaba,*
> *obras ambas de artífice prolijo,*
> *y de malaco rey a deidad java*
> *alto don, según ya mi huésped dijo.*
> *De aquél la mano, de ésta el hombro agrava* [89].
> ... ...

Resulta extraño este pasaje del *Polifemo* al final del canto del cíclope. Produce la impresión de algo mal desarrollado y no conseguido. La comparación con el de Stigliani, que hemos transcrito, nos explica el origen y tal vez esa torpeza. En uno y en otro poema, un primoroso arco y una delicada aljaba (obra de «ignoto autore», en Stigliani, y de un «artífice prolijo», en Góngora) pasan de las manos de un náufrago a las de Polifemo, y éste se los quiere regalar a Galatea Quizá Góngora había pensado en la posibilidad de desarrollar una narración incisa, como Stigliani, pero, cansado, al terminar la estrofa LVIII cortó por lo sano el canto, para dar el remate de la fábula. Sea de esto lo que fuere, lo cierto es que el pormenor de este arco y aljaba (inexistente, como he dicho, en Ovidio) prueba, o una fuente común y desconocida para Stigliani y Góngora, o, lo que es casi seguro, una imitación directa por Góngora de la obra del italiano. Imitación que en nada oscurece la gloria del *Polifemo* gongorino, ante el cual la divagadora obra de Stigliani apenas si tiene existencia estética.

Y así tal vez se explicaría aquella afirmación de Lope de Vega:

> *Cierto poeta de mayor esfera,*
> *cuyo dicipulado dificulto,*
> *de los libros de Italia fama espera:*
> *mas porque no conozcan por insulto*

---

[89] Págs. 38-39 = Millé, vv. 449-461.

los hurtos de Estillani y del Chabrera
escribe en griego, disfrazado en culto [90].

Esto, unido a las otras afirmaciones de imitación italiana (que el señor Millé ha probado aludían como modelo a Chiabrera), nos inclinaría a pensar que Lope, en una de las incidencias de su poco diáfana posición frente a Góngora (halagos en público y zumba *sotto voce*) tira aquí un zarpazo directo al cordobés.

EL SILENCIO DE LOS CONTEMPORÁNEOS

Carecemos, lo hemos visto, de pruebas ciertas para poder afirmar una imitación o reminiscencias, ni aun tratándose de cosas semejantes que están en Anguillara y Góngora y no en los demás, ni siquiera en Ovidio, a no ser en casos en que la coincidencia revela una clara adición inventiva, como en el ejemplo Stigliani-Góngora. Pues bien: entre Carrillo y Góngora no hay ninguna semejanza como las que se descubren entre Stigliani y Góngora, ni aun siquiera como las existentes entre Góngora y Anguillara; lo que tienen común o es común con otros varios imitadores de Ovidio, o está acreditado en Góngora en composiciones más tempranas. El error [91] que se ha cometido consiste, pues, en imaginar que

---

[90] Lope de Vega, *Obras sueltas*, XIX, 73. Este soneto de las *Rimas de Burguillos* (1634), caso de estar efectivamente dirigido contra Góngora, debería haber sido redactado muchos años antes, tal vez a poco de escribirse el *Polifemo*. Que Góngora pudo tomar de Chiabrera su afición a los hipérbatos, ha sido ya sustentado por Millé en *Estudios de literatura española*, La Plata, 1928, págs. 220-228.

[91] Aún se le dedican algunos dardos a Góngora en una nota del artículo que comentamos (pág. 625). Por ejemplo: «Aun el feo pleonasmo que tanto se le censuró

El pie argenta de plata al Lilibeo

Carrillo había inventado el tema para que Góngora se lo pla-
giara. No; la fábula de Polifemo, Acis y Galatea era *res nul-*

---

está tomado de una poesía de Luis Martín, incluída en las *Flores*:

> *Y aquestos montes con tu plata argentas.»*

Quiero apuntar aquí algunas observaciones: 1.ª Exactamente la misma afirmación hace D. Adolfo de Castro en la página VIII del tomo XLII de la *Bibl. de Aut. Esp.*—2.ª Góngora había escrito en 1584:

> *tu perro*
> *... alzando la pierna,*
> *con gentil denuedo*
> *me argentó de plata*
> *los zapatos negros.*

> *(Obras poéticas*, I, 67 = Millé, 16.)

Ahora bien: Luis Martín nació en 1577 (Rodríguez Marín, *Pedro
Espinosa*, pág. 46). Este Góngora era un hombre sin conciencia: ¡Miren
que imitar a un niño de siete años!—3.ª Si llamamos «feo pleonasmo» a
la expresión «argentar de plata», no cabe duda que cuando Cervantes
escribió «argentería de oro» *(Quijote*, 2.ª parte, XXXV) no supo lo que
se decía. Además, este uso es extenso y antiguo: «argentiría de plata
dorada e blanca», es expresión que aparece repetida tres veces en el
Libro de la Cámara Real del príncipe D. Juan. Bibliof. Esp., VII, 204 y
205 y D. Adolfo de Castro en la pág. 459 del tomo XXXII de la *Bibl.
de Aut. Esp.*, al comentar este pasaje del *Polifemo* cita otras expresiones semejantes: «argenterías de oro... y argenterías negras» (Arguijo),
etcétera. También cita parte del siguiente pasaje de Pellicer: «Mucho
han calumniado los críticos a esta frase [«El pie argenta de plata al
Lilibeo»], más con el odio que con la cordura; que peligra mucho
con la passión el seso.» Sigue Pellicer: «Dizen que *argentar de plata*
es lo mismo que *dorar de oro* y *platear de plata*, no dándose por entendido algún andaluz, que lo notó que es frase provincial y sólo vsada
en la Andaluzía, donde *argentar* sirue al oro y plata, y se dize *argentar
de oro* y *argentar de plata*, y esto es más frequente en los borceguíes
de Córdoba... Estos, pues, borceguíes se *argentauan de oro y de plata*, de
donde se originó la voz *argentería*, y siendo andaluz D. L[uis] era
fuerça hablasse en su idioma gentil *(Lecciones solemnes*, cols. 35-36.)
En efecto: casi todos los ejemplos de uso de esta expresión en Gón-

lius, y, según costumbre renacentista, todos se aprovechaban libremente de ella.

Góngora conocía probablemente la mayor parte de las traducciones e imitaciones castellanas y algunas de las italianas. Es probable que conociera la obra de Carrillo. El hecho de dedicar su poema al conde de Niebla (lo mismo que Carrillo) parece indicar cierto deseo de competencia [92] (es decir, todo lo contrario que imitación). Si quiso anular al cuatralbo, lo consiguió por completo. No era Góngora suficientemente tonto para plagiar a Carrillo y luego dedicar la obra a quien mejor hubiera podido descubrir la superchería. ¡Al conde de Niebla, a quien poco más de un año antes había dedicado su fábula Carrillo! Lo mejor del caso es que no era el conde de Niebla el único que habría podido denunciar a un ladrón tan inhábil, tan estúpido.

¡Eran tantos los que hubieran podido (y querido) descubrir el robo, caso de existir el menor fundamento para acu-

---

gora (así los dos citados más arriba) se refieren al pie o al zapato. Del mismo modo, en el soneto *Burlándose de un caballero prevenido para unas fiestas*, describe Góngora así el calzado del galán: «Borceguí nuevo, plata y tafilete» (*Obras poéticas*, I, 195 = Millé, 264). No faltan tampoco algunos casos de empleo de la expresión discutida, en que no hay referencia a calzado: «Después que han argentado | de plata el verde prado, / reduce a sus rediles sus ovejas» (*Obras poéticas*, 1, 383 = Millé, 421, vv. 1.051-1.053.)

Los que han censurado la frase de que tratamos han cometido la equivocación de creer que cada palabra lleva dentro de sí su sentido etimológico. Cuando en realidad *argentar* llega a significar 'dar a una cosa un brillo metálico', del mismo modo que fr. *argent* llega a significar 'dinero' (plata, oro, cobre, papel, etc.). Y entonces, para especificar, hay que decir en español *argentar de plata*, como en alemán para designar la limonada natural hay que decir *Zitronenlimonade*. No hay, pues, pleonasmo en esa que es una de las expresiones más corrientes en la lengua de Góngora, una de las más cordobesas y familiares al poeta.

[92] Esto es lo sustentado también por Artigas, *Ob. cit.*, pág. 129.

sar! ¡Gran comidilla para los ociosos de los mentideros, para los correveidiles literarios, para los que le escribían a Góngora cartas echadizas, para los adoradores de Lope! ¡Con cuánto gusto lo hubieran divulgado aquellas benditas almas que se complacían en arrojar lodo sobre la estirpe del gran poeta! Que no le faltaban enemigos de sutil intención ni en Madrid ni en Córdoba, y el supuesto robo, siendo también de esta ciudad Carrillo, se lo deberían saber con pelos y señales los cordobeses. A los cuatro vientos (y no sin bilis) lo hubiera proclamado Quevedo, enemigo cordial de Góngora e íntimo amigo de los Carrillo. Lo hubiera podido denunciar Suárez de Figueroa [93], aquel resentido nato, gran admirador y amigo del cuatralbo y especialista en el tema de la *Fábula* (que él mismo había reducido a los límites de un soneto); pues, lejos de acusar a Góngora, le alaba con entusiasmo y encarece el valor del *Polifemo*. Lo podría haber denunciado, con perfecto conocimiento de causa, Pedro de Valencia, aprobador oficial de las obras de Carrillo; Pedro de Valencia, que poco tiempo después había de juzgar (por cierto que sin morderse la lengua) el *Polifemo* gongorino. ¿Pues qué no habría hecho Cascales, amigo personal de Carrillo y decidido contrario de la poesía de Góngora? ¡Qué casualidad!: Con tantos enemigos, con tantos envidiosos, a nadie se le ocurrió denunciar al supuesto ladrón [94].

---

[93] Para las relaciones entre *Carrillo de Sotomayor y Suárez de Figueroa*, véase el artículo de Buceta en *Rev. de Filol. Esp.*, 1919, VI, 299-305.

[94] Que nadie lo hiciera se considera «inexplicable» en el artículo que comentamos, pág. 626 (y para nosotros es mucho más inexplicable aún). Cuando no hay testimonios es inútil echar mano de uno anónimo y de fecha problemática, contenido en dos manuscritos de la Biblioteca Nacional. (Dos mss., pero un solo testimonio, porque el texto de que

RESUMEN

Resumen: tres partes ha tenido este trabajo. En la primera creo haber probado que las coincidencias entre Carrillo y Góngora se explican perfectamente por la imitación de un modelo común, y por el natural desarrollo del argumento ovidiano, o son sencillamente expresiones usuales de la lengua poética del tiempo, o, en fin, son falsas coincidencias originadas por equivocación de los críticos. Recuérdese también que casi siempre los lugares tachados de imitación tenían su antecedente clarísimo en la misma poesía de Góngora. En la segunda parte de mi artículo he procurado mostrar cómo entre todos los imitadores de Ovidio se producen los mismos tipos de coincidencias, y las que se hallan entre Góngora y Carrillo no tienen más valor que las que se encuentran entre Carrillo y Barahona, o entre Carrillo y Anguillara, o entre Góngora y Anguillara, etc. En la tercera parte, el silencio unánime de los contemporáneos, de los amigos de Carrillo, de los enemigos de Góngora, de los que conocían al dedillo las obras de ambos poetas, nos ha sido más elocuente que largos discursos. En fin, no se olvide que he esquivado la razón más poderosa: la de la originalidad creativa del *Polifemo,* por haber sido tratado brillantemente este tema por el alemán Walther Pabst.

Por desdicha (o por fortuna), la gestación de una criatura de arte es un fenómeno mucho más complicado que lo

_____

ahora tratamos está copiado en uno de ellos, al pie de la letra, del otro.) Pero demos por de recibo el tal testimonio. ¿Qué es lo que dice? Que la *Fábula de Acis y Galatea,* de Carrillo, «según el juicio de algunos que lo tienen bueno», «dió motivo» a D. Luis de Góngora para escribir su *Polifemo.* Puesto esto es exactamente lo que afirma Artigas y lo que nosotros defendemos.

que puede a primera vista imaginarse. Aquí, como siempre en el mundo, luchan los elementos de freno, los que atan al pasado tradicional y los de avance, los puramente creativos y personales. En cada uno de estos sectores, ¡qué hervor sordo de fuerzas tumultuosas; qué de encrucijadas y caminos subterráneos, llenos de puntos de luz y de súbitas tinieblas inescrutables! Las más fisiológicas y recientes sensaciones del hoy del artista (lo mismo que sus pensamientos, sus temores, gozos y esperanzas), antes de nacer a luz la obra, suscitan un mundo de representaciones blancas, frías, espectrales; lo inmediato se une a lo pasado (pasado reciente o pasado de milenios), y a un cielo contemplado hoy, se suma un verso escrito por Virgilio hace casi dos mil años.

Góngora pertenece a un período que, si miramos a vista de pájaro, forma aún parte del renacimiento: este momento complicado, torturado, retorcido, reelabora los elementos renacentistas, es decir, toda la tradición grecolatina. En el siglo XVII dominan netamente las fuerzas de imitación: el valor de una obra se mide por la grandeza, la valentía y la perfección en imitar. La originalidad tiene un ámbito muy reducido: casi no llega a más que a renovar el orden de elementos antiguos para engañar y halagar la imaginación de un mundo que ya se estaba ahitando. Y es inútil buscar en esta época el rabioso prurito moderno de la originalidad, que hace que una de las normas primeras para medir una obra de arte consista hoy en apreciar lo que la separa, lo que la distingue de las obras anteriores. Esta sed representa el triunfo de la personalidad creadora, y es una rebeldía, un «no serviremos», que no va más allá del romanticismo del siglo XIX [95], y es quizá la única aportación de este movimien-

---

[95] «Que le poète se garde de copier qui que ce soit, pas plus Shake-

to, que no sólo se conserva, sino que aumenta cada día en el mundo contemporáneo.

Góngora, fiel a su época, imita tenazmente. A veces sobre una sola estrofa, y aun sobre un solo verso, se proyectan al mismo tiempo tres o cuatro sombras venerables. (Porque las burlas contra el ardor erudito de un Pellicer o un Salcedo son muchas veces injustificadas.)

Había en Góngora un gran artista original cuya fuerza se desencadena a veces en hirientes atisbos, en penetrantes indagaciones. Un paso más, un saber libertarse, y hubiera sido el primer poeta moderno. Tal como fué la realidad, se quedó en el último gran poeta de la tradición renacentista. Para juzgar una obra suya hay, pues, que colocarse dentro de esa tendencia de su tiempo, hay que saber encontrar la originalidad dentro de la imitación.

Visto a esta luz, el *Polifemo* de Góngora, salvadas las reminiscencias ovidianas y algún pormenor de escasa importancia, es una obra original; original por su grandioso planteamiento de la tragedia de amor en medio de la incitante naturaleza siciliana; original y de técnica maravillosa también, en cuanto a sus pormenores. Lo limitado de la tradición renacentista y el venir a la postre de una cadena, eran obstáculo no pequeño. Sólo un genio poético como Góngora pudo tomar tema tan manoseado y, sepultando en el olvido a sus antecesores, dejárnoslo nuevo, virginal: criatura de arte exacta y gozo para siempre [96].

---

speare que Molière, pas plus Schiller que Corneille.» Víctor Hugo, *Préface de Cromwell*.

[96] Atiendo aquí a esa fidelidad a los antiguos, innegable en el pormenor de la poesía gongorina. Pero todo en ella está potencializado por un impulso que era nuevo. V. *Poesía española. Ensayo de métodos y límites estilísticos*, Madrid, 1952, págs. 387-392.

UNA CARTA INEDITA[1] DE GONGORA

Dᴵᴬ señalado para los estudios gongorinos será aquel en que se pueda afirmar con exactitud ser autógrafo alguno de los manuscritos de las obras del gran poeta. El lector del presente libro sabe ya de un manuscrito en que don Luis puso acá y allá la mano para completar y corregir algunos de sus poemas o para rechazar otros que se le atribuían indebidamente[2]. Salazar Mardones, amigo de Góngora, se alaba en su *Ilustración y defensa de la «Fábula de Píramo y Tisbe»*[3] de poseer «el original» del *Panegírico*, escrito de mano del poeta. ¿Qué ha sido de este autógrafo y de los demás? Entre las innumerables copias de poesía de Góngora hechas en el siglo XVII que han llegado hasta nosotros, son

---

[1] Conservo el título y, en general, la redacción de esta nota (aparecida en 1927): hace años que Millé la incorporó a su edición del epistolario en las *Obras* del poeta (núm. 101). Aprovecho la ocasión para decir que, en realidad, una gran parte de esas cartas podrían considerarse «inéditas», y no por culpa de los editores modernos (Artigas, Millé), sino de la malhadada copia hecha por un amanuense de don Marcelino Menéndez Pelayo. Dicho copista suprimió todo lo que para él no tenía interés y leyó los más increíbles disparates. Preparo actualmente una edición de las cartas de Góngora en colaboración con Ignacio Aguilera, director adjunto de la Biblioteca de Menéndez Pelayo, de Santander.

[2] Páginas 251-262: *Puño y letra de don Luis en un manuscrito de sus poesías.*

[3] Madrid, 1636, fol. 179.

varias las que han sido tenidas como de letra original[4]. De alguna que hemos visto podemos casi con seguridad negarlo[5]. Pero la afirmación o negación decisiva sólo podrá hacerse después de un estudio minucioso que permita aislar los rasgos distintivos de esta escritura y su evolución a lo largo de la vida de Góngora.

Se podría empezar por un análisis de las firmas auténticas. Afortunadamente, este problema concreto se presenta más fácil. Hay muchos documentos oficiales firmados por don Luis de Góngora que, por su contenido, a nadie sino al poeta se pueden referir. Estas firmas son, pues, autógrafas de un modo indiscutible. Cuatro de esta clase están reproducidas en el libro *Versos de Góngora*, publicado por la Real Academia Cordobesa, las cuales pertenecen a 1576, 1579, 1585 y 1586[6]. De ellas, la primera, trazada por una mano de quince años, presenta unos rasgos y una ortografía que en las demás desaparecen. Las tres, y sobre todo las dos últimas, aunque tienen ligeras diferencias, coinciden en ortografía y rasgos característicos. Estas tres firmas pueden, por tanto, servir de término seguro de comparación.

En la biblioteca del duque de Gor, en Granada, reunidas al fin del manuscrito Angulo, se conservan veintiocho cartas de Góngora, de las cuales veintiséis fueron consideradas por Linares y García[7] como totalmente autógrafas. Es evi-

---

[4] Véase Miguel Artigas, *Don Luis de Góngora. Biografía y estudio crítico*, Madrid, 1925, págs. 225-226.
[5] Como, por ejemplo, del manuscrito de la Biblioteca de Menéndez Pelayo, que tampoco cree autógrafo Artigas, aunque el gran crítico santanderino lo tenía por tal.
[6] *Versos de Góngora*. En el III Centenario de la muerte del poeta. Córdoba, 1927 (frente a la pág. 96).
[7] E. Linares y García, *Cartas y poesías inéditas de don Luis de Góngora...*, Granada, 1892.

dente que Linares estaba en lo cierto. Prescindiendo de los signos exteriores (dobleces del papel, disposición de las firmas, etc.), que dan la sensación de lo auténtico, el estudio caligráfico de las firmas y su comparación, por un lado, con las que ya conocemos como auténticas, y, por otro, con la letra del texto mismo de las cartas, llevan al ánimo la convicción de que firmas y textos son autógrafos de Góngora. Una de estas cartas aparece reproducida, aunque no con muy buena técnica, en el libro de Linares. Es de 1623, y a pesar de la distancia de treinta y siete años, su firma coincide exactamente con la que Góngora estampó al pie de un documento público en 1586 (reproducida en *Versos de Góngora*). Esta era auténtica; luego la de la carta de 1623 lo es asimismo. Me refiero a la carta de 1623 porque el lector la puede ver en el libro de Linares, pero lo mismo se puede afirmar de todas las otras publicadas (pero no facsimiladas) por éste. (Véase la «Nota de 1954» al final del presente artículo.)

Y ahora, en casa de don Manuel de Góngora, distinguido poeta y autor dramático, perteneciente a la familia de don Luis, encontramos la siguiente carta, inédita hasta hoy, para cuya publicación hemos sido amablemente autorizados por su poseedor actual [8]:

Sr. Christóual: yo uengo cansado de dar gracias a estos sres. de las órdenes por auer despachado el háuito el mismo día que entró; doyle a V. md. el norabuena. Porque me dé el perdón de la breuedad con que es fuerça escrebirle. holgaría cansarme otro día en agradezer a estos sres. de la Cámara el Priorato de st. Hipólito conferido en V. m.,

---

[8] Conservamos exactamente la ortografía, limitándonos a establecer la acentuación y puntuación modernas. El original carece en absoluto de acentuación.

si bien temo contradiciones poderosas; presto se verá. en el ínterin g^e.
Dios a V. m., como yo desseo.
Madrid y Agosto 30. 1622.
perdóneme, amigo, q*ue* estoy hecho pedaços y son las onçe.

D. Luis de gongora.

A Christóual de Heredia.

Doy aquí en facsímil la carta hasta la firma inclusive.
La firma (véase grabado 9) coincide exactamente con la de
1623, reproducida en Linares, y con las que lo están en el
libro *Versos de Góngora*, especialmente con la de 1586. Nótense las siguientes coincidencias: la misma forma de *D*, cuyo rasgo final baja en amplia curva hasta la altura del renglón o hasta cerca de ella; las mismas *s* final y *d;* la *e* unida
a la primera *g* del apellido; las *gg* hechas de un solo trazo,
con una forma parecida a la de nuestra *j* o a la de la *s* larga
del siglo XVII; la figura casi triangular que tiene el rasgo inferior de estas *gg;* en las tres firmas el ojo de la primera *g*
está cegado por la confusión del rasgo ascendente y del descendente y esto no ocurre para la segunda *g* en ninguno de
los tres casos, etc. Varía, sí, la forma de la *r* de 1623 con relación a la del 1586, pero es, en cambio, idéntica a la de la
firma de 1585 reproducida en *Versos de Góngora*. Se puede,
pues, afirmar con absoluta certeza que la firma de la carta
que publicamos fué trazada por la mano de D. Luis de Góngora. Otra cuestión sería averiguar quién trazó la letra de la
carta misma. Después lo discutiremos.

Quien haya leído el epistolario de Góngora y la admirable
biografía pu*bli*cada por Artigas comprenderá bien cuáles son
los dos asuntos a que en esta carta se alude. Uno es el *hábito* de Santiago gestionado en Madrid por Góngora para su
sobrino D. Francisco. El largo proceso de estas gestiones

S. Chrisbual y oy vengo canfado de dar
graçias a estos s.res de las ordenes por auer
despachado el Sancto el mismo dia
que entro, doy le a V. md. el norabuena
por que me de el perdon de la breuedad
con que le fuera escreuirle. holgaria
cansarme oy dia en agradezer a estos s.res
de la camara el Priorato de S. Hypo
lito conferido en V. m. Si bien temo en
tradiçiones poderosas presto seuera en
el interin g.e Dios a V. m. como yo desseo
Madrid y Agosto 30. 1622

perdoneme amigo q. estoy Sin espuelas
y Sin Saçones

D. Luis de gongora

puede seguirse pasa a paso en las cartas del poeta números 26, 28, 29, 30, XLIX, L, LI, LII, LIII, LIV, LVII, LIX,
LXII, LXIII, 31, y 33 [9], que abarcan desde el 2 de noviembre
de 1621 hasta el 23 de agosto de 1622. El 31 de enerò de
este año el hábito está ya concedido, pero faltan las pruebas
de limpieza. Por carta de 14 de junio nos enteramos de que
ha surgido alguna dificultad (alguien ha declarado en contra). Ha sido menester comenzar unas segundas pruebas;
los «diligencieros» de éstas han salido ya de Madrid el día
8 de junio. Hasta el 23 de agosto no están de vuelta. Góngora
juzga que se retrasan y los aguarda impacientemente, pero
no oculta en sus cartas la esperanza de que el asunto tenga
un éxito favorable. En la correspondencia que poseíamos
hasta ahora había una laguna que se extendía desde el 23 de
agosto hasta el 4 de octubre de 1622, y sólo por alusiones
posteriores se podía saber el resultado final del asunto del
primer hábito. Pues bien: la carta que publico, de 30 de
agosto, lo aclara definitivamente, viniendo a ser el remate de
la larga serie de cartas alusivas a este negocio que he enumerado más arriba. Sin duda los «diligencieros» habían vuelto entre el 23 y el 30 de agosto; la segunda información había sido favorable y los «señores de las Ordenes» despacha-
ron «el hábito el mismo día que entró». Los largos afanes
de Góngora han llegado a su término. Ha estado dando las
gracias a todos los que han intervenido en la favorable re-

---

[9] Los números romanos designan las cartas publicadas en *D. Luis
de Góngora. Biografía y estudio crítico*, por Artigas. Los árabes, la numeración dada a las cartas recogidas por Foulché-Delbosc en *Obras
poéticas de D. Luis de Góngora*, Nueva York, 1921, III. (Téngase en
cuenta que algunas de estas últimas proceden de la obra de Linares ya
citada. Las 26, 28, 31 y 33 de Foulché-Delbosc llevan en Linares, respectivamente, esta otra numeración: I, II, III y V.) En Millé, núms. 76,
78, 79, 80, 81, 82, 83, 84, 85, 86, 89, 91, 94, 95, 96 y 100, respectivamente.

solución. Vuelve a su casa y se apresura a comunicar a Cristóbal de Heredia la grata noticia.

Y como Cristóbal de Heredia tiene encargado también a Góngora un asunto particular, la concesión del Priorato de San Hipólito (que éste es el segundo negocio a que se alude en la carta que publicamos), le escribe D. Luis que se holgará de tener que dar las gracias a los señores de la Cámara el día que concedan a D. Cristóbal el tal Priorato. La carta es muy breve. Góngora está cansado del ajetreo del día, tal vez de la misma emoción. Está «hecho pedazos». No puede más. Son las once de la noche.

¿Qué mano escribió el texto de la carta? En el facsímil que reproduzco podrá observar el lector que los primeros renglones parecen ser de letra diferente con relación a los dos últimos (desde «perdóneme» hasta «onçe»); la escritura de los doce primeros es más clara, sentada e inclinada hacia la derecha. La letra de los dos últimos es igual a la de los autógrafos de Góngora en las cartas de la biblioteca de Gor, como puede verse mediante comparación con la reproducida por Linares[10]. Creo que en la carta que publico intervinieron dos manos: de amanuense, desde el principio hasta la fecha (es la misma que escribe «A Christóual de Heredia» —palabras que no entran en el grabado—, al final del pliego); y la mano de don Luis de Góngora, desde «perdóneme» hasta la firma inclusive.

---

[10] Compárese, por ejemplo, la *q* (abreviatura de *que*) de la apostilla a la carta publicada aquí, con la que ocurre en el facsímil de Linares, renglón antepenúltimo del texto. O el nexo *-os*, de «pedaços», con el mismo de «pasados», en Linares, renglón 5. Confróntese el nexo *est-* de «estoy», con el mismo de «estar», en Linares, renglón 5 por abajo, del texto. Compárese también la primera *h* de «hecho», con *h* de «hueso», en Linares, renglón 7, etc. (Véase la «Nota de 1954», al final del presente artículo.)

Hay razones que refuerzan considerablemente lo anterior. Desde el mes de junio de 1622 y a lo largo de las cartas LX, LXI, LXII, LXIII, 31, 32, LXIV y LXV [11], es decir, hasta el mismo mes de agosto, se queja Góngora de una molesta afección a la vista. Esta dolencia le obliga a escribir poco. El 2 de agosto dice a Heredia: «mis ojos no me dan lugar a escriuir mucho». Y el 9, al mismo: «El pleito de mis ojos se va trampeando de manera que temo la sentencia de vista» (nunca pierde humor para el chiste). Y aun el 16 de este mes se disculpa de la brevedad de una carta del siguiente modo: «mis ojos no me dan lugar a volver la oja.» En algunos momentos debía sentirse peor y llegar a no poder escribir. Así, la carta número 31, del 26 de julio, ya vió Linares [12] que no es autógrafa sino en cuanto a sus últimos renglones y a la firma; estos últimos renglones forman una apostilla que comienza: «amigo, muy mal me trata este achaque de ojos» (compárese con la apostilla de la carta que publico: «perdóneme, amigo, que estoy hecho pedaços»). Pero todavía es más interesante para nosotros el que la carta número 33 no tenga de autógrafo, según Linares [13], más que

---

[11] En Millé, núms. 92-99.

[12] Linares, *Ob. cit.*, pág. 113: cfr. *Obras poéticas...*, III, 209, Millé, número 96. La razón, aparte la cortesía, por la que escribe Góngora por su propia mano esta apostilla, es la siguiente: se trata de un asunto de honra que quiere mantener secreto para el amanuense: averiguar lo que han dicho en las diligencias segundas de limpieza de sangre los informantes de Córdoba, y quién ha sido el que «nos a querido hacer costas», es decir, quién o quiénes han sido los malintencionados que habían declarado desfavorablemente. Por el mismo motivo ruega a Heredia que le conteste a este extremo en pliego aparte.

[13] Esta carta 33 de Foulché-Delbosc, repito, es la que lleva en Linares el número V. El hecho de figurar en Linares dos veces la llamada a la nota número 2 ha originado un error de Foulché-Delbosc, quien atribuye a la carta 33 una nota de Linares: «El original está roído a trozos por los márgenes, etc.», que en realidad corresponde a la

la firma. Pues bien: esta carta número 33 es del 23 de agosto
de 1622. La que yo publico es del 30 de agosto del mismo año.
A la enfermedad de los ojos hay que achacar, pues, el no
ser totalmente de mano de Góngora estas tres cartas; la proximidad de las fechas (26 de julio y 23 y 30 de agosto) no
deja lugar a dudas. He aquí la comprobación de nuestra hipótesis, la razón de por qué utiliza Góngora un amanuense
para escribir la carta aquí reproducida, limitándose a poner
una breve nota de cortesía y a firmar de su puño y letra. ¿Se
desean más pruebas aún? En todas las cartas autógrafas de
la biblioteca de Gor emplea Góngora la grafía «Xpoval» (o
«xpoval»). Sólo en las cartas 31 y 33 y en la que aquí inserto
aparece la forma «Christoual» [14]; es decir, en las que fueron
escritas por amanuense, en las que Góngora, por estar enfermo de la vista, no puso de su mano sino la firma, o todo
lo más una breve y amistosa despedida.

Resumen. Deben ser considerados como autógrafos gongorinos: 1) Las firmas puestas por Góngora en documentos
públicos (como son las facsimiladas en *Versos de Góngora*).
2) Las 28 cartas que figuran en el manuscrito Angulo de la
biblioteca de Gor (con las salvedades apuntadas para la 31
y la 33), y como tipo de estas cartas la reproducida en el
libro de Linares. 3) Algunas correcciones del manuscrito
Pérez de Rivas, según se ha explicado ya en otro lugar del
presente libro [15]. 4) Los dos últimos renglones antes de la

---

carta 32. En cambio omite Foulché-Delbosc la segunda nota número 2
de Linares: «Esta carta sólo tiene de letra de D. Luis la firma», que
es la que corresponde a la 33 de la edición *Obras poéticas de D. Luis
de Góngora*. (En Millé, es la núm. 100.)
   [14] Véanse en Linares. Foulché-Delbosc altera la ortografía original.
Así, escribe «Christoual» siempre que las cartas de la Biblioteca de
Gor dan la grafía «Xpoval».
   [15] V. más arriba, págs. 259-261.

...to de Cárcamo. Manuscrito Arupla. Biblioteca del Duque de Gor.

firma, y la firma de la que hemos publicado en este trabajo.

Nota de 1954.—Para más fácil cotejo de la letra, añado en esta impresión la reproducción fotográfica de dos fragmentos de las cartas que se conservan en la biblioteca del duque de Gor. Nuestro grabado 10 contiene el final de la carta 96, de Millé (= III, de Linares = 31, de Foulché-Delbosc). Digo el final «auténtico». Lo que en Linares y Foulché-Delbosc figura después de «mille volte» («El Conde de la Puebla besa», etc.) es una nota marginal (de escritura de amanuense) que va en otra plana de la carta, y no al fin, donde Linares la colocó y, tras él, Foulché-Delbosc. Recuérdese que de esta carta acabamos de tratar, ligeramente, más arriba (página 377). El final que se reproduce en el grabado dice así (hay que suplir algunas sílabas del margen derecho):

en la primera estafeta en el interin b*eso* a sus m*ercedes* [las manos] | y las de mis sobrinos muchas veces. |

Amigo, mui mal me trata este achaque de ojos | qu*e* e de empatalle las vasas a mi amigo don Fer[nando] | de Tordesillas, escriuame v*ues-tra* m*erced* aparte, qu*e* se a en[tera] | do de las diligençias 2as de estos ultimos infor[man] | tes, y quien nos a querido haçer costas si pue[de en] | tenderse adios. Madrid y Julio 26 de 162[2] | D. Luis de Gongora no | e podido escreuir | al saauedra harelo | porqu*e* es justo siruamos, a mi amo y se*ñ*or don | franc*is*co cuias m*a*nos beso mille volte.

Como he dicho antes, lo autógrafo comienza en el tercer renglón del grabado («Amigo», etc.); que el resto de la larga carta fuera de amanuense estaba exigido por el «achaque de ojos»; pero el carácter confidencial de este remate (las dificultades surgidas en una información de limpieza de sangre) hacía necesaria la propia mano.

El grabado 11 reproduce un fragmento de la primera plana de la carta del 2 de noviembre de 1621, que en Millé lle-

va el número 76 (= I, de Linares = 26, de Foulché-Delbosc).
Dice así [16] (y es todo mano de don Luis):

reseruar el nombramiento. al fin señor está siguro, | gra*cias* sean da-
das a dios, q*ue* no bolueremos los puños llenos | de aire, guardo el
determinarme hasta satisfaçerme, | que sera bien haçer prendas en
la resoluçion, de la siguridad | de este dote, y como escreuire al se*ñor*
don diego, me ten | dre por satisfecho con ocho mill ducados cons-
tantes, q*ue* | maior quantidad no saneada, o q*ue* deje hecha costo-
sa | bateria. pues sentire el daño igualmente q*ue* soliçito | el interes.
escriueme el se*ñor* don diego, q*ue* me imbiara | Raçon de todo lo q*ue*
en esto se hiçiere en fabor de la | se*ñor*a doña Leonor mi sobrina, y
io e de suplicarle me ex | cuse de la calificaçion de estas diligençias,
porq*ue* todas las | fio de su merced como es justo, pues tan dueño
y parte | es de todo. holgare q*ue* v*uestra* m*erced* asista a ello, y q*ue*
no se di | late, porq*ue* salgamos de este embaraço, que sigun està | ...

---

[16] Compárense los disparates leídos por Linares (y repetidos por
Foulché-Delbosc y por Millé: l. 1.ª: estoi (está); l. 4.ª: prenda (pren-
das); l. 7.ª: hesta (hecha).

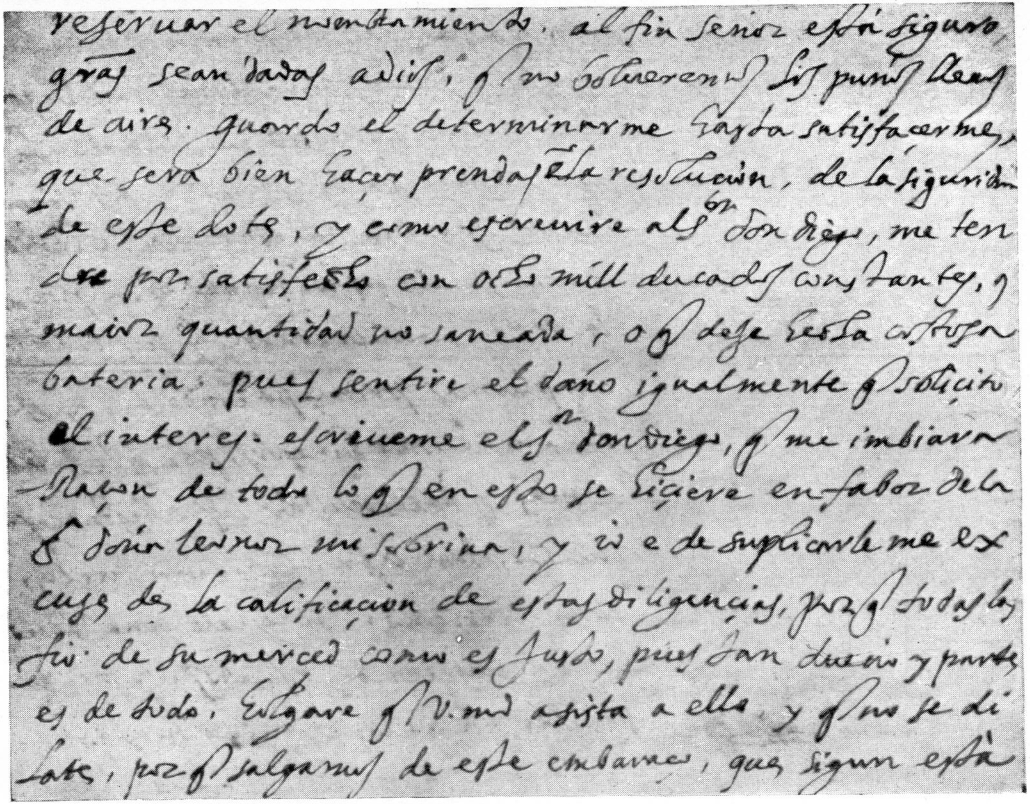

UNA CARTA MAL ATRIBUIDA A GONGORA

I

Don Miguel Artigas publicó en esta misma revista, en 1927 [1], una carta firmada por «don luys de gongora», en Córdoba, a 17 de diciembre de 1594, y dirigida a Francisco González de Heredia, secretario del Consejo de Ordenes. Era Artigas un diligente y meritísimo investigador y nos ha dejado una excelente vida de Góngora (la cual hoy necesitaría ya refundición); fué, además, buen amigo mío.

¿Quién no tendrá descuidos alguna vez? Aunque Artigas afirma que la carta de que tratamos la copia «al pie de la letra, respetando la ortografía, salvo la puntuación», la verdad es que hay tantas diferencias entre el texto que él publica y el original que se conserva en Simancas (Cámara de Castilla, 22.90, núm. 6) [2], que nos vemos obligados a reproducirla de nuevo. El lector que quiera molestarse en hacer un cotejo entre este texto y el impreso en 1927 observará las muchas discrepancias: son casi todos pormenores ortográficos, pero de gran importancia en el caso presente. Numero los renglones del original; las palabras en cursiva están subrayadas en la carta:

---

[1] T. XIV, págs. 412-416.
[2] Doy las gracias a mi fraternal amigo e ilustre investigador Emilio Alarcos y a don Ricardo Magdaleno, competentísimo y celoso director del Archivo de Simancas, por haberme facilitado las micronegativas de los documentos conservados en Simancas, de que trato en el presente artículo.

(1) este .V. m. çirto que quien le escribe esta le es afiçionado y serbidor (2) y que lo que es a cargo de .V. m. de informarse de. algunas
calidades (3) y de la berdad dellas se aga como .V. m. pretende para
que (4) la diha y informaçion se pueda dar quenta sin escrupulo a (5)
los supiriores pues la que .V. m. mando se yçiese en cor^a de la (6)
calidad de don pedro de hoçes es bien diferente de la que (7) fue a
manos de .V. m. porque se hiço muy. de por çima (8) con quatro
amigos y criados suyos que el corexidor como (9) se acaba su ofiçio
quiere agardar a todos *que si bien lo con* (10) sidiraran *hallara que
la qua*usa porque se casa el diho don (11) *pedro es a fin de que le*
supla algunas faltas que padeçe (12) su calidad que por qualquiera
dellas no es dino de tener (13) ynsinia de ninguna de las tres hordenes *por ser como fue su pa* (14) *dre hijo bastardo en esta manera*
que su aguelo paterno que (15) se dixo gonçalo de hoçes fue casado
con bitoria de arçe (16) e yço bida maridable y bibiendo con ella
munhos dias sin (17) dissolberse el matrimonio se caso con otra bibiendo la diha (18) bitoria de harçe quyo hijo fue su padre de diho
don pe (19) dro de hoçes de *lo que toca a linpieça no* lo es porque
aun (20) que es berdad que en el abito que se dio los dias pasados
a don pe (21) dro benegas no se allo entera calridad desto por lo que
to (22) ca al alcayde colomera que asimismo es deçediente el (23)
dicho don pedro dé hoçes se allara en el arhibo de la Ynquiᶦᵒⁿ (24) de
cor^a una ynformaçion en que pretendio don alonso de ho (25) çes
padre del diho don pedro de hoçes ser familiar * en que con munha can
(26) tidad de testigos se prueba ser confeso de que sea berdad esto
se (27) podra .V. m. ynformar del señor liçinçado bohorques uydor
del (28) consexo Real y en lo que toca a su madre pues a de ser
hixa (29) dalgo para mereçer y tener el abito es billana de todos
quatro (30) costados y abiso a .V. m. esto de lo que toca a su madre
no se informe (31) del señor ldo ** bogorques porque toca a su nue-
ra y albierto a .V. m. se a (32) de dar un memorial al Rei nuestro señor

---

* «ser familiar» entre líneas.

** En la carta dice «lldo». Esta abreviatura procede del sintagma
«el licenciado», que con la mala separación de palabras habitual en
los textos manuscritos viene representado por «elldo», y frecuentemente una raya horizontal atraviesa las dos *eles*. Ocurre que en los casos
en que la palabra va sin artículo se la transcribe también por «lldo». La
primera *l* procede del artículo; se trata, pues, de una especie de aglu-
tinación ortográfica.

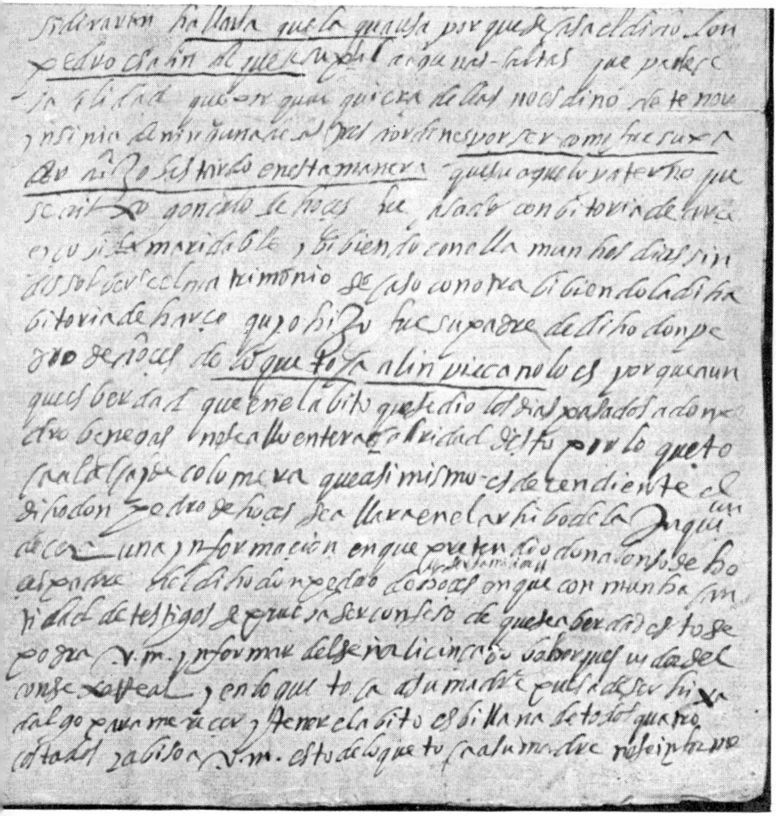

GRABADO 12.—Primera carta denunciatoria (líneas 10-30)

[Facsímil de carta manuscrita del final de la primera carta denunciatoria, con firma «don luis de gongora», fechada en 17 de ... 1594]

GRABADO 13.—Primera carta denunciatoria (final, desde la línea 31)

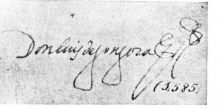

GRABADO 14.—Firmas auténticas de Góngora (1585-1586)

Tomadas del libro «Versos de Góngora», publicado por la Real Academia de Córdoba, 192

de todo lo susodiho diçiendo (33) en el como se le a dado a .V. m.
este abiso porque lo que pretende quien (34) lo da es quitar disin-
çiones y pesadunbres que quᵃausas semejantes (35) ynformaçiones
quando no ban a gusto del pretendiente nuestro (36) señor guarde
a .V. m. de corᵃ a 17 de diᵉ 1594

don luys de gongora

Observará el lector los varios errores de deletreo, las faltas de concordancia, etc.: hemos conservado escrupulosamente todos los disparates del anterior documento.

Don Miguel tuvo la bondad de darme una fotografía de
esta carta; en cuanto la vi le dije que no podía ser del poeta
Góngora, y quedó, al parecer, convencido. Pero el número
de la revista estaba tirado ya. La carta fué admitida luego,
sin la menor vacilación, por Millé (lleva precisamente el número 1 en el epistolario de éste: *Obras completas de... Góngora,* Madrid, ed. Aguilar).

Se trata de una carta que está entre unos papeles de 1594
y 1595, relativos a un hábito solicitado por don Pedro de
Hoces, vecino de Córdoba (y también en nombre de don
Pedro por su tío don Alonso de Cárcamo). Es preciso tener
en cuenta los trámites en materia de hábitos: la «concesión»
del hábito a una determinada persona quedaba condicionada
por las pruebas de limpieza que seguían después. Si las pruebas de limpieza eran desfavorables o simplemente si en ellas
algunos levantaban sospechas o resucitaban antiguas mur-
muraciones acerca de la sangre del candidato, se originaban
terribles rencillas y disgustos [3]. Para evitar en lo posible estos
males, el Consejo de Ordenes, antes de conceder el hábito,

---

[3] Completaré (sólo cuando sea indispensable) los datos de Artigas a base de fotocopias de todo el expedientillo conservado en Simancas.

solía hacer una breve información muy secreta acerca de las calidades del candidato. Estos papeles del Archivo de Simancas referentes a don Pedro de Hoces no son otra cosa que la información previa y sigilosa o «expedientillo» [4] hecho por Francisco González de Heredia, secretario del Consejo de Ordenes. Por los papeles mismos, cuya descripción (en general, suficiente) puede verse en el artículo de Artigas, nos damos cuenta de la sencillez de esta información.

Presentados los memoriales, el del candidato don Pedro y el de su tío don Alonso de Cárcamo [5], en favor del mismo don Pedro, y dos cartas de recomendación (del conde de Chinchón, una, y otra, de don Hernando de Toledo), el secretario del Consejo de las Ordenes dirigió una carta (que no se conserva) al corregidor de Córdoba, don Pedro Zapata de Cárdenas: pedía en ella noticias acerca de la persona y calidad de don Pedro de Hoces. La contestación del corregidor (noviembre de 1594) fué del todo favorable al pretendiente. Pero poco después llegó a manos del secretario de Ordenes una infame carta (ejemplo de odio y vil delación), firmada por «don luys de gongora» en Córdoba el 17 de diciembre de 1594: es la que estudiamos aquí. Escribe de nuevo el conde de Chinchón para recomendar al pretendiente. Nueva carta del secretario de Ordenes al corregidor de Córdoba: le da cuenta —sin nombrar al denunciante— de las tachas que se atribuían al linaje de don Pedro de Hoces, y

---

[4] Usaré siempre la palabra «expedientillo» para esta información anterior a la concesión, y llamaré «expediente» o «pruebas» a las de limpieza que seguían a la concesión por el rey, y que eran indispensables para que el caballero pudiera vestir el hábito.

[5] Don Alonso de Cárcamo era corregidor de Toledo; con una hija de don Alonso estaban concertadas las bodas de don Pedro. Véase lo que dice la carta de que tratamos, líneas 9-12, y lo mismo más abajo, líneas 17-19, la que más adelante llamaremos «segunda carta denunciatoria».

le encarga nuevas pesquisas y el mayor sigilo. Contesta otra vez el corregidor: ha hecho nuevas indagaciones y el resultado ha sido completamente favorable para el pretendiente [6].

Si prescindimos de los dos memoriales de don Pedro y su tío (que carecen de firma), todos los otros documentos que he enumerado pueden reducirse a dos categorías, en cuanto a la firma, que es lo que nos importa: *a)* Uno, emanado del secretario de Ordenes (es mero borrador, lleno de tachaduras e interlineados, de la segunda de las cartas que envió). *b)* Las cartas dirigidas a dicho secretario; las firmas de todas parecen autógrafas. No hay motivo para separar de este segundo grupo la carta firmada por «don luys de gongora». El estudio de sus características, dobleces, sobrescritos, nos convence de su autenticidad. Nótese bien qué entiendo ahora por «autenticidad». Literalmente esto: que allá, a fines de diciembre de 1594, el secretario del Consejo de Ordenes recibió efectivamente una carta procedente de Córdoba y firmada por «don luys de gongora»; y que ese mismo papel, esa carta que él recibió es, sin duda alguna, la que se conserva en Simancas.

Quiero probar inmediatamente que ese «don luys de gongora» que firma la carta no puede ser el poeta don Luis de Góngora. La prueba se divide en caligráfica, ortográfica y estilística.

LA LETRA DE LA CARTA

La primera carta autógrafa que poseemos del poeta Góngora es de 1614; la segunda, de 1621; la última, de 1626. Entre 1621 y 1626, el ms. Angulo de la biblioteca de Gor nos ha conservado bastantes cartas autógrafas, junto con otras

---

[6] Una nota de este último documento dice «diósele el hábito». Ya veremos cómo.

de amanuense, firmadas por el poeta, a las que éste casi siempre añadía algo de su mano: unas veces posdatas; y otras, unas líneas ante la firma.

Entre 1614 y 1626 se conservan magníficamente los rasgos esenciales de esta letra de Góngora, tan característica, con sus *haches* altas, sus *eses* finales, que a veces descienden enormemente por debajo de la caja del renglón; sus *oes*, abiertas por arriba (mejor: como un caldero que se vuelca hacia la izquierda); con sus *es*, que de vez en cuando terminan con un nervioso rasgo hacia abajo (rasgo, como digo, no frecuente en Góngora, pero muy característico); con *y griegas* elegantes y perfectamente claras; con la abreviatura de *que*, expresada por *q* con un rápido rasgo que sube y baja como arropando a la *q* misma. Etc.

Ninguno de esos rasgos en la carta contra don Pedro de Hoces: en ésta, la palabra *que* aparece siempre sin abreviatura (mientras que en el poeta la inmensa mayoría de las veces está abreviada, como hemos explicado); las *oes*, en la carta acusatoria, están casi siempre perfectamente cerradas, pero cuando quedan algo abiertas por arriba no tienen el característico volcarse hacia la izquierda, que hemos visto en el poeta; nada más distinto que las *haches* de la carta delatora (*haches* que tocan dos veces en la línea del renglón, como las de imprenta) y las *haches* del poeta, que tocan una sola vez en la línea del renglón; y tampoco se encuentran por ningún lado en esa carta las características larguísimas *eses* finales del poeta; y, en cuanto a la *y griega* de la carta, es sólo un rasgo muy simplificado, apenas más que un garabato que baja de la caja del renglón, frente a las elegantes y bien formadas *y griegas* del poeta. Por ningún lado se encontrarán en el poeta las *pes* como hechas de una sola lazada cuyo último rasgo bajara verticalmente, que son frecuentísimas en la carta, ni las *erres* de ésta, que tienden a establecer la unión con la letra siguiente mediante un rasgo que sale de su extremo inferior [7].

Nótese ahora la firma. Las de Góngora las conocemos muy bien, desde la casi infantil de 1576. Aun desde esta misma aparecen rasgos que ya no abandonará nunca: la *D* mayúscula del *Don* (que en

---

[7] Hay en Góngora, a veces, una *erre* que establece la unión con lo siguiente mediante un rasgo inferior, pero no tiene que ver con la *erre* de la carta.

sus años mozos escribía así, pero que luego abrevió en la mera D
seguida de un punto). ¡Siempre D mayúscula! En alguna ocasión
esta D es un trazo descuidadísimo, pero aun entonces es última simplificación de la D mayúscula: no he visto nunca en la firma del poeta
esa *d* minúscula de *don*, que usa el autor de la carta acusatoria. Desde el mismo 1576 existe en la firma de Góngora quizá su rasgo más
personal, que no abandonaría nunca: la lazada característica de su
rúbrica (no tiene nada que ver con la rúbrica de la carta enviada
al secretario de Ordenes). En la firma de la carta al secretario no
están por ningún lado ni la *s* final que en la firma del poeta siempre baja por debajo de la caja del renglón, ni las dos *gg*, con los
rasgos inferiores que tienden a tener un gran desarrollo y a adquirir
una forma triangular; la *r* del apellido en el poeta es totalmente distinta de la del autor de la carta acusadora... ¿A qué seguir? Basta
mirar ambas firmas para ver que no tienen nada que ver la una con
la otra. El análisis lo comprueba inmediatamente.

Se puede afirmar que difícilmente se encontrarán en letra del siglo XVII dos manos más distintas que la del infame
soplón que escribió la carta al secretario de Ordenes y la
del poeta Góngora.

.

ORTOGRAFÍA DE LA CARTA

Por desgracia, el lector tiene ahora que creer mi palabra
por fe (o si no, hacer un viaje hasta la biblioteca granadina
del duque de Gor). Para una comparación entre la ortografía
de la carta delatoria enviada al secretario de Ordenes y la
de las cartas autógrafas de Góngora sería necesario que estas últimas hubieran sido publicadas escrupulosamente. Algún día (Dios mediante) narraremos la historia de la adulte-
ración e incomprensión de las cartas de Góngora. Hoy baste
decir que las autógrafas no están reproducidas ni con me-
diana fidelidad en ninguna parte. En mi comparación citaré

por el número que llevan las cartas en Millé, pero me baso exclusivamente en las fotocopias, que manejo, de las cartas autógrafas de la biblioteca de Gor. No quiero tampoco cansar al lector insistiendo en lo que es de toda evidencia. Elijo, pues, sólo unos cuantos ejemplos. (En lo que sigue, *C.*ª = 'la carta denunciatoria enviada al secretario de Ordenes'; *Góng.* = 'las cartas autógrafas del poeta Góngora'.) En *C.*ª, los números indican las líneas del documento; en *Góng.*, los números indican sólo el orden de las cartas de Millé.

Uso general o muy repetido: *C.*ª: «V. m.»; *Góng.*: «V. md.» *C.*ª: «dellas», «desto», «del»; *Góng.*: «de ellas», «de esto», «de el», *C.*ª: «que»; en este caso, *Góng.* usa casi siempre la abreviatura explicada más arriba (al hablar de la letra). Estos tres rasgos bastan por sí solos para probar dos personas distintas.

Otros usos: *C.*ª escribe siempre una sola *h* para representar el grupo *ch* («diha», 4, 17; «munha», 25; «munhos»[8], 16; «diho», 23, 25, 32; «arhibo», 23); no hay ni rastro en *Góng.* de tan extravagante ortografía[9]; *Góng.* escribe siempre «dicho», «dicha», «mucho», etcétera (es rasgo que por sí diferencia netamente dos manos). *C.*ª: «serbidor», «bida», «supiriores», «quausa» (dos veces), «uydor», «pesadunbres», «consexo» (1, 16, 5, 10 y 34, 27, 34, 28); *Góng.*: «seruidor», «vida», «superiores», «causa», «oidor», «pesadumbres», «consejos» (4, 119 y 122, 117, 120, 97, 108, 119 y 122). En la *C.*ª: la voz *abito* sale dos veces (20 y 29); en *Góng.* muchas veces, siempre en la forma *habito* (117, 118, 119, 120, etc.). En fin, en *Góng.* (si prescindimos de los disparates que le han hecho decir los editores de sus cartas autógrafas) sólo muy rara vez —a lo largo de tanta carta— hay un *lapsus calami;* en *C.*ª, en sólo 36 líneas hay muchos y groseros erro-

---

[8] Se trata de la forma *muncho*, vulgarismo (que aún se oye hoy): tampoco este rasgo pertenece a la lengua del poeta; *mucho* (y su femenino y sus plurales) aparece frecuentemente en las cartas autógrafas de don Luis.

[9] Conozco sólo unos pocos casos, en el siglo XVII, de este uso, que pudo originarse partiendo de la abreviatura «dhos» (dichos), con la *h* atravesada por una raya.

res: «çirto», 1 *(cierto);* «agardar», 9 *(agradar);* «liçinçado», 27; «bogorques», 31 *(Bohorques);* «albierto», 31 *(advierto);* «calridad», 21
(claridad), etc. Tal acumulación de desatinos sería incomprensible en
la culta pluma del autor de las *Soledades;* sus cartas autógrafas lo
comprueban.

Tengo anotados muchos más datos, de que hago gracia
al lector; todos prueban inequívocamente lo mismo: las costumbres ortográficas de quien escribe la carta al secretario
de Ordenes (costumbres ortográficas que denotan poca cultura) son enormemente distantes de las del poeta Góngora.

EL ESTILO DE LA CARTA

La carta delatora está escrita en el estilo más torpe: es
un estilo casi hablado, lleno de anacolutos, confusas elipsis,
violentos zeugmas, etc., de persona no acostumbrada a la
redacción. No tiene nada que ver con la gracia, la lisura, el
garbo que tiene la prosa de Góngora en sus cartas autógrafas (es decir, sin los disparates que le atribuyen las ediciones). Pero yo dejo ya al lector el placer de convencerse por
sí mismo.

Caligrafía, ortografía y estilo hablan unívocamente: la
carta denunciatoria que llegó al secretario de Ordenes firmada por «don luys de gongora» no había sido escrita por
el poeta don Luis de Góngora.

¿Quién la escribió? Inmediatamente se le ocurren a uno
dos hipótesis alternativas: 1.ª) La carta pudo ser escrita por
otro don Luis de Góngora. En efecto, sabido es desde hace
tiempo que, por los días del gran poeta, existía en Córdoba
un homónimo suyo. 2.ª) La carta pudo ser escrita por cual-

quier persona de mala voluntad que tomó el nombre ya muy conocido del todavía joven poeta.

II

UNA SEGUNDA CARTA DELATORA

Me preocupaba esta disyuntiva. Para tratar de aclararla quise hacer una comprobación previa. Artigas no había podido encontrar el expediente del hábito de don Pedro de Hoces [10]. No sé qué despiste sufrió don Miguel. El expediente no era nada recóndito: está en el Archivo Histórico Nacional, y es el número 1226 de Calatrava, año 1597.

A 4 de octubre de 1596 el rey nombró para hacer las informaciones a don Gonzalo Ruiz de (Medina) [Monsalve] [11]. caballero de Calatrava, y al licenciado Cervera de la Torre. Con el nombramiento les entregaron la lista de preguntas que debían hacer. Estos comisarios cumplieron su cometido con la mayor escrupulosidad. El resultado es ese grueso volumen, sólidamente cosido, cuidadosamente concordado, que hoy tenemos. El mismo poco frecuente grosor está ya indicando que hubo apasionadas contradicciones.

Antes de empezar las diligencias encontramos en el expediente una carta. En la parte superior del papel, una nota, de mano de Cervera, dice: «En 20 días de Sett^e de 1596. Reçebí esta carta por mano del Sor Marqués de Cortes p[ar]a aueriguar lo q[ue] en ella se contiene. — L^{do} Ceru^a de la Torre.—En Madrid ff[ech]o vt s[upra].»

---

[10] «... ninguno de los Pedro de Hozes que figuran en el *Indice* de Vignau parece que debe ser nuestro pretendiente.»

[11] Parece error (¡el balduque de todos los tiempos!); el nombramiento dice «Medina», pero don Gonzalo firma siempre «Monsalve».

Sigue la carta. Cuando vi la letra y la firma, me dió un salto el corazón. Y mi sorpresa no hizo sino aumentar al leer el texto. Porque esa carta está escrita por la misma mano que trazó la carta denunciatoria firmada con el nombre de «don luys de gongora», de la que hemos hablado hasta aquí. Es la misma mano: compárense los grabados de ambas cartas y téngase ahora presente el análisis de la letra y de la ortografía de la primera (más arriba, págs. 385-89) [12]. Esta nueva carta (a la que llamaremos «segunda carta denunciatoria») es gemela de la primera: las mismas viles acusaciones. ¡Pero ahora el que firma no es «don luys de gongora», sino un Fray Iñigo de Gusmán! [13]

Es necesario advertir desde ahora dos cosas en las que tendremos que insistir más abajo: *a)* Nadie pensó que ese «Fray Iñigo de Gusmán» fuera el nombre del verdadero autor de la carta. *b)* De las pruebas resulta que los comisarios tenían noticia de la existencia de otras varias cartas denunciatorias contra don Pedro.

La «primera» carta, la firmada «don luys de gongora», había quedado, como vimos, con el expedientillo previo a la concesión; es la «segunda», la firmada «Fray Iñigo de Gusmán», la única que había sido entregada a los comisionados para las pruebas. Uno de los empeños mayores de estos comisarios es averiguar quién había sido el autor de

---

[12] Obsérvense en la nueva carta pormenores como *h* en vez de *ch* (*diho, satisfeho, munhas, munhadunbre,* 'muchedumbre'), palabras características como ese *munhadunbre* (en la primera carta, *munhos*), «liçinçado» (exactamente igual en ambas), etc.

[13] En realidad, difícilmente se podría leer otra cosa que «irigo». Leo «Iñigo» porque es evidentemente lo que quiso escribir el semi-analfabeto pendolista, como lo comprueba más adelante la declaración de algún testigo (véase más abajo, págs. 400-401).

esa carta que poseían (y de las otras de que tenían noticia) [14].

Reproduzco a continuación esta «segunda» carta. (Nótense las curiosas vislumbres que nos da del modo como los comisarios llevaban a cabo sus diligencias.)

(1) por la obligaçion que tiene .V. m. de la conserbaçion y auturidad de las (2) hordenes de alcantara y calatraba y santiago como oidor que es delas y por lo (3) serbidor y afiçionado que es el que escribe esta *que en la prosequçion de la* (4) *causa sabra* .V. m. *quien es* y el deseo que tengo que quien mereçiere poner (5) se qualquiera de los tres abitos tenga las calidades que por sus diçicones * esta esta (6) bleçido dare en esta a .V. m. çiertos abisos de los quales no llebo mas ani (7) mo de que los comisarios hagan el deber como .V. m. sienpre les manda (8) que lo agan *y es el caso* que munhas beces en este lugar los testigos que (9) son llamados para tales ynformaçiones no desqubren la berdad para que son (10) llamados de lo que saben de temor de la parte a quien se le a echo la merçed por (11) benirse el caballero y freile a una posada publicamente llamando a los (12) testigos con un alguaçil y tomandoles sus confiçiones en el diho meson (13) en aposento ya didicado para semexantes guespedes que qualquiera apo (14) sento del diho meson tiene dos o tres puertas por donde be la parte (15) lo que se xura *sera* .V. m. *serbido* que se desanimen los testigos co (16) mo otras beçes se solia haçer y demas de que se *le abisa a* .V. m. que don (17) alonso de carcamo corexidor de toledo tiene capitulado con don (18) pedro de hoçes vz° de cor^a de casar su yxa prometiendole en dote un (19) abito con el qual esta contento y satisfeho por pareçelle al diho don pe (20) dro que don alonso de carcamo será parte para que los comisarios en las (21) pruebas suplan y no acalren enteramente los defectos que padeçe (22) su calidad que aunques berdad que los comisarios binieron a haçer las (23) pruebas de *don pedro benegas no pudieron acalrar el no ser linpio* (24) *el alcayde de colomera* por el temor que esta diho de los

---

[14] Que de la existencia de otras tenían conocimiento resulta claro por el interrogatorio (v. más abajo, pág. 396).

* Es decir, «decisiones». Hay punto encima de la *o* y falta la cedilla en la segunda *c*.

Grabado 15.—Segunda carta denunciatoria (líneas 16-31)

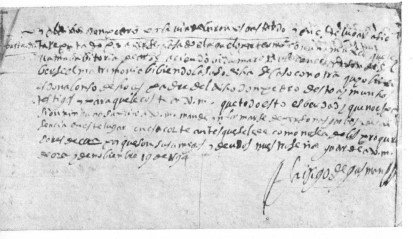

Grabado 16.—Segunda carta denunciatoria (final, desde la línea 32)

testigos (25) y siendo como es este deçendiente del susodiho se allara
en el ar (26) hibo de la ynquiçion de corª de una ynformaçion para
ser famili (27) ar don *alonso de hoçes padre* del diho don pedro por
la qual se beri (28) fica muy bien con munhadunbre de testigos de
que el diho alcayde es con (29) feso aqudio a la jeneral inquiçicon
y el señor cardenal se la man (30) do dar de que sabe muy bien
esto el señor *liçinçado bohorques* oydor (31) del consexo Real de
quien podra .V. m. ynformarse (32) y el diho *don pedro por la uía
de baron es bastardo* y en este lugar asi es (33) ta reputado por aber-
se casado el aguelo paterno con una muxer que se (34) llamaba bitoria de arze açiendo bida maridable con ella y sin disol (35) berse
el matrimonio bibiendo la susodiha se caso con otra quyo hixo (36)
es don alonso de hoçes padre del diho don pedro desto ay munhos
(37) testigos y para que le coste a .V. m. que todo esto es berdad
y que no es pa (38) sion ninguna suplico a .V. m. mande ynformarse
de personas garbes y de con (39) sençia en este lugar y en esa corte
antes que se le de como no sea de los proqura (40) dores de corª porque son sus amigos y deudos nuestro señor guarde a .V. m. (41) de
corª y de nobienbre 19 de 1594

Fra iñigo de gusman

El sobrescrito dice:

> A don franᶜᵒ de contreras caba-
> llero del abito de. Calatraba y
> oydor del consexo de hordenes
> en
>   Madrid.

Otra mano puso esta anotación:

> p[ar]a el habito de don pedro de hozes
> n[atur]al de Cordª Si se diere se guarde esta
> carta.

El texto de esta segunda carta no hace sino comprobar
que su autor es el mismo que escribió la primera. Las frases
tienen el mismo giro, la ortografía *(munha,* 'mucha'; *mun-*

hadunbre, 'muchedumbre', etc.) es la misma. Compárese: 1.ª, «lo que toca a linpieça no lo es porque aunque es berdad que en el abito que se dio los dias pasados a don pedro benegas no se allo entera calridad desto por lo que toca al alcayde colomera»; 2.ª, «aunques berdad que los comisarios binieron a haçer las pruebas de don pedro benegas no pudieron acalrar el no ser linpio el alcayde de colomera»; 1.ª, «con munha cantidad de testigos se prueba ser confeso »; 2.ª, se probó «con munhadunbre de testigos de que el diho alcayde es confeso»; 1.ª, «de que sea berdad esto se podra .V. m. ynformar del señor liçinçado bohorques uydor del consexo Real»; 2.ª, «el liçinçado bohorques oydor del consexo Real». Etc.

Ya en Córdoba, a 22 de octubre, los comisarios, en vista de esa carta, acuerdan ampliar en dos preguntas el interrogatorio: 1.ª Por qué el abuelo paterno de don Pedro casó con Victoria Arce y con doña Aldonza de Angulo. (Lo preguntaban para averiguar la acusación de bastardía existente en ambas cartas [15].) 2.ª Sobre el alcaide de Colomera, y si hubo dificultad por esto en la familiatura de don Alonso, padre del pretendiente. (Pregunta que tenía por objeto poner en claro la tacha que había en las dos cartas de ser «confeso» el tal alcaide.) Todavía en 11 de noviembre 1596 se añadió otra tercera pregunta relativa a los Góngoras: 3.ª ¿Qué diferencias de Góngoras hay en Córdoba, y si han variado de su calidad llamándose Ximénez o Repissos, y si han sido motejados de villanos? (Lo preguntaban para aclarar lo de la villanía de la madre, acusación que figuraba en la «primera» carta.)

---

[15] No nos consta que los comisarios conocieran sino la «segunda carta». No es nada improbable que conocieran también el texto o sólo el contenido de la «primera»; sabían, sí, la existencia de varias.

Sigue un memorial de enemigos, presentado por don Pedro. Es una larga relación. Incluye los de don Alonso de
Cárcamo [16] y los del propio don Pedro. Eran enemigos de
don Alonso, entre otros, los Vañuelos, los Figueroas, «Don
Pedro de Valençuela y sus hermanos siguieron pleito contra
don Alonso de Carcamo mi señor por el estupro de doña
Francisca Venegas su hermana... y son sus enemigos porque
no quiso casar con ella».

Don Pedro menciona también muchos enemigos. Don
Fernando de la Cerda y sus parientes, «por el estupro que
me pidieron de doña Andrea de la Cerda». «Lorenzo Ponce
y don Juan Ponce su hijo tuvieron pendencia con Martin
Alonso de Montemayor mi tío... y no se hablan por las palabras que dicho Martin Alonso dixo a don Juan Ponce, y
don Alonso de las Infantas, su primo del dicho Juan Ponce,
es mi enemigo por esta Razon y asimismo por otras palabras
que entre los dos vuymos y oy ni de gorra no nos hablamos.» Recordemos el nombre de estos Ponces y de este don
Alonso de las Infantas con el que don Pedro no se hablaba
«ni de gorra». Omito los demás enemigos para anotar sólo
éstos que siguen, de máximo interés literario:

Don Francisco de Argote, juez de bienes, y sus hijos son enemigos mios y de mi padre y deudos, porque don Andrés Manrique, mi
tío, y casado con hermana de mi padre, juró contra él en una bisita
que le hizo la inquisicion, y demás desto, por pendencia que tuve
con don Luis de Góngora su hijo, de que salió mal herido, y no nos
comunicamos porque somos enemigos. Don Pedro de los Ríos es con-
suegro del dicho don Francisco de Argote, y me temo que mi enemigo, por el deudo dicho y pendencia.

Esta pendencia de que habla don Pedro nos era ya conocida por los manuscritos de *Casos notables de la ciudad*

---

[16] Véase más arriba la nota 5, pág. 384.

de Córdoba [17], y por ellos sabíamos que el poeta don Luis de Góngora y su compañero don Pedro de Angulo llevaron la peor parte en la contienda, pues éste recibió tremenda cuchillada en la cabeza: «a don Luis de Gongora le dieron otra, pero no fué tan mala». Ahora es el propio agresor quien lo confiesa, y nos dice que Góngora «salió mal herido». Artigas suponía que la pendencia habría sido cuando el joven poeta volvió de Salamanca. Aquí el agresor (que firma su lista de enemigos, a 30 de octubre de 1596) habla de aquel suceso como de cosa antigua. Una observación aún: Quien lea el texto de los *Casos notables* pensará que hubo avenencia y conciliación de las partes; la declaración de don Pedro muestra que continuaban aún los antiguos odios. Al recuerdo de la herida se juntaba, como hemos visto, que un tío del agresor hubiera declarado contra don Francisco de Argote en esa «visita» que a este último le había hecho la Inquisición.

Viene a continuación en el expediente el largo interrogatorio de testigos. En ese desfile, pronto adquiere para nosotros el mayor interés el asunto de la carta. ¿Quién era el autor de la carta firmada por fray Iñigo de Guzmán (y de las otras)?, se preguntaban los comisarios, y se lo preguntaban a los testigos, lo mismo que nos lo preguntamos nosotros hoy. Ninguno de los declarantes reconoce la letra. El testigo decimotercero dice haber oído «que don Luis Gomez de Figueroa... capital enemigo del dicho don Pedro de Hoces a dado memoriales en Consejo de Ordenes o a su Majestad, contra el dicho don P°. de Hoçes, para impedirle el habito

---

[17] Bibliófilos españoles, segunda época, XXIV, págs. 122-123; Artigas, *Don Luis de Góngora*, págs. 47-48. En otros manuscritos el título es *Casos raros de la c. de Cord.*ª

que pretende». Se lo había oído al propio don Pedro [18]. La declaración de este último parece contradecir tales afirmaciones. Ni tampoco los comisarios debían de creer que don Luis Gómez de Figueroa estuviera en el ajo. Porque cuando declara el propio pretendiente no se habla para nada de don Luis Gómez de Figueroa [19]; los comisarios sólo preguntan a don Pedro de Hoces si cree que don Juan Ponce o su padre, Lorenzo Ponce, «ayan dado algunos memoriales o cartas a Su Majestad o a su Real Consejo de Ordenes, o al señor presidente a algunos de los señores del dicho Consejo». (Nótese la amplitud de la pregunta: las cartas eran, sin duda, bastantes más de las dos que conocemos.) Don Pedro, por su parte, lanza toda la sospecha sobre Lorenzo Ponce y don Juan Ponce. Al preguntarle por la firma de la carta, «dixo que no la conoce, porque quien tuvo malicia para que se diesse la dicha carta, la tendría para buscar lettra no conocida».

En efecto, don Pedro de Hoces no estaba descaminado. Hoy, el lector de estas pruebas piensa que las cartas de delación venían de la familia Ponce, y, si duda, es entre si serían maquinadas por don Juan Ponce o por su primo don Alonso de las Infantas. Me inclino decididamente hacia este último.

Todos los testigos, aun (con sólo dos excepciones) los tachados de enemigos en la lista de don Pedro, deponen favorablemente para él. Las excepciones (y notables) son la de don Alonso de las Infantas y la de don Juan Ponce. La declaración de don Alonso está movida toda por el frenesí de la delación. Las tachas son las mismas que ya estaban en la primera carta (la firmada por «don luys de gongora»), a sa-

---

[18] Fol. 32.
[19] Fols. 122-123.

ber [20]: 1.º, bastardía del padre, porque el abuelo, Gonzalo
de Hoces, habría sido bígamo (casado primero con Victoria
Arce, y, viviendo ésta, se habría vuelto a casar con doña
Aldonza de Angulo, y de este matrimonio —inválido por la
existencia del primer vínculo— nació el padre del pretendiente). 2.º Descendencia, turbia, del llamado alcaide de Colomera (por la que habían puesto tacha al mismo don Alonso al pretender una familiatura de la Inquisición; pero al
encontrar oposición en Córdoba, don Alonso había acudido
a la Suprema, donde le habían concedido la familiatura). 3.º
Villanía de la madre, doña María de Góngora.

Era don Alonso de las Infantas, según su propia declaración, «de más de cincuenta años [21] y del estado de los nobles». Primero, taimadamente, se había negado al requeri-
miento que se le hizo para testificar, y hasta dijo que no lo
haría si no le ponían «con guardas en una torre» [22]. Pero al
serle notificada la provisión del Consejo real, contestó que
la obedecería. Su declaración vierte veneno: el silencio de
la Victoria Arce habría sido comprado con dinero, para que
aguantara el nuevo matrimonio de don Gonzalo, abuelo del

---

[20] He aquí la genealogía de don Pedro de Hoces (según figura en
el «expedientillo»): Don Pedro de Hoces, vecino, natural de Córdoba,
familiar del Santo Oficio. Padres: Don Alonso de Hoces, vecino de
Córdoba, y doña María de Góngora, hermana, por parte de padre,
de don Alonso de Góngora, del hábito de Santiago. Abuelos paternos:
Gonzalo de Hoces y doña Aldonza de Angulo. Abuelos maternos: Alonso de Góngora y doña Catalina de Cañete. Todos naturales de Córdoba. Téngase presente que estos Góngoras de la familia de don Pedro
eran muy distintos de los del poeta.

[21] Góngora fué amigo de don Antonio de las Infantas (Millé, 327),
a quien se le murió la novia en 1613; este don Antonio, en 1612
contribuyó con un soneto al túmulo cordobés de doña Margarita
(Valdenebro, *La imprenta en Córdoba*). También en el epistolario
de Góngora (carta núm. 7) figura un don Lorenzo de las Infantas.

[22] Fol. 70 v.

pretendiente. Siempre el testigo «ha tenido al dicho don
Alonso de Hoces por hijo bastardo»[23].

Mucho más interés tiene para nosotros la contestación
sobre el asunto del alcaide de Colomera y de la familiatura
de la Inquisición. Vuelven a salir aquí interesantes datos
sobre el autor de las *Soledades* y sobre su padre, don Francisco de Argote:

> ... de don Alonso de Hoces, padre del dicho don Pedro, dixo que
> no le tiene en reputación de persona limpia, cristiana vieja, porque
> a entendido que pretendió una familiatura para sanear lo que se
> dixo contra él, de que no era limpio, y en ella dixeron contra él
> D. Francisco de Argote (y que a oydo que le an pedido al dicho don
> Francisco que no diga su dicho, de parte del dicho don Pedro de
> Hoçes † y que lo tuviera encerrado su hijo el Racionero, porque no
> dixesse su dicho en esta información, y se lo dixo a este testigo don
> Fernando de Tordesillas) y don Francisco de Ynestrosa y don Lope
> de Angulo, y que dirá de los demás que dixeron en la dicha familia-
> tura contra el dicho don Alonso, el Racionero don Luis de Gongora...

Don Alonso de las Infantas nos confirma aquí, pues, la
enemistad de Góngora contra don Pedro de Hoces y su pa-
rentela. El padre de Góngora había testimoniado contra el
de don Pedro en el asunto de la familiatura; el poeta Góngora sabía esto muy bien, y podría decir, si le preguntaran,
los nombres de todos los que depusieron en contra en aquel
asunto. En el pasaje citado, las palabras desde la cruz (la
cual también figura, con valor de llamada, en el original),
hasta el final del paréntesis, en el manuscrito van al margen.
Como vemos, dos veces figura ahí el poeta Góngora: fuera
del paréntesis se nos dice que él podría informar de cuáles
fueron las personas que declararon contra el padre de don

---

[23] Fol. 71.

Pedro en el asunto de la familiatura; dentro del paréntesis se nos dice que don Pedro: 1.º Rogó por terceras personas a don Francisco de Argote que no declarara contra él. 2.º «y que lo tuviera encerrado su hijo el Racionero» (no puede querer decir más sino que don Pedro pidió que el poeta Góngora tuviera encerrado a su padre don Francisco, para que éste no declarara). Según esto, el mayor enemigo de la familia Hoces sería don Francisco [24].

Sin embargo, don Francisco de Argote declaró [25] también ante los comisarios, y lo hizo con gran cautela.

Todo lo que dice es favorable para el pretendiente, y, cuando le preguntan por el asunto de la familiatura de don Alonso de Hoces, se remite a lo que entonces depuso ante los inquisidores. (Es lo más probable que don Francisco supiera muy bien que, al pedir los comisarios esos datos a la Inquisición, ésta se negaría a comunicarlos: así ocurrió, en efecto [26]).

Volvamos a la «segunda» carta denunciatoria, la firmada por fray Iñigo de Guzmán. Es muy interesante a este respecto la declaración de Alonso de Lara. Al ser interrogado, contesta «que no conoce la letra ni firma de la dicha carta...,

---

[24] Esto choca algo porque parece que la enemistad debería ser más viva en don Luis de Góngora, joven aún de treinta y cinco años, y que había sido herido por don Pedro, que en el viejo don Francisco. Pero para entenderlo al revés ('que don Francisco tuviera encerrado a dos Luis') sería necesaria una corrección, y, a pesar de eso, siempre quedaría una inversión rara («y que lo tuviera encerrado [a] su hijo el Racionero»). No creo prudente otra interpretación que la que he dado en el texto.

[25] La declaración empieza en el fol. 87. El padre de Góngora dice tener «más de sesenta y cinco años». Los comisarios anotan al margen «Enemigo» (es lo que hacen siempre que el declarante es una de las personas que figuran en la lista de enemigos que presentó don Pedro).

[26] Fols. 127-130. Los inquisidores sólo facilitaron una relación sumaria, sin comunicar ni declaraciones ni nombres de testigos.

pero que conoce a un fray I[ñig]o [27] de Guzmán que es co-
rrector de la Vitt[ori]a, de esta ciudad, y que es natural de
Ecixa» [28]. Ni los comisarios ni el declarante parecen admitir
ni por un momento que ese fray Iñigo de Guzmán sea el
autor. Ni menos aún nosotros, que conocemos la primera
carta, hermana gemela, firmada «don luys de gongora».

Respecto al autor mismo de la carta denunciatoria, las
opiniones de los testigos varían. Ya hemos visto al décimo-
tercero sugerir que el autor fuera don Luis Gómez de Figueroa. Otros testigos, como Martín Alonso de Montemayor, que
era hermano de doña Aldonza de Angulo (es decir, de la
abuela paterna de don Pedro de Hoces) duda [29] entre don
Juan Ponce o don Luis Gómez de Figueroa.

Poco a poco las sospechas se van condensando sobre don
Juan Ponce o sobre su primo don Alonso de las Infantas.
Juan Saavedra Soto dice [30] que don Juan Ponce «es poco me-
dido en lo que habla y mal quisto, y no se le cree en muchas
cosas», y que don Alonso de las Infantas es «persona a quien
se le da poco crédito en lo que dice, que es hombre muy mal
quisto y maldiciente en el lugar». Don Fernando de Argote
dice [31] que don Juan Ponce «es persona mal reputada en su
lengua de que no trata verdad en muchas cosas». De don Alonso de las Infantas asegura que «es reputado por reboltosso [32] y
pleitista, y que se alarga en lo que dice». Don Alonso Argote
de los Ríos viene a decir [33] lo mismo acerca de don Juan
Ponce; de don Alonso de las Infantas afirma que «es perso-

---

[27] ¿O «Ignacio»?
[28] Fol. 98.
[29] Fols. 69 v.º-70.
[30] Fols. 107 v.º-108.
[31] Fols. 111 v.º-112.
[32] La palabra «reboltosso» está tachada, a lo que parece, con la
misma tinta.
[33] Fols. 114 v.º-115.

na en cuya palabra este testigo no pusiera su honrra por le
auer oydo este testigo algunas libertades». Otro testigo, Melchor de Torres [34], nos dirá de don Juan Ponce que es hombre «apasionado y muy atrevido» y que «habla mucho y
tratta de linages y de arruinar a otros y malquisto con algunos». De don Alonso de las Infantas, si bien no sabe que
sea enemigo del pretendiente, nos cuenta una cosa interesante (ojo: este don Luis de Góngora de quien se va a hablar no tiene nada que ver con el poeta): «oy a quatro dias
que el dicho don Alonso llegó a este testigo y le preguntó de
cierta differencia y pleito que vbo entre don Luis de Gongora, hermano de doña María de Gongora madre del dicho
don Pedro de Hoces, y doña Catalina de Cañete su abuela
materna del dicho don Pedro, contra Pedro Sanchez, escriuano
público desta ciudad...» Este don Luis de Góngora había insultado al Pedro Sánchez, y el Pedro Sánchez le había contestado motejándole de villano [35]. Al testigo le extrañó la
pregunta de don Alonso de las Infantas: «...le parece a este
testigo que lo preguntaua con alguna passion para algunos
malos effectos, porque el dicho don Alonso es un hombre
mal intencionado y apassionado que se mette mucho en materia de linages y es auido y comunmente reputado por temerario y hombre de muy mal término y mala lengua y poca
verdad.» Es muy importante la declaración de este testigo
por lo que toca a la carta misma, aunque, evidentemente,
como indica la tachadura, un miedo o un reparo le hizo ami-

---

[34] Fols. 118-119.
[35] Le había echado en cara ser «de los Repissos de Castro del
Río». A esta ascendencia (que, por fin, se probó verdadera, pero que
no impidió el hábito de don Pedro) era a lo que apuntaba la tacha,
señalada ya en la primera carta acusatoria, de ser villana la madre
de don Pedro. Fué la única de las acusaciones que las pruebas con-
firmaron.

norar lo categórico de su afirmación: «Otrosi dixo, auiendo attentamente remirado la dicha carta, que el dicho don Alonso de las Infantas, o con industria suya, escriuió la dicha carta [*las cuatro palabras que anteceden han sido tachadas*] le parece a este testigo que se escriuiría la dicha carta, porque lo tiene por tan temerario y sagaz para mal que podría atreuerse a esso y a otras cossa[s].»

No podemos ahora detenernos más tiempo en el proceso de estas pruebas. Es lástima, porque son interesantes desde muchos puntos de vista: primero porque nos meten profundamente y en pormenor en el mundo de pequeñas rencillas de una ciudad provinciana a fines del siglo XVI, y luego porque en ellas se dan muchos pormenores sobre un linaje de Góngoras (distinto del de nuestro poeta), en el cual, por cierto, hubo varios miembros llamados don Luis de Góngora, que habrá que tener presentes para no achacar al autor de las *Soledades* lo que no le corresponde. Pero estudiar ese linaje nos habría alejado de nuestro tema. Hemos visto que entre los folios de las pruebas se menciona en algunas ocasiones a nuestro Góngora, el gran poeta, y se dan de él noticias que a veces confirman otras conocidas de antiguo (la reyerta con don Pedro de Hoces y la consiguiente enemistad), o nos dan nuevos datos (la declaración de don Andrés Manrique, tío de don Pedro, contra don Francisco de Argote en la «visita» que a éste hizo la Inquisición; la declaración de don Francisco contra don Alonso de Hoces en la cuestión de la familiatura; el rumor de que don Pedro de Hoces había rogado a don Francisco de Argote que en sus pruebas no dijera su dicho; y que habían pedido que el Racionero, su hijo, le tuviera encerrado...). Todas estas noticias, marginales con relación a nuestro tema, han ido saliéndonos al paso.

Lo importante para nosotros es la cuestión de la carta, de las cartas. De las pruebas sale bien patente que una persona mal intencionada y enemiga de don Pedro de Hoces quiso impedir a éste la obtención del hábito, y para ello se dedicó a enviar a distintas personas relacionadas con el Consejo de las Ordenes, y quizá al mismo rey, cartas en que se infamaba el linaje de don Pedro; en estas cartas, en realidad viles anónimos, el denunciante usurpó el nombre de varias personas que aparecían como autores. Conocemos dos, una la conservada con las pruebas de don Pedro en el Archivo Histórico Nacional, para la que se suplantó el nombre de un fray Iñigo de Guzmán, que efectivamente vivía en Córdoba; otra, la del «expedientillo» de don Pedro (hoy en Simancas), con el nombre de «don luys de gongora». El miserable denunciador sabía bien lo que se hacía: porque el poeta Góngora tenía, en efecto, enemistad con don Pedro. Las dos cartas denunciatorias que han llegado hasta nosotros son inequívocamente, como hemos visto, de una misma mano. Los comisarios, en el interrogatorio de testigos, en Córdoba, se nos figuran casi unos modernos «detectives». Pero poco a poco —según se avanza en el interrogatorio— las sospechas caen cada vez más decididamente sobre los Ponces, padre e hijo, y el primo de éste, don Alonso de las Infantas. Los dos primos, especialmente el «don» Alonso, eran, no cabe duda, dos miserables. La coincidencia de tanto testigo, al juzgar el carácter moral de don Alonso, se convierte casi en un plebiscito: como tantas veces ocurre, el «infamador» queda al fin cubierto de cieno. Nadie, salvo el Ponce y el Infantas, pone tacha en el carácter de don Pedro de Hoces; pero muchos coinciden en afear la conducta de los dos lenguas de víbora. Yo creo que las cartas eran obra de don Alonso: la declaración de éste y el contenido de las cartas casan perfectamente, y el tipo de odio es el mismo. Es posible, sin embargo, que la instigación estuviera en los Ponces y el ejecutor fuera el Infantas. No el ejecutor material: no cabe duda de que el delator utilizó la mano de algún dependiente suyo: así borraba las huellas [36].

El denunciante no se salió con la suya. Los comisarios fueron a averiguar la verdad, y trabajaron con un rigor y una escrupulosidad raros en aquella época (y aun hoy). No se probó nada, sino que había una veta de muy honrada villanía en la sangre materna de don Pedro. Los comisarios obraron muy bien al no hacer el menor caso de ello. En la «Relación y resulta de las dudas» [37], que va al final, los comisarios resaltan cuántos testimonios favorables para don Pedro se habían reunido, especialmente el hecho de que hasta todos los enemigos, menos dos, hubieran depuesto en su favor («de los trece enemigos que viene probado ser tales, solos don Alonso de las Infantas y don Juan Ponce de León an fomentado apassionadamente las dudas propuestas» [38]). Mucho debieron de sufrir el Infantas y el Ponce cuando, en 28 de marzo de 1597, se acabó de ver la información en el Consejo de Ordenes, y mandaron «que se despache el testimonio del áuito de Calatraua a don Pedro de Ozes, para que pueda recibir el dicho áuito» [39]. ¡Bien hecho!

---

[36] No se atrevió, parece, a servirse de ninguno de los amanuenses profesionales que, sin duda, había en Córdoba: ninguno habría cometido los groseros errores de ambas cartas.

[37] Empieza esta relación en el fol. 207.

[38] Fols. 213 v.º-214.

[39] Fol. 214.

GÓNGORA Y AMÉRICA

No voy a exponer una nueva teoría ni un descubrimiento sensacional de esos que a cada paso alteran el normal desenvolvimiento de los estudios colombinos o de los cervánticos. No; un poco de calma. Adelantaré, desde luego, para que nadie se llame a engaño, que Góngora tuvo muy poca relación con el continente occidental. Pero puede ofrecer un relativo interés —en este año del tercer centenario de Góngora— el dejar consignadas las menciones que el mejor poeta del siglo XVII hace de la tan lejana y para él tan desconocida América. Un trabajo semejante hecho con relación a los otros grandes escritores del Siglo de Oro nos llegaría a dar, mejor que las superficiales generalizaciones, lo que América significó para la mentalidad española de los siglos inmediatamente posteriores a la conquista.

BURLA

Tenemos que evitar los falsos caminos. Por ejemplo: en el manuscrito Chacón —excelentemente reproducido por Foulché-Delbosc en su edición de las «Obras de Góngora»— aparece adscrito a 1585 un romance que nos promete un gran interés. El poeta va a hablar del Nuevo Mundo. Y —como en tantos otros romances vulgares, al modo juglaresco— comienza por demandar atención:

> *Escuchadme un rato atentos,*
> *cudiciosos noveleros,*

> *pagadme destas verdades*
> *los portes en el silencio,*

> *Del Nuevo Mundo os diré*
> *las cosas que me escribieron,*
> *en las zabras que allegaron,*
> *cuatro amigos chichumecos*[1].

¡Atención, señores! Las noticias parece que vienen buenas de veras:

> *Dicen que es allá la tierra*
> *lo que por aquí es el suelo...*[2]

¡Gran verdad! Adelante: ¿qué más cuentan?

> *...Que andaban los naturales*
> *desnudos por los desiertos,*
> *pero que ya andan vestidos,*
> *si no es el que se anda en cueros*[3].

El poeta, indudablemente, siente cierta inclinación hacia la tautología. Y, si seguimos leyendo, empezaremos a ver desfilar el marido consentidor, el bravucón, la buscona, fauna de todos los climas y habitual en las letras satíricas del siglo XVII. Si el romance es verdaderamente de Góngora, hay que reconocer que éste se ha querido burlar de nosotros. Nos hemos desorientado en nuestra búsqueda. Tratemos de encontrar camino por otra parte.

---

[1] *Obras poéticas...*, ed. de Foulché-Delbosc, Hispanic Society of America: I, 77-78 = Millé, núm. 18.
[2] *Id.*, I, 78 = Millé, 18.
[3] I, 78 = Millé, **18**.

VISIÓN DE AMÉRICA

Afortunadamente, encontramos un pasaje en el cual el poeta quiere dar —y esta vez en serio— los rasgos esenciales del continente americano. En el año 1615 muere el séptimo Duque de Medina Sidonia, casa de la cual Góngora era especialmente devoto: algunos años antes había ya dedicado su *Fábula de Polifemo y Galatea* al Conde de Niebla, hijo del Duque, heredero del título y casado con una hija de Lerma, y al de Lerma precisamente dedicará Góngora, un par de años después, su *Panegírico*. Con ocasión de la muerte del Duque de Medina Sidonia, comenzó a escribir D. Luis una égloga piscatoria que ha quedado inacabada, y en ella introduce a América y Africa, que llegan a asociarse al duelo. Dos pescadores, Lícidas y Alcidón, contemplan la escena. Y pregunta Lícidas:

> *¿Quién, dime, son aquellas, de quien dudo*
> *cuál más dolor o majestad ostente,*
> *plumas una la frente,*
> *palmas otra, y el cuerpo ambas desnudo?* [4]

Y contesta Alcidón, señalando a América:

> *Aquella*
> *ara del Sol edades ciento, ahora*
> *templo de quien el Sol aún no es estrella,*
> *la grande América es, oro sus venas,*
> *sus huesos plata, que dichosamente*
> *si ligurina dió marinería*
> *a España en uno y otro alado pino,*

---

[4] II, 228 = Millé, 404.

> *interés ligurino*
> *su rubia sangre hoy día,*
> *su medula chupando está luciente* [5].

Dos ideas hay en esta representación de América —apresurémonos a decir que las dos acuden con frecuencia a la mentalidad de los escritores de nuestro Siglo de Oro—: la primera, religiosa; económica, la segunda. América, según estos versos, es: 1), aquella que durante largo tiempo fué idólatra del Sol, y hoy adora al Dios verdadero, junto al cual el Sol no vale ni lo que una simple estrella, y 2), es una enorme extensión, descubierta, sí, para España por la pericia marinera de un genovés, pero a la cual también la usura de los genoveses le está ahora chupando sus riquezas, con pérdida para la economía española.

Religión, dineros. A Góngora, como artista, le importaba muy poco la religión, pero como hombre —y como artista— no dejaron nunca de preocuparle las riquezas humanas. Y este aspecto de América, el ser un país productor de inmensas riquezas, es lo que siempre estará fijo en la mente del poeta. Poca originalidad: la cabeza de Góngora era una cabeza típica de español del siglo XVII, y hubiera podido serlo, con muy pequeñas variantes, de un español del siglo actual.

LAS RIQUEZAS AMERICANAS

No es que a Góngora no le haya interesado la fauna o la geografía de América. En una ocasión escribirá unos pocos versos sobre el pavo:

---

[5] II, 228 = Millé, 404.

> *Tú, ave peregrina,*
> *arrogante esplendor —ya que no bello—*
> *del último Occidente...*[6];

en otra, hablará del indiano aleto:

> *Tú, infestador en nuestra Europa nuevo,*
> *de las aves, nacido, aleto, donde*
> *entre las conchas hoy del Sur esconde*
> *sus muchos años Febo,*
> *¿debes por dicha cebo?*
> *¿Templarte supo, di, bárbara mano*
> *al insultar los aires? Yo lo dudo,*
> *que al preciosamente inca desnudo*
> *y al de plumas vestido mejicano,*
> *fraude vulgar, no industria generosa,*
> *del águila les dió a la mariposa*[7];

en otra ocasión alude, con equivocado desprecio del Amazonas —testigo, Salcedo Coronel— a la geografía fluvial de América:

> *...la ribera*
> *del rey del Occidente*
> *flechero Paraguay, que, de veneno*
> *la aljaba armada, de impiedad el seno...*[8]

Otras referencias a geografía, fauna, habitantes, costumbres, etcétera, del Nuevo Mundo se encuentran entremezcladas en lo que diré después. Pero lo que atrae, sobre todo, la atención del poeta es —como ya he dicho— la fabulosa riqueza americana. El espectáculo del puerto de Sevilla trae

---

[6] *Las Soledades*, Madrid, «Cruz y Raya», 1935, pág. 75.
[7] *Las Soledades*, pág. 138.
[8] II, 205-6 = Millé, 400.

a la mente de Góngora, como a la de casi todos los escritores de la época, un eco de aquel lejano esplendor. Sevilla,

> *aquella Fénix del orbe*
> *que debajo de sus alas*
> *tantos hoy leños recoge;*
> *gran Babilonia de España,*
> *mapa de todas naciones,*
> *donde el Flamenco a su Gante*
> *y el inglés halla a su Londres;*
> *escala del Nuevo Mundo,*
> *cuyos ricos escalones,*
> *enladrillados de plata,*
> *son navíos de alto borde*[9] ;

y la visión del Betis, cuando surcan

> *...su corriente*
> *velas del Occidente,*
> *que más de joyas que de viento llenas,*
> *hacen montes de plata sus arenas*[10],

eran una vislumbre de la tierra de promisión para quien no
podía tener más Indias que las puramente imaginarias.

¡Riqueza americana! ¡Cuán fabulosamente grande debía
presentarse a los ojos del poeta! Para encarecer la magnanimidad de Felipe III —¿sin asomo de ironía?— dice:

> *Desatada la América sus venas,*
> *suplió munificencia tanta apenas*[11],

y para ponderar la grandeza y la insensibilidad del Océano:

---

[9] I, 365 = Millé, 421, vv. 485-495.
[10] I, 125 = Millé, 386.
[11] II, 353 = Millé, 410.

> *... ese profundo*
> *campo ya de sepulcros, que, sediento,*
> *cuanto, en vasos de abeto, Nuevo Mundo*
> *—tributos digo américos— se bebe,*
> *en túmulos de espuma paga breve* [12].

En fin, en Góngora abundan extraordinariamente las referencias al Perú y al Potosí, etc., a veces en frases que ya
empiezan en la época a estar estereotipadas, y que luego
han de quedar definitivamente fijadas en el idioma: *cien vecinos del Perú* (cien escudos), *Obras poéticas*, II, 139; *... de
oro tuviera un millón / y de hechura un Perú...*, II, 163;
*... No envió flota el Perú / con razonables sucesos / que de
cuarenta mil pesos / no la descargases tú...*, I, 450; *... cuantas barras envió / en sus flotas el Perú...*, II, 191; *... los bú-
caros para mí / son las minas del Perú...*, II, 142; *... Sangró
una ingrata / cierto jayán de plata / enano Potosí, cofre de
acero / de un bobo perulero...*, II, 255; *... segundo Potosí
fuera de plata...*, I, 423 (Millé, 422, vv. 375 y 1.116-7; 421, vv.
2.978-81; 422, vv. 1.934-5 y 465-6; 406, 2.ª estr.; 421, v. 2.159).

METÁFORAS

Góngora no podía desperdiciar tanta riqueza. También él
tiene su conquista de las Indias, una conquista metafórica.

La poesía renacentista había seleccionado para sus juegos imaginativos, brillantes, fastuosas palabras. Cuando a fines del siglo XVI y principios del XVII se intensifica el gusto
por la metáfora, y junto con él el despliegue poético de niti-
deces y esplendores, abundan como nunca en poesía nácares,

---

[12]   *Las Soledades*, pág. 122.

oro, marfil, perlas. Una costumbre, ya antigua, llevaba a los
poetas a localizar todas estas preciosidades en sus centros
productores más afamados. Para la literatura grecolatina las
tierras productoras de lo precioso fueron las cercanas al mar
Eritreo. Pero descubierto el Mundo Occidental, se abren a
los poetas territorios vírgenes aptos para la localización de
la suntuaria metafórica.

Góngora, poeta cuya concepción de la imagen —por época, por educación, por temperamento— estaba íntimamente
ligada a los esplendores de Oriente, no deja de participar,
sin embargo, en el aprovechamiento de los nuevos veneros.
Seguirá siendo fiel a la poética grecolatina:

> *De su frente la perla es eritrea*
> *émula vana...* [13];

pero no desperdiciará las nuevas posibilidades:

> *Con su garganta y su pecho*
> *no tienen que competir*
> *el nácar del mar del Sur,*
> *la plata del Potosí* [14];

y, si tiene que comparar la espuma que rodea la proa de una
veloz barquilla, echará mano de las perlas, pero nada menos
que de las perlas ensartadas en collares alrededor del cuello
de una Coya del Perú: la barquilla:

> *...el mar encuentra, cuya espuma cana*
> *su parda aguda prora*
> *resplandeciente cuello*
> *hace de augusta Coya peruana,*

---

[13]   II, 38 = Millé, 416, vv. 109-110.
[14]   I, 137 = Millé, 32.

> a quien hilos el Sur tributó ciento
> de perlas cada hora [15].

LOS DESCUBRIMIENTOS MARÍTIMOS

La visión de América como una tierra fabulosamente rica no abandona a Góngora, ni aun en la ocasión en que más decidida y directamente trata de asuntos americanos. Hay en la *Soledad Primera* un largo trozo —unos 140 versos— en el que el poeta resume la historia de la navegación. Después de haber aludido a las fabulosas empresas de Tifis y Palinuro, pasa a tratar de la historia de los descubrimientos modernos y, ante todo, de los españoles. Daré aquí con un breve comentario —la comprensión del pasaje es difícil— los trozos de más interés. El sujeto de toda la narración, el causante de todos los descubrimientos, según Góngora, va a ser la Codicia:

> Piloto hoy la Codicia, no de errantes
> árboles, más de selvas inconstantes,
> al padre de las aguas Océano
>   —de cuya monarquía
>   el Sol, que cada día
> nace en sus ondas y en sus ondas muere,
> los términos saber todos no quiere—
> dejó primero de su espuma cano,
>   sin admitir segundo
> en inculcar sus límites al mundo [16].

'Hoy la Codicia, hecha piloto, no ya de algunas embarcaciones aisladas, sino de verdaderos bosques de navíos, ha surcado todas las aguas del Océano, el cual es tan grande,

---

[15] *Las Soledades*, pág. 109.
[16] *Las Soledades*, págs. 78-79.

que ni aun el Sol —que en el mar nace y muere— puede llegar a conocer sus límites'[17]. Estos versos sirven como de preámbulo para tratar del primer viaje de Colón:

> *Abetos suyos tres aquel tridente*
> *violaron a Neptuno,*
> *conculcado hasta allí de otro ninguno,*
> *besando las que al Sol el Occidente*
> *le corre en lecho azul de aguas marinas,*
> *turquesadas cortinas*[18].

'Tres embarcaciones suyas (es decir, de la Codicia) violaron el Atlántico —parte del Océano no surcada hasta entonces—, llegando a besar sus últimos límites.' Ante tan manifiesta injusticia, Salcedo Coronel —en el comentario a este pasaje— no puede contener su indignación: «No dejaré de culpar a D. Luis, pues atribuye a la Codicia, y no a una ambición prudente, la dilatación de la Monarquía española. ¡Oh España, cuánto menos debes a tus naturales que a los extranjeros, pues aquéllos, aunque envidiosos, confiesan tu grandeza, y éstos, maliciosamente, deslucen tus victorias! ¿Qué mucho, pues, nos llamasen bárbaros, si nuestro estudio mayor es la propia ignominia?» La indignación de Salcedo Coronel es interesante, pero no del todo justa; Góngora tal vez no se interesaba por el fondo de la cuestión, sino se dejaba llevar por un ejercicio retórico con evidentes modelos clásicos:

> *A pesar luego de áspides volantes*
> *—sombra del Sol y tósigo del viento—*

---

[17] En la versión en prosa que acompaña a mi ya citada edición de *Las Soledades* se encontrará la traducción completa de estos fragmentos. Aquí sólo doy un resumen.

[18] *Las Soledades*, pág. 79.

de caribes flechados, sus banderas
siempre gloriosas, siempre tremolantes,
rompieron los que armó de plumas ciento
lestrigones el istmo, aladas fieras:
el istmo que el Océano divide,
y —sierpe de cristal— juntar le impide
la cabeza, del Norte coronada,
con la que ilustra el Sur cola escamada
*   de antárticas estrellas* [19].

'Las banderas de la Codicia derrotaron a los salvajes caribes que habitaban en las cercanías del Istmo de Panamá;
istmo que divide el Océano y, como si éste fuera una sierpe
de cristal, le impide juntar la cabeza —el Atlántico— con la
cola —el Pacífico.'

Continúa luego el poeta hablando del descubrimiento y
navegación del Océano Pacífico:

Segundos leños dió a segundo polo
en nuevo mar, que le rindió no sólo
las blancas hijas de sus conchas bellas,
mas los que lograr bien no supo Midas
*   metales homicidas* [20].

'La Codicia dió nuevos navíos al polo austral, navegando
por el Océano Pacífico, y éste le rindió sus perlas y el oro y
la plata de sus regiones.'

Vienen después unos cuantos versos que aluden a los
descubrimientos de los portugueses, y, por último, la narración poética del viaje de Magallanes, completado por El-
cano:

---

[19] *Las Soledades*, pág. 79.
[20] *Las Soledades*, págs. 79-80.

> Zodíaco después fué cristalino
>   a glorïoso pino,
> émulo vago del ardiente coche
>   del Sol, este elemento,
> que cuatro veces había sido ciento
> dosel al día y tálamo a la noche,
> cuando halló de fugitiva plata
> la bisagra, aunque estrecha, abrazadora
> de un Océano y otro, siempre uno,
> o las columnas bese o la escarlata
>   tapete de la aurora
>   Esta pues nave, ahora
> en el húmido templo de Neptuno
> varada pende a la inmortal memoria
>   con nombre de Victoria [21].

'El mar sirvió como de zodíaco de cristal a una gloriosa nave que lo circundó todo, la cual, después de cuatrocientos días de navegación, logró encontrar el estrecho que separa el Atlántico y el Pacífico. Esta nave pende ahora, para recuerdo de tal hazaña, en el templo de Neptuno.'

Tal es la narración del descubrimiento de América introducida por Góngora en la primera de sus *Soledades*.

La visión de América que nos ofrece Góngora —dejada aparte la maravillosa envoltura artística en que la encubre el poeta— nos produce hoy desconsuelo: América, según Góngora, es un país a cuyo descubrimiento nos ha llevado la codicia, al que hemos dado nuestra religión y al que podemos extraer, en cambio, sus portentosas riquezas. Afortunadamente, la labor de España en las Indias estaba siendo mucho más generosa de lo que podía suponer un cerebro del siglo XVII español, aunque este cerebro fuera el de don Luis de Góngora y Argote.

---

[21] *Las Soledades*, pág. 81.

IV

AMBIENTE Y HUELLA

CREDITO ATRIBUIBLE AL GONGORISTA DON MARTIN DE ANGULO Y PULGAR

Eɴ sus dos *Epístolas Satisfatorias...* [1] y en su *Égloga Fúnebre...* [2] nos ha dejado don Martín de Angulo y Pulgar algunas curiosas noticias relativas a la vida y obras de don Luis de Góngora. Alfonso Reyes —a él hay que estar aludiendo sin cesar siempre que de gongorismo se trata— ha exhumado esos datos y hecho uso de ellos en algunos de los artículos que acaba de reunir bajo el título de *Cuestiones gongorinas* [3]. Trataré en las líneas que siguen de completar y

---

[1] «Epístolas Satisfatorias, vna a la obieciones que opuso a los Poemas de D. Lvis de Góngora el Licenciado Francisco de Cascales, Catedrático de Retorina *(sic)* de la S. Iglesia de Cartagena en sus cartas Filológicas; otra a las proposiciones que contra los mismos Poemas escriuió cierto Sugeto graue y docto. Por D. Martín de Angulo y Pulgar, natural de la Ciudad de Loxa. A D. Fernando Alonso Pérez de Pulgar, señor de la Villa del Salar. Con licencia. En Granada, en casa de Blas Martínez, mercader e impressor de libros, en la calle de los libreros. Año de 1635»; 3 hojas + 55 fols., 8.º Biblioteca Nacional, *R*-16.018.

[2] «Egloga fvnebre a D. Lvys de Góngora, de versos entresacados de sus obras por D. Martín de Angvlo y Pulgar, natural de la ciudad de Loja. A D. Fernando Pérez de Pulgar y Sādoval, Cauallero de la Orden de Calatrava, sucessor de la Casa de Pulgar y villa del Salar *(grabado: busto de hombre joven)*. Con Licencia. Impresso en Granada por Simón Fajardo. Año de 1638»; 12 hojas preliminares + 20 fols., en 4.º. Un Ejemplar en la Biblioteca Nacional, encuadernado con el manuscrito Cuesta Saavedra, Ms. 3.906. Otro, *R*-5.269.

[3] Madrid, 1927. En ese año se publicó por primera vez el presente artículo.

aumentar las noticias procedentes de Angulo que se refieren a Góngora y de discutir el valor que a todas ellas debe ser atribuído.

Además de los dos libros impresos[4] que acabo de citar nos ha dejado Angulo un manuscrito autógrafo (está en Granada, en la biblioteca del duque de Gor), que comprende gran parte de la obra poética de Góngora. Al final de dicho manuscrito han sido agregadas (¿en fecha posterior?) veintiocho cartas, a lo que parece autógrafas, del autor de las *Soledades*. Linares y García usó de este tesoro para su edición de *Cartas y poesías inéditas de don Luis de Góngora*[5]; pero se limitó a reproducir las cartas y a publicar algunas poesías, desperdiciando el gran caudal de noticias que a éstas acompañan en forma de notas y de comentarios; y en algunas ocasiones, o leyó mal, o se permitió alterar el texto sin más aclaración. Por ejemplo: Linares da como de 1624 la carta que en su edición lleva el número XVII[6], reproducida luego con la misma fecha por Foulché-Delbosc[7]. La atribución a 1624 era de todo punto imposible, puesto que en la carta se alude como vivas a personas que en ese año habían muerto; así lo indicó ya Serrano y Sanz[8] y en fecha reciente Artigas[9]. Pues bien: en el manuscrito original puede leerse con toda claridad la fecha de 1614. Linares y Gar-

---

[4] Hay una tercer obra impresa de Angulo. Véase en este libro *Un centón de versos de Góngora*, págs. 502-509.

[5] Granada, 1892. En esta obra, págs. xiv-xvii, se da una descripción suficiente del manuscrito Angulo. Algún pormenor de ella hemos de rectificar; véase nota 58 a la página 443.

[6] *Ob. cit.*, pág. 33.

[7] *Obras poéticas de D. Luis de Góngora*, Nueva York, 1921, III, 280. V. ed. Millé (Epistolario), núm. 4.

[8] En *Revista de Archivos*, 1899, pág. 406.

[9] *D. Luis de Góngora y Argote. Biografía y estudio crítico*, Madrid, 1925, pág. 137.

cía, o inadvertida, o conscientemente, alteró la cifra, movido por el hecho de ser las veintisiete cartas restantes posteriores a 1620. Con algún otro error de Linares hemos de tropezarnos aún.

Se puede decir, pues, que el manuscrito Angulo no ha sido debidamente aprovechado. Reyes no tuvo ocasión de verlo[10]. Yo sí, aunque no con todo el espacio que hubiera sido de desear. Repite y amplía Angulo en ese manuscrito —como vamos a ver— las curiosas noticias consignadas en sus libros impresos.

Quizá la más interesante que Reyes sacó de las *Epístolas Satisfatorias...* y de la *Égloga Fúnebre...* sea la atribución a Góngora de las octavas que sirven de prólogo a *La Gloria de Niquea*, del conde de Villamediana[11]. En el manuscrito Angulo figuran esas octavas, precedidas y seguidas, respectivamente, por las dos notas que transcribo a continuación[12]:

1.ª «Para preámbulo a la loa de la Comedia que salió entonces, i se imprimió después por D. Juan de Tasis, Conde de Villamediana (aunque ay versos de otros poetas) compuso D. Luis estas Otavas, y las representaron las S.ᵃˢ D. Margarita de Tavora, que hiço la Corriente del Tajo, i D. Francisca de Tavora, el mes de Abril, i D. Antonia de Acuña, a la Edad. Dedicóse la Comedia al día Natal en que cumplió el Rey nuestro señor 17 años, a 8 del mes de Abril de 1622. Re-

---

[10] Reyes, *Cuestiones gongorinas*, pág. 21.

[11] Reyes, *Ob. cit.*, págs. 11-28, artículo *Góngora y «La Gloria de Niquea»*, publicado por primera vez en *RFE*, 1915, II, 274-282.

[12] Para todas las citas que transcribiré del manuscrito Angulo debo advertir que sólo la segunda parte de dicho monuscrito (sonetos) está foliada. Por tanto, cuando se trate de una poesía contenida en la primera parte, daré una indicación aproximada del lugar en que se encuentra, suficiente, ya que las composiciones están agrupadas como se describe en Linares y García, pág. XVI.

presentó en ella la Reyna, la Infanta i sus Damas. Intitúlase
La Gloria de Niquea i descripción de Aranjuez [13]. Todos los
aparatos i apariencias della, que fueron notables y grandio-
sos, se hicieron a espensas del Conde...»

2.ª «Otro romance hiço también D. Luis en esta Comedia; hallaráse en la plana [hay un espacio en blanco para
poner la cifra]. Comiença: Baquero, escúchame un rato. I de
lo vno y lo otro fué testigo de vista el Doctor Salvador de
Chauarría, Capellán que oy es en la Capilla Real de Granada.
25 de Agosto, Anno 1634, Nativ. Christi Dmi.»

Efectivamente; entre los romances, y con el número 8 de
los líricos, figura en el manuscrito Angulo el que comienza
«Vaquero, escúchame un rato», y termina «que un mármol
mas con sentido», romance que, formando parte de *La Gloria de Niquea*, aparece en las impresiones de las *Obras*...
de Villamediana [14]. En el manuscrito va precedido de una nota que repite de nuevo la atribución al poeta cordobés:

«Sacóse de la Comedia de *La Gloria de Niquea*, porque
lo compuso D. Luis como las Otavas de su introdución.»

De las notas que acabo de transcribir salen todas estas
noticias:

---

[13] Todos los pormenores que aquí se dan referentes a las personas
que representaron el prólogo, al objeto de la fiesta, a la fecha de la
misma y al título de la comedia, los pudo tomar Angulo directamente
de la impresión de esta última en la *Obras*... de Villamediana. La edición que tengo a mano es la de Madrid, 1643. Angulo emplearía las de
Zaragoza, 1629; Zaragoza, 1634 ó Alcalá, 1634 (?). (Véase Cotarelo
y Mori. *El Conde de Villamediana*, Madrid, 1886, págs. 223-225, y Reyes, *Ob. cit.*, pág. 13.) Obsérvese que Angulo toma la fecha de 8 de
abril, de la indicación que sigue al título de la comedia (pág. 1), sin tener en cuenta que en la página 3 se da la verdadera fecha (15 de mayo)
en que la fiesta tuvo lugar.
[14] Edic. cit., págs. 20-21.

1) El conde de Villamediana costeó todos «los aparatos i apariencias» de la *Gloria de Niquea*.

2) En esta comedia colaboraron «otros poetas» (nótese el plural).

3) De Góngora, son ya no sólo las octavas del prólogo (como afirmaban las *Epístolas Satisfatorias...* y la *Égloga Fúnebre...*), sino también el romance «Vaquero, escúchame un rato».

4) De la atribución a Góngora de las octavas y el romance se pone por testigo de vista al doctor Salvador de Chavarría.

5) Angulo hace esta declaración en el año 1634.

Esto afirma Angulo y lo escribe de su puño y letra. Pero ¿qué crédito nos merecen las afirmaciones del entusiasta gongorino de Loja? Procuraré tratar por separado del crédito general atribuíble, en cuanto gongorino, a Angulo, y del que en especial podamos dar a las noticias que anteceden.

Creo que un estudio detenido del interesante manuscrito de la biblioteca del duque de Gor, nos obligaría a ser bastante más cautos de lo que ha sido el Sr. Reyes al inclinarse a aceptar las afirmaciones de Angulo, no corroboradas por ningún otro testimonio del siglo XVII. Sin haberlo hecho aún, puedo adelantar que en la colección de poesías de Góngora formada por don Martín no aparece por ninguna parte el cuidado exquisito y el criticísimo rigor que tuvieron otros coleccionadores de textos del gran cordobés: el cuidado y rigor que tuvo Chacón, el que se adivina en el autor del *Escrutinio*. Angulo incluye en su colección gran número de composiciones de autenticidad más que problemática, y nunca, salvo en el caso de las octavas y el romance de *La Gloria de Niquea,* nos indica la razón que ha tenido para achacarlas a Góngora. De ellas, unas figuran en la edición de Hozes, pero no en el manuscrito Chacón; por ejemplo, el romance «Desbaratados los cuernos» y los sonetos «No sé qué escriba a vuestra señoría»[15] y «Una vida bestial de encantamentos»[16]; otras no aparecen en las ediciones impresas, ni en Chacón; por ejemplo: las octavas «Corriendo el macedonio el indio suelo», las redondillas «Marina, Francisca, y Paula», los romances «Escribiendo está Lucrecia» y «Soledad que aflige tanto»[17], los sonetos «Yace aquí un cisne en flores que batiendo» y «Ten no pises ni pases caminante»[18].

Podemos, desde luego, afirmar que, en general, parece como si Angulo hubiera tratado sólo de allegar el mayor número posible de textos, sin haberse preocupado mucho de comprobar su autenticidad. Ocurre, verbigracia, que varios «romances líricos moros» (que figuran en el manuscrito después de los conocidos y tenidos por todos como de Góngora) llevan una nota en la que el colector declara que posteriormente le han asegurado no ser aquellos romances de D. Luis, aunque lo parecían. Características de estilo debieron de ser con frecuencia los únicos motivos de inclusión.

Las mismas sospechas despiertan a menudo las notas que a las poesías acompañan. Algunas son de una vaguedad graciosísima; muchos sonetos llevan esta aclaración: «A la misma dama [que el soneto anterior] o a otra.» Junto a tales faltas de exactitud, de súbito, alardes de minucioso conocimiento.

---

[15] Rechazado explícitamente por Chacón (*Rev. Hisp.*, 1900, VII, 461).
[16] Rechazado por el *Escrutinio* (*Rev. Hisp.*, 1900, VII, 490, y por el manuscrito Guerra y Orbe. (Véase Reyes, *Ob. cit.*, pág. 160.)
[17] Véase Reyes, *Ob. cit.*, pág. 159.
[18] Ambos aparecen en las *Obras pósthumas...* de Paravicino. El manuscrito Fernández Guerra (= ms. Pérez de Rivas) atribuye a Góngora «Yace aquí un cisne en flores...» (Artigas, *Ob. cit.*, pág. 222; comp. Millé, nota 350.)

Examinemos ahora uno de estos casos en que Angulo habla como si se hubiera provisto de noticias fidedignas. Verdaderas o falsas, las que nos va a transmitir ofrecen algún interés por referirse a un punto de los más oscuros en la biografía de don Luis: el de sus amores.

Miguel Artigas ha relacionado [19] certeramente dos romances de Góngora: el que comienza «Dejad los libros ahora, / Señor Licenciado Ortiz, / y escuchad mis desventuras, / que a fe que son para oír», que Chacón hace datar de 1590 [20], y el que principia «Despuntado he mil agujas», atribuído por el mismo colector a 1595 [21], y por Artigas, con más exactitud, a 1596. En el primero comenta jocosamente el poeta la traición de una dama que, tras haberle dejado sin dineros, aprovechando una forzosa ida de Góngora a Madrid, le engañó con un mercader. En el segundo, D. Luis, en amores con una nueva dama y vísperas de otro viaje, se acuerda de la traición anterior y teme que varios amigos aprovechen su ausencia para sustituirle. El carácter «pasajero y mercenario» de estos amoríos se deduce inmediatamente del tono de ambas composiciones.

Las dos figuran en el manuscrito Angulo. La que he citado en primer lugar lleva el número 6 de los *Romances burlescos* y va precedida de esta nota:

«Al... Licenciado N. Ortiz. Comunicava D. L[uis] vna Dama, de tres i hermanas D. Andrea de Haro i llamadas por su apellido las Haras. Fuese a la Corte; dexóla por guarda en su ausencia al mulato Aguilar, i vendiósela a Hernán Rodríguez mercader en Córdova, y dale cuenta deste suceso...»

La redacción es, en su comienzo, bastante confusa. ¿Ha

---

[19] Artigas, *Ob. cit.*, págs. 79-80.
[20] *Obras poéticas...*, I, 136 = Millé, núm. 32.
[21] *Ibid.*, pág. 186 = Millé, 42.

omitido Angulo alguna palabra? No se llega a comprender si
la dama de D. Luis era D.ª Andrea de Haro o una de sus
hermanas. Pero la explicación cuadra perfectamente bien al
texto del romance.

El que comienza «Despuntado he mil agujas» lleva en el
manuscrito Angulo el número 11 (también de los *burlescos*).
Y va introducido por las siguientes palabras:

«Por D. Lorenço de las Infantas que le pretendía su Dama, en vna ausencia a visitar por el Cavildo de su Iglesia a
D. Frco. Reinoso, Canónigo de Toledo, electo Obispo de Córdova. Era D. Gerónima de Figueroa. Pretendiósela también
D. Luis de Saabedra, sobrino del poeta, i D. Gómez de Figueroa, amigo suyo, i Diego Suárez. Ella era de buena voluntad,
i después casó en Madrid con vn genovés. A esta Dama hace
alusión el de Diez años vivió Belerma.»

También esta aclaración explica satisfactoriamente el texto del romance a que corresponde, y tiene además el mérito
de coincidir —ampliándolas— con las muy parcas notas que
ilustran esta misma poesía en el manuscrito Chacón. En efecto; allí los versos

> *Escuchad los desuaríos*
> *de un Poeta monigote:*
> ... ...
> *Partir quiere a la visita*
> *de vn pastor i sacerdote*
> *que se casa con su Iglesia*
> *con quarenta mil de dote*

llevan esta advertencia: «Fué D. Luis a dar la norabuena de
parte de su Iglesia a D. Francisco de Reinoso, obispo de Córdoua». Y la alusión

> *... luego otro día se ensote*
> *donde algún mártyr assado*
> *se le siruan en gigote*

va aclarada así: «Llamáuase D. Lorenço vno de los que pretendían esta Dama.» Por otro lado, aparte D. Luis de Saavedra, bien conocido como sobrino de Góngora, los nombres de D. Lorenzo de las Infantas y D. Gómez de Figueroa son de hecho los de dos amigos del poeta y aparecen frecuentemente en su epistolario.

Todo esto estaría muy bien si no hubiera algunos pormenores que producen desconfianza. 1) Al lado del romance «Dejad los libros ahora, / Señor Licenciado Ortiz, / y escuchad mis desventuras, / que a fe que son para oír», aparece en el manuscrito con el número 5 de los *burlescos,* el que comienza «Dejad los libros un rato, / Señor Licenciado Ortiz, / porque tengo que contaros / de cosillas un cahiz» [22] que figura en bastantes manuscritos gongorinos, pero no en Hozes, ni en Chacón. Incluído por Castro en el tomo XXXII de la *Biblioteca de Autores Españoles,* es de muy dudosa autenticidad. Angulo lo hace preceder de una vaga nota explicativa [23]. —2) D. Luis de Saavedra, según partida de bautismo publicada por D. José de la Torre [24], nació a fines de 1589. En 1596 tenía, por tanto, unos seis años, edad no del todo apropiada para empresas amorosas. Hay que reconocer que, por lo menos en este punto concreto, Angulo no supo lo que decía. —3) Al final de la nota que precede al romance «Des-

---

[22] Rechazado explícitamente por Chacón *(Rev. Hisp.,* 1900, VII, 461).

[23] He aquí dicha nota: «Al Ldo. Ortiz, Abogado en Córdova, descansado con pocos libros i letras gordas de vmor alegre. Dale cuenta de lo que le pasó con vna Dama en la Corte, q quiso uendérsele por Doncella, i lo que le respondió, i concluye con que sin oro nada se alcança...»

[24] *Documentos Gongorinos,* en *Boletín de la Real Academia de Ciencias, Bellas Letras y Nobles Artes de Córdoba,* VI, núm. 18 (enero a junio, 1927), pág. 151.

puntado he mil agujas» afirma Angulo ser D.ª Jerónima de Figueroa la dama aludida en el «Diez años vivió Belerma». Este último figura también en Angulo (romance 4, de los *satíricos*), explicado del siguiente modo:

«Devajo del Nombre de Belerma, dama de Durandarte, habla de otra a quien vna viuda de D. F.co de Vargas i de la casa de los Hardales, llamada D. María de Guzmán (que después casó con vn escrivano de Sevilla, N. Bautista), que aquí llama D. Alda, persuadió i hiço a sus costumbres. *Tanto pueden los consejos i malas compañías*...»

Entre ambas advertencias, la del romance «Diez años...» y la del «Despuntado he...» se completa, pues, la identificación, según Angulo, de Belerma y D.ª Alda: ésta sería D.ª María de Guzmán; aquélla. D.ª Jerónima de Figueroa. La dificultad estriba en la fecha, 1582, que Chacón atribuye al romance de Belerma. Es un poco extraordinario que la dama que D. Luis describe en 1582 como inducida a liviandad por los consejos de doña Alda, hubiera pasado a ser cosa propia del poeta... catorce años después. O Chacón está equivocado, o la identificación de doña Jerónima con Belerma resulta poco verosímil.

He querido presentar con imparcialidad el pro y el contra de estas noticias. Obsérvese que pueden ser verdaderas en conjunto, aunque no lo sean los pormenores que acabo de señalar. De ser así, ganaríamos la mínima ventaja de poseer los nombres de dos de las varias damas «de buena voluntad» que cruzaron volanderamente por la juventud del gran poeta.

Pero hay otros casos en los que resultan mucho más sospechosas aún las noticias que nos transmite Angulo. Incluye éste en su manuscrito (como el primero de los *Romances líricos a Reyes*, aunque sólo parcialmente es romance) la composición llamada *Congratulatoria,* que aparece también en Hozes[25], y que el mismo Angulo, según ha indicado Reyes, achaca a Góngora en sus *Epístolas...* y en su *Égloga...* La *Congratulatoria* lleva en el manuscrito de la biblioteca de Gor la siguiente nota:

«El año 1619 bolviendo de Portugal las S. C. R. M. de Filipe 3, con la de Filipe 4 (a quien dexó Jurado en aquel Reyno), con su esposa meritís.ª R. D. Isabel de Borbón i la Serenís.ª Infanta María de Vngría, ya digna Reyna, prometió llegar a N. S. de Guadalupe, donde ya le esperauan los S.es Infantes D. Carlos i D. Fernando..., a quien D. Luis siguió ya como cortesano, ya como capellán de onor de su Mag.d Los Monges de S.r S. Gerónimo, en cuyo convento está la Sta. Imagen, por hacer fiesta a tanta Mag.d tenían en la parte interior de la puerta del templo vna nube que se abrió al llegar los Reyes i della salieron dos muchachos ricamente aderezados; el vno era la Justicia, otro la Religión, i representaron este elegante poema que D. Luis compuso a ruego de los Religiosos (que lo regalaron muy bien por él) i le dió por título Congratulatoria...»

No voy a discutir la autenticidad de la *Congratulatoria,* basándome en el análisis de su estilo: desconfío demasiado de semejante procedimiento. Fatigosa y superficial, construída a base de tópicos gongorinos, si no se mueve con mucho desembarazo en lo que tiene de romance (torpe por enumerativo y por la repetición de los mismos giros sintácticos), sus octavas en cambio poseen cierto empuje rítmico. La musa de Góngora no deja de tener caídas: bien pudiera ser suya esta composición, y más si mediaron prisas de encargo. Pero no será tampoco la autoridad de Angulo lo que nos obligue a

---

[25] Madrid, 1633, fol. 142.

admitirla decididamente como del autor del *Panegírico*. Si analizamos la nota precedente vemos que es sólo una ampliación de la que figura al frente de este poema en la edición de Hozes [26]. Las noticias aumentadas, unas están contenidas en el texto mismo de la *Congratulatoria* (las que se refieren a las personas reales que se juntaron en Guadalupe); otras (las que atañen a Góngora) parecen carecer de veracidad. En efecto, se afirma en dicha nota la ida de Góngora a Guadalupe con los infantes D. Carlos y D. Fernando. Y nosotros tenemos en las cartas de Góngora a Francisco del Corral la prueba casi absoluta (ya presentada por Artigas) de que el poeta no se ausentó de Madrid durante todo el tiempo que duró el viaje del Rey. Por un momento, cuando se estaba proyectando el viaje, pensó el poeta realizarlo, pero pronto desistió de ello [27]. Desde Madrid va dando en sus cartas las noticias y rumores que de la jornada regia llegan a la Villa y Corte. Felipe III entró en Guadalupe el 30 de octubre de 1619 [28]. El 29 de octubre escribe tranquilamente Góngora desde Madrid una carta a Corral, en la que le comunica que dicen que «el Rey

---

[26] Aparece también atribuída a Góngora la *Congratulatoria*, al folio 193 del manuscrito existente en la biblioteca del duque de Medinaceli (al cual ya me he referido en *Góngora y la censura de Pedro de Valencia)*. Pero el hecho de ir en dicho manuscrito precedidos los versos de la misma nota explicativa que figura en Hozes, hace pensar que se trata de una copia de alguna de las ediciones impresas.

[27] «Aora escribo bien ahogadamente con la pesadumbre en que nos introduce la jornada de Portugal de que hago relación a nuestro Xpóval [Cristóbal de Heredia], suplicando a V. m. considere lo que propongo, las raçones que breuemente alego en pro y en contra, y sobre todo me aconseje...» (Carta de Góngora a Francisco del Corral, 26 marzo 1619, Artigas, *Ob. cit.,* pág. 295 = Millé [Epistolario], 17.) «Mi jornada a Portugal cesó por las razones que tenía yo prebistas y V. m. me representa por su carta.» (Del mismo al mismo, 9 abril 1619, Artigas, *Ob. cit.,* pág. 296 = Millé, 18.)

[28] Según el libro de bienhechores del monasterio. (Véase G. Villacampa, *Glorias de Guadalupe,* Madrid, 1924, pág. 234.)

se viene muy deprissa» [29]. Es, pues, seguro que Góngora no fué a Guadalupe, ni en el séquito regio, ni en el de los infantes. Angulo, a pesar de la firmeza con que habla, estaba mal informado. No habiendo ido D. Luis a Guadalupe, mal pudieron los monjes del santuario rogarle que compusiera la poesía de bienvenida y regalarle allí por el favor. Queda la posibilidad, poco probable, de que se la encargaran, y enviaran a Madrid los regalos. Aunque esto (que no lo creo) fuera así, no serían por ello menos falsas las afirmaciones de nuestro gongorino.

Hozes, colector sospechoso, y Angulo, que, como vamos viendo, también lo es, declaran a Góngora autor de este poema. Chacón, en cambio, tácitamente lo rechaza. Y es importante el silencio del Señor de Polvoranca, que tal vez podría equivocarse en lo que se refiere a las poesías juveniles y no áulicas de D. Luis, pero tenía motivos para estatr bien informado en cuanto a las actividades cortesanas del poeta. Lo rechaza asimismo Rivas Tafur [30]. Pero nadie tan explícita, y aun indignadamente, como el autor del *Escrutinio*, con estas palabras:

«Núm. 142 [esta cifra indica el folio en que está esta poesía en la edición de Hozes]: un Romance con lo que se le sigue que dice assí:

En buen hora, o gran Philippe.

No nos matemos ahora por si es bueno o no, que ni es del caso ni será bien que lo sea; lo certíssimo sí, que no es de D. Luis. Maravilla hace que obra tan copiosa se le fuese de la vista al curioso [Hozes], i le trocasse los frenos, o los dueños. Paciencia» [31].

---

[29] Artigas, *Ob. cit.*, pág. 307 (= Millé, 30, pág. 1001).
[30] Según Castro, *Biblioteca de Autores Españoles*, XXXII, 548.
[31] *Rev. Hisp.*, 1900, VII, 492.

La atribución a Góngora de la *Congratulatoria* queda, pues, en el aire. Y la seriedad y la escrupulosidad de Angulo, bastante malparadas.

No sólo el manuscrito de la biblioteca de Gor, las mismas obras impresas de nuestro fervoroso gongorino demuestran que era bastante descuidado. Tanto las *Epístolas Satisfatorias...* como la *Égloga Fúnebre...* abundan no sólo en erratas, sino en contradicciones y olvidos. Muchas veces querríamos achacar la culpa a la imprenta. Que no siempre seríamos justos nos lo revela una nota que sigue a la fe de erratas en la postrera hoja de los preliminares de la *Égloga Fúnebre...* Nota que dice así: «Muchos destos yerros son causados por ausencia del autor desta obra; y muchos por culpa del original, por no estar muy fiel y en partes confuso.» He aquí un ejemplo de tales descuidos: Reyes ha concedido especial importancia a la siguiente declaración de las *Epístolas...*: «En el año 1612 sacó D. Luys a luz manuscrito al *Polifemo,* y poco después la *Soledad Primera;* consta de muchas cartas suyas»[32]. La noticia tiene interés en cuanto adelanta en algunos meses la fecha de redacción del *Polifemo.* Ni yo la creo descabellada, como en otro lugar dejo consignado. Pero no porque nos la transmita Angulo. Volvamos la misma hoja de las *Epístolas...* donde hace la anterior declaración, y nos encontraremos lo siguiente: «El año 1611 murió la señora Reyna D. Dargarita *(sic),* que Dios tiene; y al túmulo que hizo en sus honras la Ciudad de Córdoua, compuso D. Luys este magnífico Soneto; anterior es quatro años al *Polifemo,* y todo metáforas; y tiene vn hipéruato al principio, y otro en el verso 10, y dize:

---

[32] *Epístolas Satisfatorias...,* fol. 39. Cfr. Reyes, *Ob. cit.,* pág. 54.

Máquina funeral, que desta vida...» [33]

No se hable de errata. No pudo haberla: 1) por la seguridad tipográfica del numeral en letra, «anterior es quatr*o* años»; 2) porque Angulo está alegando ejemplos de obras muy anteriores al *Polifemo* y las *Soledades*, pretendiendo probar (con excelente acuerdo, y por primera vez, creo, en las polémicas del gongorismo) la falsedad de la habitual separación de la obra de Góngora en dos épocas. Hay que reconocer, pues, que en una misma hoja de sus *Epístolas...* atribuye el *Polifemo*, en el anverso a 1612, en el reverso a 1615. Desde luego, lo absolutamente absurdo es la segunda fecha. Pero ¿qué garantía de exactitud nos puede merecer la primera, si atendemos sólo a la autoridad de tan atolondrado transmisor?

Atolondramiento. Y descuido. Citaré aún otro ejemplo. Reyes ha notado [34] que las octavas del prólogo a *La Gloria de Niquea* son 24 en las ediciones de *Obras...*, de Villamediana, y 25, según Angulo, en sus *Epístolas...* y su *Égloga...* Suponía Reyes, con muy buen criterio, que tal vez Angulo poseyera alguna copia manuscrita de dichas octavas, en la que figuraría la estrofa omitida en las ediciones impresas. Ahora bien: de existir esta copia, de ella procedería, indudablemente, la que figura en el manuscrito conservado en la biblioteca de Gor. He buscado inútilmente la octava suprimida; en él son también 24 y se corresponden exactamente con las de las *Obras...* de Villamediana. La divergencia de la numeración en las *Epístolas...* y la *Égloga...* con respecto a la de las *Obras...* del Conde, comienza en la estrofa 5 ó en la 6. Creo que lo ocurrido pudo ser lo siguiente: Angulo, al numerar las octavas, saltó, sin darse cuenta, del 4 al 6, ó del 5 al 7, y man-

---

[33] *Ibid.*, fol. 39 v.
[34] *Ob. cit.*, págs. 18-21.

tenido el error hasta el final, resultó la última con el número
25. No se preocupó de volver a contarlas, y ya fueron 25 para
él. (Sin embargo, en el manuscrito de Gor la numeración es
exacta.)

Ni son únicamente negligencias lo que se descubre en las
obras impresas del celoso gongorista. No faltan afirmaciones
que contradicen noticias que nos merecen mejor crédito. Véase una: al folio 18 *v* de la *Égloga Fúnebre*..., se lee: «Entre
los que escribieron en su favor, fué el Conde de Villamediana,
como se colige de la decima

> *Royendo, sí, mas no tanto.»*

Que la décima fué dirigida al conde de Villamediana lo afirma también Hozes. (Es extraña esta coincidencia, que ya hemos encontrado otras veces, entre el detestable editor de
Góngora y nuestro lojeño: parece como si una de las principales fuentes de información de Angulo hubiese sido la edición de Hozes.) Pero Chacón nos dirá que la décima «Royen-
do, sí, mas no tanto» fué escrita «en agradecimiento de vna
dézima que el Conde de Saldaña hizo en defensa del *Polyphemo* i *Soledades*» [35]. Entre Hozes y Chacón siempre habrá que
atenerse a lo dicho por el Señor de Polvoranca, más aún —repito— cuando se trate de poesías de índole cortesana. Pero la
contraprueba de que Chacón está en lo cierto la encontramos
en las *Lecciones solemnes*, de Pellicer. En éstas, al comentar
los versos de la octava LIV del *Panegírico*,

> *Mecenas español que al zozobrado*
> *Barquillo estudioso siempre es Norte,*

---

[35] *Obras poéticas...*, II, 210 = Millé, 163.

nos declara Pellicer que este mecenas, norte de la estudiosa barquichuela, casi zozobrada, era «Diego Gómez de Sandoual [conde de Saldaña], hijo segundo del Duque, Príncipe de excelentíssimas partes, a quien llama Mecenas D. L[uis] porque escriuió el Conde en su defensa contra los que dezían mal de su *Polifemo* y *Soledades,* a lo que hizo esta décima D. L[uis]

> *Royendo, sí, mas no tanto»* [36].

Al conde de Saldaña debió, pues, ser enderezada la décima. Pero Angulo lee en Hozes que lo fué al de Villamediana, y, sin más ni más, lo estampa así en su *Égloga Fúnebre...*

He querido detenerme en analizar estos pormenores porque me interesaba (antes de tratar de lo referente a *La Gloria de Niquea,* y en particular de la atribución a Góngora del prólogo alegórico y un romance de la obra representada en Aranjuez) apercibir al lector contra una acogida demasiado crédula de cualquier noticia transmitida por Angulo. Volvamos ahora a estos temas, que quedaron enunciados al principio. ¿Qué valor debemos dar a las afirmaciones que acerca de ellos emite el gongorino de Loja?

Todo lo que se refiere a la intervención del conde de Villamediana en los sucesos del 15 de mayo de 1622, y a su trágica muerte poco más de tres meses después, ha permanecido y habrá de permanecer tal vez siempre en la más invencible oscuridad. Si de D. Juan de Tassis fué la mano oculta que provocó el incendio durante la representación que siguió a la de *La Gloria de Niquea,* y si la muerte del Conde estuvo ligada con este acontecimiento y con sus supuestos amores

---

[36] *Lecciones solemnes,* cols. 690-691.

reales, no nos podría maravillar que los «otros poetas», de
que nos habla Angulo, prefirieran dejar en silencio su colaboración. Si Góngora fué uno de ellos, claro está que el pretendiente cordobés (que tan bien conocemos por medio de su
epistolario) tendría buen cuidado de callar, por lo mucho que
le importaba. Este razonamiento, propuesto ya por Reyes (en
lo que se refiere a Góngora) [37], parece favorecer las afirmaciones de Angulo. Pero no pasa de ser una cadena de hipótesis.

El misterio mismo que rodea los acontecimientos que precedieron al lamentable fin del Conde, y el sinnúmero de rumores y hablillas que por entonces comenzaron a correr, deberían hacernos más desconfiados y cautelosos. Por ejemplo:
D. Martín de Angulo nos dice que Villamediana costeó todos
los «aparatos y apariencias» de *La Gloria de Niquea*. Ello no
sería imposible, dada la habitual esplendidez del aristocrático poeta, pero resulta poco probable, si consideramos que
se trataba de una fiesta real, ordenada directamente por la
Reina misma [38]. ¿Por dónde le llegó esta noticia a Angulo? No

---

[37] Reyes, *Ob. cit.*, págs. 22-23.
[38] «En este sitio, pues, determinó la Reina Nuestra Señora hazer
una fiesta, como suya, con las Damas de su Palacio, en recuerdo del
dichoso nacimiento del Rei nuestro Señor...; y apenas el ingenio del
mejor Artífice de Europa conoció su intento, quando en ombros de la
prisa truxo la execución, colmando de suerte el deseo, que los más
desabridos gustos de la ignorancia e invidia acaudillaron alabanças
con festiva salva. Aquí la arquitectura animó su sobervia traza, que si
bien no la vió executada en pórfidos y jaspes, ostentó vanaglorias, aunque en materias débiles, viéndose más hermosa y luzida entre bosque-
jos de madera y lienço que en la graue opulencia de los Romanos Co-
liseos; a imitación de los antiguos ocupó bastante espacio para que en
su vistoso teatro pareciera verdad lo aparente de sus Fábulas.» (Descripción en prosa entremezclada con la comedia *La Gloria de Niquea*,
en las *Obras*... de Villamediana, págs. 3-4.) En el párrafo que he reproducido resulta patente la directa intervención de la Reina y el encargo que dió al «mejor Artífice de Europa» (el ingeniero Fontana) de

es difícil que estemos ante uno de esos rumores, nacidos de lo sospechoso del incendio, que irían difundiéndose lentamente por toda España. De su permanencia tardía es prueba el que lo recojan escritores extranjeros de la segunda mitad del siglo, entre otros, la fantástica condesa d'Aulnoy: «C'étoit l'amoreux Conte qui conduisoit toute cette Fête; il prit soin de faire faire les Habits, et il ordonna des Machines qui luy coûterent plus de trente mille Ecus» [39]. No hay para qué insistir en la falta de autoridad de tales testimonios. El aparecer ahora uno español, haría prueba plena, si Angulo no nos estuviera resultando tan sospechoso como la aventurera del país vecino.

En la comedia «ay versos de otros poetas». ¿De cuántos? ¿De cuáles? Don Martín no nos da más que el nombre de Góngora. Detengámonos en este punto.

No es empresa fácil discernir mediante un simple análisis de estilo si una determinada composición pertenece a Góngora o a su discípulo Villamediana. Adolfo de Castro incluyó en el tomo XXXII de la *Biblioteca de Autores Españoles*, en-

---

hacer las construcciones de madera necesarias para la fiesta. (¿Se habla aquí del teatro y máquinas y apariencias, o sólo del primero? Lo más probable es que un mismo constructor lo dirigiera todo.) Pero no se alude para nada al Conde. Silencio explicable, si el Conde mismo es autor de esta descripción. Explicable no tanto, si, como quiere Reyes, *Ob. cit.*, págs. 144-148, la descripción en prosa no pertenece a Villamediana.

[39] Madame d'Aulnoy, *Relation du voyage d'Espagne*. Edición Foulché-Delbosc, en *Rev. Hisp.*, núm. 151, 1926, pág. 268. Allí se cita también otro testimonio francés de la misma época: «*La Gloria de Niquea...* On dit que le Comte la fit jouer, à ses dépens, à l'Aranjuez.» (Tallement des Réaux, *Historiettes*, I, 458-459.) Véase *El Conde de Villamediana*, por Cotarelo y Mori, quien no cree (pág. 130) que el Conde costeara las apariencias.

tre las poesías del poeta cordobés, la décima «Quien pudo en tanto tormento»[40], que figura en las impresiones de *Obras...* de Villamediana[41]; y el señor Cotarelo y Mori ha hecho notar[42] que el romance «Las tres auroras que el Tajo», admitido como de Góngora por Chacón[43], aparece, con ligeras variantes, atribuído al Conde en algunos manuscritos. El texto mismo de la décima está indicando que no puede ser del autor de *La Gloria de Niquea;* pero no hay indicios que permitan determinar la paternidad del romance. Añadiré yo ahora que también figura en las obras de Villamediana, aunque con variantes de poca monta, el soneto «Al tronco Filis de un laurel sagrado», que Chacón da como de Góngora y hace datar de 1621[44].

Acabo de decir que hay que desconfiar de las que se suponen peculiaridades de estilo. Valga esto también para las 24 octavas que forman el prólogo alegórico de *La Gloria de Niquea.* ¿Son del autor del *Panegírico?* ¿Son del gongorizante y palaciego Villamediana? Creo sinceramente que Alfonso Reyes, fino apreciador de matices de poesía, se inclina demasiado a querer descubrir en ellas quilates de la minerva de Góngora. En apoyo de su opinión cita algunos versos (la octava 5 y el primero de la 15) que supone no hubiera podido produ-

---

[40] *Biblioteca de Autores Españoles*, XXXII, 490. En nota: «Parece esta décima de Góngora.» (Castro no tuvo, pues, otro motivo para incluirla.)

[41] Edic. cit., pág. 417.

[42] *El Conde de Villamediana*, págs. 178-180.

[43] *Obras poéticas...*, II, 360-361 = Millé, 88.

[44] *Obras poéticas...*, II, 350-351 = Millé, 367; Villamediana, *Obras...*, página 97. Verso 1.º: Chacón: «Al tronco Filis de un laurel sagrado»; Villamediana: «Al feliz tronco de un laurel sagrado.» Verso 3.º: Chacón: «Lamía en ondas rubias el cabello»; Villamediana: «Lamía en dos rubias hebras el cabello.»

cir la pluma del Conde [45]. Pero, en verdad, la obra de éste, en la *Fábula de Faetón*, en la de *Apolo y Dafne*, en *La Fénix*, en los sonetos, etc., está llena de aciertos aislados, que igualan o exceden a los que Reyes aduce. El procedimiento de discriminación es, por lo menos, peligroso.

Un minucioso análisis de las referidas octavas nos descubre, no ya inasibles matices estilísticos, sino algo perfectamente seguro y comprobable, que puede servirnos como base de atribución con mucha más eficacia que subjetivas apreciaciones de valor estético; en esas estrofas aparecen incrustados cuatro versos de Góngora, unos reproducidos exactamente, otros con alguna modificación ligerísima. El mismo Reyes ha observado ya la existencia en el prólogo alegórico de un verso de la *Soledad Primera:*

> *En campos de zafiro estrellas pace...*
>
>   (Prólogo, oct. 8, v. 3.)
>
> *En campos de zafiro pace estrellas...*
>
>   (Soledad I, v 6.)

Citaré ahora los otros tres versos. Obsérvese, de paso, que la palabra que con ellos aconsonanta es, en dos ocasiones, la misma que aparece en Góngora:

> *... dueño*
> *dos orbes continente son pequeño.*
>
>   (Prólogo, oct. 6, vv. 7-8.)
>
> *... dueño*
> ....
> *dos mundos continente son pequeño.*
>
>   (Panegírico, vv. 202-204.)

---

[45] Reyes, *Ob. cit.*, págs. 24-26.

> *que el veneno del Tirio mar enciende...*
>
> (Prólogo, oct. 13, v. 4.)

> *ni del que enciende el mar tirio veneno...*
>
> *(Soledad II, v. 558.)*

> *...el árbol solo*
> *que los abrazos mereció de Apolo.*
>
> (Prólogo, oct. 23, vv. 7-8.)

> *...aquel árbol solo*
> *que los abrazos mereció de Apolo.*
>
> *(Panegírico, vv. 191-192.)*

Este procedimiento de embutir entre los propios, versos íntegros de Góngora fué costumbre de muchos de sus entusiastas partidarios. Tanta era su admiración por D. Luis que se sabían de memoria los versos de éste, y tenían a gala —sin la menor intención de hurto— el mezclarlos con los de la propia musa, creyendo así adornar estos últimos con elementos preciosos, de todos conocidos y bien contrastados. Mejor que de plagio se podría hablar de voluntaria y patente cita del poeta predilecto. Acabamos de ver que esto es lo que hace el discutido autor del prólogo a *La Gloria de Niquea*. Me interesa probar que Villamediana hizo exactamente lo mismo a todo lo largo de su obra gongorizante.

En la loa de *La Gloria de Niquea* (que sigue inmediatamente a las octavas del prólogo) —loa influída por las dedicatorias del *Polifemo* y las *Soledades*— encontramos ya, ligeramente alterado, un verso de D. Luis:

> *el gusto con las Musas alternando...*
>
> (Villamediana, pág. 16.)

> *Alterna con las Musas hoy el gusto...*
>
> (*Polifemo*, v. 21.)

Versos de Góngora saltan a la vista también en los sonetos del Conde:

> *papel es de pastores, aunque rudo...*
>
> (Villamediana, pág. 78, y *Soledad I*, v. 698.)

> *Hermana de Faetón, verde el cabello...*
>
> (Villamediana, pág. 139, y *Soledad II*, v. 263.)

Y lo mismo en la *Fábula de Faetón*:

> *... ingrata,*
> *en tronos de cristal, campos de plata.*
>
> (Villamediana, pág. 205.)

> *... ingrata,*
> *en carro de cristal, campos de plata.*
>
> (*Polifemo*, vv. 119-120.)

> *los archivos diáfanos del viento.*
>
> (Villamediana, pág. 209.)

> *los anales diáfanos del viento.*
>
> (*Soledad II*, v. 143.)

Y en *La Fénix*:

> *canto, y la Ninfa un tiempo, caña agora...*
>
> (Villamediana, pág. 270.)

> *son de la Ninfa un tiempo, ahora caña...*
>
> (*Soledad I*, v. 884.)

del mejor siglo, del candor primero.

(Villamediana, pág. 286.)

del mejor mundo, del candor primero.

(Polifemo, v. 88.)

También en la *Silva* que hizo el autor estando fuera de la Corte:

de mi plectro canoro
(si puede ser canoro plectro mío)...

(Villamediana, pág. 327.)

...al leño mío canoro
(si puede ser canoro leño mío)...

(Góngora, *Tercetos burlescos,* vv. 46-47.) [46]

No prolongaré más esta enumeración, aunque podría hacerlo considerablemente. En Villamediana es habitual el aprovechar los versos de Góngora exactamente lo mismo que el autor de las octavas del prólogo a *La Gloria de Niquea*, o reproduciéndolos íntegros, o con una transposición, o cambiando alguna palabra. A veces —como ocurre también en las octavas del prólogo— la palabra aconsonantada con la final del verso es la misma que en Góngora.

El gran poeta, por el contrario, casi nunca repite un verso salido ya una vez de su pluma. Los temas, las alusiones, las metáforas, los giros sintácticos son en él frecuentísimamente los mismos. Pero su gran talento está elaborando sin cesar estos materiales: ahora los asocia a otros nuevos, aquí los combina de modo diferente, allá les infunde un ritmo de dis-

---

[46] *Obras poéticas...,* I, 305 = Millé, 395.

tinta expresión. Proteo de su sustancia estética, lo que en él son sus temas propios le están nutriendo constantemente de elementos poéticos que se asimila y transforma siempre de modo distinto. Los discípulos, no. Reciben por avulsión la materia poética, formada, fraguada ya, y la incorporan directa, brutalmente, a sus más o menos originales composiciones. De aquí la invariabilidad de estos préstamos y su aire pegadizo. Creo que ante una poesía en la cual aparecen incrustados versos de Góngora, ya exactamente, ya con una leve modificación, podemos humanamente pensar que no se trata de una obra del poeta de las *Soledades*, sino de sus imitadores. Pues éste es el caso del prólogo alegórico de *La Gloria de Niquea*. Juntemos ahora el que aparezca como de Villamediana en las impresiones de sus obras, que nadie, salvo el poco cauto Angulo, haya dudado de su autenticidad, que en él se aprovechen versos de Góngora, según la manera habitual en el Conde... Para mí, el prólogo alegórico de *La Gloria de Niquea* es, casi seguramente, del Conde de Villamediana.

No se olvide que la suerte del prólogo alegórico va unida a la del romance «Vaquero, escúchame un rato», también de *La Gloria de Niquea,* en cuanto que es Angulo quien afirma ser Góngora el autor de ambos, poniendo por testigo al doctor Salvador de Chavarría. Es lo más verosímil que Chavarría, acertado o equivocado, lo estuviera con relación a ambas composiciones.

El romance «Vaquero, escúchame un rato» es desmayado, falto de las incidencias agudas que se esperarían de Góngora. (Compáresele con cualquiera de los que ocurren en *Las firmezas de Isabela* o *El Doctor Carlino.*) Pero no es la poesía del cordobés de tan constante calidad que no muestre momentos aun menos felices que el de estos versos. No encuentro

en el texto del romance motivo ninguno para afirmar o negar
el que sea de Góngora. Daré sólo un indicio que parece favorecer débilmente la afirmación de Angulo: la fiesta de
Aranjuez se iba a celebrar, primero, el 8 de abril; después
fué aplazada, por gozar de más agradable estación, hasta el
15 de mayo. Pero *La Gloria de Niquea* debió de escribirse para la fecha primero anunciada. Ahora bien: en el citado romance se dice lo siguiente de la reina D.ª Isabel:

> *que este Mayo no ha venido*
> *por dar púrpura al clavel,*
>
> ....
>
> *sino por celebrar sólo*
> *con aparatos festivos*
> *el siempre natal dichoso*
> *de su semidiós marido.*

Si los hechos ocurrieron como supongo, este romance, por
su referencia al mes de mayo sería posterior a la redacción
de la comedia. Villamediana, apretado por las prisas de los
preparativos inmediatos para la fiesta, y pensando en la conveniencia de un romance que sirviera de introducción, ¿se lo
podría haber encargado a su amigo Góngora? Obsérvese que
se trata sólo de una hipótesis, que, por otro lado, no deja de
ofrecer dificultades.

Resumen: hay algunas razones objetivas que nos fuerzan
a considerar como poco verosímil la atribución a Góngora del
prólogo alegórico de *La Gloria de Niquea*. Y no existe motivo
ninguno serio para afirmar o negar lo mismo con relación al
romance «Vaquero, escúchame un rato». Queda, por otro lado, la afirmación del Dr. Salvador de Chavarría, transmitida
por Angulo. Este, que nunca manifiesta en su manuscrito los
motivos de inclusión de las poesías, se escuda en el caso de

las octavas y el romance de *La Gloria de Niquea* tras el nombre de Chavarría. Se diría que había presentido nuestras dudas: tanto es lo que insiste en su afirmación, de tanta solemnidad la rodea. Aduce un «testigo de vista», nos da una fecha desde el nacimiento de Cristo. Mas ¿qué valor tiene el testimonio del Dr. Salvador de Chavarría, capellán de la Capilla Real de Granada? De Chavarría no sé más que su inclusión por el mismo Angulo en las *Epístolas Satisfatorias...* y por el Abad de Rute en el *Examen del Antídoto,* entre los gongoristas residentes en Granada. Observemos que Chavarría da testimonio sobre algo acaecido doce años antes. ¿Estaban sus recuerdos perfectamente claros? ¿Qué sabemos de su escrupulosidad y discreción? ¿Qué valor tiene la fórmula «testigo de vista»? ¿Vió Chavarría componer las octavas y el romance al mismo D. Luis, o se lo dijeron éste o Villamediana, o lo supo por tercera persona? Nada de esto sabemos.

Angulo, que nos ha dado pruebas de descuido y de criterio poco riguroso, se apresura a trasladar a su manuscrito las declaraciones de Chavarría, no corroboradas por nadie. ¿Se preocupó más tarde D. Martín de buscar confirmación del descubrimiento? Nada nos dice de ello cuando en 1635 en la *Égloga Fúnebre...,* en 1638 en las *Epístolas Satisfatorias...* y en 1645 en los *Epitafios, Oda Centón Anagramma...* [47], sigue considerando como de Góngora las octavas preliminares de *La Gloria de Niquea.*

En todo lo que antecede he procurado guardar imparcialidad absoluta. En algún caso hemos visto a Angulo equivocarse de medio a medio. Pero con mucha frecuencia no hay motivos suficientes para rechazar de un modo rotundo las noti-

---

[47] Véanse en este mismo libro, págs. 514-516.

cias que nos proporciona. Hay sí, casi siempre, pormenores, indicios, aquí débiles, allá más intensos, que engendran necesariamente sospecha y duda, y que si en cada caso aislado no pueden llevarnos a una terminante negativa, cobran más fuerza al ser considerados en conjunto.

Por lo demás, las actividades de Angulo despiertan en mí apasionada simpatía. No ya a causa de su entusiasmo por el poeta de las *Soledades*. Valor de tercer orden, desprovisto de genio literario, es Angulo y Pulgar uno de esos ejemplos —no infrecuentes en el siglo XVII, pero sí rarísimos hoy— de hombre dado a las letras, que, en el aislamiento de un pequeño lugar, nutre su espíritu de alguna escapada a la capital vecina y de una activa correspondencia con otros literatos que viven en medios más favorables.

Don Martín de Angulo y Pulgar nació en Loja en el año 1594 [48]. Su padre, D. Martín de Angulo, debía proceder de Osuna [49]; en 1647 vivía aún, de edad de ochenta y siete años [50]. Nuestro escritor, por su madre, D.ª Clara del Pulgar, pertenecía a una ilustre familia del reino de Granada. Era cabeza de esta familia un hermano de D.ª Clara, D. Fernando Alonso Pérez del Pulgar, señor de la villa del Salar y regidor

---

[48] Partida de bautismo: «Sábado, veinte y seis días del mes de noviembre de mil quinietos noventa y quatro. Yo el L.do Montenegro, B.do y Cura de la Yglesia Mayor desta ciudad de Loxa, bapticé a *Martín*, hijo de Don Martín de Angulo y de D.ª Clara del Pulgar, su mujer. Fué su padrino Don Fer.do del Pulgar; fueron testigos Fer.do Diaz, Presbítero, y Fran.co de Cañas, vecinos desta ciudad de Loxa.— El L.do Montenegro Carvajal, Fran.co Díaz Sandoval.» (Iglesia Mayor Parroquial de Santa María de la Encarnación, de Loja; libro 15 de Bautismos, folio 186.)

[49] Cfr. Carta de Angulo a Uztarroz, Loja, junio de 1648, Biblioteca Nacional, ms. 8391, fol. 327. Véase también el fol. 344.

[50] «Tengo a mi padre de 87 años acavando su vida.» (Angulo a Uztarroz, Loja, 9 de julio de 1647, ms. 8391, fol. 339.)

perpetuo de Loja, al cual endereza Angulo la dedicatoria de las *Epístolas*... llamándole «entendido en todo y mi materno tío, si padre en la veneración». La *Égloga Fúnebre*... está dedicada a un hijo de éste último, don Fernando Pérez del Pulgar y Sandoval, caballero de la Orden de Calatrava, sucesor de la casa del Pulgar y villa del Salar. Otro hijo del señor de la villa del Salar, llamado D. Joseph del Pulgar, había muerto antes de 1648 [51]. Y hermana de los dos anteriores era una D.ª Marcela del Pulgar [52]. Don Martín de Angulo y Pulgar tenía un hermano que usaba distintos apellidos: se llamaba D. Jerónimo del Pulgar y Sandoval [53].

La familia estaba siempre celebrando enlaces matrimoniales entre sus miembros. Una hermana de Angulo estaba casada con un primo hermano suyo, «hermano mayor» de D. Joseph del Pulgar (tal vez el mismo D. Fernando Pérez del Pulgar y Sandoval). Doña Marcela del Pulgar lo estuvo, «en primer matrimonio», con D. Pedro de Monsalve y Pineda, primo hermano de un abuelo de Marcela [54] y natural o vecino de Sevilla. De este matrimonio nació D.ª Ana Gregoria de Pineda [55], la cual, en 1635 o poco después de esta fecha, contrajo matrimonio con nuestro don Martín de Angulo y Pulgar. Era,

---

[51] «Don Joseph del Pulgar... no es menos que mi primo hermano... Treinta años tenía quando le mataron, i 13 de servicios de grande aprovación i crédito.» (El mismo al mismo, Loja, 14 de enero de 1648, manuscrito 8391, fol. 342 v.)

[52] Véase la nota 56 a la página 450.

[53] «D. Martín mi hermano...» (Carta de Jerónimo del Pulgar y Sandoval a Uztarroz, Loja, 24 de abril de 1651, ms. 8391, fol. 312.)

[54] Véase la nota 56 a la página 450.

[55] Cfr. ms. 8391, fols. 311, 341 y 349. «...tengo vna hermana casada con vn hermano suyo [de Don Joseph del Pulgar] mayor, i yo estoy casado con hija de su hermana y de D. P.º de Monsalve i Pineda, de Sevilla...» (fol. 342 v.).

pues, D.ª Ana Gregoria pariente de D. Martín por doble vínculo de consanguinidad: por un lado su sobrina segunda (como
hija de D.ª Marcela), por otro biznieta de un tatarabuelo de
D. Martín [56]. Doña Ana Gregoria tenía veintiún años al tiempo
de ir a contraer matrimonio, es decir, unos veinte menos
que el novio. Don Martín tuvo en ella, por lo menos, seis

---

[56] En el Archivo General Eclesiástico de Granada se conserva el
expediente promovido por D. Martín de Angulo y Pulgar para poder
contraer matrimonio con su consanguínea D.ª Ana (leg. 11, años 1634
a 1637). (Debo la noticia de este expediente, así como el extracto del
mismo que doy a continuación, al desinterés y amistad del catedrático
y activo investigador D. Antonio Gallego Burín.)

En 26 de noviembre de 1635, D. Martín de Angulo y Pulgar presenta un escrito diciendo tener ganada bula de dispensa para casar
con doña Ana Gregoria de Pineda, su pariente en segundo y tercer
grado de consanguinidad por una parte, y en tercer y cuarto por otra,
solicitando licencia de matrimonio. En 28 de noviembre comienza la
«información testifical». Todos los testigos vienen a declarar aproximadamente lo mismo: conocer a los contrayentes como naturales y
vecinos de Loja, añadiendo que por ser esa ciudad de pequeña población no encuentra doña Ana Gregoria persona con quien casar como
con el dicho D. Martín, y que si hubiera de casar fuera de la ciudad,
no tiene dote para encontrar persona de su igual condición, por lo
que saben que le es útil a la susodicha casarse con el dicho D. Martín
de Angulo. En 28 de noviembre se recibe declaración de D.ª Ana Gregoria de Pineda, que vive en casa de su abuelo D. Fernando Alonso
Pérez del Pulgar, regidor perpetuo de Loja y señor del lugar del Salar.
Declara D.ª Ana tener veintiún años. En 30 de noviembre declara
D. Martín: «que se llama don martín de angulo y pulgar, y que es de
edad de quarenta años, y que es moço soltero y libre de matrimonio
y de otro impedimento alguno para dejar de contraer, vecino y natural de Loxa, a la collación de la ygl.ª mayor, y que es hijo de D. martín de angulo y de D.ª clara del pulgar, sus padres, vecinos della...»

En el mismo expediente figura el árbol de consanguinidad de don
Martín de Angulo y Pulgar y D.ª Ana Gregoria, que publicamos a continuación:

hijos: tres varones y tres hembras [57]. Un retrato de Angulo, hecho cuando el escritor tenía veinticinco años, figura en la portada de la *Égloga Fúnebre...* [58].

TRONCO

D.ª Catalina de Robles, que casó con Diego de Pineda y Monsalve, y tuvieron por hijo a	D.ª María de Robles, que casó con Fernán Pérez del Pulgar, y tuvieron por hijo a		1.º grado
D. Pedro de Monsalve, que casó con D.ª Marcela del Pulgar, y tuvieron por hija a	D. Fernando Pérez del Pulgar, que casó con Gerónima de Cepeda, y entre otros tuvieron dos hijos, que son		2.º grado
D.ª Ana Gregoria, contrayente.	1. D. Fernando Alonso Pérez del Pulgar, que casó con D.ª Isabel de Lopera, y tuvieron entre otros por hija a	2. D.ª Clara del Pulgar, que casó con don Martín de Angulo, y tuvieron como hijo legítimo a	3.º grado
	D.ª Marcela del Pulgar, que casó en primer matrimonio con D. Pedro de Monsalve, y tuvieron por hija legítima a	D. Martín de Angulo y Pulgar, contrayente.	4.º grado
	D.ª Aná Gregoria, contrayente.		5.º gr.

«Por manera que los susodichos tienen entre sí dos grados de consanguinidad a comuni stipite, que son tercero con cuarto y segundo con tercero.»

[57] Cfr. Carta de Angulo, Osuna, 1.º de marzo de 1651 (ms. 8391, folio 311).

[58] El no llevar el retrato indicación de quién sea el personaje que representa ha sido causa de que varios bibliógrafos hayan forjado distintas identificaciones. El retrato es el de Angulo. En el manuscrito de la biblioteca de Gor, en el folio que sigue a la portada, figura este mismo grabado de la *Égloga Fúnebre...*, recortado y pegado cuidadosamente en el centro de otro ornamental. Entre los dos queda un

Angulo estudió cuatro cursos en la Universidad de Granada, y en 1624 obtuvo el título de bachiller en Cánones por la de Osuna, según acredita un documento publicado por don Francisco Rodríguez Marín [59]. Los años estudiantiles de Granada debieron ser decisivos en la formación de Angulo. Posteriormente vive éste en Loja, donde, entre rápidos viajes a Granada, no deja de lamentarse de su aislamiento; desde 1648 a 1651 (por lo menos) reside, como luego diré, en Osuna. Antes, en el año de 1643, había estado una semana en Madrid: «Miércoles de ceniça este año llegué a Madrid, donde nunca avía llegado, mas con priessa tanta que en siete días absolví mi cuidado... ¡Grande es aquella Babilonia! Y aunque sentía no averla visto, aora siento más fuese tan de paso» [60]. En Madrid conoció personalmente a Salcedo Coro-

---

espacio, en el que aparece esta leyenda (prabablemente de mano del mismo Angulo): «Don Martín de Angulo y Pulgar. Aetas 25 annos.» Linares y García reseña este retrato tal como aparece en el manuscrito Angulo, pero ignora ser el mismo de la *Égloga Fúnebre...*

Angulo estuvo dedicado a copiar las poesías que figuran en el manuscrito, por lo menos desde el año 1634. Pero la portada, que es también autógrafa de D. Martín, lleva la fecha 1639. Un poco raro resulta que, por estos años, cuando Angulo había pasado ya de los cuarenta, utilizara para la *Égloga Fúnebre...* y para el manuscrito un retrato hecho más de quince años antes, hacia 1619, fecha que no es aventurado suponer coincida con el principio de los estudios en Granada. Tal vez, aislado en Loja, cuando estaba a punto de dar a la imprenta la *Égloga Fúnebre...*, no tuviera oportunidad de obtener otro retrato, tal vez prefiriera perpetuar su rostro juvenil. En el manuscrito, el grabado presenta unos retoques a pluma, que modifican la forma de la perilla y la del peinado hacia las sienes. ¿Fué éste un intento de modernizar una representación que ya no correspondía a la realidad de los cuarenta años?

[59] *Nuevos datos para las biografías de cien escritores de los siglos XVI y XVII*, Madrid, 1923, págs. 100-101.

[60] Angulo a Uztarroz, Loja, 6 de octubre de 1643 (ms. 8391, fol. 310).

nel y a Salazar Mardones (con este último estaba en relación por correspondencia). En Granada era amigo del ya citado Chavarría, de Vázquez Siruela [61], del doctor Fernando de Vergara [62], etc. Tuvo una larga amistad epistolar con el erudito aragonés Juan Francisco Andrés de Uztarroz, y, por intermedio de éste, estuvo en contacto con Pellicer. Y en Loja se consolaba con el afecto de algún aficionado a las letras, como el licenciado Luis de Villaverde Ortiz, «cura de las iglesias» de dicha ciudad, que declara en el expediente matrimonial de Angulo y del cual figura un soneto laudatorio en la *Égloga Fúnebre...* [63].

Entre 1634 y 1635 lee Angulo las *Cartas Filológicas* de Cascales, y se le ocurre escribir una réplica a los dos alegatos antigongorinos que allí se contienen. Añade otra para responder a «un sujeto grave y docto» que tampoco apreciaba la poesía de don Luis, y así nacen sus dos *Epístolas Satisfatorias...* (1635). Tres años más tarde aparecía en Sevilla su *Égloga Fúnebre...* El primero de estos libros debió de ser lo que abrió a Angulo la amistad de los gongorinos no residentes en Granada, en especial la de Salazar Mardones. Éste cita ya con elogio las *Epístolas...* en su *Ilustración y defensa de la «Fábula de Píramo y Tisbe»...* (1636) [64].

---

[61] Cfr. ms. 8391, fols. 330 y 335.

[62] Véase en este mismo libro *Un centón de versos de Góngora*, página 512.

[63] Tengo por muy poco probable la hipótesis emitida por Reyes (*Cuestiones Gongorinas*, pág. 178, nota 1) de que Angulo asistiese en Córdoba, junto a D. Luis de Góngora, en los últimos días del poeta. De Angulo poseemos tres obras impresas, un manuscrito autógrafo, una larga correspondencia con Uztarroz. El centro de toda esta actividad es Góngora. Pues bien: ni en una sola ocasión hace el gongorista de Loja alarde de haber conocido personalmente a D. Luis.

[64] «...muchos lugares han calumniado en las obras de D. Luis, vnos por no entenderlas, y otros con ánimo de ofenderle; pero a

La correspondencia de Angulo con Uztarroz comienza el año 1641. De ella y de la de Salazar Mardones con el mismo erudito aragonés proceden muchas de las noticias biográficas que aquí damos. La amistad de don Martín con Uztarroz tuvo el siguiente origen: Salazar Mardones había visto su nombre y el de su amigo Angulo citados con elogio en la *Defensa de la patria de... San Lorenzo,* de Uztarroz, y se apresuró, por un lado, a escribir a este último, dándole las gracias y ofreciéndosele con ponderación, y, por otro, a comunicar la noticia a don Martín. El cual, a su vez, agradecido, escribió a Uztarroz [65], quedando así entablada la amistad entre ambos.

Los diez años que abarca la correspondencia con Uztarroz (1641-1651) nos muestran las varias actividades de Angulo. De una parte, entera a su corresponsal aragonés de curiosos acontecimientos andaluces: el motín del pueblo de Granada, año 1648, provocado por la escasez de pan [66]; la epidemia que asoló varias poblaciones de Andalucía el 1649 [67]. De otra, cumple los encargos que el erudito le hace. Por ejemplo: noticioso Uztarroz de que en Córdoba se proponían contestar a la *Defensa de la patria de... San Lorenzo,*

---

todos satisfacen con mucha erudición sus doctos comentadores D. García de Salcedo Coronel y D. Ioseph de Pellicer de Tobar, y también D. Martín de Angulo y Pulgar en sus eruditas *Epístolas Satisfatorias...* Véanse todos tres, que en ellos se hallará copiosamente quanto es necessario...» (*Ilustración y defensa de la «Fábula de Píramo y Tisbe»,* fol. 77.)

[65] Esta primera carta de Angulo a Uztarroz es de 28 de mayo de 1641 (ms. 8391, fol. 305).

[66] Ms. 8391, fol. 327.

[67] Ms. 8391, fol. 347.

y, especialmente, de que Pedro Díaz de Rivas iba a imprimir una obra en este sentido, alarmado, ruega a Angulo que se informe sobre el particular. Angulo escribe a su corresponsal en Córdoba, Juan de Sarabia, y éste le contesta diciendo que no hay indicios de que Díaz de Rivas vaya a imprimir[68]. A su vez, Uztarroz hace algunos favores a Angulo. En 1642 éste le pide una carta de recomendación para un amigo que iba a opositar a una canonjía de Antequera. Y, sobre todo, el aragonés da al de Loja datos para una obra de polémica gongorina que Angulo preparaba[69].

En 1639 había publicado Manuel de Faria y Sousa sus comentarios a *Os Lusiadas*, en los que, para engrandecer a Camoens, se atacaba con insistencia a Góngora. Angulo los lee y se dispone a contestar. La réplica había de llevar el título de *AntiFAristarcho* (juego de palabras: Anti-Faria + Anti-Aristarco), según comunica a Uztarroz en 1648[70]; pero la obra estaba en gestación, por lo menos, desde 1641[71]. Por entonces es cuando recaba de Uztarroz, directamente y por medio de Salazar Mardones, noticia de «algún Autor moderno o antiguo que alabe a D. Luis de más de los que V. M. cita en su libro de S.[an] L.[orenzo]»[72]. En 1642 lleva de su

---

[68] Díaz de Rivas era, como es sabido, sobrino del P. Martín de Roa, cuya afirmación de que la patria de San Lorenzo había sido Córdoba, dió lugar a la *Defensa...*, de Andrés de Uztarroz. La carta de Juan de Sarabia está escrita al margen de una de Angulo (ms. 8391, fol. 323; véanse también los fols. 326 y 329).

[69] Véase Reyes, *Cuestiones Gongorinas*, págs. 227-228.

[70] Ms. 8391, fol. 318.

[71] Angulo a Uztarroz, 28 de mayo de 1641: Había comenzado una defensa «por D. Luis de Góngora, por lo q Manuel de Faria Sousa se dilató contra sus poemas en sus Comentarios a las Luisiadas del Camoens» (ms. 8391, fol. 305).

[72] Salazar Mardones a Uztarroz, Madrid, 7 de junio de 1642, manuscrito 8391, fol. 424.

trabajo «la mitad limpio de la mano penúltima» [73]. Pero este poner en limpio la obra dura varios años, mejor dicho, nunca se termina [74]. Nuevas fatigas para encontrar un mecenas que costee la impresión. En 1646 piensa dedicar el libro a don Luis de Easo [75]. Éste no debió de mostrarse propicio, porque en 1647 escribe Angulo: «Ya e concluído con Manuel Faria, pero no con hallar vn S.r a quien dedicar mi trabajo, que solicite su impresión» [76]. Aburrido, entra en tratos directos con impresores. A 25 de febrero de 1648 comunica a Uztarroz que el 4 de marzo piensa ir a Granada por quince días, y añade: «Allá me convoca vn impresor con ánimo de imprimirme mi AntiFAristarcho. Si me concierto lo copiaré o haré copiar en limpio, que por no estarlo no a buscado la lima de V. M.» [77]. Pero el libro debió de quedar en la «mano penúltima», e inútil tanto anhelar, tanto sudor de siete años: no hay noticia de que la réplica a Faria se llegara a imprimir. Lo que Angulo quiso y no realizó lo había de llevar a cabo, tardíamente, en 1662, el cuzqueño Juan de Espinosa Medrano.

---

[73] Ms. 8391, fol. 308.

[74] «Mi travajo, no con poco, estoy sacando en limpio para darlo a la lima de algunos críticos, no fiando de la mía que es gruesa...» (Angulo a Uztarroz, Loja, 6 de octubre de 1643, ms. 8391, fol. 310.) «Hago saver a V. M. q. tengo acavado vn libro en oposición de lo q. Manuel Faria dixo contra nro. D. Luis de Góngora. Los que le an visto dicen poderse imprimir. Si tiene suerte sacará 50 pliegos. ¡O si V. M. pudiese corregirlos! Hácelo vn amigo entendido, leyéndole yo para sacarlo en limpio i remitirlo a Madrid.» (El mismo al mismo, Loja, 1.º de agosto de 1645, ms. 8391, fol. 317.)

[75] «Ya e dicho a V. M. que acavada mi obra contra Manuel Faria la dediqué al S D. Luis de Easo. Remitíle la dedicatoria a nro. amigo D.or D. Martín Vázquez de Siruela, Maestro de sus hijos, ya Racionero de Sevilla. En ella la recivió. Aí creo que está; V. M. le acuse este olvido de mis recomendaciones...» (El mismo al mismo, Loja, último de julio de 1646, ms. 8391, fol. 330.)

[76] Loja, 9 de julio de 1647, ms. 8391, fol. 339.

[77] Loja, 25 de febrero de 1648, ms. 8391, fol. 318.

Tenemos datos de otra empresa literaria de nuestro don Martín, fracasada también (probablemente), que empezó a bullirle en la cabeza cuando ya faltaba poco para el abandono del *AntiFAristarcho*. Era ésta la publicación de una historia [78] de Hernán Pérez del Pulgar (personaje a quien don Martín llama su «tercer abuelo») para rebatir ciertos extremos consignados por Zurita y repetidos por Jerónimo de la Quintana. La portada completa de la obra, según un modelo manuscrito enviado a Uztarroz, había de ser la siguiente: «Istoria Apologetica crono / logica / De Fernando perez del Pulgar / Alcaide i S.r de la Villa de Salar / llamado / el de las haçañas / i de las que entre otras acciones militares hiço / en servicio de los S.es R.es Cat.os / Don Fer.do i D. Isavel / en la conquista del Reyno de Granada / i contra / lo que de vna de las mayores / escrivio / el L. Ger.mo de Quintana / siguiendo / al secret.o Ger.mo de Zurita. / Distincion entre el mismo Alcaide de Salar / i Her.do de Pulgar Cronista / de los mismos S.es Reyes. / Escrivenla / D. Martin de Angulo i Pulgar / i D. Ger.mo de Pulgar i Sandoval» [79]. Don Jerónimo de Pulgar y Sandoval era, como hemos dicho, hermano de don Martín. No seguiré las vicisitudes de redacción de esta *Historia*, para la cual Pellicer y Uztarroz proporcionaron a don Martín algunos datos [80]; duró del año 1648 al 1650 [81]. Los autores la en-

---

[78] «Yo quería començar mi historia i se ha interpuesto la copia del libro de D. Luis...» (Loja, 14 de enero de 1648, ms. 8391, fol. 342.)

[79] Este proyecto de portada fué reproducido ya en el *Ensayo* de Gallardo. En el ms. 8391 ocupa el fol. 318 bis.

[80] «...receví la de V. M. de vltimo de Dic. con el memorial incluso en memoria de Don Joseph del Pulgar...; ...devo estar gustoso del aviso i agradecido i reconocido a D. Joseph Pellicer, como se lo escriviré, i guardo el memorial para mi Historia... Quanto que los papeles de los servicios de mi primo están en nro. poder, vale mucho el cré-

viaron, ya terminada, para su censura, al erudito aragonés, el
cual tardó más de la cuenta en cumplir su cometido, como
lo prueban varias cartas de don Jerónimo a Uztarroz, de abril
a junio de 1651, urgiendo en términos cada vez más angus-
tiosos la devolución del original. A 19 de junio estaba el manuscrito otra vez en poder de sus autores [82]. Pero tampoco
conocemos edición impresa de la *Historia... de Fernando Pérez del Pulgar*. Según todos los indicios, por segunda vez
quedaron sin fruto los afanes literarios de don Martín. La
probablemente única obra literaria de Angulo dada al público por estos años fué un nuevo centón de versos de Góngora, impreso dos veces en 1645. De éste y de la rencilla
literaria a que dió origen, trato por separado en otro lugar
de este libro [83].

A lo largo de esos diez años de correspondencia con Uztarroz vamos viendo decrecer su ardor por Góngora y apuntar otros afanes: preocupaciones de hacienda y de familia.
Malos partos de doña Ana y enfermedades de ésta, propias
o de los niños, consumen buena parte del tiempo de don
Martín [84]. Reparos de la hacienda se llevan otro tanto. En el

---

dito de tanto historiador...» (Angulo a Uztarroz, Loja, 14 de enero
de 1648, ms. 8391, fol 342 v.)

[81] Cfr. ms. 8391, fols. 343 y 349.

[82] Cartas de D. Jerónimo de Pulgar y Sandoval a Uztarroz, manuscrito 8391, fols. 312-315.

[83] Véase *Un centón de versos de Góngora* (págs. 510-17).

[84] «...he tenido mil afanes de q. a Dios gracias estoy libre. Poca
salud mía a sido vno. Otro vn mal parto de D.ª Ana, bien peligroso i
molesto, i dos hijos enfermos...» (Angulo a Uztarroz, Loja, 2 de diciembre de 1647, ms. 8391, fol. 341.) «...los continuos cuydados de mi
ocupación i familia, a que se a juntado vn parto de vna hija...» (El
mismo al mismo. Osuna, 26 de mayo de 1649, ms. 8391, fol. 317.) «Tres
meses a poco más que recebí carta de V. md. con mucho gusto por la
salud que traía. Otros tantos a que falta de mi cassa en doña Anna, en

año 1648 muda su casa a Osuna para poner cobro a la hacienda de su padre, embargada desde hacía años [85]. En los ratos libres trabajaba allí en la *Historia Apologética* [86]. «Realmente —dice— es Osuna más lugar que Loxa i donde tengo el que me basta para vivir gustoso, menos el faltar a los Deudos con quien e vivido, aunque tengo aquí otros tantos, i más sugetos de letras, aunque los más sólo trátanlas de pane lucrando» [87]. Aún le queda un anhelo literario.

Pero la vida, los deudos, le empujan. Es ya hombre maduro. Debe medrar: aumentar lustre a su casa y familia. La proyectada *Historia* no era sino un enmascarado memorial. Su último capítulo había de ser una genealogía de la casa: que quedara bien probada la nobleza de sus antepasados, puerta para fructíferas pretensiones. En 1646 había ya remitido a don Juan de Isassi, maestro de su Alteza, un tratadito que sobre la *Destreça de la Espada* había compuesto. La razón del envío era ésta: no se le había nombrado maestro

---

tres hijos, en dos criados y en mí, de vnas siciones que parece imposible el despegarse, en particular de los hijos, que, como niños, o no se les puede curar, o no saben guardarse de lo que les hace daño...» (Osuna, 13 de octubre de 1649, ms. 8391, fol. 349.)

[85] «...se me ofrece mudar mi casa a Osuna a poner cobro a la hacienda de mi padre i tíos, embargada años ha por fiadora del Duque..., y quisiera fuera después de San Juan...» (Loja, junio de 1648, manuscrito 8391, fol. 327.) «...ya con mi casa en Osuna...» (Osuna, 15 de julio de 1648, ms. 8391, fol. 343.)

[86] «Trágeme la istoria acavada, no corregida. Esso voy haciendo en los ratos que mi ocupación lo permite, que es mucha ella, i ellos pocos» (fol. 343).

[87] Osuna, 2 de diciembre de 1648, ms. 8391, fol. 345. Angulo creyó al principio poder despachar en un año sus asuntos de Osuna. Pero en ella continúa cuando termina la correspondencia con Uztarroz, en 1651.

al príncipe en esta disciplina. Angulo escribe a Uztarroz [88] y a Vázquez Siruela rogándoles que influyan a fin de que tal puesto sea para él. Vázquez Siruela, «experimentado en palacio», le desengaña. Y ahora escribe Angulo a Uztarroz que ya ha desistido del empeño: «si tuve algún calor, ya estoy frío, conociendo mi edad, sugeto, capacidad i disposiciones de mi familia, i que aunque el puesto es de mucha estima, no es para medrar sólo por él» [89]. Los deseos de don Martín casi nunca tienen remate.

A principios de 1651, aún en Osuna, tuvo nuestro antiguo gongorista su sexto hijo: un Martín que igualaba «a tres los varones con las hembras». El padre se cree en el caso de hacer algunas consideraciones sobre el suceso: «Trae vn parto mil cuidados, i, como en Patria agena, las obligaciones

---

[88] «... 4 pliegos sobre la destreça de la espada, que remitiré a V. M. para que le divierta la novedad. Estánse ya copiando, porque van a D. Juan de Isassi, M.º de su Alteça.» (Angulo a Uztarroz, Loja, último de julio de 1646, ms. 8391, fol. 330.) «Después que remití a V. M. aquellos borrones sobre la destreça, de que aguardo su parecer, el correo siguiente, e entendido que oy no se a hecho elección de M.º de nro. Príncipe en esta ciencia, o por la ignorancia de los opuestos, o por la asistencia a cosas de mayor peso. Yo holgaré mucho entrar en esto, i, pues, vmd. saue por los papeles que remití si muestran suficiencia en su Dueño, i que tengo remitidos a D. Ju. de Isassi, M. de nro. Príncipe, le suplico que con este cauallero, o por mano de otro que la tenga con el Sr. D. Luis de Haro, me acredite i proponga para este magisterio, que yo procuraré desempeñar a Vmd. si llegare el caso...» (Angulo a Uztarroz, 12 de septiembre de 1646, ms. 8391, folio 332.)

[89] Angulo a Uztarroz, octubre de 1646, ms. 8391, fol. 335. En la misma carta: «En el intento que comuniqué a V. M. puede irse despacio, porque certifico, como amigo, que es menos mi presunción de lo que se puede entender, i que, más que por ella, por no parecer revelde a la persuasión de amigos i deudos, supliqué a V. M. buscase quien me calificase... Sobre ello escriví también a nro. amigo D.or D. Martín Vázquez Siruela, i me respondió como amigo i experimentado en palacio, conque si tuve algún calor...»

se doblan. No sé quál es más dichoso: el que los experimenta o el que los ignora. Al fin salimos dellos ya, a Dios las gras. i con su ayuda» [90]. ¡Pobre don Martín de Angulo y Pulgar! La vida —mujer, hijos, hacienda— lo había ganado ya irremisiblemente para sí.

Apellido ilustre; fortuna moderada; un matrimonio por razones de familia; pequeños cuidados caseros; tres obrillas impresas; tres escritas, inéditas y perdidas hoy; un manuscrito de obras de Góngora con anotaciones, preparado para la estampa; una correspondencia epistolar de diez años, salvada por el cuidado de Uztarroz: esto es lo que conocemos de la persona, lo que conservamos o conocemos de la obra de Angulo. Casi toda su actividad literaria la llena un nombre: don Luis de Góngora. Sin Góngora, Angulo no ocuparía ni el modestísimo puesto que hoy le corresponde en la historia de la literatura. Aun como gongorista, su valor y el crédito que le debemos atribuir son muy escasos. Es casi seguro que no conoció a don Luis. Vivía lejos de Madrid, aislado en un pequeño lugar, esperando siempre la llegada del correo. No tenía las fuentes de información que poseyeron un Salcedo Coronel, un Chacón, un Pellicer, un Salazar Mardones... Las noticias que Angulo nos transmite deben ser tenidas en cuenta, sí; pero desechadas cuando están en pugna con lo seguro, y no admitidas sin recelo cuando, como en el caso de las octavas y romance de *La Gloria de Niquea*, descubren lo que, caso de ser cierto, hubiera sido probablemente publicado por alguno de tantos ingenios como por entonces trataban de apurar y esclarecer la obra gongorina. De apurarla con tan exquisito cuidado cual si la de don Luis fuese la de un famoso escritor de la antigüedad latina o griega.

---

[90] Angulo a Uztarroz, 1.º de marzo de 1651, ms. 8391, fol. 311.

TODOS CONTRA PELLICER

De todos los comentadores de Góngora, el primero en el tiempo fué, sin duda, Pedro Díaz de Rivas. Sus *Anotaciones* estaban ya escritas en el año 1627. En ese año se imprimió la edición de obras de Góngora por López de Vicuña [1], y en los preliminares de ella se promete un segundo tomo con otras obras del poeta, y se añade: «Aún se aumentará el volumen con los comentos del *Polifemo* y *Soledades*, que hizo Pedro Díaz de Ribas, luzido ingenio cordoués». Y es probable que dichas *Anotaciones* sean más tempranas si, como parece presumible, Díaz de Rivas las escribió por los mismos días que sus *Discvrsos apologéticos por el estylo de Poliphemo y Soledades*, pues éstos llevan la fecha de 1624 en el ms. 3726 de la Biblioteca Nacional [2]. La prioridad de

---

[1] *Obras en verso del Homero español que recogió Juan López de Vicuña*, Madrid, 1627, prólogo «Al lector», en los preliminares.

[2] En este ms. se contienen, entre otras cosas, las siguientes obras de Díaz de Rivas: Fols. 72 y sigs., «Discvrsos apologéticos».—Fols. 104 y sigs. «Annotaciones ... a la primera Soledad».—Fols. 180 y sigs., «Annotaciones» al *Polifemo*.—Fols. 319 y sigs., «Annotaciones» a la *Canción a la toma de Larache*. Es todo el ms. de una misma mano, que no puede ser la de Díaz de Rivas, sino de un copista que a veces interpreta mal el original (p. ej., fol. 212, lee «como es», en vez de «Camoes»). Otros tres mss. de la Nacional contienen las *Anotaciones*

Díaz de Rivas se comprueba, de una parte, porque Salcedo Coronel y Pellicer aducen a veces las opiniones de su compañero cordobés, y de otra, porque, por el contrario, nunca en las *Anotaciones* se hace alusión a los escritos de otros comentaristas. No hay problema, pues, por este lado. Como no lo hay, tampoco, en el carácter relativamente tardío de los comentarios de Cuesta y de Vázquez Siruela. Ambos están atentos a la obra de sus predecesores, Salcedo Coronel y Pellicer, a los cuales atacan frecuentemente [3].

La duda se presenta cuando se trata de la prioridad entre Salcedo Coronel y Pellicer. Corrieron estos escritores una re-

---

de Díaz de Rivas: 1.º Ms. 3906, fol. 68: «Discursos apologéticos»—. Folio 103: «Anotaciones al Polifemo».—Fol. 183: «Anotaciones a la primera Soledad», con una nota marginal que erróneamente las atribuye a Francisco de Amaya.—Fol. 248: «Anotaciones a la segunda Soledad», «por P.º Díaz».—2.º Ms. 3893, fols. 1-28: «Anotaciones al Polifemo», incompletas. Los otros comentarios que contiene este ms. son de Vázquez Siruela.—3.º Ms. 5566, fols. 537-605: «Anotaciones a la Canción de la toma de Larache». Joaquín de Entrambasaguas me señaló la presencia en la Biblioteca de Palacio, ms. 1323, de unos comentarios gongorinos, titulados «Anotaciones a las bellezas del Polifemo». Están al folio 40: son también las de Díaz de Rivas.

[3] Prescindo de otros comentaristas cuyos nombres pueden verse en Artigas, *Don Luis de Góngora*, Madrid, 1925, págs. 233 y 238, nota 1. La mayor parte de estos comentos nos son desconocidos; los otros no me interesan ahora. Añádase que en el ms. 3892 de la Biblioteca Nacional, fols. 25 y 51 v.º, hay unos comentarios a las *Soledades* y al *Polifemo*. Son de hacia 1653, muy breves, carecen de interés y parecen extractos de los de Salcedo. Tampoco son muy interesantes otros comentarios no exclusivamente gongorinos del ms. 3906 de la Biblioteca Nacional, fols. 544-700. Son unos *Diálogos* compuestos por persona muy conocedora de la poesía de Góngora. En el *Diálogo* 1.º, fol. 551, se comenta el soneto «Menos solicitó veloz saeta» (comp. Millé, pág. 542). Todo el *Diálogo* 5.º (fols. 600 v.º y sigs.) trata de Góngora; se comentan y defienden allí versos de las *Soledades* y del *Polifemo*. Al folio 614 v.º comienza el comentario de la estrofa 59 de este último poema.

ñida carrera, y llegó el primero Salcedo [4]. El *Polifemo comentado* de Salcedo Coronel se publicó en 1629 (del 15 de julio
es la aprobación; del 13 de diciembre, la tasa), y en 1630
las *Lecciones Solemnes* de Pellicer (pero la censura —obsérvese bien— es de 4 de junio de 1628). «En tanto que otros
sudaban en esta arena» —nos dice Pellicer al final de su
comentario al *Polifemo*— «intenté correrla yo. No entiendo
llegar primero al palio. Pero, en estudiosas tareas, el que
acierta madrugó más. Al que yerra, el trasnochar no se le
alaba; y el premio se le deue al seso, no a la prisa, sin que
tenga disculpa en lo temprano» [5]. Pellicer, pues, había comenzado primero sus comentos; pero Salcedo se le había adelantado, venciéndole por una mínima diferencia. Y ahora el
autor de las *Lecciones Solemnes* desahogaba su ira con decir
que el premio no se debía dar al que había corrido más
(Salcedo), sino al que lo había hecho mejor (claro está que
él, Pellicer). La guerra de comentaristas —que bien pronto,
como vamos a ver, había de generalizarse— había comenzado, pues, con unos tan rebozados como cuidadosamente
dirigidos disparos contra Salcedo.

Hasta entonces las relaciones entre ambos infatigables
comentaristas debían haber sido cordiales, y algunas veces
hubieron de comunicarse los respectivos manuscritos. Por lo
menos, consta que Salcedo vió los de Pellicer. Así, en el
Polifemo comentado (edición de 1629), al tratar Salcedo de
la estrofa 54, en que Góngora compara las erizadas cerdas
del cerro de los jabalíes a una muralla formada por picas

---

[4] Una biografía de Salcedo, en Nicolás Antonio, *Bibliotheca Hispana Nova*, I, 516.
[5] *Lecciones Solemnes*, col. 350.

helvecias, dice el comentarista: «Oponen al poeta algunos
que en aquel tiempo no auía helvecios. A esta objección satisface con mucho ingenio Díaz de Ribas. No refiero sus palabras, porque el curioso podrá verlo en sus *Notas;* y muy
largamente disputado este y otros lugares en las *Lecciones
Solemnes* que haze a las obras de nuestro Poeta don Iosef
Pellizer de Salas, cuyo florido ingenio va enriqueziendo con
loables fatigas nuestra patria»[6]. Todo lo que aquí se refiere
a Pellicer ha desaparecido —y es desaparición muy signifi-
cativa— en la segunda edición del *Polifemo* que juntamente
con la primera de las *Soledades comentadas* publicó Salcedo
en 1636.

La comunidad de oficio había ya hecho enemigos a los
dos comentadores. Salcedo había leído sin duda las veneno-
sas palabras del final del comentario al *Polifemo* —arriba
transcritas— que Pellicer le había dedicado, sin nombrarle,
en las *Lecciones Solemnes;* había leído también otros pasajes
en que Pellicer desdeñosamente le contradecía. Así ocurre al
comentar los versos de la estrofa 24 del *Polifemo.* Galatea
está dormida cerca de un arroyo:

> *... llegó Acis, y, de ambas luces bellas*
> *dulce occidente viendo al sueño blando,*
> *su boca dió y sus ojos, cuanto pudo,*
> *al sonoro cristal, al cristal mudo.*

Pellicer lo entiende bien: «Beuió con la boca en la fuente,
que es el cristal sonoro, y con los ojos en Galatea, que es
el cristal mudo, por lo blanco, lo transparente y lo dormido...
No se entienda que «besó» a Galatea, como dizen algunos;
porque aquí boca y ojos solo beuen, no besan»[7]. Y el aludido

---

[6] Fol. 106 v.º
[7] *Lecciones Solemnes*, col. 181.

comentarista era Salcedo, que en el mismo pasaje había interpretado: «*su boca dió:* besó a la que estaua entregada al sueño» [8].

Aludido con ponzoña y hallado en desacierto por Pellicer..., ya era mucho. Pero lo que colmó la medida de la indignación de Salcedo fué el verse sin pudor expoliado por su rival [9]. Al hojear las *Lecciones Solemnes,* encontró —como encontramos nosotros— comentarios que ya habían aparecido en el *Polifemo* de 1629. Cierto es que muchas coincidencias estaban indudablemente basadas en la utilización de las mismas fuentes: la ciencia de uno y otro comentador —y de todos los que les habían de seguir— era fácil erudición de acarreo; los índices de autores que manejaban eran sobre poco más o menos los mismos. No obstante, al leer en el comento de Pellicer a la estrofa 56 del *Polifemo* «pero los poetas con la facultad suya, pueden alterar los tiempos... y escriuir después lo que fué antes y antes lo que fué después...: véase Ces. Escalígero, *lib. 3, poëtic. cap. 49*» [10], compararía estas palabras con las suyas propias: «pero como los poetas (según Scalígero, lib. 3, cap. 49, Poetic.) tienen licencia para mudar la Chronología y poner antes lo que fué después...» [11]. Y un poco más abajo encontraría que su propio comentario

---

[8] *El Polifemo comentado,* fol. 52. El error de Salcedo había partido de haber establecido un falso nexo «al sueño blando su boca dió», que interpretaba: 'besó a la dormida moza'. Lo corrigió en la 2.ª edición.

[9] Robar lo que le caía a mano era costumbre de Pellicer. «... Me hurtó todas las notas que trabajé en Salamanca sobre las *Soledades...,* y después las imprimió por suyas, acompañándolas con cien mil boberías», dice de él Salazar Mardones. (En A. Reyes, *Cuestiones gongorinas,* Madrid, 1927, pág. 229; comp. *Ibíd.,* pág. 226).

[10] *Lecciones Solemnes,* col. 331.

[11] *El Polifemo comentado,* fol. 110 v.º De un modo no muy distinto lo había dicho antes Díaz de Rivas, ms. 3726, fol. 213 v.º

a los dos últimos versos de la misma estrofa («El Marino llamó a los corsarios del mar, *Harpías*, a quien pudo ser imitasse don Luis

> *Harpie del mar che dal'estreme sponde*
> *Venite a depredar le nostre arene»* [12]

había sido reproducido casi al pie de la letra por Pellicer [13]. Etcétera.

Sí, no cabía duda: había sido robado. Y Salcedo desfogó su ira en la *Introducción* a las *Soledades* (1636), al comentar los versos 16-21, en los que Góngora alude a la costumbre de los cazadores de colgar en los árboles como trofeo despojos de las reses que mataban: «Consta [esta costumbre] del intérprete de Aristófanes in Pluto. No pongo sus palabras, porque las puso antes cierto comentador destas *Soledades*, y fuera pagarle la buena obra de auer trasladado de verbo ad verbum todo mi comento al *Polifemo*, queriendo vsurparse trabajos tan poco estimados de mí; pero aunque más lo procuró, no pudo cubrir con la agena piel las propias orejas, pudiendo yo dezir por él con Marcial:

> *Quem recitas, meus est, o Fidentine, libellus.*
> *Sed male cum recitas incipit esse tuus»* [14]

Y más arriba, en el prólogo «Al lector», que antecede a los comentarios de las *Soledades*, había escrito:

«... si bien alguno intentó descifrar sus conceptos [los de Góngora], como le faltó de quien valerse para la inteligencia dellos, tropezó muchas vezes en la obscuridad de sus sentencias; por ventura no le sucediera si aguardara a que yo diesse a la estampa estas notas, pues

[12] *El Polifemo comentado*, fol. 112 v.°
[13] Comp. *Lecciones Solemnes*, col. 334.
[14] *Soledades comentadas*, Madrid, 1636, fol. 6.

pudiera trasladarlas, como hizo las del *Polifemo*, que saqué a luz los años passados. No me cuesta poco estudio huir de la misma culpa, siendo mi mayor cuidado no vsurparle ningún lugar de los que trae en declaración destas *Soledades* (como aduertirás quando diligente cotejares los vnos con los otros), valiéndome solamente de los que halló mi desvelo en los autores que he leído...» [15].

Salcedo debió comenzar la redacción de sus comentarios a las *Soledades*, atónito aún de haberse visto en las *Lecciones Solemnes* aludido despectivamente, contradicho en buena justicia y a la par robado sin pudor. En efecto, en las notas a la *Introducción* y a los primeros versos de la *Soledad Primera* devuelve a Pellicer la misma moneda en que éste le había pagado. Pellicer había dicho: «*Bárbara arboleda* es lo mismo que grande arboleda» [16]. Y ahora, Salcedo: «*Bárbara* puso don Luis por inculta, rústica, confusa, y no por grande. No lo es poco el desacierto del que piensa lo contrario» [17]. Y un poco más abajo, al comentar los versos en que se habla de la luminosa

> *... piedra indigna tiara*
> *—si tradición apócrifa no miente—*
> *de animal tenebroso, cuya frente*
> *carro es brillante de nocturno día...* [18].

graceja a costa de Pellicer: «Cierto comentador... dize que es el lobo de quien habla, y que este animal trae en la cabeza el carbunco; cita a Plinio, lib. 37, cap. 7. Sin duda, deue de

---

[15] *Soledades comentadas*, preliminares.
[16] *Lecciones Solemnes*, col. 380.
[17] *Soledades comentadas*, fol. 28.
[18] *Soledad Primera*, vs. 73-76.

ser otro Plinio que tiene en su biblioteca, porque en los que todos han visto no se hallará semejante burlería» [19].

Pero la posición de Salcedo Coronel no era cómoda. Si con los comentarios al *Polifemo* se había adelantado a Pellicer, éste, con los de las *Soledades*, incluídos también en las *Lecciones Solemnes*, había llegado el primero. Todo el esfuerzo de Salcedo es tratar de convencernos de que él se ha guardado muy mucho de aducir ninguna autoridad que hubiera sido citada por su predecesor [20]. Pero, ay, Pellicer, insaciable, había dejado correr tanto la espita de su erudición allegadiza, que Salcedo muchas veces no pudo cumplir su propósito. Lo verá en seguida quien compare los comentarios a las *Soledades* de ambos autores.

Se había roto el fuego. Las primeras andanadas de la guerra de comentaristas habían caído sobre Pellicer. Otros muchos tiros, y más brutales —y más jocosos, para nosotros—, habían de dar de lleno en aquel gerifalte de la erudición.

VÁZQUEZ SIRUELA CONTRA PELLICER

En la lista de «Autores ilustres y célebres que an comentado, apoyado, loado y citado las poesías de don Luis de Góngora», contenida en el ms. 3893 [21] de la Biblioteca Nacional, el número 19 dice así: «el doctor Martín Vázquez

---

[19] *Soledades comentadas*, fol. 29 v.º
[20] Se encontrarán ataques a Pellicer y protestas de no usar materiales que él hubiera citado, en los siguientes folios de las *Soledades comentadas:* 6 v.º, 23 v.º, 37, 38, 42 v.º, 43, 45, 47, 55 v.º, 60 v.º, etc.
[21] En la primera parte del cartapacio, la cual está sin foliar. Véase ahora: Hewson A. Ryan, *Una bibliografía gongorina del siglo XVII,* en *Bol. de la Real Academia Española,* XXXIII, 1953, pág. 427.

Siruela le a comentado a fragmentos». Era Vázquez Siruela
hombre meticuloso, nada amigo de proceder de ligero, por
lo que dejó muchas obras «in schedis», según nos dice su
amigo Nicolás Antonio [22]. Ahora bien, en el mismo cartapacio
de la Nacional encontramos, en completo desorden, una enorme cantidad de comentarios gongorinos, hechos a retazos y
aprovechando papeles de diferentes tamaños, en ocasiones
rotos ya antes de la escritura. Estos papeles son, a veces,
cartas dirigidas a personas del Sacro Monte de Granada, con
más frecuencia al mismo Vázquez Siruela. Creo que no ofrece
duda que a estos fragmentarios comentos se refiere la lista
de «Autores ilustres...» [23].

Hombre tan concienzudo como Vázquez Siruela no podía
dejar de rectificar errores de los que le habían precedido
En sus revueltos comentarios no falta algún ataque contra
Salcedo Coronel. Éste, al tratar de los versos del *Polifemo*,

---

[22] *Bibliotheca Hispana Nova*, II, 112. V. también A. Gallego Morell,
Algunas noticias sobre... Vázquez Siruela, en *Estudios dedicados a M.
Pidal*, IV, Madrid, 1953, págs. 405-424.

[23] Alguna vez el autor —es decir, Vázquez Siruela—, como en un
intento de definitiva redacción, ha vuelto a copiar notas que aparecen
también diseminadas por otros folios: así tenemos una serie ordenada
de comentarios a la *Soledad Segunda* entre los folios 163 y 175. En el
mismo manuscrito. inmediatamente antes de la mencionada lista, hay
un «Discurso sobre el estilo de don Luis de Góngora...» que Artigas
ha publicado, atribuyéndoselo a Vázquez Siruela. En efecto, la letra
del «Discurso...» y la de los comentarios es la misma, allí más cursiva, como de quien copia con un ritmo constante; aquí más irregular,
como de quien redacta de primera mano. Artigas, *ob. cit.*, pág. 238,
nota 1, cree que Vázquez Siruela debe ser también el autor de la lista
de «Autores ilustres». El estar el mismo Vázquez Siruela incluído en
la lista nos haría dudar; más aún el hecho de ser la lista de otra
mano que los comentarios y el «Discurso»: hay en la lista una característica *s* minúscula que baja siempre por debajo de la caja del renglón; *s* que falta en absoluto en el «Discurso» y los comentarios.
(V. ahora Ryan, art. cit., págs. 427-428.)

> ... *un rubio hijo de una encina hueca,*
> *dulcísimo panal, a cuya cera*
> *su néctar vinculó la primavera,*

(Estr. 26.)

había dicho: «*a cuya cera su néctar vinculó la primavera:*
En cuya cera su néctar perpetuó la primavera». Y Vázquez
Siruela replica: «Es yerro torpísimo lo que parafrasea el
comentador, porque dice que *vincular* es perpetuar; de modo
que la miel, según esta explicación, acompaña siempre a la
cera, aunque ya esté en el cirio pascual» [24]. Pero es, claro
está, contra Pellicer, terrero de todos, contra quien más veces
y más airadamente se revuelve.

Usa Vázquez Siruela del nombre de Licio para designar
a Góngora: «Lycio: así se quiso llamar D. Luis i así le llamaremos siempre, siendo este nombre del mismo Apolo, que
se llamó Lycio, *Propercio*, lib. 3, el. I [v. 38]:

> *Provisum est Lycio vota probante deo*[25].

Usando también de nombre poético, Vázquez Siruela se
revuelve frecuentemente contra un comentarista al que llama
Salicio. ¿A quién llama así? ¿A Díaz de Rivas, a Salcedo, a
Pellicer? Para algunos pasajes cabría dudar entre los dos
últimos. Habla de los dos versos iniciales de la estrofa 46
del *Polifemo*,

> *¡Oh bella Galatea, más süave*
> *que los claveles que tronchó la Aurora!,*

y dice: «*Que los claveles que troncó la Aurora:* Pudiérase

---

[24] Ms. 3893, fol. 135.
[25] *Ibíd.*, fol. 140. (Corrijo el verso citado.)

pasar con la explicación de Salicio si se ubiera de entender
o esplicar de 'los claveles cogidos al aurora'. ¡Qué cosa menos decente a comparaciones de hermosura que las flores
manoseadas!... Yo me inclinaba a entender que estos claveles que troncó la Aurora son los que, agravados del peso
del rocío, se inclinan y tuerzen hacia abajo, i tal vez se quie-
bran, con los cuales sí era gallardísima la comparación, porque nunca están más hermosos i agradables que cuando más
cargados de rocío...» [26]. Salicio no puede ser Díaz de Rivas,
pues éste no comenta estos versos. Pero no podemos decidir
entre Pellicer y Salcedo, porque ambos coinciden en la interpretación que Vázquez Siruela atribuye aquí a su Salicio.

Pero hay otros muchos lugares de las notas del canónigo
del Sacro Monte que prueban cumplidamente que Salicio no
puede ser otro que Pellicer. Por ejemplo: se equivoca en
redondo el autor de las *Lecciones Solemnes* al interpretar
aquella exclamación de la estrofa 22 del *Polifemo*: «¡Revoca,
Amor, los silbos!...» El sentido es: ¡Oh Amor, vuelve a hacer
que suenen los silbidos de los pastores (que andaban des-
cuidados por los amores de Galatea)! Así lo entiende también Salcedo [27]. Pero Pellicer no ve que la frase es exclama-
tiva, e interpreta la forma verbal *revoca* como presente de
indicativo: «*Revoca amor los siluos*: La enigma de Esfinge
ha sido esta frase de *reuocar*. Mi sentimiento es que los cuidados del amor reuocauan los siluos que deuían dar los
pastores, de modo que el amor estoruaua que siluassen» [28].
Vázquez Siruela no se lo deja pasar: «*Revoca, amor, los
silvos*, etc. ¡Cuánto suda Salicio en este lugar! Mas es de-

[26]   Ms. 3893, fols. 47-48.
[27]   *El Polifemo comentado*, fol. 46 v.º
[28]   *Lecciones Solemnes*, col. 171.

precatoria, i explícase así brebemente: '¡O Amor, restituye el cuidado de los pastores!'...» [29]. No cabe, pues, duda, que el Salicio de Vázquez Siruela no es otro sino Pellicer.

Como ejemplo del tono despectivo que el solemne comentarista de las *Lecciones* le merece a Vázquez Siruela, citaré sólo un pasaje de las notas de éste. Al hablar de las bodas de Galatea en la bellísima estrofa 42 del *Polifemo*

> *(No a las palomas concedió Cupido*
> *juntar de sus dos picos los rubíes,*
> *cuando al clavel el joven atrevido*
> *las dos hojas le chupa carmesíes.*
> *Cuantas produce Pafo, engendra Gnido,*
> *negras violas, blancos alelíes,*
> *llueven sobre el que Amor quiere que sea*
> *tálamo de Acis ya y de Galatea)*

habían dicho las *Lecciones Solemnes*: «No obstante toda esta erudición [la que acaba de amontonar el propio Pellicer], cometió don Luis dos errores en esta *boda de Acis y Galatea*... Ya sabemos que el fin de los amores de Acis y Galatea fueron trágicos, y conforme a ellos auían de ser luctuosas las ceremonias del desposorio. Lo primero no auían de parecer palomas en los mirtos, porque fueron agüeros felizes en la tradición poética... El otro descuido de don Luis fué pintar serenidad en el cielo, lluvia de flores, regocijo en el amor; ... no anduuo atinado don Luis» [30]. Prescindo de las masas de erudición acumuladas para probar su aserto. Ya Salcedo, que, como hemos visto, conocía los comentos de Pellicer antes de la publicación, desechó, aunque sin acri-

---

[29] Ms. 3893, fol. 73.
[30] *Lecciones Solemnes*, cols. 273-274.

tud (aún eran amigos), la opinión de «don Josef» [31]. En Vázquez Siruela produjo una indignación que trasciende en estas palabras:

Dos errores atribuye el autor de las *Liciones Solenes* a Licio en las bodas de Galatea, uno en aber puesto palomas i otro lluvia de flores &a... «Ya sabemos», dize, «que el fin de los amores de Acis y Galatea fueron trágicos»... ¡O árbitro de la erudición! ¿Sabes lo que te dizes? ¿El fin de los amores de Galatea fué trágico? Antes fué el más feliz que ellos pudieran desear... [Porque Acis fué trocado en río, y así, inmortalizados los amores]... Tampoco es verdad dezir que ... no se inducen bien las palomas. I pésame que traiga las palomas de Virgilio [aducido como autoridad por Pellicer], que por la reverencia de tan gran autor las quería pasar en silencio [entre líneas, otrás redacciones dubitativas: «me abía hecho desentendido», «hize la vista gorda»] sin compararlas con las de Licio. Pero, ¿qué se puede hazer si nos provocan las *Liciones Solenes?* Mucho más bien están en Licio las palomas que en Virgilio... lo que refiere de Suetonio [aducido también por Pellicer] es ridículo, porque los agüeros i pronósticos vanos de que allí se haze mención, ¿qué tiene que ver con introducirse aquí las palomas por criadas de Venus?...[32]

Así se desahoga Vázquez Siruela contra Salicio. Verdad que otras veces se deja de nombres pastoriles y llama a Pellicer por el suyo propio: «*En la incierta ribera* [*Soledad Segunda*, verso 27]: Por incierta [33] esplica Pellicer 'ignorada del Peregrino'; pero, a la verdad, más ignoró él la gracia deste adjunto que el Peregrino la Ribera» [34]. Y, en fin, en otra ocasión (y sin razón esta vez), hablando de los versos 658-664, de la misma *Soledad Segunda*, brinda a Pellicer

---

[31] Comp. *El Polifemo comentado*, fols. 83 v.º-84.

[32] Ms. 3893, fols. 78-79.

[33] Dijo aquí Góngora «incierta ribera» porque la del mar, con el flujo y reflujo de las mareas, no tiene límite definido. Salcedo lo entendió bien; comp. *Soledades comentadas*, fol. 205 v.º

[34] Ms. 3893, fol. 165.

su terminante desprecio: «No ai que hazer caso ni detenernos a impugnar las boberías de Pellicer, pues ni entendió
el latín del lugar que refiere, donde *vultus* es el semblante
i aspecto del mar i no las espumas...» [35].

Unas veces desprecio, otras indignación. Esto es lo que
merecía Pellicer de un tan sesudo varón como Vázquez Siruela. Pero ¿a qué extremos no podían provocar las *Liciones Solenes?*

CUESTA CONTRA PELLICER

Un mozo moreno [36], agrio, de gran ingenio y chispa, conocedor directo tanto de la literatura latina como de la
griega, profesor de esta última lengua en Salamanca, fino
gramático, había leído también las *Lecciones Solemnes*, y
ante tanta pedantería, tanta verborrea y aquel alarde pueril
de erudición, se había cargado de razones. Aquel mozo murió
joven. La nube quedó sin estallar y, amenazadora, nos ha
sido conservada en el ms. 3906 [37] de la Biblioteca Nacional

---

[35] *Ibíd.*, fol. 174. En esos versos Góngora se pregunta por qué el
Amor se digna favorecer a dos pobres pescadores. Y contesta que tal
vez porque con la espuma de sus remos esculpen blancos «bultos» de
Venus, nacida de la espuma y madre del Amor. He aquí los versos:
«... Por escultores quizá vanos / de tantos de tu madre bultos canos / cuantas al mar espumas dan sus remos.» Cabe una duda sobre
el sentido de bultos (*bultos* 'imágenes'; *vultos* 'rostros'.) No sobre el
de todo el pasaje, perfectamente claro y bien entendido lo mismo por
Salcedo —*Soledades comentadas*, fol. 280 v.º— que por Pellicer —*Lecciones Solemnes*, col. 586—. Pero aquí se estrelló Vázquez Siruela.
[36] «... leche me buelva io, que es imposible, porque soi negro...»,
Cuesta, ms. 3906, fol. 422. Véanse algunas indicaciones biográficas sobre Cuesta en N. Antonio, *Bibliotheca Hispana Nova*, I, 72.
[37] En este solo ms. que yo sepa. Compárese con el número de co-

de Madrid. En la tantas veces citada lista de «Autores Ilustres» leemos lo siguiente: «Andrés Cuesta, gran maestro de la lengua latina i griega i eruditísimo en letras de humanidad. Comentó doctamente el *Polifemo* a persuasión mía. Téngole original. Y comenzó a traducir el mismo poema en versos latinos elegantísimos; cogióle la muerte en medio de esta obra. Los fragmentos los tengo en mi poder»[38]. Los originales de Cuesta a que se refiere el desconocido autor de la lista son, indudablemente, los que han ido a parar al ms. 3906. Constituyen en realidad tres obras: 1) Los comentarios al *Polifemo*, que comienzan al fol. 282, y a los que un glosador llamó «Notas al Polifemo». 2) Los fragmentos de la traducción latina del *Polifemo*, que han sido publicados por Artigas[39], y que en el manuscrito vienen después del fol. 404. 3) Una no terminada «Censura a las Lecciones Solemnes de Pellizer», que ocupa los fols. 409-435 v.º del cartapacio, y que creo indudablemente obra del mismo Cuesta, graciosísima diatriba, que bien merecería ser editada totalmente.

En algunos lugares Cuesta se revuelve contra los intérpretes de Góngora sin mención de ninguno en particular. Así, en una ocasión dice.

... todas las veces que puedo, procuro ahorrar de papel i tinta, i tiempo, que es lo que menos me sobra. Por esto, aunque en mil partes podría calumniar, digo mal calumniar, pues, sin calumnia, no me era dificultoso mostrar infinitos delirios de los intérpretes de este poeta, pues sólo en uno tengo notado más de trecientos, sólo lo hago cuando es menester que este poeta sea defendido de las calumnias de los ignorantes. Uno de éstos, que por saber algo más, es más insufrible,

pias de las *Anotaciones* de Díaz de Rivas, y se verá cuán poca difusión debieron de tener las notas de Cuesta.

[38] Comp. Artigas, *Don Luis de Góngora*, pág. 239 n.

[39] *Obra cit.*, pág. 240 n.

porque, como dice Quintiliano, no ai cosa peor que aquellos que aviendo pasado algo más adelante de las primeras letras, piensan que
saben, en este lugar dice que don Luis cometió dos ierros [40].

No nos indica qué yerros son; pero teniendo en cuenta
el pasaje de Góngora (estrofa 42 del *Polifemo*), venimos en
la cuenta de que se trata de Pellicer (son los dos errores
—haber colocado palomas y flores en las bodas de Galatea—
de que había defendido a Góngora Vázquez Siruela) [41].

En efecto, es contra Pellicer —cómo no—, contra quien
en especial dirige Cuesta sus saetas. Lo que con más frecuencia le excita en las *Lecciones Solemnes* es la incontinen-
cia del autor, aquella charla insustancial, aquella manera de
acumular autoridades, vengan o no a cuento. He aquí un
pasaje de las notas de Cuesta: «*El monstruo de rigor* [es-
trofa 31 del *Polifemo*]: No puedo dexar de reír todas las
veces que me acuerdo de la ensalada mal oleata i pepitoria
que Pellicer hizo desta palabra *monstruo*. Allá remito al lector de buen gusto, para que vea una turquesa del entremés
del hablador a lo umanista» [42]. ¡Cuánta razón tenía Cuesta!
Vea, vea el lector las ¡veinte columnas! (203-222) que las
Lecciones Solemnes dedican como comentario a ese sencillo
lugar del *Polifemo* en que para encarecer la esquiveza amorosa de Galatea se la llama «monstruo de rigor». Allí el admirable Pellicer se excede a sí mismo: habla de la etimología
de *monstruo*, de los monstruos vegetales, de las mujeres
que paren perros o gatos —«como vemos cada día»—, de
los gigantes, de un cadáver encontrado en Indias, tan grande

---

[40] Ms. 3906, fols. 385 v.º - 386.
[41] V. más arriba, pág. 474.
[42] Ms. 3906, fol. 370.

que «metiéndole vna espada por la cuenca del ojo, apenas
llegaba la punta al cerebro», de íncubos y súcubos, de los
pigmeos, de los faunos y sátiros y del fénix, etc. (pero ¿de
qué no habla?), y termina animando al acezante lector para
otra nueva carrera: «cito a los curiosos a ver lo que escriuo
en mi *Fenix per totum*, que yo agora recojo la pluma al
Polifemo». Sí, razón tenía Cuesta en señalar esas columnas
como «una turquesa del entremés del hablador» [43].

---

[43] Aludiendo sin duda a *Los habladores*, atribuído a Cervantes, entremés divulgado en la *Séptima parte* de Lope de Vega. 1617. V. manuscrito 3906, fol. 378. Y, en efecto, nada hay más parecido a las ca-
prichosas asociaciones de ideas que forman los parlamentos del hablador Roldán, que el procedimiento discursivo de Pellicer, tan enzarza-
do y arbitrario que con frecuencia raya en la vesania. No resisto a la
tentación de mostrar un ejemplo típico. La siguiente perla pertenece
al mismo discurso sobre los *monstruos*, de que hablo en el texto. Entre los que han escrito sobre el tema cita a su maestro Juan González Martínez. Véase cómo de aquí adelante se va derrocando: «... y a
mi doctíssimo maestro, Fénix de los Filósofos de Europa, el D. Iuan
Gonsalio Martínez, *in lib. 2 Phys.*, de cuya singular doctrina estudié
la Filosofía, siendo yo colegial en el Colegio de San Dionisio de Alcalá
en mis primeros años, y tan primeros que no eran quinze cuando recebí, después de no blando examen el grado de *Batalario*, el español le
llama *Bachiller*, el latino *Bachalarius*, o *Bachalaureus*, originada esta
voz de los soldados visoños, que dezían *Baccalaures milites*, según F.
Menner, lib. 16, *Deliciae equest.*, fol. 33, dando a entender que se en-
sayan en *batallas* pequeñas para acciones mayores, pues de *batualia*
o de *battalia*, que el griego dize *batualia* γωμνασιαιτῶν, μονομαχαν, y
Adamancio Mártir, *lib. de V. et B.*, *Batualia, quae vulgo battalia, di-
cuntur, exercitationes gladiatorum vel militum significant;* de donde
en español dezimos a la guerra *batalla*, no de la dicción hebrea בתח,
batach, que suena *configere*, como sueña Covarrubias, no sólo en ésta,
pero en muchas vozes, como yo prouaré (Deo volente) algún día en mi
Glossario Hispano-Bárbaro y Castellano. Puede verse lo que he referido de la voz *Bachiller* [cita las autoridades] ... que yo passo a exami-
nar quales son *ostentos* y quales *monstruos*». (*Lecciones Solemnes*, columnas 209-210.) ¡Qué delirio! ¡El verdadero *ostento* y el verdadero
monstruo era él! (En la cita de Pellicer he respetado sus varios errores ortográficos.)

Pero Pellicer nunca pudo recoger la pluma. Ni el tiempo lo permitía. El mismo Cuesta era también hombre de su farragoso siglo. Así, hablando de los *faros* [44], en el mismo lugar en que Pellicer había amontonado (esta vez ¡con cuánta moderación!) sólo una columna [45] de autoridades, comenta Cuesta: «... diré lo que sienten i lo que siento, sin ser largo, que no soi de aquellos que retratan el entremés del hablador [46] en sus comentos, i de tinelos de libros i nonbres de autores hacen una pepitoria sin pies ni cabeza». ¡Recto censor! Si no fuera porque esto lo dice para que le permitamos introducir dos paginitas y media propias [47], de erudición sobre los faros, atestadas de citas griegas y latinas [48].

En esto del garlar todos los comentaristas tenían el tejado de vidrio. Pero ninguno como Pellicer. Voy a citar sólo unos cuantos pasajes en los que la crítica que de él hace Cuesta es más justa y más chispeante.

Ningún comento hay tal vez más desmesurado en las desmesuradas *Lecciones Solemnes* —salvo el del *monstruo*— que el de aquellos versos de la estrofa 18 del *Polifemo*:

> *... de cuyas siempre fértiles espigas*
> *las provincias de Europa son hormigas.*

Aquí Pellicer vió el cielo abierto. ¡Gran ocasión! Coge la pluma y —sin refrenarla— nos introduce una completa geo-

---

[44] Es al comentar la estrofa 16 del *Polifemo*.
[45] *Lecciones Solemnes*, cols. 116-117.
[46] Otra vez la misma alusión que hemos encontrado más arriba.
[47] Ms. 3906, fol. 331.
[48] Algunas veces se da cuenta del peligro: «Mucho podía traher aquí, pues no es poco el canpo que se me descubre, mas ... no quiero caer en el vicio que tantas veces reprehendo» *(Ibíd.,* fol. 348). Compárese más arriba, pág. 476.

grafía de Europa, expuesta en trece columnas mazorrales [49].
Cuesta, que además le reconoce las fuentes, no se lo puede
tolerar, y rechifla con sombra: «Traslada v. m. lo que Juan
Botero vemos dixo de todas las provincias de Europa. Fué
venturoso don Luis, o, por mejor decir, nosotros desgracia-
dos, en que no dixese *las provincias del mundo son hormi-
gas*, que aquí nos encajara v. m. hasta las Indias orientales
i occidentales» [50]. Por cierto que, a pesar de su prolijidad, al
gran Pellicer se le había olvidado hablar de Grecia: «Mas ia
que v. m. se puso a describir a Europa, ¿por qué, preciándose
tan de griego, se olvidó v. m. de Grecia? En fin, por su descripción de v. m. no sabemos que Grecia está en Europa» [51].

Entresaca con mucho tino Andrés Cuesta los pasajes más
vulnerables a su zumba. A éstos pertenecía el del número
ternario. ¡En mal hora se le ocurrió al poeta decir [52] que en
Galatea se reunía el «terno» de las gracias de Venus! El mismo Pellicer —nada escrupuloso en esto de amplificar— cree
por una vez deber pedir perdón: «... este número [es] el
más misterioso de todos: lo qual me combida a dilatarme
un rato por él. Si alguno se cansare, fácil es boluer tres
hojas» [53]. Y después de haber descargado su mercancía en
catorce columnas [54], concluye: «No se me impute a vicio el
auerme alargado, pues conozco que me he dilatado más de
lo que permite lo conciso (!!) de estos Comentarios: y assí
cesso con dezir que no pudo don Luis dar mayor perfección
a Galatea, que con poner el terno de las Gracias en su her-

---

[49] *Lecciones Solemnes*, cols. 126-138.
[50] *Censura*, ms. 3906, fol. 423.
[51] *Ibídem.*
[52] Estrofa 13 del *Polifemo*.
[53] *Lecciones Solemnes*, col. 84.
[54] *Ibíd.*, cols. 84-98.

mosura»[55]. Por ahí debía haber empezado. Pero de él sabe
vengarnos Cuesta cumplidamente. He aquí sus palabras:
«Hace v. m. una pepitoria sin pies ni cabeza del número
ternario, i poniendo v. m. cosas de poca importancia, como
que habló tres veces la burra de Balán, se olvidó v. m. de
muchas mui inportantes a la república. Como que las personas de la Gramática son tres: *ego* i *nos,* de la primera; *tu*
i *vos,* con los vocativos, de la segunda; *ille,* con todo lo
demás, de la tercera. I que son tres las tres Marías. I devía
v. m. advertir i comentar aquella copla que dice:

> *Siete son los Sacramentos,*
> *siete los cuatro elementos*
> *i siete las tres Marías;*
> *siete son las chirimías*
> *que en mis bodas se tañeron,*
> *siete son i siete fueron.*

I también:

> *Tres en el año, i tres en el mes;*
> *tres en el día, i cada vez tres,*

i esplicar este refrán i traer sobre él a todo Galeno con razones filosóficas. Pero, desto basta»[56].

No era sólo acumulación innecesaria de alardes eruditos
lo que Andrés Cuesta echaba en cara a Pellicer, sino más aún
los errores, consecuencia natural de tan precipitado amontonamiento. Alardeaba Pellicer de griego, pero Cuesta sabía —y
se lo podía demostrar— que sólo manejaba las versiones lati-

---

[55] *Ibíd.,* col. 98.
[56] *Censura,* ms. 3906, fols. 422-423.

nas de los escritores de aquella lengua. Al comentar el verso[57] en que Góngora dice que las vegas de Sicilia estaban nevadas de «copos... mil de lana», dice Pellicer: «El número mil es perfecto; significa plenitud de la cosa de que se trata»[58]. Y cita poetas griegos en comprobación de sus palabras. Aquí le esperaba Cuesta y no se la deja pasar: «Dixo mil, número finito por infinito... Los griegos [para ese sentido] dicen μυρί α *diez mil*, no mil, como pensó quien comentó este lugar de don Luis, que, aunque en la versión latina está *mil*, es mirando al sentido i guardando la propiedad latina ... i así es puerilidad seguirse por las versiones i más en poetas. No dixera esto, pues ni para la inteligencia de nuestro poeta es necesario, ni suelo traer cosa fuera de propósito, si no fuera por avisar a quien escrivió que tenga más cuidado i no se fíe tanto de trabajo ajeno o ingenio propio, i a quien leiere aquello que no se engañe»[59]. Sabía Cuesta que índices, poliantas y calepinos eran la fuente en que bebía el *fa presto* autor de las *Lecciones Solemnes* y muchas veces se lo descubre: «Los lugares que alega aquí Pellicer así de Virgilio como de Tibulo, salva cura Deum, bien se ve que los sacó del Calepino, pues no vienen a propósito»[60].

---

[57] De la estrofa 19 del *Polifemo*.

[58] *Lecciones Solemnes*, col. 141.

[59] Y continúa: «I no pienso que es poca obra de caridad, pues con aquel libro veo caer puerilmente ombres no de poca nota. Io no pienso en este comentario confutar todas las puerilidades i demasías que ai, que fuera hacer un volumen grande, i antes pretendo acortar todo lo posible; mas no puedo algunas veces abstenerme, particularmente cuando los ierros son tan claros que no pueden disimularse. Ni por eso devo ser tenido por más mordaz de lo que fuera razón, pues es cierto que quien leiere con atención un libro i otro, antes podrá admirarse de mi cortesía, que dexo pasar tantas cosas.» (Ms. 3906, folios 338 v.º - 339 v.º).

[60] Ms. 3906, fol. 327.

Claro está que, trabajando de esa manera, no podía menos Pellicer de ir a dar a groseros errores. El pasaje del
«templo de Galatea» es característico de este pisar en la
trampa de un índice y darse de bruces. Góngora había llamado a Galatea «deidad ... sin templo». En que no tuvo
templo estaba también conforme Salcedo Coronel: «No ay
memoria en los antiguos poetas ni historiadores» —nos dice—
«que huuiessen constituydo templo a Galatea: y assí lo ad-
uirtió cuerdamente nuestro poeta»[61]. Pero al águila Pellicer
nada se le ocultaba. Sudó y escudriñó: ¡había, sí, un autor
que citaba un templo erigido a Galatea! ¡Gran ocasión para
anonadar a Salcedo! Y, contradiciéndole abiertamente, exclama jubiloso en las *Lecciones Solemnes*: «Dezir que Galatea no tuuo templo, ni huuo memoria de que lo tuuiesse
en los poetas o historiadores antiguos, es no auerlos visto
a todos, y contentarse con algunos, sin auer ahondado en
la erudición. Y, assí, al que lo dixere le cito al tribunal de
Luciano, que, aunque griego, está traducido en latín, y dice
en el libro 2, *de la historia verdadera*, assí del templo de
Galatea: *In media insula templum Galatheae Nereidi sacrum
extructum erat, ut inscriptio declarabat*»[62]. ¡Víctor D. Joseph
de Pellicer! Pero a la revuelta de la esquina le esperaba el
empecatado Andrés Cuesta. Y este mazazo sí que es una «lección solemne». Oigamos sus palabras:

«Don Luis dixo *sin templo*, porque no le tenía Galatea, como los
demás dioses del campo. Ni puedo dexar de defender aquí a don Luis
de una calunia que le pone su comentador Pellicer, que no contentándose con morder todos los escritores, digo traspalar los mordiscos que
halla en el tesoro crítico, i con asir la ocasión por donde no tiene pelo,
no repara en pellizcar a quien comenta, deviendo, todo lo posible, de-

---

[61] *El Polifemo comentado*, fol. 41.
[62] *Lecciones Solemnes*, col. 143.

fenderle. Sus palabras son éstas: «Decir que Galatea no tuvo templo, etcª.» ¡Grande vanidad, acusar a un onbre de que no a visto todos los autores! ¿Quién ai que todos los aia visto? Y malicia tanbién, pues se precia de lo que no a hecho. Pues el modo con que alega los autores más muestra que no a hecho otra cosa que irse por las Indias de los libros, i allegar a trochi moche, a diestro i a siniestro, sin saber a qué propósito hablan los autores, ni en qué ocasión hacen mención de lo que dicen. Conque quien tuviere lugar de cotejar algunos, o, sin contejar, estuviere versado en los autores de letras umanas, no podrá tener la risa de que aia onbre tan atrevido que tanbién quiera aprovecharse de la ignorancia de los demás, en que fía más que en su sabiduría. Desto, aunque podía alegar mil lugares, basta por muchos éste [es decir, este del «templo de Galatea»]. Luciano escrive un libro en que da preceptos para escrivir una historia, i pareciéndole poner un exenplo, fingió una navegación en que pone sucesos que ni pudieron ser ni pueden aver sido: como que llegó a una isla de los candiles, en que los que están acá de noche, estavan de día, i tenían su rei i tenplo. También dice que navegó por un mar de leche i que estava en medio una isla, toda de un grandísimo queso, i que tenía en medio un tenplo dedicado a Galatea. Esto ia se ve qué verdad sea. Puso Luciano esta diosa i no otra, porque Galatea en griego sinifica «Láctea». Pues D. Joseph fuése al índice de Luciano i vió «Galatea: templum», i sin más mirar, que es onbre que se fía mucho de lo que notaron otros, trasladó el lugar, i pensando que avía hallado una cosa mui particular, notó a D. Luis de poco leído, diviendo acordarse que

Legere et non intelligere nec legere est» [63].

Hecho añicos. Porque bastantes escritores se habían alzado y muchos se habían de alzar aún contra la erudición de trapisonda de D. Joseph Pellicer de Salas y Tovar, señor de la Casa de Pellicer y cronista de los Reinos de Castilla [64],

---

[63] Ms. 3906, fols. 341-344.
[64] Sobre su croniquistería, véase lo que pensaba Tamayo de Vargas, en A. Reyes: *Cuestiones gongorinas*, pág. 218 y sigs. Que fué nombrado Cronista no sólo de Castilla, sino también de Aragón, es

pero ninguno mejor armado, más alerta ni más implacable
que Cuesta, el profesor de Salamanca.

TODOS CONTRA PELLICER

Siendo muy joven, sufrió Pellicer una feroz arremetida
de Lope de Vega. Fué, sin duda, la que más honda huella
dejó en su alma, y de ella hablo en otro artículo [65]. Luego, en
su larga vida, el aprovechado genealogista, el tránsfuga de
un partido a otro en el asunto de los cronicones [66], tuvo muchas polémicas y recibió no pocos cintarazos.

Pero la invención de genealogías granjeaba muchos y poderosos amigos [67], y no pocos también el espíritu de ban-
dería [68], y así pudo salir a flote, apoyado asimismo por incautos, ingenuos admiradores [69]. Mas en los círculos gongorinos su desprestigio fué total. Por todas partes se le corre.
Las *Lecciones Solemnes* fueron denunciadas a la Inquisición,
y en las censuras que con este motivo sufrió el libro no faltan las que pasan de lo moral y teológico y entran en lo
literario. Así, uno de los censores dice que Pellicer, en aquella
obra, «se dexó llevar de un deseo vano de ostentar varia

---

indudable; véase Juan Antonio Pellicer: *Ensayo de una biblioteca de
traductores españoles*, pág. 103 y sigs.

[65] Véase en el presente libro el trabajo que sigue: *Cómo contestó
Pellicer a la befa de Lope de Vega.*

[66] Véase Godoy y Alcántara: *Historia de los falsos cronicones*,
Madrid, 1896, pág. 281 y sigs.

[67] Entre sus protectores figuraba nada menos que Felipe IV. Véase Juan Antonio Pellicer: *Ensayo de una biblioteca de traductores españoles*, págs. 103-105.

[68] Véase el elogio que hace de él Nicolás Antonio: *Bibliotheca Hispana Nova*, I.

[69] A. Reyes: *Pellicer en las cartas de sus contemporáneos*, en *Cuestiones gongorinas*, pág. 230.

lección y noticias» [70]. La correspondencia de los gongoristas
está llena de insultos para él: Tamayo de Vargas se burla
de sus pretensiones de cronista oficial [71]; Salazar Mardones
—lo mismo que Salcedo Coronel— le acusa de haber robado
comentarios inéditos y le llama Don Josef de Pelliscar de
Tomar [72]. Y hemos visto cómo a coro le ponen de oro y azul
Salcedo, Vázquez Siruela y Andrés Cuesta.

Sin embargo... Godoy y Alcántara ha podido decir con
mucha razón: «jamás personalidad humana llegó a encar-
narse más profundamente en su época: Pellicer fué el siglo XVII hecho hombre» [73]. Mucho de ese apresuramiento y
de esa abundancia que hemos visto es expresión del «espíritu de su tiempo». Lo exagerado, el prurito de superación
que el barroquismo comparte con el romanticismo —o viceversa, según el punto de perspectiva que elijamos—, produce
a veces un genio como Góngora, en donde, de un lado, pasión
y desenfreno (lo nuevo de su siglo, lo vivo de su arte), y por
la otra banda, canon y rienda (lo heredado del siglo XVI),
están duramente, dramáticamente entrelazados [74]; pero muchas más veces origina aquel siglo *ostentos* y *monstruos* desa-
forados y de ánima vulgar, como Pellicer. Como Pellicer... y
como la mayor parte de sus enemigos: algunos, pocos, le
excederían en auténtica sabiduría, otros en ética; pero, en
último término, todos se movían dentro de sus mismas aguas,
en la misma esfera, nada sublimada, de su mundo. Dieron
contra él porque, precisamente, él sintetizaba como dechado
y exageraba los defectos de todos.

---

[70] Véase Artigas: *Don Luis de Góngora*, pág. 211 n.
[71] Véase arriba, nota 64, pág. 484.
[72] Véase Alfonso Reyes: *Ob. cit.*, pág. 226.
[73] *Historia de los falsos cronicones*, pág. 281.
[74] Comp. Leo Spitzer: *Zu Góngoras Soledades*, en *Volkstum und Kultur der Romanen*, II, cuad. 2-3, pág. 244 y sigs.

Dentro de los estudios gongorinos, nuestro agradecimiento a Pellicer es deuda evidente. Puso en su trabajo mucho más primor del que podría esperarse de hombre tan ligero: consultó esmeradamente manuscritos, y gracias a esto nos ha conservado preciosas variantes de la primitiva versión de las *Soledades* y del *Polifemo;* apuró el sentido de vocablos y frases. Claro que a veces se equivoca, pero no dejan de equivocarse también los otros comentaristas, y sabe Dios cuántas veces nos habremos equivocado los modernos. En fin, de vez en cuando surge en sus notas la voz de un verdadero gustador de poesía, y, en presencia de versiones divergentes, se inclina hacia la que hoy tenemos por más bella [75]. Confesemos esto. Ofrezcamos esta reparación, modesta, condicionada, a aquel hombre, que, dentro del gongorismo, fué en el siglo XVII blanco general de todas las iras [76].

---

[75] Comp. *Góngora y la censura de Pedro de Valencia* en este libro, páginas 300-302.

[76] Algunas de las escaramuzas señaladas en el presente artículo se extinguieron sin huella visible. Salcedo Coronel publió en 1649 un tomo de versos que lleva el título de *Cristales de Helicona.* Lleva una laudatoria censura y un encomiástico prólogo firmados por Pellicer.

Nota final.—En el que fué ms. 833 de la Biblioteca de Palacio, y que antes perteneció al Colegio Mayor de Cuenca (de la Univ. de Salamanca), existe una *Apología por las Soledades...*, que allí se atribuye a Francisco de Amaya: no es sino el *Examen del Antídoto* del Abad de Rute (Artigas, pág. 400 y sigs.). La procedencia de este ms. unida al hecho de haber sido Amaya colegial del Colegio Mayor de Cuenca, parecería dar autoridad a la atribución a Amaya. Sin embargo, que dicho *Examen* es del Abad de Rute resulta indudable, si se tienen en cuenta los testimonios concordantes (Artigas, págs. 238 n. 1 y 396). Además, el ms. 833 es sólo una copia del s. XVIII, llena de errores. Respecto al ms. 1323, también de Palacio, véase lo dicho más arriba, pág. 462, nota 2. No he podido ver estos mss. al imprimir el presente libro, porque, reclamados por la Universidad de Salamanca, han sido devueltos a ella.

COMO CONTESTO PELLICER
A LA BEFA DE LOPE

(Sobre el prólogo de las *Lecciones Solemnes a
las Obras de Góngora.)*

No había dado aún Pellicer [1] muchos pasos en su carrera
literaria cuando recibió un ostentoso varapalo del ingenio de Lope de Vega:

*Ya don Jusepe Pellicer de Salas,
con cinco lustros solos sube al monte,
ya, nuevo Anacreonte,
Fénix extiende las doradas alas
que el Sol inmortalice;
y, pues él mismo dice
que tantas lenguas sabe,
busque, entre tantas, una que le alabe* [2].

El gran zumbón de Lope parece que va a comenzar una
de esas hiperbólicas alabanzas, a las que tan acostumbrado

---

[1] Para la biografía de Pellicer: Nicolás Antonio: *Bibliotheca Hispana Nova*, I, 811; Juan Antonio Pellicer: *Ensayo de una biblioteca de
traductores españoles*, Madrid, 1778, pág. 103 y sigs.; La Barrera: *Catálogo... del antiguo teatro español*, Madrid, 1860, pág. 299; Godoy Alcántara: *Historia de los falsos cronicones*, pág. 281 y sigs.; Alfonso Reyes: *Pellicer en las Cartas de sus contemporáneos*, en *Cuestiones gongorinas*, Madrid, 1927, pág. 209 y sigs.; Joaquín de Entrambasaguas:
*Una guerra literaria del Siglo de Oro: Lope de Vega y los preceptistas
aristotélicos*, pág. 75, nota 56, y pág. 77, nota 57; véase también el artículo *Todos contra Pellicer*, que antecede a éste en el presente libro.
[2] Lope: *Laurel de Apolo*, Silva VIII, O. S., I, págs. 154-155.

está el lector del *Laurel de Apolo* —y algo así debió creer el desorientado Pellicer de Salas al echarse a la cara los primeros versos—; pero el coletazo final tiñe en seguida de sentido irónico el énfasis del principio.

Fué, quizá, el tropiezo más grave de toda su carrera literaria: el pequeño Pellicer abofeteado por el inmenso Lope. La reacción, como era de esperar, fué muy violenta. Nos ha quedado consignada en las primeras obras que publicó a raíz del insulto, a saber: *El Fénix* (quiero decir, la edición de 1630, que es la única que poseemos hoy) y las *Lecciones Solemnes.*

HIPÓTESIS CRONOLÓGICAS. EL EMBROLLO
DE «EL FÉNIX». PRIMERA REACCIÓN DE
PELLICER EN EL «PRELUDIO» DE ESE LIBRO

La relación cronológica entre esos tres libros (los tres, con fecha de impresión de 1630) no resulta fácil de establecer. La aprobación y la censura del *Laurel* son de octubre y noviembre de 1629, y la dedicatoria está fechada a «último de enero de 1630»; la tasa, a 4 de febrero del mismo año. En *El Fénix* la licencia y las censuras nos sitúan en febrero y marzo del año 28, pero la tasa y la fe de erratas, a fines de noviembre del 29. En las *Lecciones* las censuras y licencia son de junio del 28; las «erratas», del 16 de diciembre del 29, y la tasa, del 27 de febrero del 30. La perfección material de estos tres libros parece que vino a completarse casi por las mismas semanas; creo del todo claro que, de los tres, fueron las *Lecciones* el que salió más tarde.

En cambio, a juzgar por esas fechas de los preliminares pensaríamos que *El Fénix* fué anterior al *Laurel.* Pero en el «preludio» de *El Fénix* Pellicer contesta enfurecido al ataque de que había sido objeto en el poema de Lope. ¿Cómo se explica eso?

Todo está confuso. Hay que tener en cuenta que en el mismo pasaje vejatorio del *Laurel*, Lope parece aludir al *Fénix* de Pellicer cuando dice de éste:

> *Fénix extiende las doradas alas*
> *que el Sol inmortalice...*

La alusión al Fénix (al ave) era un topicazo, pero no deja de ser curioso su empleo aquí y precisamente para Pellicer.

Pero el poema del *Fénix* se había publicado «solo» (es decir, sin las «Diatribes o exercitaciones a la Pheonicología» *sic* [3]) en el año 1628. Así lo afirma el autor en la edición (con diatribes) de 1630 [4] y muchos años más tarde en su *Bibliotheca* [5]. ¿Cómo entender que se «publicó»? Pudiera pensarse en una impresión de ese año [6]. Mientras no aparezca, ¿podría interpretarse que se divulgó en esa fecha? No puedo des-

---

[3] La errata está en la portadilla de las *Diatribes*.

[4] «La primavera passada publiqué el poema del Fénix solo, que avía casi un año estado detenido en la prensa, acaso temeroso de salir donde le desplumasse la indignación y le maltratasse la enemistad» (Del «Preludio» a *El Fénix*). Hay que tener en cuenta que estas palabras se escribían en 1629. Otra duda plantea la expresión «el Fénix solo». ¿Quiere decir el poema del Fénix sin las Diatribes? ¿O designa, pensando en el ave, 'El Fénix único'?

[5] «Año 1628. *El poema español del Ave Fénix*». (*Bibliotheca*, folio 14 v.º).

[6] El privilegio es de marzo de 1628, y en él se habla de «vn libro intitulado el *Fénix*», sin más especificación. Se podría pensar, pues, en una impresión del poema solo (sin «Diatribes»). Pero a complicar todo viene la «censura» de Quevedo, de febrero de 1628, cuyos pormenores demuestran que el texto que leyó Quevedo contenía las «Diatribes» («he visto *El Fénix* y su Historia Natural»). No era censura, por tanto, para el poema solo. Tampoco cabe pensar que la misma tirada del

cifrar este embrollo, y me alegraré que alguien lo consiga. La cuestión no es esencial para mi tema.

En el mismo «Preludio» a *El Fénix* nos dice Pellicer que divulgado su poema fué atacado ferozmente por un *Lobo* (= Lope). Y para que no dudemos a quién alude, sigue durante dos planas jugando con los vocablos *Lobo, Felix* y *carpere* (que bien indica *Carpio*). No hay duda de que Pellicer escribía en medio de una especie de ataqué de rabia. Todo este «preludio», escrito en el año 29, es la primera reacción al insulto.

¿La primera? Dentro del cuerpo mismo de las *Diatribes* (folio 14 vuelto de *El Fénix*) hay un largo pasaje que es un pomposo elogio al talento y la obra de Lope. Pero este ditirambo empieza, curiosamente, con las siguientes palabras. «En nuestro siglo se intitula en la frente de sus libros *el Fenix de España* el grande, el famoso, el vnico Lope Felix de Vega Carpio...» ¿Cómo le podía hacer gracia a Lope que le dijeran (con mucha razón, es cierto) [7] que él mismo se llamaba a sí mismo en sus obras «Fénix de España»? ¿Verdad que este elogio tiene cierto parentesco con el vejamen a Pellicer en el *Laurel?* Allí, lo que empieza como gran alabanza termina en trallazo, y aquí, lo que acaba en elogio sin mesura empieza con una venenosa (aunque exacta) afirmación.

---

poema se publicara primero sola y luego con «Diatribes», porque la última plana (fol. 24 v.º) tiene el reclamo «Día», primeras letras de la portadilla de las «Diatribes». Es problema más arduo de lo que creía La Barrera.

[7] Las partes VI (1615) y VII y VIII (1617) van encabezadas «El Fénix de España, Lope de Vega Carpio». La intervención de Lope en ellas (por lo menos en la VII y la VIII) parece evidente (comp. Rennert y Castro, *Vida de Lope de Vega*, Madrid, 1919, pág. 261).

Ordeno ahora la posible sucesión de estos hechos; no necesito decir cuán provisionales han de ser estas hipótesis cronológicas [8]:

1.º Divulga (o imprime) Pellicer su *Fénix* (1628).

2.º Lope le muerde (1628-29) quizá en conversaciones; además, en un pasaje del *Laurel*, inédito aún por entonces, pero probablemente conocido y propagado por los admiradores.

3.º Las «Diatribes» de *El Fénix* estaban en curso de impresión; Pellicer, molesto al verse atacado por un hombre genial y sin quererse indisponer aún del todo con él, escribe e imprime su elogio en las «Diatribes», pero ya no puede impedir que se le escape una frase insidiosa.

_____

[8] La Barrera (pág. 426, donde ha de leerse «satirizóle» en vez de «satisfízole») piensa que la ira de Pellicer en *El Fénix* tiene por causa el haber dicho Lope que no entendía este poema y el haberle satirizado «en una scena ilustre». En cuanto a lo primero, es muy posible (pero no seguro) que Lope sea el «crítico» aludido por Pellicer *(Fénix,* ¶ 2 v.º); lo segundo ni La Barrera ni nosotros sabemos exactamente qué significa («en el mayor teatro» dice un poco antes, en la dedicatoria, el mismo Pellicer). ¿Se refiere acaso a una recitación solemne del *Laurel?* ¿Por qué las Cortes en el monte Helicona se celebraron exactamente a 29 de abril de 1628? *(O. S.,* I, pág. XXII). Para La Barrera el insulto de Lope en el *Laurel* sería contestación a lo leído en *El Fénix.*

Creo, por mi parte, que los desahogos de *El Fénix* y los de las *Lecciones Solemnes* responden a la burla cruel del *Laurel* y a otras alusiones malévolas de ese mismo poema. Nótese que en *El Fénix* se lamenta Pellicer en los mismos términos que en las *Lecciones. Fénix:* «Las batallas de los estudiosos es desayre, es cobardía, es indignidad reunirlas con sátiras o con gracejos, donde ay doctrina y erudición» (¶ 1 v.º). *Lecciones:* «lo que devía ser invectiva erudita contra los Escritos passó a ser indigna sátira contra el Dueño dellos» (¶¶¶ 1 v.º). Téngase en cuenta, además, que en su *Bibliotheca* no habla de otro insulto que del tantas veces citado pasaje del *Laurel,* y reconoce haber contestado destempladamente en el *Fénix* y las *Lecciones:* «...con el Ardor de la Mocedad tuvo [Pellicer] la Menos Templança que Manifestó en sus dos Prefaciones, que vna se hallará en el Principio de la *Historia del Fénix* i Otra en el de sus *Commentarios a Góngora»* (Madrid, 1671, fol. 158).

4.° Cuando ese medio elogio estaba ya impreso, le llegan noticias más exactas; quizá lee ya el pasaje insultante del *Laurel*. Aprovecha entonces el «preludio» de *El Fénix* para desahogar su ira. *El Fénix* se publica en los primeros días de 1630.

5.° El *Laurel* se publica en febrero de 1630.

El orden de los números 4 y 5 podría invertirse, quizá, así:

Primero: El *Laurel* se publica en febrero de 1630.

Segundo: Pellicer ha retenido la publicación de *El Fénix* hasta ver qué actitud tomaba definitivamente Lope. Cuando aparece el *Laurel* redacta a toda velocidad el «preludio», intercalándolo en los preliminares de *El Fénix* (o tal vez sustituyendo por él parte de los preliminares). *El Fénix* sale al público.

Este distender o prolongar (por causa de polémicas o ataques) la publicación de una obra, fué estratagema que practicó varias veces Pellicer [9].

Las dos hipótesis son posibles, aunque me parece más probable la primera. Y sea de esto lo que fuere, el primer

---

[9] Su *Bibliotheca*, que lleva fecha de 1671, fué detenida sin publicar dos veces, con lo que creció primero hasta 1674 y después hasta 1676. Véase cómo lo explica el autor: «En la Edición desta *Bibliotheca* ha tenido *Don Ioseph Pellicer* Aquellos Intervalos que suelen Acontecer al que emprende la Fábrica de un Edificio... Desde Mediado el Año de Setenta i Vno en que Feneció la Prensa, Empeçó a Detenerse su Publicación. Fué el Motivo entonces no haverse podido concluirse las Dos Impressiones de la Distincción *(sic)* entre Máximo Obispo de Zaragoça i Marco Monge del Cassino i el Aparato a la Monarchia Antigua de España» (fol. 172). Y continúa explicando que mencionados ya en la *Bibliotheca* no quería que «la Malicia tuviese en qué Discurrir, Dándose i Dando a entender que estas Dos obras eran Imaginarias». A veces Pellicer retrasó tanto la impresión que las obras quedaron a medio hacer; esto le ocurrió, por ejemplo, con la *Crónica de España de Dulcidio*, Barcelona, 1663, que parece no pasó de los 36 primeros folios.

Respecto a *El Fénix*, véase lo que dice de la dilación el autor mismo

desahogo de ira ante el insulto de Lope es el «preludio» de
El Fénix.

Al «preludio» prestó ya debida atención La Barrera (páginas 423-426); no tanta a la dedicatoria del mismo libro. Esta dedicatoria a don Luis Méndez de Haro, estando como está toda llena del agravio de Lope, tiene un tono distinto. Quizá fué que la presencia espiritual del personaje a quien la dirigía, le contuviera; quizá es que, afrentado, oscilaba entre la ira y el desaliento: esta dedicatoria está toda diríamos que ensombrecida por el agravio.

Aquí a Lope le trata con respeto (como allí, en el «preludio», con furor), y le pinta de mano maestra. ¿Cómo es posible que el gran escritor (Lope) —dice— envidie al mínimo (Pellicer)?

«Que los méritos de los hombres grandes despierten embidias y ocasionen competencias en los menores que desde muy abajo miran aquellos lexos de erudición, es achaque frecuente de que adoleció vn siglo y otro... Pero que los mismos varones que se precian de doctos, los que son luces del pueblo y parece que tienen ganada la aclamación y bien segura la fama, sean los que compitan y pleiteen con los que aún no han començado a lucir, deseando que no comiencen, sólo en mí se ha visto.» En lo que sigue apunta bien el gran

en la dedicatoria a don Luis Méndez de Haro: «Los que me han tenido, Señor, por pereçoso veran agora que mi dilación ha sido desconfiança o temor estudioso; y que aver detenido en la prensa dos años estos borrones ha sido desear limallos para que tuviessen menos en que tropeçar mis émulos. Creyendo hazer lisonja a mis *Diatribes o Exercitaciones,* me parece que se ha convertido en ofensa, pues he aguardado a que salgan con más enemigos que tenía quando las escriví.»

defecto de Lope: «Querer vno ser solo, o serlo sin que lo
sean otros no es hazaña; ser singular entre muchos, es mérito. No ha de estorbar que haya doctos el docto, sino conseguir ser más que todos y ser mucho entre los más; que
querer alçarse con el consulado de las letras ha de ser por
vnico, no por solo, y lo más para ser más, a menester a io
que es menos.» El pobre Pellicer se muestra abatido («es
sobrado agüero empeçar rompiendo por los odios y force-
jeando con las calumnias»). Y no desprecia a los enemigos,
«se duele» de tenerlos «y más sin causas, y enemigos que no
contentándose con serlo dentro de sí, con mostrarlo en plá-
ticas familiares, se despejan en la mayor publicidad, lo manifiestan en el mayor teatro, ingratos a lo que a sí mismos
se deven, desentendidos de lo que yo mismo los estimo, los
alabo y los venero, pues entre lo más culpable de sus gracejos estoy reconociendo yo sus letras y sus ingenios y conociendo muchas distancias entre mi pluma y las suyas». Cris-
tianamente deja su pena en el vengador de todo. Pero se
duele de que en los más viles oficios el compañerismo en-
gendre amistad «y que los estudios que devian contraher
no sólo afinidad estrecha, sino amistad apretada entre sus
professores, sólo ocasionen embidias y desprecios». (¡Gran
verdad y muy para el siglo xx!) Termina acogiéndose a la
protección de don Luis Méndez de Haro y pidiéndole perdón
porque «aviendo de ser estos períodos alabanças suyas, las
convierte la pluma en quejas, y el papel que avía de ilustrar
con elogios, lo mancha con sentimientos». Son unas páginas
humanas y llenas de congoja que definitivamente —¿definitivamente?— nos reconcilian con el calumniado Pellicer.

Pero... todo hombre es un haz de vetas: hemos encontrado aquí, en *El Fénix,* dos reacciones de Pellicer ante el
insulto burlesco: la de un Pellicer furioso (en el Preludio) y

la de un Pellicer ensombrecido, deprimido y generoso (en la
Dedicatoria).

Vamos a descubrir una tercera veta del haz humano a
quien llamaban Pellicer.

ATAQUE MALÉVOLO Y SISTEMÁTICO EN EL

PRÓLOGO DE LAS «LECCIONES SOLEMNES»

Ya hemos dicho que las *Lecciones Solemnes a las obras
de D. Luis de Góngora* aparecieron después de *El Fénix* y del
Laurel. De las *Lecciones*, por lo que toca al rifirrafe entre
Pellicer y Lope, La Barrera se limitó a observar que como
Lope había puesto por divisa en la portada de su *Laurel*
«Summa felicitas invidere nemini», Pellicer le retrueca desde
la portada de sus comentarios «Summa infelicitas invideri a
nemine», y al vuelto de la portada se representa él mismo
en el encogimiento del erizo, que así se defiende de los lobos,
con la leyenda «Ultrix invidiae modestia». No prestó atención, en cambio, La Barrera al prólogo «A los ingenios doctíssimos de España» que encabeza las *Lecciones*. Ni creo que
este prólogo haya sido nunca exactamente interpretado: la
defensa de Góngora y sus seguidores es evidente, claro, así
como el ataque general contra Lope y sus secuaces. Lo que
no se ha dicho es hasta qué punto ese ataque se fragmenta
en mil pormenores, tantos que apenas hay frase en esa «pre-
fación» (como decía Pellicer) que no conteste al *Laurel*, y
especialmente al prólogo de ese poema, o no señale un defecto de Lope.

LOPE, VIEJO IGNORANTE

Las primeras alusiones a Lope en ese prólogo están su-
geridas por el tema «juventud-vejez». «En mis años —dice
Pellicer— viene a ser decencia el atrevimiento»; y agrega:

«... no se llamará Anciano el que ha vivido mucho..., que este género de canas no corre por cuenta de los años». Menciona luego a Ovidio «quando escarneció a un Viejo de setenta y cinco años, tan maldicente, tan murmurador y tan libre que le obligó a dezir que sólo su necedad y su locura estorvava que le tuviessen por Viejo:

Stultitia est, quae te non sinit esse senem.

Porque cuando la vejez cae sobre soberbia, arrogancia, presunción, ignorancia y desvanecimiento es caduquez insolente y locura desenfrenada»[10]. A Lope, casi setentón, le iban la soberbia, la arrogancia, la presunción y el desvanecimiento; no, la ignorancia; pero la pluma de Pellicer se lo acumulaba todo: es indudable que en Lope pensaba al escribir esas líneas. Algo más adelante dice que los «ignorantes» no aciertan ni a ser corteses y que está «tan enseñado a sus groserías» (y el insulto del *Laurel* era el más reciente) que no le extrañará quieran deslucirle este libro como los otros cuatro que ha publicado con «censura tan de mal aire que llegó a ser murmuración apassionada, calumnia libre y despejadíssima insolencia, pues lo que devia ser invectiva erudita contra los Escritos passó a ser indigna sátira contra el Dueño dellos»[11]. Indigna sátira personal, y no crítica de obras, había sido la burla del *Laurel*.

LOPE, ENVIDIOSO DE LOS
COMENTOS A GÓNGORA

Ataca luego a los que se escandalizaban de que se comentase a Góngora, muerto hacía poco: «alguno que deve de

---

[10] ¶¶¶ 1 r.º y v.º Todas las citas del prólogo «A los ingenios doctíssimos de España» proceden de este mismo cuadernillo; en lo sucesivo indico sólo el folio dentro de ese cuadernillo.

[11] «A los ingenios...», fol. 1 v.º

sentirlo más, pero no bien, se dexó dezir en unos coplones:

Pues se admiran de ver los que bien sienten
que a quien escribió ayer, oi le comenten».

¡Coplones, versos de Lope, porque esos dos lo son del *Laurel de Apolo! (O. S.,* I, página 187). Y nótese cómo aprovecha el mismo texto del poeta para la malignidad del chiste: «que deve de sentirlo *más,* pero no *bien».*

Acumula a continuación citas para demostrar —y no hay duda que lo consigue— que eso había ocurrido muchas veces con los escritos de varones insignes.

Pasa a enumerar las causas que le han movido a escribir sus comentarios. Una es la extensión no grande de la obra de Góngora. Nueva ocasión para más puyazos contra Lope: «tan pocos escritos le dieron más opinión [a Góngora] que, a Otros, muchos Tomos de versos..., que no importa escrivir versos y más versos para alcançar el Laurel». Y cita luego un «Epigrama de Adan Sibero Chemnicense, Poeta Alemán [12] cuyo Lemma es de *Lauru Poetica,* que escrivió contra vno mui preciado de que dictava muchos versos al correr de la Pluma, sin hermosura y sin imitación de los Antiguos y que pretendía por esto que Apolo le laureasse» [13].

LOPE, NECIO ENVIDIOSO

Pasa ahora a comentar, apoyándose en textos latinos, la doctrina del lema puesto en la portada, y afirma «la mayor

[12] Sobre Adam Siber (1516-1584) véase: *Allgemeine Deutsche Biographie,* XXXIV (1892), págs. 125-130.
[13] «A los ingenios», fol. 2 v.º Aquí, como en otros lugares, «lauro», «laurear» son alusiones al poema de Lope. Pellicer sugiere que Lope creía que el lauro disputado se le debía de justicia a él. Por eso mismo elige el epigrama de Adan Sibero, que termina así:

Poetam
Non Laurus, sua sed facit camoena.

hazaña y la mayor erudición de la vida es saber negociar
embidias», y añade señalando a Lope: «pero ai muchos que
blasonan de no embidiar, y si le tomassen su dicho al Pensamiento y Juramento al Alma, confessaría, como el otro Necio, *Summa felicitas invidere nemini,* que era mucha felicidad
no embidiar a nadie, pero que no se ajustava lo interior con
las apariencias..., que ai palabras que salen en público sin
que sepa el coraçón dellas, y no conviene todas vezes lo
cándido del pecho con lo escuro de la intención» [14]. Ya hemos
dicho que ese lema latino es el que campeaba al frente del
Laurel: por tanto, el que blasona de no envidiar es Lope, el
«Necio» (!) es Lope, el hipócrita que describe es Lope.

¡ LOPE, ESTRAGADOR DE
LAS OBRAS DE GÓNGORA!

También le movía a los comentos el ver cuán estragadas
habían salido a la luz las obras de Góngora. La afirmación
de Pellicer es muy interesante (ya fué notada por Alfonso
Reyes) [15]:

«... ver las Obras de Don Luis impresas tan indignamente,
acaso por la negociación de algún Enemigo suyo, que mal
contento de averle podido desluzir en vida, instó en procurar
quitarle la opinión después de muerto, traçando que se es-
tampassen sus Obras (que manuscriptas se vendian en precio
quantioso) defectuosas, vltrajadas, mentirosas y mal correc-
tas, barajando entre ellas muchas apócrifas, y adoptándoselas
a Don Luis para que desmereciesse por vnas el crédito que
avía conseguido por otras. Al fin salieron estampadas a luz,
tan sembradas de horrores y de tinieblas, que si el mismo

---

[14] «A los ingenios», fol. 2 v.º-[3]; «lo cándido del pecho» alude
sin duda a la cruz (blanca) de San Juan de Jerusalén.
[15] *Cuestiones gongorinas,* Madrid, 1927, págs. 44-45.

Don Luis resucitara, las desconociera por suyas... Salieron
tambien sin Nombre, dando ocasión para que por libro Anó-
nimo˙ se recogiessen por Edictos que todo esto sabe causar
la Embidia y la Malicia quando compite con el Ardid, en vez
de mérito, y con la estratagema, en lugar de suficiencia» [16].

La impresión a que Pellicer se refiere es la de Vicuña
(1627) [17]. Lo que interesa ahora es la acusación lanzada por
Pellicer: eso era obra de un enemigo que quiso así perjudicar
a don Luis. ¿Y quién era ese enemigo? No me cabe duda de
que señala también a Lope, primero porque todo el prólogo
va dirigido contra él y extraña que un párrafo haga excepción. Más aún: ya en la dedicatoria (al Cardenal Infante) de
las mismas *Lecciones Solemnes* había hecho acusaciones semejantes, que aquí están mezcladas con alusiones al «Laurel»,
que difícilmente pueden deslindarse de Lope. Véase: «en
todos [los siglos] pleitearon las ignorancias con los méritos,
en todos se compitió el Laurel, o con la ciencia o con la
maña... No fué mucho que con semejantes estratagemas sa-
liesen las *Obras de don Luis de Góngora* impressas tan indignamente, con tantos errores y aun sin nombre, pero
sabrán bolver por sí ellas mismas copiadas de más fieles
originales, y granjear el Laurel a su Dueño tan justamente
merecido...» [18]. La acusación de haber maliciosamente estropeado la impresión de los versos de Góngora, parece, pues,
dirigida contra Lope. Pero, ¿qué verdad había en todo esto?
Me resisto a creer que nadie maquinara tanto. La edición de
Vicuña es mala; pero la que siguió, de Hoces, tan repetida
en distintas impresiones, también tenía errores y horrores.
Las imprentas de entonces y el descuido de siempre —y la

---

[16]   «A los ingenios», fol. [3].
[17]   Véase el prólogo de Foulché-Delbosc a su ed. de *Obras* de Góngora, I. págs. VI-VIII, y Millé, *Bibliografía Gongorina*, núm. 280.
[18]   ¶¶ [1].

misma dificultad de los textos gongorinos— bastan para explicarlo todo.

LOPE... HASTA ENVIDIOSO
DE LA FAMA DE PELLICER

Sigue aún Pellicer con el tema de la envidia, pero ahora ya no es la de Lope a Góngora, sino la de Lope al propio comentarista (!): «Que esté el estudioso desvelándose para sacar un trabajo a los ojos de los Doctos y que esté el mal intencionado acechando para cargarle de calumnias, no más de porque es obra de su enemigo, sin averiguarle más defectos; gran congoxa puede hacer y más si el tal maldiciente saliesse alabado sin merecerlo en el mismo libro, pero los tales más se indignan con los beneficios.» Hay que tener en cuenta para entender ese párrafo, que en *El Fénix* había, como dijimos, una hiperbólica alabanza de Lope (con una reticencia inicial) y que dentro del texto de las *Lecciones* también se le elogiaba (pero yo no creo que el elogio de las *Lecciones* pudiera gustar al vanidoso dramaturgo): «D. Luis de Góngora... dignamente *Príncipe* de los Poetas Lyricos Españoles como el Insigne Lope Félix de Vega Carpio lo es de los Cómicos» (col. 351). (No —diría Lope—: todo, para mí). No publicados, pues, aún, estos comentarios en que se le elogiaba, Lope se había permitido no sólo el famoso pasaje vejatorio, sino otras varias alusiones malévolas en el mismo *Laurel*, como la mencionada contra los comentarios a autor moderno y estos versos que evidentísimamente designaban a Pellicer (son las disposiciones comunicadas de parte de Apolo):

> *Que no serían versos admitidos*
> *de legos atrevidos* [19],

---

[19] Pellicer se sintió aludido directamente por este verso. Comp. «...la

> *ni los expositores*
> *arrieros de cáfilas de autores*
> *que siendo su tabaco Polyantheas*
> *estornudan lugares*
> *y, con la historia de los doce Pares,*
> *especies de Platónicas ideas* [20].

¡Chispeante!: la técnica científica de Pellicer [21] estaba ahí pintada de mano maestra. Pellicer canta el puntazo en el prólogo que analizamos, de las *Lecciones;* pondera ahí su labor: «... el trabajo que me ha costado escrivir este primer Tomo de *Lecciones Solemnes,* porque los autores que he visto son muchos, como puede verificarse luego, las autoridades han sido infinitas, y no sacadas de Polianteas, como pretende notarme alguno en mi *Fénix,* que piensa me sucede a mí lo que a él, pues ai muchos que regulan por sus defectos los que sospechan en otros, o si no, el curioso vaya cotejando los lugares y por el que hallasse le doi licencia para que diga que lo son los demás» [22].

Pellicer jura, pues, no haber manejado Poliantea en su vida y se lo achaca a Lope. Este a su vez sintió el pinchazo

---

calumnia, que haze pundonor de que los Legos (así nos llama a los de capa y espada, acaso porque ai muchos que lo leen todo) manejen los Libros y traten de materias estudiosas, y más si lo Lego cae sobre lo Moço, como si no pudiessen trocar oficios los años y los trages, o no fuesse possible estar mui dueño de la cordura el boço, quando se ven ignoradas del sesso las canas» (de la dedicatoria al cardenal Infante, en las *Lecciones Solemnes,* ¶¶ [1 v.°].

[20]   *O. S.,* I, pág. 188.
[21]   Para que no pudiera haber duda ninguna de a quién aludía, Lope tuvo cuidado de hacer un caluroso elogio de Salcedo Coronel en la misma Silva VIII del *Laurel (O. S.,* I, págs. 156-157). Es posible que al escribir esas alabanzas le rebullese la chunga por dentro: sin embargo, formalmente es un elogio irreprochable.
[22]   «A los ingenios», fol. [3] v.°

que le devolvía el comentador como lo demuestra el soneto
al Príncipe de Esquilache publicado en las *Rimas* de Burguillos (1634):

> *Si yo en mi vida vi la Polianthea,*
> *rudo villano me convierta en rana.*
> *¿Qué aplauso pide aquella gente vana*
> *que por lo trajinado se pasea?* [23]

Aquí Lope mentía como un bellaco. Demostrarlo nos demo-
raría más de la cuenta: quede para otra ocasión.

LOPE, LOCO DEFENSOR
DE LA ADMIRACIÓN

Prosigue, pues, Pellicer explicando el método de sus *Lecciones:* y dice que con sus notas «se admirará la ignorancia
viéndole [a don Luis] tan dueño de la erudición». El verbo
«admirar» le sirve por los pelos para otra arremetida contra
Lope: «Y digo admirará la Ignorancia, porque se engaña vi-
soñamente el que escrivió que la Admiración era mui estrecha pariente del Entendimiento... Yo estoi tan lexos de conceder este desatino, que tengo por loco al que la defiende, y
añado que solamente es ignorante el que se admira...» [24]. El
«loco» que defendía a la admiración como próxima del entendimiento y el que personalmente se admiraba no era otro que
Lope en el *Laurel*. Son las primerísimas palabras del «Prólogo» a ese poema: «El admirarse tienen algunos hombres
por corto caudal de entendimiento; yo no fiaría mucho del
suyo, porque siendo opinión de Aristóteles que de la Admira-

---

[23] *O. S.*, XIX, pág. 160.
[24] «A los ingenios», [3] v.°

ción nació la Philosophía, mal dixo Erasmo, como otras muchas cosas, que era parte de felicidad el no admirarse, y de ella procedió el inquirir las causas, y de esta especulación las ciencias. Yo, señor lector, me admiro...»[25]. Tampoco Pellicer le deja pasar este apoyarse en Aristóteles: «... no se vale ni sabe aprovecharse de la Admiración para discurrir cómo pudo, confessándome con Aristóteles, que de la Admiración nació la Filosofía... Començó en estas sombras a amanecer al Alma la luz de la razón y... dió el Entendimiento el primer passo en la Admiración, y desde allí en el deseo de investigar las causas a lo más oculto de la Naturaleza. Dudó cómo eran las cosas después de averlas admirado y descogiendo el discurso casi topó entre la especulación de todas la verdad de muchas». Pellicer viene a decir aquí lo mismo que Lope. ¿Para qué? Para acusarle de nuevo de fracasado imitador, pues agrega: «No han querido admitir este ejemplo [el del progreso del Entendimiento desde la ignorancia, por medio de la admiración y la duda, hasta la ciencia] los que no han sabido imitar a Don Luis, sino que se han passado desde lo impossible de la imitación a la facilidad del desprecio, desestimándole los que no saben imitarle»[26].

LOPE, FRACASADO IMITADOR

El tema «admiración» le lleva al apasionado contradictor de Lope a decir que fué la extrañeza ante las innovaciones de Góngora lo que produjo la irritación de sus contrarios, sólo porque se «avía desviado del camino vulgar, como quien se aparta de la humildad y llaneza de una Vega y procura

---

[25] *O. S.,* I, pág. XXVII.
[26] «A los ingenios» [4].

abrir senda en lo más fragoso de una montaña»[27]. Ya el mismo Góngora había jugado con el vocablo: «con razón Vega, por lo siempre llana»[28]. La emulación quiso imitar y no pudo: «encendióles la Embidia y la Admiración; procuraron imitarle, no pudieron; ...se quedaron entre la Vulgaridad, acompañados de la Admiración y la Embidia»[29]. Que Lope, que cató un poco todas las posibilidades del arte, quiso intentar los caminos del poeta cordobés y que no lo consiguió es indudable; es lo característico del gran poeta arrebatado: tuvo una admiración abierta a todos los cuadrantes; quizá no se dió cuenta de que él poseía una fórmula estética (ecuación del arte y la vida)[30] que era nueva y tal vez superior a todas las que tanto admiró y envidió. Pero eso no quita que Pellicer al unir para pintarle las voces «Admiración» y «Embidia» diera de lleno en el blanco.

LOPE, IDIOTA, POR ADMIRARSE
DEL FLORECIMIENTO POÉTICO

Lope de Vega había escrito en el prólogo al *Laurel:* «Yo, señor lector, me admiro de ver quan aumentada y florida está el arte de escribir versos en España»[31]. He aquí la reacción de Pellicer: «Estava la Poesía Castellana convalecida apenas de Iuan de Mena y halagada de la blandura de Garci-Lasso, iba arribando en don Diego de Mendoça, Francisco de Figueroa y Fernando de Herrera; entretúvose mejorada en los dos insignes Leonardos de Argensola, hasta que se cobró en GÓNGORA, que la puso en perfección, llenando de espíritu

---

[27] «A los ingenios» [3] v.º
[28] Millé, LXXVI.
[29] «A los ingenios» [3] v.º
[30] D. Alonso: *Poesía española. Ensayo de métodos y límites estilísticos,* Madrid, 1952, págs. 419-431.
[31] O. S., I, pág. XXVII.

generoso la capacidad de los Genios Españoles; y aun no falta algún idiota (!) que se admire de ver quan aumentada y florida está el arte de escrivir versos en España... ¿Ves como te admiras de ignorante?...» Mala consejera, para escribir, la ira. Pellicer nos parece más pequeño que nunca al arrojar el insulto de «Idiota» sobre el gran Lope. La única disculpa es que antes había sido él el directamente injuriado.

LOPE, VANIDOSO Y SIN HONOR

Después de señalar (y claro es que a quien señala es a Lope y a las leyendas de su retrato en el *Laurel de Apolo*) a los que «blasonan que nacieron *et Urbi et Orbi*, para su Patria y para el Mundo, y se inscriven (¡qué locura!) no Alumnos de las Musas sino Padres dellas» [32], y de afirmar que no es novedad que tras Góngora los poetas españoles asombren al mundo y «que no esté seguro dellos ni aun el Laurel si le hallan puesto en sienes indignas» termina revolviéndose de nuevo contra los que antes que lo bueno (Góngora y sus discípulos) prefieren lo vulgar (Lope y los suyos). «Estos» —dice— «no me haze congoxa que me calumnien, solo de lástima y por lo que me devo yo y les importa a ellos, estimara que passara la Candidez exterior del pecho de Alguno a vivir en la intención que a mi me enseña perdonar Enemigos sola mi modestia... fuera de que es impossible que no

---

[32] En el retrato de Lope en el *Laurel de Apolo* (1630) hay en la parte de arriba un medallón donde se lee «Et urbi et orbi», y en torno a la figura del poeta una orla lleva la siguiente inscripción: «D. Fvs Aqvilarius D. F. Lopio Felici de Vega Carpio, Musarum non alumno sed parenti».

sea gran vengança el desprecio de las Injurias, y más con quien ni puede ni quitar reputación ni dalla; porque

> *Si del tener honor el darle viene,*
> *ninguno puede dar lo que no tiene»* [33].

Aun para este insulto (por el que cualquier héroe de comedia se habría acuchillado hasta matar o morir) toma Pellicer versos del *Laurel de Apolo* [34]: abofetea a Lope con sus mismas palabras.

EL PRÓLOGO DE LAS «LECCIONES SOLEMNES», ATAQUE TENAZ Y MALIGNO

El prólogo «A los ingenios doctíssimos de España», de las *Lecciones Solemnes* está, pues, totalmente dirigido contra Lope no sólo en su sentido general: las grandes piezas de la argumentación lo mismo que hasta los más diminutos artejos dentro de cada pieza, tienen un sentido concreto: se refieren a aspectos de la persona moral de Lope y de su obra, y en especial a pasajes del *Laurel de Apolo* y del prólogo a ese poema.

Estas páginas de Pellicer llenas de insultos («ignorante», «necio», «idiota», «loco»), que niegan a su adversario hasta el honor, constituyen, pues, una de las arremetidas más tenaces, insidiosas y malignas de la literatura española.

Tres reacciones distintas de Pellicer: la primera, la humildad, dolida y cristiana de la dedicatoria de *El Fénix;* la segunda, la furiosa y atolondrada (unos cuantos juegos de palabras) del preludio de ese mismo libro. Cuando redactó la tercera —la de las *Lecciones Solemnes* que acabamos de

---

[33] «A los ingenios» [4] v.º
[34] *O. S.*, I, pág. 13.

comentar— la ira fría ya, dejaba libre la inteligencia: los saetazos daban en los puntos más sensibles y todo estaba articulado y premeditado según un plan de ataque.

LA BURLA DE LOPE, CLAVADA SIEM-
PRE EN EL CORAZÓN DE PELLICER

Aquella befa de que Lope le hizo objeto en el *Laurel de Apolo* sangró siempre en el corazón del comentarista de Góngora. ¿Cambió Lope de posición? Por lo menos, no tuvo inconveniente en 1631 —¡sólo un año después!— en escribir una elogiosa censura para el *Anfiteatro de Felipe el Grande* formado y publicado por Pellicer. Esas «censuras» eran cosa oficial, poco más que de trámite, y la naturaleza, tan especial, de ese libro, no daba mucho margen para una actitud sincera: de todos modos mucho era que quien indudablemente había leído el prólogo de las *Lecciones Solemnes* alabara, en la censura al *Anfiteatro* el discurso «que tan doctamente ha hecho D. Ioseph Pellicer de Tovar», con otros varios elogios.

Aún fué mayor la magnanimidad (¿sincera?) de Pellicer. En 1635 al morir Lope, fué el «primero» en componerle un epitafio y escribió una larga necrología. («Urna sacra erigida a las inmortales ceniças de Frey Lope Felix de Vega Carpio») que se publicó en la *Fama Posthuma* [35]; todas las hipérboles elogiosas se acumulan sobre la memoria del muerto, en un estilo crespo, lleno de pluralidades, reiteraciones y correlaciones [36].

---

[35] Madrid, 1636, fols. 100-114, y en *O. S.*, XX, págs. 238-277.
[36] Véase D. Alonso y C. Bousoño: *Seis calas en la expresión literaria española*, Madrid, 1951, págs. 35-37 (Biblioteca Románica Hispánica, Editorial Gredos).

Algo le mordía siempre allá dentro: lo ve en seguida quien hojea la tardía *Bibliotheca* de Pellicer (1671) donde una vez y otra saca a colación el insulto de Lope, ya para ponderar la propia generosidad («el Primero que celebró su Memoria en Muerte Siendo Quien menos devió a su Pluma») [37], ya para ostentar como gloria el haber sido insultado por el gran escritor (¡ lo mismo que Góngora y que Quevedo!, viene a decir) [38].

La herida sangraba siempre, y no dejaba de haber quien se encargara de querer —aún— avivarle los dolores. Para poner perpetuo silencio «a los malévolos que alegan contra don Ioseph Pellicer al insigne Frey Lope Felix de Vega Carpio» [39] menciona elogios que del dramaturgo había recibido, antes del *Laurel* y después de dicho poema (después, en realidad, sólo el del *Anfiteatro*: poca cosa).

Pellicer había de tener a lo largo de su vida bastantes desazones: creo que los feroces pasajes satíricos del *Laurel* fueron la peor de todas. Nunca se le fué del alma: era un amargor que miles de recuerdos y repetidas malevolencias hacían muchas veces subir a la boca.

---

[37] Fol. 18 v.º
[38] Fols, 157 v.º-159.
[39] *Bibliotheca*, fol. 191 v.º

UN CENTON DE VERSOS DE GONGORA

E<small>L</small> culto de la poesía de Góngora, unido al carácter predominantemente artificioso y formal que tuvo la del siglo XVII, arrastró a algunos ingenios al desvarío que implica la formación de centones con los versos del poeta favorito, honor concedido al autor del *Polifemo*, y antes sólo a Garcilaso. De versos de Góngora se ha citado siempre el de Martín de Angulo y Pulgar, impreso en 1638 con el título de *Égloga Fúnebre*... Gerardo Diego ha reproducido[1] un trozo de este pobre —aunque hábil— mosaico poético. Y el mismo Diego nos ha dado a conocer[2] otro curiosísimo, de D. Agustín de Salazar y Torres, forjado también con versos de D. Luis. Hay, además, un tercero, obra de Angulo, que, excepto Gallardo, nadie cita. Como los dos anteriores, carece de todo valor poético. Daré, sin embargo, una sucinta noticia de él, a título de curiosidad gongorina, y porque complementa los datos que acerca de Angulo he presentado en otro trabajo.

En la *Relación historial*...[3] de las exequias que Granada

---

[1] En su *Antología poética en honor de Góngora*, Madrid, «Revista de Occidente», [1927], págs. 105-112.

[2] *Ibíd.*, págs. 112-116.

[3] «Relación | historial de | las exequias, túmulos | y pompa fvneral qve el | Arçobispo, Deán y Cabildo de la Santa y Me|tropolitana Iglesia, Corregidor y Ciu|dad de Granada | hicieron | en las honras de la Reyna | nuestra señora D.ª Ysabel de Borbón... Año de 1645..., por el

hizo a la reina Doña Isabel de Borbón, escrita por el maestro Andrés Sánchez Espejo (Granada, 1645), en el capítulo XIII, «De las poesías sueltas que se escribieron», figuran (fols. 85-88) dos de D. Martín, precedidas por esta nota:

Siendo en don Martín de Angulo y Pulgar la obligación a Granada heredada de sus gloriosos progenitores, a créditos del valor y hazañas, no quiso escusar que su ingenio (dando demostración de su agudeza, estudios y erudición) la sirviese en la ocasión de su mayor empeño, con este centón y epitafio, en que, si el discurso puso la aplicación, el cuidado y trabajo se pudo emplear en q fuessen todos los versos principios de las obras de aquel insigne, vnico y singular poeta don Luys de Góngora, que tanto ilustró a España, que tanto admiró a Italia y que tanto assombró al mundo. Los argumentos de las estancias, citas de los lugares, se dexan para impressión más desahogada.

Siguen las dos poesías de D. Martín: un *Epitafio* (que es el centón de versos de Góngora) y un breve *Anagramma*. Sánchez Espejo nos advierte que ha omitido los argumentos de las estrofas y las citas que daban el lugar de las obras de Góngora, de donde se había sacado cada verso. Según las palabras del ordenador, parece que Angulo pensaba ya en publicar aparte su trabajo. Nada injurioso para el gongorino de Loja se podría encontrar en los cálidos elogios de Sánchez Espejo, el cual, de seguro, ignoraba la tormenta que se le venía encima. En efecto; ese mismo año se imprime en Madrid el siguiente hoy raro folleto:

«Epitafios | Oda Centon Anagramma: | Para las Exequias a la Serenissima Reyna de las Españas | Doña Isabel | De Borbon. | En la ciudad de Loxa, en 22 de Nouiẽ-|bre, Año de 1644. | Escritas Por Don

M. Andrés Sánchez Espejo...» (Granada, 1645.) Ejemplar de la Biblioteca Nacional de Madrid, signatura 3-7335. En 4.º, 6 hojas preliminares, 92 fols.

Martin | de Angulo i Pulgar. | I Agora | Dedicadas Al Doctor | don Fernando de Vergara, Colegial mayor en el | Real de Granada, Cate-drático de Decreto | en propiedad en su Vniuersidad, Vica-|rio i Bene-ficiado de las Iglesias | de Loxa. | La causa de estamparse tan breues Poemas, aora, expressa | la Dedicatoria. | Con Licencia. | Impresso en Madrid en la Imprenta del Reyno, Año de 1645.» En 4.º, 12 págs. Hay ejemplar en la sección de varios de la Biblioteca Nacional de Madrid: 1-166 (es el núm. 49 de la caja).

La dedicatoria es una arremetida contra el ordenador de la *Relación historial*... Hemos visto que Angulo parecía haber pensado desde el primer momento en una impresión aparte de sus composiciones. Ahora, en la dedicatoria a D. Fernando de Vergara, da como causa los errores y omisiones con que habían aparecido en la *Relación historial*: «... sepa aora, le suplico, el naufragio de ambos Poemas. Remitílos a Granada a nuestro amigo D. Antonio de Bustamante, que deseándoles la bonança del aplauso en la Imprenta..., los entregó al Maestro Andrés Sánchez de Espejo, en quien (como si a los cristales de Genil faltassen espejos Hijos claríssimos, sobrándoles tantos para más difíciles empleos) cayó la suerte del govierno de la Relación dellas [de las honras a Doña Isabel], para estamparlas. Admitiólos gustoso. Yo, agradecido, le elogié el Asunto, el juizio, i la elección del suyo para él, con vn Epigramma, que va al fin deste papel para más justificación de mi queja i su ingratitud. Imprimiólos, en fin, pero tan sin concierto que les arrasó su fábrica en quanto pudo, pudiendo no imprimirlos, i les vuiera estado mejor, i no me ocasionara a fiarlos otra vez de la prensa con el aseo que pide su estructura, por no ser de la ordinaria, que a serlo, me escusara dello, i no me obligara a publicar también (por mi crédito) que los defectos con q el Maestro Espejo permitió estamparlos, son de su descuido i no es justo que yo lo pague...».

Luego especifica los motivos de agravio: 1) Haber omitido las citas de la procedencia de los versos que forman el centón.—2) Haber omitido, intencionadamente, «a fin de çoçobrar el aplauso que el Poema pide» los argumentos de las estrofas del mismo.—3) No haber hecho resaltar con caracteres capitales algunas letras de la estrofa 19 que servían para formar la cifra MDCXLIV, fecha de la muerte de la Reina. Artificio del que se alaba el pobre Angulo, y al cual apeló «por no hallar en las obras de Góngora, ni ser possible, versos individuales para ello».—4) Espejo no ha entendido la voz *centón,* pues dice del de Angulo «que es todo de principios de las obras de D. Luis de Góngora, que ni es possible, ni ley de Zentón essa».—5) Angulo con las letras de las palabras «Dona Isabel de Borbon i Reina de España» había formado estas otras «Sol, Deidad ayer: Oy, a pena!, nvbe en sonbra», que, según costumbre en los anagramas, servían de motivo a uno que en ambas impresiones sigue al centón. Sólo que Espejo había olvidado dar la clave del anagrama, destruyendo así todo posible efecto. Angulo monta en ira. ¡Gran delito!: «averle cortado la cabeça a la Anagramma, que fué lo mismo que el alma i lo trabajado».—6) Y último: El *Epigramma* hecho por Angulo en alabanza de Espejo, había sido publicado por éste sin nombre de autor, «i no aviendo hecho lo mismo con otros elogios, ya su descuido passó a cuidado, i su cuidado a ingratitud, sin merecerla quien desseó su fama». Dicho *Epigramma* es un soneto de evidentes reminiscencias gongorinas, que en la impresión de Angulo figura en la duodécima y última página. «Sobre que quiero me deva —termina Angulo— no cortar la pluma más delgada para mondarle las cáscaras a su *Relación historial.* Sea por agora... su asilo... el graue asunto a que se abraçó, si no el estar yo bregando con el fin de otro más dilatado.» (Este otro asunto más dilatado era el *AntiFAristarcho*, o contestación a Faria y Sousa en defensa de Góngora[4]. La Dedicatoria está fechada a 22 de abril de 1645, y ocupa las páginas 3-5 de la impresión de Angulo. En la 6 figuran: Las abreviaturas de los tíulos de obras de Góngora, que sirven para las citas de los versos (Angulo incluye la *Congratulatoria* y las octavas preliminares de *La Gloria de Niquea*, lo mismo que en la *Égloga Fúnebre*...)[5] y los «Argumentos de las Estanças». El centón va encabezado así: «Oda Centón / A la Seteníssima / Reyna de las Españas / Epitafio» y ocupa las páginas 7-11, constando de 33 estrofas de cuatro versos cada una. La disposición tipográfica de las citas es la misma de la *Égloga Fúnebre*... En la página 11 aparece el *Epitafio Anagramma*. Y en la 12 el soneto ya citado.

Daré algunas estrofas[6] de la *Oda Centón*, numeradas según Angulo lo hace:

> 1 *Svspenda, i no sin lágrimas, tu passo*
> *Este Augusto depósito, este vasso,*
> *Esta de la escultura, ¡o caminante!,*
> *Pompa en forma elegante,*
> 2 *Cuya planta Genil construye; Pyra,*
> *De nuestra vanidad seña no vana,*
> *Alimentado el esplendor de flores,*
> *Cera süaue aora.*

---

[4] Véase en este libro *Crédito atribuíble al gongorista D. Martín de Angulo y Pulgar*, págs. 455-56.

[5] Véase en ese mismo *Crédito*... págs. 423 y 431.

[6] A las estrofas que doy en el texto corresponden los siguientes «Argumentos», que saco de la impresión de Angulo: «1. Pintura del Túmulo.—2. Quién lo erigió, i la de sus luces.—3. Pinta sus olores i muéstrase.—4. Quién lo ocupa.—5. Su valor i beldad...—17. Perífrasis i pintura de la muerte.—18. A los 40 años de edad murió.—19 Reynó 22. Falleció el de M. DC. XLIV...—27. Llórala todo el Orbe.—28. Prosigue el llanto.—29. Intento de la muerte...—32-33. Pide al Pasagero las ceremonias pías, antiguas y sepulcrales.»

3   *El dulcemente aroma lagrimado,*
    Nube, del ayre luto es fragante;
    Si ignoras cúyo, el pie enfrena ignorante
      Con la inscripción siguiente:

4   *Yazen aquí los miembros sepultados*
    De aquella hermosa Flordelís Francesa
    De Borbón planta siempre gloriosa.
      Del Quarto Enrique hija,

5   *Invidia de las cógnitas naciones,*
    Lustre mayor de la Española empresa,
    Crisol de Reynas, Fénix de Mugeres,
      Emulación de flores.

    ....

17 *La que en la rectitud de su guadaña*
    (¡O, de la muerte irrevocables daños!)
    Astrea es de las vidas — cuya garra
      Aguda, inexorable,

18 *Lisongera a los cielos, o sañuda*
    Contra la en años i beldad florida,
    (De lustros ocho) aquel vital estambre
      Rompió (¡memoria triste!)—

19 *Del quinto de su iMperio al segundo año*
    I al Desengaño nos fabriCa templo
    ¡O, quanta trompa es ya su mudo eXempLo!
      ¡O, I quanto nos aVisa!

    ....

27 *Su fin, ya que no acerbo, no maduro,*
    Lloró el Tajo (al vndoso desconsuelo
    Aun la vrna incapaz fuera del Nilo)
      Bulto exprimiendo triste.

28 *Entre fieras Naciones, al valiente*
    Marañón sacó lágrimas, i al Istro;
    Del Ganges a la bárbara corriente
      Señas de sentimiento.

29 *Llora el mundo; la muerte sólo ríe,*
    Porque lisonjas quiso oír al Pueblo

Vn día, i en tal cuerpo ser hermosa
Entre lilios y rosa.
... ...

32 *¡O, tú, cualquier que llegas al luzilo*
   De vn Sol antes caduco que luciente,
   De quien Francia fué cuna i tumba España:
   Guarnécele de flores,

33 *Con lágrimas turbando esta corriente,*
   I del Sabeo olores. Peregrino:
   Venérale, i prosigue tu camino,
   Dilo de gente en gente.

El lector habrá observado cuán buen material ofrecían
para la ocasión las poesías fúnebres y cortesanas de Góngora. Habrá observado también cómo las octavas preliminares de *La Gloria de Niquea* y las de la *Congratulatoria*
(pues unas y otras atribuía Angulo a D. Luis) se prestaban
al intento. Todos estos materiales acumula y acopla Angulo
y Pulgar[7] con habilidad, casi siempre, y siempre con paciencia. ¡Lástima de afanes tan mal empleados! Dejemos
este centón, indigesto, salvo en algún momento de relativa
gracia (como el de la estrofa 29), y ni siquiera nos detenga-
mos en el *Anagramma* que en ambas impresiones viene detrás.

---

[7] Indicaré aquí la procedencia exacta de los ocho versos de las dos
primeras estrofas: 1 = II, 352, verso 1; 2 = Idem, v. 3; 3 = II, 257,
soneto «Esta que admiras fábrica...», vv. 1 y 2; 4 = Ibídem, v. 2, y
II, 197, soneto «Esta en forma elegante...», v. 1; 5 = II, 23, soneto
«Poco después que...», v. 3, y II, 68, *Soledad I*, v. 4o5; 6 = II, 20, soneto «No de fino diamante...», vv. 9 y 10; 7 = II, 270, *Panegírico*,
vv. 241 y 242; 8 = Ibídem, v. 242. (Los números romanos y los árabes
que inmediatamente los siguen indican, respectivamente, tomo y página de las *Obras poéticas de D. Luis de Góngora*, Nueva York, 1921.)
(Números de la ed. de Millé): 1 = 410, v. 1; 2 = 410, v. 3; 3 = 343, vv.
1 y 2; 4 = 343, v. 2 y 332, v. 1; 5 = 323, v. 3, y 418, v. 465; 6 = 319, vv.
9 y 10; 7 = 420, vv. 241 y 242; 8 = 420, v. 242.

No hagamos al gongorismo culpable de estas puerilidades, sino a la pobreza espiritual de Angulo. De los seguidores de Góngora, en unos, a pesar de la imitación, triunfa la
propia potencia creativa; en otros, por el contrario, no hay
más que lo que prestado toman del maestro. Entre los más
débiles, entre los más pobres, póngase a D. Martín. Jamás
pudo volar poéticamente, sino con plumas ajenas, Angulo
el centonista. Como todos los débiles, se siente fuerte ante
otro más débil que él: ante Sánchez Espejo. Las minúsculas
y no intencionadas faltas que los poemas de Angulo presentan en la *Relación historial...* son un magnífico pretexto para
la venganza de ilusorias injurias, para desahogo de la ira y
engaño de la propia pequeñez. Es ésta una de tantas míseras
querellas frecuentes en la vida literaria, más exageradas y
ridículas cuanto más insignificantes son los que las provocan.

EL DOCTOR MANUEL SERRANO DE PAZ, DESCONOCIDO COMENTADOR DE LAS «SOLEDADES»

EL MANUSCRITO DE LA
REAL ACADEMIA ESPAÑOLA

CUANDO me abrieron aquellos dos armarios en que se guarda la modesta colección de manuscritos de la Real Academia Española, lo primero que vi fueron dos anchos lomos en donde con grandes y claras letras doradas se leía

SERRANO DE PAZ
COMENTARIOS
A LAS SOLEDADES
DEL GRANDE POETA
D. LUIS DE GONGORA

Dos tomazos. Encuadernados en tela: encuadernación de fines del siglo XIX. Apenas podía dar crédito a mis ojos. ¿Era posible que un imponente comentario a las *Soledades* hubiera podido estar años y años (exactamente, como veremos, ochenta y dos años), a la vista de todo el mundo sin que nadie lo citara? ¿Cómo no lo había visto don Miguel Artigas, académico y gran gongorista?

Al vuelto de la portada del primer tomo, en letra negra, nerviosa y pequeñísima, se lee:

A la Real Academia Española
Adolfo de Castro
Cádiz 19 de Dic⁰ 1871.

Miden los tomos unos 217×157 milímetros. El primero tiene 4 hojas + 677 folios + 11 hojas. Las cuatro primeras hojas están ocupadas por la portada, dos hojas de prólogo («Razón destos Commentarios») y una en blanco. De las once últimas, las diez primeras contienen un índice alfabético de «las cosas más notables que se escriben en estos Commentarios»; la undécima está en blanco.

Portada:

Comentarios A las
Soledades del Grande Poeta Don Luis de Góngora.
Compuestos por el Doctor Manuel Serrano de Paz.
Médico de la Sta Igla cathl de Ouio y Catho de mathematas
con la explicación Litteral Allego
rica y Política del Poema
y Moral.
PRIMERA Pte
a la Soledad Primera
Sacada a luz por el Auctor en su vida y
de su mano escrita, corregida y enmendada, publi
cada después de su muerte por el Doctor Don
Thomas Serrano de Paz, su hermano y heredero
Regidor perpetuo de la ciudad de Oviedo, y por
ella Diputado del Principado de Asturias. Ca
thedratico de Prima de Canones en su insigne
Vniversidad Abogado de sus audiencias y de la
Real chancillería de Valladolid

Las tres primeras líneas son de una mano, que es la misma que escribe todo el primer tomo de los comentarios, indiscutiblemente, según se declara en la misma portada, la del autor, D. Manuel. El resto de dicha portada, de otra mano, que es (no me cabe duda) del hermano, D. Tomás.

El segundo tomo está formado por 4 hojas sin foliación (de ellas, las tres primeras en blanco; y la cuarta, la portada) + 512 folios + 3 hojas en blanco.

Copio algunos pormenores de la portada del segundo tomo, que es de letra de don Tomás. En dicha portada se especifica que D. Manuel era, además de Médico de la Catedral, «Cathedratico en su Insigne Vniversidad [en la de Oviedo], Phylosopho, Phylologo y Profesor de las buenas Letras y Artes Liberales». La «segunda parte» (es decir, este segundo tomo) contiene la *Soledad Segunda* «sacada y trasladada de su original después de la muerte del Auctor. Por el Doctor D. Thomas Serrano de Paz...»

Hasta el folio 39 está el segundo tomo escrito de la letra del primero, es decir, la de don Manuel. Al vuelto de ese folio hay una nota de mano de don Tomás. Es una nota emocionante, que dice así:

ADUERTENCIA

Hasta aquí (lector amigo) tenía de su propia letra trasladado *(sic)* estos commentarios el Dr. D. Manuel Serrano de Paz su Auctor, quando la Parca inuidiosa le cortó el hilo de su vida. Hallé lo escrito hasta aquí corregido y mejorado y en muchas partes muy diuerso de lo que estaba escrito en el borrador, porque iba puliendo con lo prouecto de la edad algunos rasgos a que se auía estendido la juuentud en cuyos uerdores hiço esta obra. Estuue dudoso si daría a la estampa lo que se sigue por no auer logrado la última mano de su Auctor; al fin me resoluí a no defraudarte dello, pues, aunque no está tan limado como lo antecedente, a juicio de hombres doctos (a quien consulté) es digno de salir en público.

Vale D^{or}. D. Thomas Serrano de Paz.

La advertencia termina en el folio 40. Y en los siete últimos renglones de la plana reanuda don Tomás la copia de los comentarios de don Manuel. Pronto se cansó: al vuelto de ese folio comienza otra letra, sin duda, de amanuense. Sigue ya la misma mano hasta el folio 119 v°. Desde el 120 hasta la mitad del vuelto del fol. 387 es otra distinta. Una mano nueva comienza ahí y llega al fol. 499, donde terminan los comentarios. Sigue un índice alfabético de «las cosas más notables», folios 500-512, que ha sido escrito, otra vez, por la mano de don Tomás. Este se proponía publicar los comentarios de su hermano. Ese propósito no se realizó, que sepamos. Quedan estos dos tomos copiados pulcramente y en maravilloso estado de conservación (a pesar de las humedades de aquella ciudad del Norte, a la que los dos hermanos estaban íntimamente ligados): el lector no tiene más obstáculo que el haberse trasparentado la tinta en algunos folios.

Un rasgo final de las relaciones entre el autor don Manuel y su hermano y heredero don Tomás: al fin de los comentos a la *Soledad Primera* (fol. 677 vº) hay esta nota escrita de mano de don Tomás; como si fuera un colofón:

> D. Luis de Góngora agradecido
> a estos comentarios los applau-
> de en esta Sol. I.ª vers. 418
> Político Serrano
> en canas graue habló desta manera.

Los dos versos citados son los 364-365 de la numeración que usamos hoy. Es simpático ver a estos dos hermanos en su nebuloso Oviedo: el uno, una larga vida —don Tomás nos dice que llegó a la edad provecta, y lo refuerza aquí con la gravedad de las canas—, dedicada a la obra de Góngora: y días tras día aumentaba el mamotreto de los comentarios. El otro, el heredero prosigue la tarea, entregado, él, al culto de su hermano: compulsar aquellos borradores y hacerlos copiar pulcramente, para que pudieran pasar a la imprenta. También a él la Parca —suponemos— le impidió realizar este último piadoso deber. Pero ahí ha quedado la obra íntegra del hermano.

Es interesante ahora consignar cómo surgió en don Manuel la idea de comentar a Góngora. La historia es bonita: nos da el término *a quo* para la fecha de estos comentarios e ilumina con luz de intimidad una historia de camaradería y gustos literarios comunes en las aulas de Salamanca. La prosa de don Manuel es ingenua y modesta, trasluce lo que se adivina detrás de toda esta vida: sinceridad y honradez. El es quien nos narra:

Razón destos Commentarios.

Aviendo assistido en la Vniversidad de Salamanca desde el año de Mil y seiscientos y diez y ocho hasta el de veinte y cinco, me introduxo a la amistad de Don Andrés Gómez Hurtado, noble extremeño natural de Çafra, no la unidad de la professión y estudios, pues eran diuersos, sino la unidad de la posada, inclinación igual a las buenas letras y comunicación familiar de cada día. Acabamos nuestros cursos, y al despedirnos, caminando cada uno a su patria, prometimos uno al otro igual correspondencia epistólica, y discurriendo sobre la materia que más afinaría esta correspondencia, le pareció al dicho Don Andrés el que tomásemos a nuestro cargo el commentar estas Soledades del illustre Poêta Don Luis de Góngora, empressa que en aquel tiempo se estimaba muy difficultosa, assí por la grandeza del Poema como por su obscuridad. Firmes ambos en este intento, començaron a correr las cartas con algunos troços de lo que cada uno commentaba, alternando los períodos y esperando cada uno la respuesta del otro. Pareció luego que esta tardança en esperar uno por la respuesta del otro era hazer el commento inacabable, y assí con mexor acuerdo nos pareció diuidir esta Soledad primera de una uez en uarios troços dexando el uno al otro libres los que le tocaban, para que fuesse commentando cada uno los que quedaban a su cargo, sin esperarnos, remitiendo empero lo que assí fuessemos commentando uno al otro. Esta diuisión fué causa que yo o por tener menos ocupaciones entonces o por auer tomado mi parte con mayor cuydado acabasse los commentarios a los troços que me auían tocado mucho primero, los quales fui remitiendo con mucha puntualidad a Don Andrés. Pero como los pareceres humanos no tienen consistencia y son siempre casi fallibles, esta correspondencia que en nuestra opinión auía de ser perpetua la quebró, no la muerte, sino o la distancia de las patrias o el entregarse (lo que tengo por más cierto) a mayores occupaciones mi compañero, dexando ésta para él ya fastidiosa, pues apenas le remití mis troços commentados, quando se cerró del todo a la correspondencia, que si bien fué solicitada por cartas algunas mías, nunca mereció respuesta. Desengañado, pues, aunque pudiera auer dexado esta occupación, quise lograr con ella algunos ratos de tiempo ociosos, los que me permitían mayores estudios; y así me atreuí yo solo a commentar la segunda Soledad, engañándome con la esperanza de que en el entretanto boluería a la primera correspondencia mi Amigo. Pero al fin me engañó, pues di fin al commentar la segunda Soledad sin tener ni recibir carta suya. Desesperado ya, boluí sobre esta primera Soledad y me puse a commentar los uacíos que auían quedado, suertes de mi compañero. Deste modo uine a hazer todos estos commentarios ser míos, dexando empero en ellos lo que auía commentado Don Andrés, quitando empero algunas superfluidades que la primera pluma auía sembrado, añadiendo en su lugar cosas más necessarias a la explicación del Pöema...[1]

PROPÓSITO Y REALIDAD
DE ESTOS COMENTARIOS

Ya hemos dejado entrever que estos comentarios son de una extensión desmesurada. Unas cifras lo mostrarán de manera rotunda. Contados (aproximadamente) los caracteres de los comentarios a las *Soledades* por Pellicer, Salcedo Coronel y Serrano de Paz, dan este resultado:

Comentarios a las Soledades	Número de caracteres
Pellicer	340.000
Salcedo Coronel	1.275.000
Serrano de Paz	4.000.000

[1] Esta «Razón» ocupa, como hemos dicho, dos hojas sin numerar que siguen a la portada.

Los comentos de Serrano de Paz son más de tres veces
más extensos que los de Salcedo Coronel y más de diez veces más extensos que los de Pellicer.

¿Se corresponden tan enorme tamaño y el interés que
esas páginas puedan tener para nosotros? Desgraciadamente, no.

Muchas causas colaboraron en que estos comentarios no
sean para nosotros una importante fuente de conocimientos.
La época en que don Manuel Serrano de Paz y don Andrés
Gómez Hurtado[2] decidieron comentar a Góngora es bastante temprana (en 1625 o algo antes) y, por tanto, interesante.
Pero dos cosas hicieron que el resultado no correspondiera
al propósito: Gómez Hurtado se desilusionó y abandonó al
fin la empresa, y Serrano de Paz, entre el esperar la deci-
sión de su amigo y las ocupaciones (médico, catedrático de
Matemáticas, filólogo...), tardó mucho tiempo en acabar la
redacción. Bueno; Serrano de Paz lo cuenta con un matiz diferente, pero en el fondo coincide con lo que afirmo, pues
reconoce que los comentarios de Pellicer y Salcedo le sirvieron para corregir los suyos:

> Ya se auía puesto fin a estos Commentarios quando publicaron a
> estas *Soledades* Don Joseph Pellicer sus *Lecciones Solemnes* y Don
> García Coronel sus Commentarios: ambos ingenios grandes, y que si
> vuieran primero publicado dichas obras me vuiera yo negado al tra-
> baxo de commentador, pero auiéndoles ganado por la mano siruieron-
> me sus obras para emendar las mías...

Quien lea, sin más, ese párrafo imaginará que Pellicer y

---

[2] Observemos que este último era natural de Zafra. Es curioso que
el padre de Salcedo Coronel era de la misma población (pero el famoso comentarista nació en Sevilla). ¿Caso fortuito? ¿O acaso la voca-
ción gongorista de Salcedo Coronel influyó en la del estudiante Gómez Hurtado? ¿O acaso, acaso, fué al revés?

Salcedo Coronel publicaron los comentos a las *Soledades* por la misma época, cuando lo cierto es que Pellicer lo hizo en 1630 y Coronel en 1636. Aunque admitamos que el catedrático de Oviedo tuviera terminada la primera «redacción» de sus comentarios en 1630, bien vemos que aún los retocaba en 1636 y los seguía corrigiendo en el momento de su muerte, ya viejo, según nos dice su hermano.

La obra, que empezó temprana dentro del gongorismo, terminó tardía. Téngase en cuenta, además, dónde escribía don Manuel. En otro artículo que va en este volumen he mostrado cómo un gongorista de Loja podía en su pequeña población recibir noticias rebotadas y falsas; eso que don Martín de Angulo era, sin duda, un gongorista mucho más al día y manejaba más datos de primera mano. Pero Serrano de Paz parece haber estado totalmente aislado en su Oviedo norteño, sin relación con el intercambio establecido entre los amigos de Góngora de otras regiones. El resultado es éste: que, aislado, sin contacto con el movimiento literario, muchas veces, obtuvo información de los comentarios ya impresos.

Sin embargo, este comentarista se había propuesto un alto fin, que le hace distinto de los demás: defender al poeta cuando Pellicer o Salcedo le censuran (cosa que ocurre poquísimas veces) y, sobre todo, levantar «el sentir de Pöeta», sacarle de «lo ratero» en que le dejaban los comentarios «mostrando mayor su dictamen». «Junté a esto —añade— las allegorías a imitación de las que a Homero hizo Heraclides Póntico, porque nunca entendí que el intento del Pöema se acortasse en lo literal solo, antes siempre juzgué que el Pöeta escondió otro sentido mayor del que muestra la letra, y assí fui discurriendo las allegorías que en el proposito se podían dar. Y no quiero que crea alguno que doy éstas por las intencionadas del Pöeta, que acaso escondió otras muy diuersas, pero en cosa tan occulta ualga a cada uno su juyzio. Quien las juzgare superfluas tiene en su uoluntad el no leerlas. Y esto, de los commentarios.»

No tenía noticias de primera mano ni de Góngora ni del texto de las *Soledades*. Lo primero lo dice él mismo: «Del Author no tengo que añadir a lo mucho que dixeron otros. Su grande ingenio, afinada erudición, cornucopia de buenas letras, muestran sus mismas obras»[3]. Respecto al texto, es cierto que poseía algún manuscrito que tenía variantes con relación al texto de Pellicer y al de Salcedo Coronel[4]. Es interesante a este respecto su extensa discusión del célebre pasaje en que se describe el curso de un río (del que yo he hablado en mi trabajo *Góngora y la censura de Pedro de Valencia*[5]). Conoce la versión canónica, la de Pellicer y la de su amigo y colaborador Gómez Hurtado, y dice: «Yo después destas tres lecciones puestas aquí, hallé ésta en un manuscripto, que en parte conviene con la de Pellicer, en parte discrepa»[6]. Y reproduce esa cuarta versión. ¿Con cuál se quedará el bueno de don Manuel? Grave problema: todos los versos le gustan: «Son tales todos estos versos, que se haze lástima perder alguno, y assí con la licencia que los otros an tenido para dezir su parecer puse el mío que es el del texto [es decir, el que resulta del texto dado por él] haziendo de todas cuatro versiones una que las contiene todas, sin que falte verso al sentido ni el sentido al verso...»[7]. La

[3] «Razón».
[4] Por ej.: Al principio de la *Soledad primera*, «y los rayos del sol todo su pelo» (v. 4), «en dehesas azules pace estrellas» (v. 6). Esta variante del verso 6 es de la redacción primitiva; S. Coronel la desconoce, pero Pellicer, que no la da en el texto, basa en ella el comentario.
[5] Véase en este libro, más arriba, págs. 299-302.
[6] I, fol. 225.
[7] I, fol. 225 v.º

solución de don Manuel no puede ser más disparatada. Pero gracias a él (por lo puntualmente que reproduce los textos que junta) es posible ahora dar luz a algún recodo de ese pasaje que permanecía oscuro. Pero ni esto ni la restitución o aclaración de otros pasajes que puede hacerse con ayuda de los comentarios de Serrano de Paz es ahora de este sitio [8].

Son simpáticos la defensa del poeta y su afán de sublimarle el sentido. Le defiende inteligentemente de la acusación de oscuridad: «Esta [obra] de las *Soledades* tuuieron muchos por oscura, intrincada y difficil de desatar: es la causa desto la grande propriedad con que el Pöeta habla en qualquiera materia que toca; y el entender esta propriedad no es de todos igualmente, y esto le haze obscuro, como también el uso frequente de tropos y figuras poéticas, y los que condenan esto o no saben que cosa es el ser Pöeta, o lo miran con embidia» [9]. La observación acerca de la extraordinaria propiedad con que habla Góngora es muy justa y sería válida aun hoy, pues hay gentes que creen que es cosa de profesores el apurar la erudición que hay debajo de las obras de don Luis. ¡Qué le vamos a hacer! El poeta habló con una difícil, extremada, empecatada propiedad, que siempre se basa en un conocimiento de algo no vulgar, y cuanto más recóndito mejor. Los modernos que quieran ignorar este trasfondo son muy dueños de hacer de su capa un sayo. Pero no comprenderán nunca al poeta en la voluntaria plenitud de significado que él quiso dar a sus versos.

Cuestión difícil la de las alegorías. Serrano de Paz se cura en salud con advertir que no pretende que las dadas por él sean las mismas del poeta. ¿Pero el poeta de las *Soledades* alegorizaba? Que hay una representación general del hom-

---

[8]   Véase mi nueva edición de las *Soledades*, actualmente en prensa.
[9]   «Razón».

bre en el misterioso joven protagonista del poema, en solitario contacto con las bellezas naturales de la tierra, del mar..., no me ofrece duda. Hay un sentido moral, general a la obra (apenas se le podría llamar alegórico). Don Manuel, en cambio, veía alegorías por todas partes.

Daré sólo aquí, para remate de estas notas, algunos rasgos de la larga interpretación alegórica de la pesca que se describe hacia el principio de la *Soledad Segunda* (versos 73-111): con licencia del peregrino a quien llevan en su barca, dos pescadores echan a las aguas del estero no las redes gruesas, sino las más ligeras. El mar les recompensa liberalmente: y pescan ostras (que quizá por contagio de Venus son incentivo de la lujuria); lenguados; congrios, que, fiados en su piel resbaladiza, quieren escapar; pomposos salmones, manjar de reyes; traviesos robalos, exquisita comida de los cónsules.

He aquí algunos aspectos de la alegorización, según la explica don Manuel: ¡esa pesca es la de la sabiduría!

Por ejemplo: los pescadores echan las redes ligeras porque «... los argumentos primeros de toda sabiduría no son conceptos subidíssimos, que essos más ofuscan que enseñan a los principiantes, sino unos principios llanos y conocidos, que todos puedan aprehender y alcançar para ir adestrando los ingenios» [10].

> *Liberalmente de los pescadores*
> *al deseo el estero corresponde...*
>
> (vv. 81-82.)

«Nota lo primero como en la palabra "deseo" insinúa el Pöe-

---

[10] II, fol. 42.

ta lo que alegoriça en los pescadores, que son los deseos de saber y alcançar la verdad...» [11].

... al lascivo ostión...

(v. 83.)

«Alegoriça aquí lo primero quam ignorantes sean los lascivos, pero que no les bale el tener escondido su beneno en los huesos...» [12].

Mallas visten de cáñamo al lenguado...

(v. 91.)

«Alegoriça aquí la segunda clase de los ignorantes que son los habladores, enfermedad pestilente, fea y torpíssima» [13].

... en su piel lúbrica fiado
el congrio...
las redes burlar quiso.

(vv. 92-94.)

«Otro portento de la ignorancia pescan estas redes de las disputas: los escarnecedores, Enredadores, Burladores, Embusteros, Hypocritas y Hereges, que a todos estos significa el Congrio, pescado que Aristoteles cuenta entre las especies de serpientes. Y ¿quién es de naturaleça más serpentina que todos los dichos?» [14].

... pompa el salmón de las reales mesas.

(v. 98.)

«Allegoriça en el Salmón los Sauios presumidos que con po-

[11] II, fol. 49.
[12] II, fol. 53.
[13] II, fol. 60.
[14] II, fol. 61 r.º y v.º

ca ciencia y mucha opinión afecta y nunca merecida hauitan las cortes de los reyes...» [15].

> ... *el travieso robalo,*
> *guloso de los Cónsules, regalo.*

(vv. 100-101.)

«En el Robalo alegoriça el Pöeta otra casta de hombres que aparta de los palacios de la Sabiduría, que son los tragones...» [16].

Basten estas muestras para que se vea el poco juicio con que el grave catedrático de la Universidad de Oviedo se entregó al juego de la alegoría. Afortunadamente, no todo es tan baladí en estos comentarios. A través de sus 2.352 páginas salen algunas noticias y muchas observaciones útiles. He usado los *Commentarios* de Serrano de Paz junto a los de los otros comentaristas gongorinos en mi nueva edición de las *Soledades* que ahora se imprime.

Enero de 1954.

---

[15] II, fol. 63.
[16] II, fol. 67.

GRABADO 17.—Cabeza de Góngora (frente). Casa de
la Moneda. Madrid.

E L renacimiento de la afición por la poesía de Góngora, claro fenómeno de la literatura hispánica e hispanófila actual, ha tenido un largo proceso de incubación. De Verlaine a Rubén Darío y de éste a los secuaces del *modernismo* pasan años y años de adoración hacia el poeta del *Polifemo*, ficticia unas veces, inmotivada otras, basada, en los casos mejores, sobre un superficial conocimiento. A no ser M. Izambard, autor de un interesante, aunque apasionado, artículo sobre el españolismo de Verlaine (en *Hispania*, París, 1918), nadie se ha hecho ilusiones acerca de la familiaridad que el gran simbolista pudiera tener con las obras del gran *culto* del siglo XVII. En cuanto a Rubén Darío [1], lo poco profundo de sus lecturas gongorinas queda bien patente en el atinado artículo que sobre este tema ha publicado recientemente H. Petriconi (*Góngora und Darío*, en *Die neueren Sprachen*,

---

[1] El gran poeta contemporáneo Antonio Machado, que personalmente trató a Darío, me ha asegurado que éste solía recitar de memoria poesías de Góngora. Sería de desear que los que conocieron al poeta nicaragüense puntualizaran éste y otros extremos referentes a sus admiraciones y lecturas. ¿Qué poesías de Góngora sabía Darío? Sigo creyendo que el autor de *Prosas Profanas* no había llegado a profundizar en el sentido del arte de Góngora. Véase, si no, su fracasado soneto gongorino «Mientras el brillo de tu gloria augura», de *Trébol (Cantos de Vida y Esperanza;* comp., en el presente libro, págs. 560 y siguientes).

junio de 1927, págs. 261-272), y aun creo que el profesor de Francfort concede demasiado crédito a algún pormenor de la autobiografía del poeta de Nicaragua.

El sentido de la glorificación de Góngora por simbolistas y modernistas demuestra bien a las claras el escaso manejo de las obras del poeta. Se ensalzaba en él al escritor raro, nebuloso y casi incomprensible; al desenfrenado y revolucionario innovador. Y se creía encontrar en la obra de Góngora una justificación y un paralelo de las que hacia fines del siglo pasado y comienzos de éste se tenían por audacias. Pero hoy sabemos que la poesía gongorina, confusa y enmarañada para quien superficialmente la lee, es, en realidad, compleja y dificilísima, sí, pero estricta y libre de toda niebla, no sólo en su externo y deslumbrante colorismo, sino también en su interna armazón sintáctica, llevada a fuerza de precisión a las lindes de lo matemático (lo cual no obsta para la existencia, aquí y allá, de algunos pasajes confusos y carentes de sentido, procedentes en muchas ocasiones de una imperfecta transmisión textual; en otros, fracaso del armónico sistema: porque la línea del discurso, de tran traída y llevada, terminó por romperse). Y sabemos que Góngora, revolucionario, como todo creador de una nueva forma artística, es, por otra parte, el más conservador de nuestros poetas, en cuanto que la nota central de su arte es la de ser perfección, síntesis, condensación de anteriores elementos renacentistas. Es decir, todo lo contrario de lo que se pensaba (sin motivo) hacia 1900.

Resulta, pues, que los que por esos años se declaraban admiradores de Góngora no le comprendían bien, y con frecuencia ni siquiera lo habían leído. Naturalmente, en el campo de la erudición, a un normal desconocimiento de Góngora se unía una apriorística hostilidad que obligaba a no hablar de este poeta sin execraciones y desgarramiento de vestiduras. Esto, por regla general. Pero ya en aquellos años comenzaron algunos investigadores a considerar fría y objetivamente los problemas de historia externa relativos a Góngora (Foulché-Delbosc, etc.). El único que trató íntegramente el tema, L.-P. Thomas, aunque aporta en sus obras muchos datos nuevos y plantea (y resuelve en muchos casos) cuestiones de interés primordial, no llega a desembarazarse de ideas preconcebidas al abordar la valoración estética del gongorismo.

Hacía falta para estudiar a Góngora que se dieran en un mismo sujeto la más minuciosa exactitud objetiva con la más delicada sensibilidad poética. Estas condiciones las reunía, como nadie, Alfonso Reyes. El es el primero que se ha acercado a Góngora con ciencia y ecuánime comprensión. En su primera juventud comenzó el estudio del autor de las *Soledades* en una conferencia recogida en *Cuestiones Estéticas* (París [1911]), en la cual Reyes se sitúa frente a algunos problemas fundamentales. Más tarde, año tras año, van apareciendo artículos debidos a su pluma, consagrados a estudiar puntos concretos de erudición, relativos a Góngora y a sus amigos y partidarios del siglo XVII. Estos trabajos son los que ahora han sido dados en volumen con el título de *Cuestiones Gongorinas* [2].

No todos, que tres ven la luz por vez primera: una edición de la alegoría de Aranjuez, en octavas, que sirve de prólogo a *La Gloria de Niquea;* una nota, *De Góngora a Mallarmé,* sobre el supuesto paralelismo entre estos dos poetas (se reseñan en ella los trabajos acerca del mismo asunto de Miomandre y Milner), y *Un romance de atribución dudosa* (se discute aquí si debe ser atribuído a Góngora o a Paravicino el romance que en las obras de este último empieza «Ame-

---

[2]   Madrid, Calpe, 1927, 269 páginas.

nazas de Noviembre», y en Hozes, «Lluvias de Mayo y Octubre»; el señor Reyes lo cree de Paravicino).

Los estudios ya publicados antes, aparecieron entre 1915 y 1925 en la *Revista de Filología Española,* en el *Boletín de la Real Academia Española,* en la *Revue Hispanique* y en *Hispania* (de París), y son los siguientes: *Góngora y «La Gloria de Niquea»* (el señor Reyes cree atribuibles a Góngora las 24 octavas preliminares de esta comedia); *Los textos de Góngora* (exposición de las causas que han motivado la deficientísima transmisión de la obra gongorina); *Contribuciones a la bibliografía de Góngora* (en colaboración con Martín Luis Guzmán y Enrique Díez-Canedo, utilísimo complemento de los trabajos sobre el mismo tema de Foulché-Delbosc y L.-P. Thomas); *Reseña de estudios gongorinos (1913-1918)* (son particularmente interesantes en ella dos notas que completan los artículos *Góngora y «La Gloria de Niquea»* y *Los texos de Góngora;* un apéndice da cuenta de otros trabajos aparecidos entre 1918 y 1926); *Las dolencias de Paravicino; Sobre el texto de las «Lecciones solemnes», de Pellicer* (se describen curiosas variantes que presentan algunos ejemplares de esta obra); *Pellicer en las cartas de sus contemporáneos* (se aducen fragmentos de cartas de Tamayo de Vargas y Salazar Mardones en las que son emitidos juicios muy poco favorables sobre Pellicer); *Necesidad de volver a los comentaristas; Un traductor de Góngora* (sobre la traducción del *Polifemo* publicada por Marius André); *Mi edición del «Polifemo».*

Señalaré algunas erratas y descuidos poco importantes:

Pág. 34, octava 18, verso 4: «Y encarecer el otro iguales remos.» El señor Reyes reproduce la errata que figura en las ediciones antiguas de Villamediana (por lo menos, en la de 1643). Léase *encanecer.* Así en el manuscrito Angulo.

Pág. 44: «Tampoco es errata por 1626, pues Góngora murió en Mayo.» Podría serlo, porque Góngora murió en 1627.

Pág. 51: Es cierto que Thomas cita las *Anotaciones* (no *Comentarios*, como dice Reyes). Pero lo que el erudito belga estudia es el *Discurso Apologético por el estilo del «Polifemo» y las «Soledades»*, del mismo Díaz de Rivas.

Pág. 83: «Variante *adora*. Así Angulo y Pulgar en sus *Epístolas*.» Falsa variante que estropea el sentido.

Pág. 113: «Fragmento de las *Soledades*.» Léase «... de la *Oda a la toma de Larache*.»

Pág. 154: Después de «Pág. 457 *b, Escrutinio*» falta: Página 549 *a, En buen hora, oh gran Filipo*. «Según Rivas Tafur, no es de Góngora esta poesía.» La desecha el *Escrutinio*.

Pág. 227: «ms. 8389», léase «ms. 8391».

Págs. 247-253: «Mi edición del *Polifemo*.» Reseña aquí Reyes la que fué publicada por la *Biblioteca Índice (Fábula de Polifemo y Galatea*, Madrid, 1923). La conveniencia de llegar a una completa depuración de tan importante texto gongorino me lleva a detenerme en este punto. A las erratas que Reyes advierte en su edición añádanse éstas: pág. 22 (de la *Fábula...*), dice *enter* por *entre;* pág. 33, dice *la ondas* por *las ondas.* Supongo que hay errata también en los versos 3-4 de la estrofa XIX (pág. 18): «Pues si la una granos de oro llueve, / copos nieva en la otra mil de lana.» Chacón, Pellicer y Coronel ofrecen una misma lectura: «Pues si en la una... / copos nieva en la otra...» Si se suprimen las dos preposiciones *en*, «la una» y «la otra» significan, respectivamente, 'Ceres' y 'Pales'; si se conservan ambas preposiciones, «la una» vale 'vega' y «la otra» 'cumbre'. Ahora bien: es indudable que Góngora ha querido obtener un efecto de simetría o paralelismo conceptual y sintáctico mediante la contraposición de estos dos versos. Debe, pues, mantenerse la preposición *en* lo mismo para ambos o suprimirse en los dos. La supresión convierte a «Ceres» y «Pales» en sujetos de «nieva» y «llueve», cosa no normal en español, pero tampoco imposible en la lengua de Góngora. La coincidencia de los mejores editores gongorinos del siglo XVII y lo perfectamente comprensible y gramatical del texto que éstos ofrecen, debe inclinarnos de modo resuelto a la conservación de *en* para uno y otro verso. Léase, por tanto: «Pues si en la una...» Repito que creo que se trata simplemente de una errata, aunque ésta fuera algo importante por abrir la puerta a una nueva posibilidad de significación. Otros reparos de diferente alcance se pueden poner a algún pormenor del texto elegido por Reyes. Daré un ejemplo: Reyes prefiere, acertadamente, en el verso 7 de la estrofa XXVII, pág. 22, «a la», en vez del «ala» que ofrecen algunas ediciones. Todos sabemos la anarquía que en los manuscritos del siglo XVII regía la unión de palabras. De aquí se han originado no pocos errores en las obras de Góngora. En mi edición de las *Soledades* creo haber establecido la forma auténtica de los versos 200-201 de la *Soledad Segunda*. Todos los editores, sin excepción, habían leído: «Dos son las chozas, pobre su artificio, / mas, aunque caduca su materia, / de los mancebos dos la mayor cuna.» Sospeché que «mas» debía de ser «más» (adverbio), y «aunque», «aún que». Luego encontré mi hipótesis comprobada con la interpretación del discretísimo Díaz de Rivas. Otra errata igual a esta del *Polifemo* de que ahora tratamos ofrecen en algunas ediciones (Hozes) los versos 1.041-1.042 de la *Soledad Primera*. Se trata allí de unos mancebos que corren velozmente por el campo; algunos editores han leído: «No el polvo desparece / el campo, que no pisan a la hierba»; mientras que otros (con acierto): «No el polvo desparece / el campo, que no pisan alas hierba.» Ambos sentidos son próximos y posibles; mas hay en contra de la primera variante el uso de la preposición *a* con acusativo no personal (dificultad superable), y nos puede inclinar a favor de la segunda su mayor elegancia, su mayor complejidad —notas que se esperan siempre de Góngora— y, sobre todo, el ser la versión que dan los más y mejores gongoristas del siglo XVII. Volvamos ahora al pasaje del *Polifemo*.

Ha hecho bien Reyes en preferir «a la» en vez de «ala». Porque si bien la relación sintáctica «ala de viento» era posible con sentido lógico, sería imposible encontrar uno al conjunto de los dos versos empezados de ese modo, mientras que la forma «a la, de viento cuando no sea, cama...», permite un único y exacto sentido. Pero ¿por qué Reyes, en lugar de dar este verso de la manera que acabo de transcribirlo, que es como (aparte el pormenor ya discutido) lo hacen todos los editores de Góngora, escribe «del viento» y no «de viento»? En la reseña de su edición nos dice que sigue a Pellicer. Pellicer, además de escribir «de viento», nos da el sentido de todo el pasaje: «3 *Vagas cortinas de volantes vanos corrió Fauonio lisonjeramente a la de viento quando no sea.* Haze cama de viento al sitio donde dormía Galatea, y dize que corrió las cortinas Fauonio, que para despertalla sopló suauemente. 4 *Cama de frescas sombras, de menuda grama.* Si el sitio donde dormía Galatea no era cama de viento, era lecho de sombras por cortinas, y por pluma mullida la grama...» (*Lecciones solemnes*, col. 192). Y poco antes había dicho, al dar la traducción total del pasaje: «Entonces Fauonio corrió a la cama de campo las cortinas, leuantóse vn airecillo suaue. Essa es la metáfora aludiendo a las camas de viento que oy se vsan» (*Ibíd.*, col. 189). No se trata, pues, de «la cama del viento», sino de una especie de camas usadas entonces a las que se llamaba *camas de viento*.

Pellicer, intérprete sospechoso en muchas ocasiones, no puede serlo ahora en que claramente se refiere a un objeto («las camas de viento que oy se vsan») que, de tan conocido entonces, no cree necesario explicar. Debe, pues, leerse: «A la de viento cuando no sea cama, / de frescas sombras, de menuda grama.» O (a sintaxis excepcional, puntuación excepcional también) quizá resultara más inteligible así: «A la (de viento cuando no sea) cama / de frescas sombras, de menuda grama.» Porque el sentido es el siguiente: Favonio... corrió... las cortinas a la cama de frescas sombras y grama menuda (ya que no fuera cama de viento). Con otras palabras: Favonio corrió lisonjeramente las cortinas a la cama en que dormía Galatea, cama que (si no la queremos llamar cama de viento) diremos, al menos, que era de frescas sombras y grama menuda.

No acaba de satisfacer tampoco la puntuación dada por Reyes a los versos 7-8 de la estrofa XXXI (pág. 24): «Y aun siente que a su dueño sea devoto / —confuso alcaide más— el verde soto.» No comprendo el porqué de los guiones. Salcedo Coronel interpreta así: «Y aun siente que el verde soto sea más tiempo confuso Alcaide de su deuotó dueño» (*El Polifemo comentado*, 1636, fol. 369 *v*). Una duda se ofrece: no resulta clara la función gramatical de «devoto»; si esta palabra califica a «dueño» o a «alcaide». Mas admitamos lo que en este punto sugiere Coronel (nada improbable, puesto que la «ofrenda» de que se habla dos versos más arriba fundamentaría lógicamente la devoción de Acis); en lo demás su interpretación es indudablemente acertada: «más» significa aquí 'más tiempo' (sentido corriente en español) y modifica a «sea»; «confuso alcaide» es predicado de «sea». Galatea siente, pues, que el verde soto sirva por más tiempo de confuso alcaide al dueño de la ofrenda, es decir, siente que el soto le cele o encubra por más tiempo. ¿Por qué separar entre guiones «confuso alcaide más»? Creo que la puntuación «y aun siente que a su dueño sea, devoto, confuso alcaide más, el verde soto», sin ser precisamente perfecta, es más apropiada que la que criticamos.

Salvo estas nimiedades, la edición de Reyes es admirable y utilísima. La interpretación de la estrofa XI (si no llega a convencer definitivamente) es una hipótesis aguda y no descabellada [3]. La pulcritud del libro —ya proverbial en los publicados por Juan R. Jiménez— no necesita encomios. Agotada la primera edición hace tiempo, ¿no le sería ya de pensar en una segunda?

En otros lugares de este libro he puesto reparos a algunos pormenores tratados por Reyes en sus *Cuestiones Gongorinas*. Pero todo esto carece de importancia, y no desvirtúa en lo más mínimo la obra con que el gran literato de Méjico acrece el campo de la investigación. En su libro —ametódico pero vastísimo arsenal de conocimientos— hemos encontrado, y encontrarán todos los que se dediquen a estos estudios, junto a una fina comprensión de la poesía de Góngora, toda clase de aprestos para el trabajo. Deuda que debemos reconocer «al primer gongorista de las nuevas generaciones».

---

[3] Véase ahora este tema tratado en mi libro *Poesía española. Ensayo de métodos y límites estilísticos* (Biblioteca Románica Hispánica), 2.ª ed., Madrid, 1952, págs. 358-366.
    Ajustadas ya estas páginas me llega el muy interesante artículo de Alfonso Reyes *La estrofa reacia del «Polifemo» (Nueva Rev. de Filología Hisp.*, VIII, 1954, págs. 295-306). El gran crítico mejicano —maestro de todos los gongoristas de hoy— vuelve ahí a plantear el problema de la estrofa XI. Reseña todas las soluciones propuestas. Quedan dos viables: la de Milner (que yo adopté) y la de la edición del *Polifemo* por Reyes. El sigue favoreciendo la suya, sin dejar de considerar la de Milner. Yo me sigo inclinando a la de Milner, pero los nuevos argumentos en contra, siempre inteligentes, siempre corteses, no dejan de hacerme vacilar. El artículo tiene esa graciosa perfección de todo lo que sale de la pluma de Alfonso Reyes.

GONGORA Y LA LITERATURA CONTEMPORANEA [1]

(Este trabajo, escrito en 1927, se imprime tal
como salió en 1932. Como documento o testimonio de nuestras posiciones en el año del centenario de Góngora.)

CAUSAS GENERALES DE
«LA VUELTA A GÓNGORA»

EL siglo XVIII trae consigo un cambio absoluto del gusto. El
gongorismo había sido, por su origen, un movimiento
netamente aristocrático. Con su triunfo a lo largo de todo
el siglo XVII, por medio de tanta imitación servil y sin talento, se produce la vulgarización y la normalización en costumbre literaria de lo que había comenzado apelando a unos
pocos, y con ella el aplebeyamiento estereotipado en unas
cuantas fórmulas superficiales. Esto es lo que heredan los
poetas de comienzos del siglo siguiente. Y contra ellos, por
fermentos que vienen de fuera de España, pero también por
una ineludible necesidad higiénica, reaccionan los espíritus
más selectos del siglo XVIII. He aquí cómo dos tendencias
esencialmente aristocráticas pueden resultar directamente
contrapuestas, sólo con que se interponga entre ellas el breve intervalo de un siglo.

Pero el XVIII no se opone sólo a la manera introducida
por Góngora. Para Luzán, y para todo buen neoclásico, el
autor del *Polifemo* es nada más que un caso particular, aunque el más extremado, del desenfreno español. A Góngora

---

[1] Este artículo fué escrito en 1927. No hago más que retocarlo ligeramente. [La anterior nota pertenece a la primera impresión de este
trabajo, año 1932.]

le reconoce admirables cualidades, como se las reconoce a Calderón, a Lope de Vega y a los principales escritores del seiscientos. A Góngora le atribuye enormes defectos contra el buen gusto, la verdad poética, etc., como se los atribuye también a los otros. Es decir, incluye el gongorismo en una representación más amplia, que podemos denominar gusto del siglo XVII.

Los preceptos neoclásicos se hacen doctrina literaria incontrovertible de una minoría que va en camino de dejar de serlo según avanza el siglo; se puede asegurar, sin temor a exageración, que hacia el año 1800 forman la base de educación estética de todo hombre culto. Es decir: se han vulgarizado a su vez. El primer avance del criticismo literario moderno ha traído, por tanto, como consecuencia, la desvalorización de las mayores figuras de nuestra literatura clásica. (Reconozco desde luego la necesidad de poner limitaciones de pormenor a esta afirmación de carácter general: estoy hablando de la tónica media del ideario neoclasicista.)

Pero al neoclasicismo le llega también su término. Y ahora, el siglo XIX comenzará la lenta obra de reivindicación de nuestras figuras literarias. Tomemos tres nombres: Calderón, Lope de Vega y Góngora. El siglo XIX va a restaurar la gloria de aquello que para él podía ser interesante de la literatura del siglo XVII. Así, el romanticismo doctrinario alemán nos traerá el culto a Calderón, y el positivismo, la exaltación de Lope de Vega. ¿Y Góngora?

El siglo XIX recogió en parte, y en parte modificó la ideología del XVIII. La rectificó sólo en aquellos puntos en que chocaba con la propia: en el caso de Lope, en el caso de Calderón...; pero ni al romanticismo ni al naturalismo podía interesarles el arte de Góngora. Más aún: al uno y al otro tenía que repeler íntima, esencialmente. Para el uno como para el otro, la fórmula fundamental del arte (tal como lo podemos ver hoy) consistía en la adecuación, en la confusión de vida y literatura; en el romanticismo, la vida se *literatizaba*, se hacía literatura en la vida (entierro de Larra); igual, aunque para una visión superficial no sea así, en el naturalismo la literatura se vitaliza, se hace vida (sin selección) en la literatura; fórmulas idénticas, aunque al parecer contrarias. En todo el siglo XIX el arte es, pues, esencialmente *humano*. ¡Qué lejos todo esto del ideal artístico de Góngora!

Aun en aquello que diferencia adjetivamente al romanticismo y al naturalismo, tenían uno y otro motivos para no interesarse por el arte del autor del *Polifemo*; para el romanticismo, la poesía gongorina entraba, y no sin razón, dentro de la representación borrosa de lo *clásico* (alusiones mitológicas, metáforas tradicionales, etc.), y para el positivismo era un puro juego formal, un *nihilismo* de la poesía. No puede extrañar, pues, que el siglo XIX dejara intacto, o quizá empeorara el juicio adverso que el XVIII había formulado sobre Góngora. Esto por lo que respecta a España, donde la pasada centuria fué, después del brote romántico y con alguna excepción —Bécquer—, de una perfecta aridez poética (en concepto y en obra). Fuera de España coexisten con el naturalismo literario y el positivismo científico escuelas de poesía de verdadero valor; de una de ellas, la simbolista, parten, como es sabido y luego narraremos, las primeras voces en alabanza de Góngora.

Al gusto del siglo XIX le llega también su hora postrera. Ya en los años que se aproximan al novecientos hay algunas manifestaciones precursoras de la revolución literaria que va a tener lugar. En España las vislumbres del cambio coinciden con el siglo: se van muriendo los últimos novelistas, o llegan por lo menos al agotamiento senil; se van muriendo los pseudopoetas. Surge una generación de poetas verdaderos y una de escritores en prosa (algún novelista, más *noveloidistas* —o *nivolistas*— y cultivadores del ensayo, etc.): generación del «98» y escuela modernista. Con otras palabras: el módulo conceptual de la novela y de la poesía divergen ya del del siglo anterior. Mientras tanto, fuera de España comienzan a apuntar generosos intentos de tendencia mucho más radical, que son introducidos en nuestro país, de un modo algo pintoresco, durante los últimos años de la llamada «Guerra europea». Al final de ésta, estamos ya del otro lado del puente: una nueva generación de escritores (verso, prosa, crítica) propone, con absoluta conciencia del rompimiento con lo anterior, un criterio literario, no ya distinto del del siglo XIX, sino opuesto completamente a él. Hay gradaciones entre estos nuevos escritores, divergencias de procedimiento y de intención, pero todos coinciden en una nota común: la de querer un arte antirrealista, bien modificando los elementos que la realidad ofrece para transfundirlos en materia de arte, bien creando con absoluta indiferencia por la realidad, suplantando la realidad misma («como la naturaleza crea un árbol»). Al mismo tiempo, en el verso y en la prosa, y esto con caracteres todavía más amplios que lo anterior, se introduce una creciente preocupación por la forma, un deseo constante de claridad y perfección.

El nombre de Góngora había sido exhumado ya de su tumba de oprobio fuera de España. La generación de prosistas y poetas que adviene a la literatura al iniciarse el siglo, «98» y modernismo, lo acoge con entusiasmo. La novísima es la que lo exalta y lo estudia. Porque, a pesar de numerosísimas diferencias, coincide con el gran poeta de las *Soledades* en algo fundamental: en su antirrealismo, en general, y en su prolijo anhelo de intensa perfección.

Tres nombres resucitados, tres épocas literarias: el Romanticismo y Calderón. El Positivismo y Lope de Vega. La misma función que ambas tendencias desempeñaron para estos dos escritores, es la que ha realizado con relación a Góngora el antirrealismo contemporáneo.

Hay otro aspecto de la cuestión. El proceso que suele seguir todo cambio del gusto en literatura es el siguiente: Una tendencia, A, es introducida por una minoría que encuentra oposición por parte de los acostumbrados a una materia literaria más antigua. Esta tendencia A comienza a difundirse, a vulgarizarse; llega un momento en que la gran masa literaria (el vulgo letrado) la acepta. Entonces un grupo de espíritus selectos inicia una nueva corriente, B, que tiene que entablar lucha contra las supervivencias vulgarizadas de la dirección A. Esta nueva escuela o manera literaria B, sigue el mismo proceso de infiltración, y es sustituída, a su vez, por una más nueva, C, y así sucesivamente. En España estas oleadas renovadoras se han ido relevando con intervalos, aproximadamente de un siglo, desde el xv hasta nuestros días: Castillejo contra Boscán y Garcilaso; rivalidad Lope de Vega y Góngora; gusto del siglo xvII y Neoclasicismo; Neoclasicismo y Romanticismo; Positivismo y Antirrealismo o Deshumanización [2]. Vivimos, en el momento actual [1927], los días de lucha de las supervivencias positivistas con el nuevo espíritu estético [3].

---

[2] Por ahora no hay más remedio que dar a nuestro arte un nombre de concepto negativo.

[3] La oposición moderna al positivismo es un complejo que abarca desde las actividades filosóficas a las políticas. Cómo este cambio de criterio coincide con el principio del siglo (aunque hay ya muchas indicaciones del nuevo rumbo antes de 1900) y abarca todas las posibilidades humanas se puede ver bien claro, desde el mismo título, en la obra de Vossler *Positivismus und Idealismus in der Sprachwissenschaft*. La obra de Vossler, publicada en 1904, tiene una gran importancia histórica; divide actualmente los estudios filológicos alemanes

La contienda en los casos más apartados de nosotros solía ser de discrepancia fundamentalmente técnica. Conforme nos acercamos a lo contemporáneo, los tajos que separan dos generaciones se van haciendo abismales.

La discrepancia actual parece (si no nos engaña la proximidad [3 bis]) la más profunda sima que ha separado, no dos gustos, sino dos conceptos de la literatura desde el Renacimiento, y aun tal vez desde los orígenes de la tradición grecolatina. En todos los choques anteriores entre una posición conservadora y una revolucionaria, se discutían, como acabo de indicar, pormenores de técnica: el metro, la observancia o no observancia de las reglas, etcétera; ahora no sólo la forma externa, sino también la materia estética y la finalidad misma del arte. Tal vez el proceso de evolución y muerte del que ha nacido en nuestros días vaya a ser distinto del de todos los ciclos anteriores. El arte novísimo ya no apela a una minoría, sino casi a una minoría de técnicos. Cierto que en alguno de sus aspectos ha ampliado ya el campo de su evolución hasta el vulgo (por ejemplo, en arquitectura y artes decorativas, artes carentes de «significado»); pero la nueva poesía continúa hermética para la masa, y en los géneros literarios que no pueden vivir sin la existencia de un «gran público», todo intento de introducción del nuevo concepto de arte fracasa ruidosamente (fracaso del teatro expresionista, etc.).

Si estos son los términos del problema en el mundo europeo, en países como en Francia o Alemania, donde la minoría

---

en dos campos bien deslindados: la filología positivista a lo Meyer-Lübke y la neofilología idealista. Nadie podrá negar la intuición genial de Vossler al señalar, con absoluta precisión, la divisoria de las aguas entre el siglo XIX y el XX.

[3 bis]. (Nota de 1954. Lo que digo aquí y lo que inmediatamente sigue me parece despistado. Sí: me engañaba la proximidad.)

literaria es quizá numéricamente superior a la mayoría lectora de nuestro país, júzguese lo que ocurrirá en España.

Dividido el mundo literario en positivista (conservador) y antirrealista (actual), culto de los partidarios de las nuevas posiciones es Góngora, así como para los arraigados en el criterio positivo este nombre suena aún a herejía y locura. Pero la devoción por el poeta del siglo XVII trasciende a círculos más amplios que los de los seguidores del arte nuevo. Para la comprensión de Góngora no se requiere una especialización estética: basta con una cultura media de gusto clásico. Así, el nombre de Góngora arrastra consigo, no sólo a los promotores de las nuevas corrientes, sino también a buen número de personas que no han podido vencer las dificultades del arte actual, pero están en los aledaños de la comprensión.

Frente a éstos (promotores y simpatizantes) se sitúan en falange cerrada los supervivientes del positivismo. Hay modalidades de la actividad humana que llevan consigo —como por una maldición eterna— la tendencia a la paralización y el anquilosamiento. Ninguna tanto como la erudición literaria: paradójicamente los guardadores de las aguas son los que menos pueden beber las recién alumbradas y vivas. Los eruditos españoles, salvo excepciones honrosísimas, están viviendo del caudal ideológico de Menéndez y Pelayo, gloria perpetua de la tierra de España, sin haber caído en la cuenta de que en la obra gigantesca de aquel simún de los lectores, de aquel sahara de los polígrafos, están enmascaradas bajo las capas más contradictorias, y filtradas por su conciencia católica, las notas esenciales del ideario de su época positivista. Sustentan ellos hoy lo que tal vez aquella inteligencia amplia y generosa, de haber alcanzado nuestros días, habría rectificado ya. (Habría que hacer un estudio de las rectifica-

ciones de don Marcelino a su propia obra *. Compárese el criterio sobre Calderón sustentado en las conferencias de 1881,
con el del prólogo a *Del Siglo de Oro* de doña Blanca de
los Ríos.) Ahora bien: Menéndez Pelayo, por época, por formación, no podía gustar de la poesía gongorina. Y no son,
ciertamente, sus legítimos discípulos y seguidores, los que
creen sustentar un criterio de verdad eterna negando a Góngora, cuando lo que hacen no es sino mantener un criterio
tan relativo como lo es el nuestro de hoy y como lo serán
—¿en qué dirección?— los de mañana, en el que se da además la desventaja de no corresponder a las necesidades espirituales de nuestros días.

GÓNGORA Y EL SIMBOLISMO

El origen de la admiración actual por Góngora no tuvo
lugar en España. Mientras la poesía española del siglo XIX
se va haciendo pobre en forma y en espíritu y burguesa o
declamatoria, según se vence la cuesta de la segunda mitad
de la centuria, en Francia se está produciendo un admirable
desarrollo lírico que seguramente excede al de la misma nación en el Renacimiento. Una escuela, la parnasiana, junta al
cultivo riguroso de la forma la acumulación de materias preciosas y de fastuosos colores, con frecuencia colocados bajo
la luz de cielos exóticos y brillantes. Y a ésta, sin una definitiva separación entre ambas, sucede la simbolista, que introduce los matices delicados de expresión, de color y de sonido, y fuerza las asociaciones metafóricas entre elementos
antes absolutamente separados, todo fundido con ecos tar-
díos de procedencia romántica, un sentimentalismo suave,
sin estridencias, que elude lo declamatorio, comparable en

---

* [Véase ahora: D. Alonso, *Menéndez Pelayo, crítico literario (Las
palinodias de don Marcelino)*. «Biblioteca Románica Hispánica». Madrid, 1956].

este sentido al del, según mi opinión, único gran poeta castellano de la segunda mitad del siglo XIX: Gustavo Adolfo Bécquer. Y junto con estas notas, el gusto por lo raro, por lo refinado y recóndito.

Corresponde a esta escuela simbolista la gloria auténtica de haber iniciado —aunque fuera de un modo casi incomprensible y desde luego inconsciente y pintoresco— el gusto por Góngora. Los pocos datos que poseemos de esta exhumación del nombre del autor del *Polifemo* son sobradamente conocidos: la admiración de Pablo Verlaine por el poeta; su adopción del último verso de las *Soledades*, como lema de una poesía propia; su costumbre de repetir este mismo verso con una pésima pronunciación; la de Moréas de saludar a Rubén Darío gritándole: «¡Viva don Luis de Góngora y Argote!», etc. Sabido es también el escaso conocimiento que Verlaine tenía de la lengua de España. ¿Cómo, si no, la adopción para otra poesía de aquel grotesco lema: «Capelli d'angeli. Friandise espagnole»?

Será todo lo absurdo que se quiera, pero la coincidencia de que el gran poeta de las *Fiestas Galantes* volviera los ojos al español del siglo XVII ha tenido unas consecuencias literarias portentosas. Rubén Darío aprendió en los simbolistas la admiración por Góngora, y a través de Rubén se difunde por los medios literarios españoles más despiertos del principio de este siglo. Admiración pueril, profundamente *snob*, injustificada. Sí, desde luego. Pero la moderna generación literaria, los nuevos que en 1927 celebran el homenaje a Góngora, que son los primeros que, como veremos después, tienen motivos serios, externos e internos, para poder interpretar y admirar al autor del *Polifemo*, no pueden prescindir de reconocer esta prehistoria del entusiasmo gongorino de nuestros días. ¡Admirable instinto, genial intuición la del poeta francés Pablo Verlaine!

Verlaine, al expresar su admiración por un poeta extranjero del cual apenas podía conocer[4] unos pocos versos traducidos por algún amigo, festejaba en Góngora al artista *raro;* al proscrito de las alabanzas oficiales en los manuales de literatura; al poeta *maldito*: nada más. En vano sería querer encontrar concomitancias entre las obras del simbolista francés y del poeta español del siglo XVII. Pero hay otro poeta colocado en una posición excepcional y excelsa dentro del simbolismo: Mallarmé, el cual, sin haber recibido influjo ninguno de Góngora, más aún, sin haberle conocido, muestra en su poesía algunos puntos de extraña coincidencia con el autor de las *Soledades.*

El paralelismo entre Góngora y Mallarmé[5] ha sido intentado ya tantas veces, que se ha convertido en un tópico franco-español de los años últimos. Iniciado ya por Rémy de Gourmont en sus *Promenades littéraires,* notado por A. Reyes en sus *Cuestiones gongorinas*[6], es Francis de Miomandre el primero que trata por extenso de lograr el acercamiento

---

[4] El desconocimiento del español por Verlaine ha sido negado por G. Izambard en su artículo *L'Espagnolisme de Verlaine (Hispania,* de París, 1918). Los argumentos del señor Izambard (sospechoso ya en su calidad de presidente de la Sociedad de Amigos de Verlaine) no prueban sino que el poeta, que en 1864 tenía propósitos de estudiar español, continuaba en su mismo deseo en 1875.

[5] V. A. Reyes, *Cuestiones gongorinas,* Madrid, 1927, págs. 136 y 253-261.

[6] R. de Gourmont en sus *Promenades Littéraires,* IVᵉ Série, París, 1912. Reyes había ya, antes que Gourmont, asociado «ligeramente los nombres de Góngora y Mallarmé, allá por 1909 ó 1910» *(Cuestiones gongorinas,* Madrid, 1927, pág. 256). Suponía yo que Reyes aludía ahí a sus *Cuestiones estéticas,* París, 1910, en las que hay, en efecto, un estudio sobre Góngora y otro sobre Mallarmé; pero ni en el uno ni en el otro se establece relación entre los dos escritores. Ignoro si eso es lo que Reyes llama asociarlos «ligeramente» (es decir, el estudiarlos en un mismo libro), o si publicó por los años que dice algún otro trabajo sobre ambos poetas.

de ambas figuras en un ensayo escrito en 1918 [7]. He aquí un resumen de los puntos de contacto que señala: la misma evolución desde la facilidad inicial de las primeras poesías hacia una creciente dificultad; el humor, la malicia y la cortesía pomposa y delicada en las composiciones ocasionales; la escrupulosidad literaria; el gusto especial por algunos temas (como la cabellera femenina, las flores, las pedrerías, etc.), y la manera de tratarlos, de extraer de ellos todo lo que pueden contener de analogía y de símbolo; el conocimiento del valor exacto de las palabras; su aquilatada selección y colocación, y el deseo de sacar de ellas el máximum de poder evocativo, lo mismo desde un punto de vista descriptivo que de armonía; y, sobre todo, la soltura de uno y otro poeta para moverse en un mundo de combinaciones creadas por medio de una sola imagen primitiva, la facilidad de hacer surgir toda una generación cristalina de formas, en cada plano, de esta imagen inicial: el haberse creado cada uno su propio universo.

Existen, desde luego, estas coincidencias. ¿Pero son privativas de Góngora y de Mallarmé? ¿No son la mayor parte de ellas de carácter externo y adjetivo, independientes de la propia esencia de la poesía? Prescindo de algunos evidentes errores, como el considerar punto de unión el gusto de los temas a base de flores, cabellos de mujer, piedras preciosas. Estos temas son en Góngora simples lugares comunes renacentistas, y en la juventud del poeta habían llegado a ser tratados por otros muchos escritores de un modo parecido al de los primeros sonetos gongorinos (que son precisa-

---

[7] El artículo de Miomandre fué publicado por primera vez en la revista *Hispania* (París, 1918). Allí se da a continuación una versión francesa en prosa de los sonetos que sirven a Miomandre para prueba de sus afirmaciones. El autor ignora que varios de estos sonetos no son originales de Góngora. La versión abunda en evidentísimos errores.

mente los ejemplos que Miomandre cita). El punto de contacto que a primera vista podría parecer esencial, el de la creación de un universo propio, ¿no es acaso la primordial obligación de todo poeta?

Lo que habría que sopesar es si este mundo representativo es igual o semejante en Góngora y en Mallarmé.

El esfuerzo más notable que se ha hecho para la aproximación de Góngora y Mallarmé es el realizado por Zdislas Milner en su artículo *Góngora et Mallarmé. La connaissance de l'absolu par les mots*, publicado en *L'Esprit Nouveau* (núm. 3, año 1920). Góngora se produce al fin del Renacimiento lo mismo que Mallarmé al fin del Romanticismo. Y el Romanticismo es al siglo XIX lo que el Renacimiento había sido al XVI. Lo idéntico entre los dos poetas es la fuente ideal de la ejecución, el estado psicológico del artista en el momento en que, madura ya la inspiración, la realización comienza. Ante todo se nota la misma oscuridad que en ambos es «un voile derrière lequel... se cache un sens réel et unique». Pero esta oscuridad no es buscada ni en uno ni en otro, sino resultado de la evolución interior del artista, del esfuerzo continuo hacia formas de expresión más perfectas, que lleva a emplear un idioma que por su vocabulario y su sintaxis se aparta del uso común. Según Milner son características del lenguaje gongorino, lo mismo que del mallarmeano, las siguientes:

1) La preferencia concedida siempre al término concreto. 2) La tendencia constante a la materialización de las impresiones, de las sensaciones, de las emociones y aun de las abstracciones puras. 3) Las palabras producen de por sí imágenes, como si se tratara de figuras retóricas. 4) A menudo se producen cambios en su jerarquía: así el verbo se hace participio y adjetivo, y a veces se eclipsa para dejar paso a

la riqueza de las cosas reales o va llevado por el flujo de
la cadencia al final de la frase. 5) Las palabras más fuertes
se imponen al espíritu, aisladas, o se las hace resaltar por
medio de sabias inversiones. 6) El sustantivo, encarnación
de la materia visible y palpable, reina en toda su pureza
bajo el enorme cristal de aumento de la hipérbole, auxiliado
por los epítetos que lo colorean y hacen resaltar magníficamente su brillo. 7) Y de esta manera, a la descripción sustituye la imagen, y al relato, una serie de metamorfosis.
8) En cuanto a la frase, a través del enmarañamiento ilusorio
de los incidentes y los paréntesis ideales, se transforma en
un arabesco que fluye en una línea sinuosa, a veces interrum-
pida por silencios, de acuerdo con el ritmo íntimo de las
emociones y las sensaciones. 9) «C'est cet effort continuel
tendant à dégager de toute chose la réalité matérielle, quoi-
que instable, et cette phrase rythmée en arabesque, qui
constituent le fond commun de Góngora et Mallarmé.»

Hasta aquí, Zdislas Milner. Algunas de las conclusiones
de este artículo, en el que tantas cosas inteligentes abundan,
han de ser aceptadas desde luego. No así lo que se refiere a
la función del sustantivo y del verbo y a la preferencia de
los elementos concretos. Para admitir estas afirmaciones sería necesario que Milner expusiera su teoría de un modo
más pormenorizado y apoyándola en ejemplos indudables
sacados de ambos poetas. Aun aceptando todas estas coincidencias estilísticas, lo que no se puede admitir es que sean
fundamentales, como Milner quiere. («Mais ces rapproche-
ments que l'on peut établir sont d'une importance capitale,
car ils visent le fond même de leur œuvre».) Lo fundamental
es la representación poética del mundo que cada creador
nos da.

Me parece que el paralelismo establecido entre ambos

poetas tiene defensa si se consideran sólo algunas notas adjetivas y externas; pero es fundamentalmente falso, y procede de no situar a Góngora en su verdadera posición dentro de la tradición literaria. Para mí, no sólo no se parecen Góngora y Mallarmé en lo sustantivo de su poesía, sino que la del uno es la negación de la del otro.

Partamos de la antirrealidad del arte de los dos: es el punto de arranque para Góngora y el comienzo de todo arte para Mallarmé:

> *Exclus-en si tu commences*
> *Le réel parce que vil...*

El objeto de la poesía es, pues, la sustitución de un mundo de realidades por uno de representaciones. La diferencia es ésta: para Góngora el mundo de representaciones estéticas es un complejo formado, preexistente, tradicional. Para Mallarmé es un mundo inexistente, que se está formando y deshaciendo en todo momento de intuición poética, vario, nuevo siempre, cambiante, volandero, como las construcciones del humo:

> *Toute l'âme résumée*
> *Quand lente nous l'expirons*
> *Dans plusieurs ronds de fumée*
> *Abolis en autres ronds...*

La representación poética universal en Góngora es un firmamento que tiene sus normas invariables, sus movimientos previstos secularmente, sus atracciones y repulsiones inmutables, sus trayectorias conocidas. Decid una palabra cualquiera de la realidad (de la realidad que acostumbra a entrar en el campo visual poético de Góngora): cualquier conocedor de la poesía de éste puede suscitar en seguida la traducción al mundo imaginario del poeta, a su plano irreal. Detrás de esta palabra primera advienen, inmediatamente atraídas, otras que forman la continuidad fija del pensamiento poético gongorino. Podrá haber concurrencia de varias continuaciones posibles, pero sabemos que por una de ellas se hubiera decidido el poeta. Imposible hacer algo semejante dentro de la poesía de Mallarmé. El mundo representativo de éste no existe sino en potencia: es una placa sensible y no impresionada, unida íntimamente, en trance de creación, al sistema nervioso del poeta, la cual no sólo registra la traducción metafórica de toda sensación a plano irreal, sino la misma incoherencia de dos sensaciones consecutivas que dan origen a otras dos metáforas de tipo distinto. Otras veces es un mismo objeto de la realidad el que, por medio de una serie de emanaciones sucesivas, pero inconexas, traduce al plano imaginario otra serie de metáforas desligadas también. En fin, en Mallarmé no es tampoco infrecuente que las metáforas sugieran de un modo directo otras nuevas, pero el nexo es siempre vivo, personal, impredecible.

A) La incoherencia —aparente— de dos sensaciones consecutivas da origen a dos metáforas desligadas:

> *Par les carreaux glacés, hélas! mornes encor*
> *L'aurore se jeta sur la lampe angélique,*
> *Palmes!*

Imposible, absolutamente imposible, hallar en la poesía de Góngora algo semejante a la posición de este *palmes!* —válvula de escape de lo subconsciente.

B) Un mismo objeto de realidad, por medio de emanaciones sucesivas inconexas, produce una serie de metáforas que no se relacionan directamente: [esplendores de ocaso]

> *Victorieusement fui le suicide beau*
> *Tison de gloire, sang par écume, or, tempête!*

C) Unas metáforas sugieren otras nuevas, pero la asociación es siempre discontinua e inesperada. Por puentes

metafóricos se enlazan sensaciones eróticas y conceptos estéticos en *L'après-midi d'un faune*:

> ... *l'illusion s'échappe des yeux bleus*
> *Et froids, comme une source en pleurs, de la plus chaste:*
> ... *par l'immobile et lasse pâmoison*
> *Suffoquant de chaleurs le matin frais s'il lutte,*
> *Ne murmure point d'eau que ne verse ma flûte*
> *Au bosquet arrosé d'accords...*

Cambio del viento, zig-zag, yuxtaposición de sensaciones,
es el arte de Mallarmé. Oigamos al mismo poeta: «... com-
parer les aspects et leur nombre *tel qu'il frôle notre négli-
gence*: y éveillant pour décor, l'ambiguïté de quelques figures
belles, aux intersections. La totale arabesque, qui les relie,
a de vertigineuses sautes en un effroi que reconnue; et
d'anxieux accords... *Chiffration mélodique tue,* de ces motifs
qui composent une logique avec nos fibres»[8]. Pasar —dice
en otra ocasión— «sans que le ruban d'aucune herbe me
retint devant un paysage plus que l'autre chassé avec son
reflet en l'onde par le même impartial coup de rame»[9]. Y
su comentarista Thibaudet: «Mallarmé est un poète d'im-
pressions neuves, aiguës, difficiles à formuler, *disconti-
nues*»[10]. «Presque tous ses poèmes disposent, ou mieux juxta-
posent, des images, à l'origine desquelles sont des sensations
nues»[11]. «Il y a chez lui, une sensibilité d'enfant originale, un
jour lavé de création». «La logique de Mallarmé consiste à
respecter la suite des sensations»[12].

Precisamente casi todo lo contrario es aplicable a Góngora. Góngora es un poeta que trabaja siempre sobre los

---

[8] Citado por Thibaudet, *La poésie de St. Mallarmé*, primera edición, pág. 95.
[9] *Ibídem*, págs. 156-7.
[10] *Ibídem*, pág. 30.
[11] *Ibídem*, pág. 31.
[12] *Ibídem*, pág. 94.

datos de una representación del mundo ya establecida de
antemano; su sensibilidad es también aguda, finísima, certera, pero antigua, pero sabia, y reobra, no ante sensaciones,
sino ante conceptos de sensaciones. La labor de Góngora es
eminentemente constructiva: orden, norma, sistema; en ella
(aparte del orden lógico del discurso que fluye por debajo,
del lado de lo real) hay una encadenación y un desarrollo
imaginativo sujeto a pautas fijas, invariables.

Mallarmé no sólo ha practicado sino expresado su odio
a este desarrollo retórico, que es consustancial a la poesía
de Góngora:

> ... *de lis multiples la tige*
> *Grandissait trop pour nos raisons*
>
> *Et non comme pleure la rive*
> *Quand son jeu monotone ment*
> *A vouloir que l'ampleur arrive*
> *Parmi mon jeune étonnement*
>
> *D'ouïr tout le ciel et la carte*
> *Sans fin attestés sur mes pas,*
> *Par le flot même qui s'écarte...*

¿Cómo poder comparar la poesía de lo discontinuo y lo
imprevisto con la de un desarrollo normado y constantemente predecible? Góngora, desenvolvimiento, continuidad,
lógica metafórica a base de elementos tradicionales; Mallarmé, cambio, discontinuidad sensacional, a base de asociación y sin más lógica que la sucesión de las asociaciones
mismas. Góngora, preciso, exacto; Mallarmé, impreciso, ambiguo [13]. El primero da todos los elementos necesarios al
lector; el lector del segundo tiene que suplir todos los nexos

---

[13] Ambiguo, para un análisis gramatical. Pero de maravillosa precisión poética inexplicable o muy difícilmente explicable por procedimientos estilísticos.

tácitos, que rehacer el proceso mental y sensacional del poeta, que recrear la obra. Góngora es un retórico, aunque un retórico admirable; Mallarmé, un impresionista (en el sentido original de la palabra). De otro modo: Góngora es una última evolución de lo clásico; Mallarmé, de lo romántico.

Quedarán, pues, coincidencias de pormenor puramente circunstanciales, imágenes aisladas...:

> *Cristal, agua al fin dulcemente dura*

> *o miroir!*
> *Eau froide par l'ennui dans ton cadre gelée...*

Quedarán otras coincidencias más amplias, pero adjetivas y puramente externas: la dificultad de uno y otro (mucho más extremada para el francés que para el español); las poesías ocasionales al margen de la obra; ciertas coincidencias de lenguaje (cultismo de acepción, elipsis, hipérbaton); y, sobre todo, la estricta escrupulosidad, el insaciable prurito de perfecciones de uno y otro. No importa. Góngora y Mallarmé no son distintos: son opuestos.

GÓNGORA Y EL MODERNISMO

La entrada del siglo xx trae a España un nuevo gusto literario. De una parte, un nuevo estilo de prosa; de otra, una nueva manera poética, pero en el fondo, una coincidencia en triple anhelo común: apertura de las letras de España a los vientos europeos, rompimiento con el pasado próximo y búsqueda de nuevos puntos de enlace con la tradición de la raza. Naturalmente, emergen a primer plano algunas figuras de nuestro arte por las que el siglo xix no había sentido simpatía. Así, en la pintura, el Greco, y en la literatura, Góngora.

¿Qué motivos llevan a los escritores del año 1900 a volver sus ojos hacia Góngora? ¿Cuándo se inicia con exactitud este movimiento de admiración? ¿Qué alcance, qué extensión tiene? Salvo contadísimas excepciones (conversación de Boscán con Navagero en Granada, etc.) es imposible fijar con rigurosa precisión el origen de un cambio en el gusto y seguir su rastro con matemática exactitud. Tienen aquí, en la vida moderna, importancia primordial esos hechos triviales de la relación y comunicación literaria, que no dejan huella alguna en el papel escrito: amistades, tertulias, etc., todo lo que aparentemente se disuelve y se esfuma en las humaradas de las conversaciones de café. No pocas veces el nombre de los importadores queda en silencio. La nueva coincidencia estética incuba lentamente y llega un día en que, sin saber cómo, un gusto distinto está ya formado.

En nuestro caso particular hay un entronque indudable [14]. Las dos primeras estadas de Rubén Darío en España fueron el año 1892 y el 1899. En la primera conoció a los hombres más representativos del último tercio del siglo XIX; el poeta de *Azul...* entró en los círculos del ambiente literario de aquella época sin que su paso dejara huella por entonces. Pero entre su primera y su segunda visita a la capital de España, el poeta había conocido París. El escritor de Nica-

---

[14] Escrito ya el análisis del gongorismo de R. Darío, que comienza en este párrafo, leí el artículo del meritísimo amigo de España (y de don Luis) H. Petriconi, *Góngora und Darío (Die neueren Sprachen,* junio, 1927, págs. 261-272). Las coincidencias entre mis conclusiones y el camino que lleva a ellas y las de Petriconi son grandes en extremo. No podía ser de otro modo, dado el escaso número de referencias a Góngora que ocurren en R. Darío. Petriconi parece no conocer la verdadera fecha de publicación del «Trébol», y tal vez concede demasiado crédito a la *Autobiografía* del poeta de Nicaragua.

ragua llegó a París con esa prontitud para la admiración y
el deslumbramiento que adoptan algunos hispanoamericanos
en el que ellos llaman «cerebro de Europa». Allí conoció a
Verlaine, a Moréas, y a otros más o menos seguidores del
simbolismo, y supo —seguramente no sin asombro— que
aquellos hombres, que él veneraba como maestros, exaltaban
el nombre de don Luis de Góngora. ¿Había leído Rubén Darío a Góngora junto a «las principales obras de los clásicos
de nuestra lengua» [15] en la época en que fué empleado en
la Biblioteca Nacional de Nicaragua? Lo dudo: lo más probable es que al jovenzuelo que entraba valientemente por los
tomos de Rivadeneyra le resultara repelente la lectura del
Polifemo y de las *Soledades*. Tal vez leería la parte tradicionalmente alabada de las obras gongorinas: letrillas, romances, algún soneto... La admiración de Verlaine por Góngora tuvo que causar en el discípulo nicaragüense un profundo asombro.

Asombro que iba a ser fructífero para las letras de España. Rubén Darío no actuó en Madrid como introductor de
un nuevo gusto literario —puesto que la necesidad del rompimiento con la literatura de los últimos años era ya sentida
entre los espíritus más selectos y más jóvenes—, pero fué
el que enseñó el procedimiento para hacer posible el cambio
en lo que respecta a la poesía. Esta influencia la ejerció en
su segunda estancia en Madrid el año 1899 como corresponsal de *La Nación*. He aquí cómo lo refiere en su *Autobiografía*: «... ¡gracias sean dadas a Dios!, esparcí entre la
juventud los principios de libertad intelectual y de persona-
lismo artístico que habían sido la base de nuestra vida nueva
en el pensamiento y el arte de escribir hispanoamericanos

---

[15] R. Darío, *Autobiografía*, ed. Maucci, pág. 4.

y que causaron allí espanto y enojo entre los intransigentes. La juventud vibrante me siguió, y hoy muchos de aquellos jóvenes llevan los primeros nombres de la España literaria»[16]. Desde luego, aquí hay exageración, pero no por lo que se refiere a su influjo sobre la poesía. Seguramente fué por entonces (Darío era bastante aficionado a *épater* —palabra de la época—) cuando se le ocurrió asombrar a los españoles exaltando el nombre de un poeta proscrito en su misma patria: para ello no tenía más que recordar la lección aprendida en Verlaine y los simbolistas. (La fecha exacta de las únicas composiciones de Rubén Darío en alabanza de Góngora —como veremos después— apoyan mi suposición). La lección gongorina traducida del francés fué en seguida aceptada por una generación sedienta de novedades, ansiosa de descubrir aspectos vírgenes de la sensibilidad y artistas *raros* y *exquisitos* (palabras que comenzaban entonces a estar en boga), generación, en fin, que necesitaba contradecir en todo a la que le había precedido.

Este comienzo de admiración no tenía, sin embargo, fundamentos más sólidos que el de los simbolistas franceses. Su iniciador sabía probablemente muy poco —lo vamos a ver en seguida— del arte de Góngora. Y menos aún los allegadizos al fluir de las aguas.

Porque ¿qué fué el gongorismo de Rubén Darío? Los *mitos literarios* se forman ante nuestros ojos: tal creo yo que ocurre con éste. Constantemente, cuando se habla del poeta de Nicaragua, se cita como un precursor a Góngora. ¿Hasta qué punto influyó en Darío? ¿Hay algo en la obra de Rubén que pruebe una lectura detenida, un conocimiento de la técnica gongorina, una admiración profunda del poeta de la

---

[16] *Ibídem*, pág. 228.

Marcha triunfal por el de las *Soledades?* La respuesta tiene
que ser absolutamente negativa. Sería de desear que las personas que trataron a Rubén Darío y viven aún, nos informa-
ran acerca de este punto. Yo he hablado del asunto con el
gran poeta de Castilla, Antonio Machado, quien me ha asegurado que Darío citaba de memoria estrofas enteras del
Polifemo. Mucho crédito me merece el autor moderno de
esas otras maravillosas *Soledades.* Y, sin embargo... Pudiera
ser que Rubén hubiera leído y supiera algunas estrofas del
Polifemo, sin haber saludado el resto de la obra centralmente
gongorina del cordobés. Y si no, busquemos el reflejo de su
lectura y admiración en sus obras.

Hasta el prólogo de las *Prosas Profanas* no aparece en
la obra de Darío el nombre de Góngora, y aun allí sin que
desempeñe un papel más importante que el de los otros
grandes escritores españoles, y pospuesto al de Quevedo. «El
abuelo español de barba blanca me señala una serie de retratos ilustres: éste, me dice, es el gran don Miguel de Cervantes Saavedra, genio y manco; éste es Lope de Vega, éste
Garcilaso, éste Quintana. Yo le pregunto por el noble Gracián, por Teresa la Santa, por el bravo Góngora, y el más
fuerte de todos, don Francisco de Quevedo y Villegas. Después exclamo: Shakespeare! Dante! Hugo!... (Y, en mi interior: Verlaine!)» [17]. Nada más. En alguna ocasión, una cita
en prosa, dejada caer entre una retahila automática de nombres gloriosos. Es preciso llegar a los *Cantos de Vida y Esperanza* para encontrar referencias a Góngora que tengan
algún interés: ya en el prólogo se vuelve a hablar de «esta
tierra de los Quevedos y los Góngoras» [18]; después, en la
primera composición del libro, se asocian por primera vez

[17] *Prosas profanas,* París, 1908.
[18] *Cantos de Vida y Esperanza,* Madrid, 1905, pág. 4.

36

(filiación) el nombre del poeta de las *Fiestas Galantes* y el del *Polifemo*.

> *Como la Galatea gongorina*
> *me encantó la marquesa verleniana...* [19]

Pero un poco antes, el poeta ha definido su arte sin acordarse para nada de Góngora:

> *con Hugo fuerte y con Verlaine ambiguo.*

En fin, en el libro aparece el dato más interesante que ofrece toda la obra de Darío para poder determinar el alcance de su admiración y rastrear algún posible influjo: el «Trébol» de sonetos «de don Luis de Argote y Góngora a don Diego de Silva y Velázquez»; «de don Diego de Silva, etc., a don Luis de Argote, etc.», y el tercero, del poeta moderno al pintor y al poeta del siglo XVII. (Notemos, ante todo, que Darío sabe el verdadero orden de los apellidos de Góngora. Alarde de erudición: ya es algo.) *Estos tres sonetos fueron publicados en «La Ilustración Española y Americana» el día 15 de junio de 1899.* Y este retrotraimiento de fecha (la de los *Cantos de Vida y Esperanza* es 1905) tiene importancia, porque nos lleva otra vez al año en que R. Darío está en Madrid como corresponsal de *La Nación;* el año en que entabla relaciones amistosas con los escritores jóvenes que van a dirigir en los principios del siglo las corrientes del gusto; al año, en fin, en que el mismo poeta se jacta de haber influído sobre la formación espiritual de muchos de ellos.

En el año de 1899 se celebró en España el tercer centenario del nacimiento de Velázquez, con tanto mayor entusiasmo, cuanto profunda era la necesidad de reaccionar contra el abatimiento producido por el desastre de 1898. La musa anduvo pronta, si no feliz. En la *Revista de Archivos*

---

[19] *Ibídem*, pág. 13.

de este año puede verse la serie de partos poéticos a que el acontecimiento glorioso dió lugar. Entre ellos, precisamente, figura reproducido el «Trébol» del poeta americano. Creo que el desconocimiento de la ocasión para la cual fueron escritos ha hecho que no se suela entender bien el sentido de este tríptico de sonetos. Rubén Darío se propone en ellos asociar al nombre de una gloria nacional que todo el mundo ensalza (Velázquez), el de otra que nadie o muy pocos conocen (Góngora). Para ello, en el primer soneto, finge que el alma o la sombra («miro a través de mi penumbra») de Góngora se dirige a la de Velázquez recordándole, en la fecha en que España le glorifica, aquel día en que fué retratado por el pincel del pintor (alusión al supuesto Velázquez del Prado). En el segundo soneto responde Velázquez en la misma forma, testimoniando cómo ya el noble coro de las liras empieza a cantar las alabanzas del poeta de las *Soledades,* y augurándole un resurgimiento a la gloria dentro de España. En el tercer soneto, y asociando siempre al pintor y al poeta, pone el moderno la primera piedra para la gloria de Góngora en su patria. Esta es mi interpretación. Veamos ahora qué conocimiento o qué influencia de Góngora revelan estas tres composiciones.

La primera quiere ser —la intención es indudable— una pieza gongorina.

> *Mientras el brillo de tu gloria augura*
> *ser en la eternidad sol sin poniente,*
> *fénix de viva luz, fénix ardiente,*
> *diamante parangón de la pintura...*

Algo gongorino hay aquí: la introducción del Fénix y algún verso (el último) más gongorino por el propósito que por el resultado.

de España está sobre la veste oscura
tu nombre como joya reluciente...

Ahora una inversión (de España... sobre la veste), pero de
las más vulgares. (La veste oscura de España es, probablemente, alusión al reciente descalabro colonial.) Y, luego, los
tercetos:

> *Yo en equívoco altar, tú en sacro fuego,*
> *miro a través de mi penumbra el día*
> *en que al calor de tu amistad, don Diego,*
>
> *jugando de la luz con la armonía,*
> *con la alma luz, de tu pincel el juego*
> *el alma duplicó de la faz mía.*

Otra vez, intento de complicar la frase sin encontrar el
giro de la sintaxis gongorina. El final recuerda inmediatamente el comienzo del soneto de Góngora a un pintor fla-
menco:

> *Hurtas mi vulto, y cuanto más le debe*
> *a tu pincel, dos veces peregrino,*
> *de espíritu vivaz el breve lino*
> *en las colores que sediento bebe...* [20]

La identidad del tema (Góngora a un pintor que le está
haciendo —que le ha hecho— un retrato), el tratamiento en
soneto y el paralelismo de las ideas formadas por estas
palabras: *faz = vulto, duplicó = hurtas, alma = espíritu vi-
vaz*, hacen que no sea muy atrevido sospechar que si Rubén
Darío no tuvo ante los ojos el soneto de Góngora, lo había
leído, por lo menos, y lo recordaba vagamente.

El soneto segundo es —como ya he dicho antes— una
profecía de la gloria futura que aguarda a Góngora. La sombra de Velázquez dice a la del cordobés:

---

[20] *Obras poéticas*, II, 321 = Millé, 359. Petriconi también compara
estos dos sonetos.

Alma de oro, fina voz de oro,
al venir hacia mí, ¿por qué suspiras?
Ya empieza el noble coro de las liras
a preludiar un himno a tu decoro.

En verdad, ya había principiado antes...: en Francia. En el segundo cuarteto, una alusión al romance «En un pastoral albergue...» Y luego en los tercetos:

... en donde da Cervantes el Quijote

y yo las telas con mis luces gemo,
para don Luis de Góngora y Argote
traerá una nueva palma Polifemo.

En el tercer soneto habla en primera persona el mismo Rubén Darío:

En tanto «pace estrellas» el Pegaso divino...

La cita de las *Soledades* no revela un gran conocimiento de este poema: pertenece a esas estrofas que suelen reproducir todos los manuales como ejemplo de disparate literario [21].

... en los celestes parques al Cisne gongorino
deshoja sus sutiles margaritas la luna.

... y tu castillo, Góngora, se alza al azul cual una
jaula de ruiseñores labrada en oro fino.

El poeta ha querido definir el arte de Góngora por dos de sus cualidades: sonido y color («cual una jaula de ruiseñores labrada en oro fino»). La imagen es trivial.

Gloriosa la península que abriga tal colonia.
¡Aquí bronce corintio y allá mármol de Jonia!
Las rosas a Velázquez y a Góngora claveles.

---

[21] La misma observación hace Petriconi.

Los versos valen poco: esa *colonia* es absurda; y el segundo alejandrino, casi de relleno. Pero la intención es magnífica. Y con otro terceto típicamente rubeniano, en el que todavía se asocia a Angélica con las Meninas, se cierra el más claro homenaje del gran poeta de Nicaragua al gran cordobés.

El «Trébol» de sonetos denuncia: 1) Lectura —no precisamente profunda— de algunas poesías de Góngora: el romance «En un pastoral albergue», tal vez el soneto a un pintor belga, y los primeros versos de las *Soledades*. 2) Falta de conocimiento de las peculiaridades sintácticas y metafóricas gongorinas. 3) Sentido de manifiesto crítico y de profecía (el segundo soneto sobre todo).

Inútil buscar influencias o puntos de contacto en el resto de la obra de Rubén Darío. La poesía de éste no se parece en nada a la de Góngora. Sus antecesores son Hugo y Verlaine, y más el primero que el segundo (más fuerte que ambiguo). Del gran romántico le viene el empuje y la amplitud lírica, la abierta luminosidad y la sonoridad potente de la *Marcha triunfal*, y de la mejor parte de su obra. El verlenianismo es impuesto, externo, contrario a la entraña del espíritu del poeta. Su gongorismo no existe.

Este mismo espíritu de «postura» literaria caracteriza todos los primeros años de la literatura española del siglo xx. Siempre palabras vagas sobre Góngora, frecuentemente exclamaciones admirativas, jamás una crítica sagaz, un comentario que demuestre verdadera lectura, nunca un pormenor que pueda revelar influjo sobre una obra. En el año 1903 la recién nacida revista *Helios* [22], de vida tan corta, pero tan importante para la historia de nuestro modernismo, invita a varios escritores a expresar su opinión sobre el

---

[22] Comp. A. Reyes, *Cuestiones gongorinas*, págs. 254-256.

poeta. Los que contestan no son más que cuatro. Uno, Miguel de Unamuno, negativamente: Ha intentado leer a Góngora para contestar a la pregunta de la revista (no le había leído nunca antes). No ha podido hacerlo. «A los cinco minutos estaba mareado... y acabé por cerrar el libro y renunciar a la empresa.» «Poetas hay, ya en nuestra lengua, ya en otras, que creo me darán más contento que Góngora y me costará menos leerlos. Me quedo, pues, sin Góngora.» Y se quedó definitivamente: veinticuatro años después, invitado de nuevo a dar su opinión sobre el mismo poeta, repitió en carta a los invitantes las mismas ideas, aunque expresadas esta vez en tono más templado y respetuoso para Góngora. Seguramente, de los hombres de 1903, Unamuno era uno de los pocos que expresaban una opinión sincera con respecto a la poesía gongorina.

Azorín contestó a la misma pregunta con una deliciosa nonada: «Las bellaquerías», lindo comentario al romancillo que empieza: «Hermana Marica». Pero nada se aventuraba aquí, porque en ese punto todos estaban conformes (sin embargo, años después, según me dicen, aún escribía Azorín a sus amistades en papel donde campeaba un membrete significativo: «Amigos de Góngora»). Dos escritores, Zayas y Navarro Ledesma, remitieron sendos artículos encomiásticos. El de Zayas, escrito en Estocolmo, el de entusiasmo más vibrante. Reproduciré algunos párrafos que expresan bastante bien la posición de época frente a Góngora: «La gente culta, la que pontifica en las solemnidades de la literatura oficial, la que aún pretende someter el vuelo de la fantasía a las rigideces de un dogma más estrecho que las mazmorras del Santo Oficio, continúa como en la época en que el marqués de Villena esbozaba la fundación de la Academia Española, enseñando que el insigne clérigo de Córdoba fué un talento

extraviado, una imaginación profunda, pervertida por el prurito de singularizarse. En cambio, para los pocos que saben
en España que el poeta es grande por lo que sugiere, para
los que creen que la palabra tiene un valor gráfico indepen-
diente de rancias etimologías y un valor eufónico incompa-
tible con las trivialidades de la prosodia, para los que no
conciben al poeta rodeado de libros en la soledad de un
gabinete... será Góngora más grande por ser autor de lo que
le censuran los doctos octogenarios y los eruditos educados
bajo su férula, que por lo que éstos le aplauden, bello, sin
duda, pero que no hubiera bastado a señalar los enérgicos
rasgos que dan carácter y originalidad a la fisonomía literaria del gran poeta cordobés... En la soledad espiritual en
que me tienen los azares de la vida diplomática... son para
mí una gran compañía las *Soledades* del maestro.» Palabras
vagas, aunque ardorosas, que parecen cubrir un concepto
más vago todavía. El artículo de Navarro Ledesma («Del pobre don Luis de Góngora») contiene bastante más enjundia.
Comienza estableciendo un paralelo entre el Greco y Góngora, y luego, con ejemplos bien elegidos del *Polifemo*, de
las *Soledades*, de los sonetos y romances y letrillas, hace
resaltar el valor rítmico y descriptivo de la poesía gongorina,
de paso que rechaza los mitos de la corrupción del gusto y
de la ininteligibilidad del lenguaje. Y termina: «En él se
resumen todas las grandes cualidades y los grandes defectos
de nuestra poesía, a la cual, ¡pobrecilla!, le pasa lo mismo
que al infortunado don Luis: nadie la lee, nadie habla de
ella... y si alguien habla es para decir pestes y sin saber
por qué».

Esta admiración un poco apriorística y un mucho *snob*,
por la poesía de Góngora, continúa siendo dogma tan primordial para los seguidores de Rubén Darío, como falso para

los enemigos de toda novedad (que en España son siempre la inmensa mayoría). Hasta casi veinte años después de comenzarse el siglo no se van a introducir nuevas corrientes poéticas en la literatura española. Mientras tanto, en el campo de la erudición, casi nunca española, comienza a darse muestras de actividad. Alfonso Reyes —uno de los pocos hombres que saben llevar con dignidad el doble peso de poeta y erudito— escribe en el año 1910 el primer ensayo, fruto de la meditación y el conocimiento, «Sobre la estética de Góngora», obra no madura, pero valiosa, que trata ya de ser una justificación de muchas de las cualidades de la poesía gongorina. (Pero, nótese bien: esta labor la realiza un mejicano que escribe desde París [22 bis]. En París, quizá por las visitas de Rubén Darío y por la persistencia del entusiasmo por Verlaine y el simbolismo, continúa siempre un foquito de amor a Góngora. Lo prueban entre otras cosas la edición de sus obras de la casa Michaud, cuidada (o, mejor, descuidada) por Alvarez de la Villa. Las buenas intenciones del editor, patentes en un apologético prólogo, no le impidieron el que su edición sea perfectamente ilegible. Este libro ha hecho más daño a la causa de Góngora que toda la crítica positivista: el que lo coge en las manos termina convencido de que el poeta es absolutamente ininteligible. Lo mismo vale para la «Antología de los mejores poetas castellanos», publicada por Nelson y cuidada y comentariada por Rafael Mesa y López.) Pero volvamos a las obras de valor: el mismo Alfonso Reyes ha publicado entre 1915 y 1925 una serie de artículos de erudición gongorina, todos ellos muy interesantes, en diversas revistas, que han aparecido en 1927 reunidos en tomo con el título *Cuestiones gongorinas*. Antes

---

[22 bis]. Me equivoco. Después de publicadas esas líneas me comunicó Alfonso Reyes que escribió su trabajo en Méjico.

que el ensayo de Reyes habían aparecido los dos libros de
L.-P. Thomas _Le Lyrisme et la Préciosité Cultistes en Es-
pagne_ y _Gongora et le Gongorisme,_ publicados en París también en los años 1909 y 1911, respectivamente (el segundo
estaba ya escrito en 1908); libros de importancia fundamental aun en el día de hoy, pero en los cuales hay algún error
en puntos concretos; mas tienen el mérito de haberse encarado por primera vez de un modo científico y de miras elevadas con Góngora, y en ellos se plantean y, a veces, resuel-
ven de mano maestra muchos problemas. (Pero el juicio
definitivo de Lucien-Paul Thomas sobre Góngora habrá que
ir a buscarlo a su nuevo libro de crítica y traducción al
francés de poesías de don Luis, que tal vez antes de que
se publiquen estas líneas vea la luz en _Les Cent Chefs
d'œuvre étrangers_ [publicado en 1931].)

Por último, el señor Foulché-Delbosc, que venía prestando
atención al lado erudito de la cuestión Góngora en artículos
y notas de la _Revue Hispanique,_ publicó en el año 1921 su
edición de _Obras Poéticas de Góngora,_ según el ms. Chacón
(Hispanic Society de Nueva York), la cual mejora todas las
anteriores. Otras contribuciones de valor han sido publicadas por los señores Icaza, L. Torre, Buceta, Díez-Canedo y
Guzmán [23]. (De otros avances posteriores de la erudición
gongorina trataremos en lugar oportuno.)

Resumen: Pablo Verlaine es el iniciador intuitivo de la
admiración por Góngora. Rubén Darío la recibe de él y la
transmite a sus seguidores españoles de comienzos de este
siglo. Toda esta primera fase de la «vuelta a Góngora» se
caracteriza por su apriorismo, su indocumentación, su carácter _snob_ y su superficialidad. La literatura del período

---

[23] Para pormenores, A. Reyes, _Reseña de Estudios gongorinos,_ en
Cuestiones gongorinas, 133-182.

no tiene ningún punto de contacto con la gongorina. Lo que se festeja es el perseguido por el credo oficial, el raro, el poeta que no ha sido comprendido. Al lado de este interés de los artistas surge la curiosidad entre algunos eruditos, principalmente extranjeros. Sus obras son una base indispensable para la época de conocimiento y amor que va a venir después.

GÓNGORA Y LA NUEVA GENERACIÓN [23 bis]

La generación de escritores de que acabamos de hablar (dejados aparte los eruditos, que realizan una labor eficaz), fué sólo, por lo que se refiere al gusto por Góngora, una precursora de la que en el momento actual comienza a cobrar relieve en las letras de España. Han pasado veintitantos años. Muchos de aquellos hombres viven aún y forman ya el grupo consagrado de maestros reconocidos y de fama internacional de la novela, la poesía y el ensayo. Pasado el momento de agresividad y negación de lo anterior, han olvidado su gongorismo juvenil. Probaría —si fuera menester probar cosa tan evidente— el carácter superpuesto y falso de aquel vago culto, un hecho ocurrido al celebrarse, en 1927, el tercer centenario de la muerte de Góngora. Invitados los supervivientes de la literatura que fué joven a principios de este siglo, a enviar su colaboración al homenaje a Góngora, que los jóvenes de hoy proyectaban con ocasión del tercer centenario de la muerte del poeta, todos ellos (los ya maestros, algunos académicos, todos ellos famosos) disintieron o con el silencio o con la protesta. Con el silencio, M. Machado, Azorín...; con la vaga excusa, A. Machado...; con la protesta y casi el insulto (para el poeta), Valle-Inclán. (Baroja ha ma-

---

[23] bis. Recuérdese siempre la fecha, 1927, en que fué escrito este ensayo, ligeramente retocado al darlo a la imprenta en 1932.

nifestado incidentalmente no conocer bien a Góngora.) Resulta, pues, que de los hombres que estaban surgiendo a la literatura en el momento en que Rubén Darío hace volver los ojos hacia nuestro poeta, casi ni uno solo siente hoy interés por él.

No podía ser de otro modo. La crítica de principios de siglo no llegó a calar el sentido de la poesía gongorina —en los pocos casos en que superficialmente se dedicó a analizarla—, mientras que la literatura directa de entonces se nos descubre hoy en completa oposición a todo gongorismo esencial, coincidente sólo (como en el caso de Mallarmé, pero con mucho más limitado alcance) en alguna nota externa. Se creía que el mundo de Góngora era de representaciones caóticas, confusas, oscuras en el verdadero sentido de la palabra. En diferentes sitios me he esforzado en hacer patente cómo todo el intento de Góngora va hacia la aclaración y el orden, simplificado el mundo en una estilizada traducción metafórica de la realidad.

No hay una correspondencia absoluta entre las artes, pero creo que el ejemplo de la pintura puede ahora servirnos. La pintura impresionista descuida la forma y la estructura para producir engañosas fusiones de colores. La actual, sin descuidar el color, se preocupa preferentemente por los problemas de la limpidez de forma y de volumen. Góngora es todo lo contrario de un poeta impresionista. Por eso el error crítico de la generación anterior fué querer atraer hacia su campo a quien, en esencia, estaba totalmente alejado de él. Nada en Góngora borroso, nada impreciso. ¡Qué distinto del gusto simbólico e impresionista!:

> *Le sens trop précis rature*
> *Ta vague littérature.*

Todo en él claro y exacto. «Simétrica urna de oro», llama en una ocasión a un poema del Conde de Villamediana. Urnas simétricas de oro son todos los poemas gongorinos. En ellos está encerrado un mundo irreal, reducido a tonos puros, sin mezcla, y a formas apasionadas, sí, pero rigurosas; volúmenes netos, envueltos por una atmósfera tan diáfana, tan cristalina, que no sólo delimita sin mella, penumbra o pelusa, sino que «da una consistencia y un esplendor vítreo» a los seres.

Los caminos por los que iba a llegar el gusto nuevo son intrincados y, a veces, desconcertantes. De una parte, hay que señalar la existencia de unos cuantos escritores aislados, que llegan a la literatura después de 1900, algunos de los cuales influyen, por modos diversos, sobre la literatura novísima. Descontando un nombre de valía, Pérez de Ayala (que se ha situado en los años últimos en una posición denegadora del arte nuevo), los que hay que citar aquí son: Ortega y Gasset, Miró y Gómez de la Serna. Se ha intentado, a veces, formar con ellos un grupo o generación, pero no presentan notas comunes (rompimiento con lo inmediato anterior; semejanza de intenciones estéticas, etcétera) que lo permitan. Sin embargo, presentan los tres un rasgo unitivo; su estilo ofrece una superación metafórica de los prosistas del «98». Además, el de Miró y el de Ortega manifiesta un cuidado especial de la palabra, un esfuerzo para encontrar los valores exactos que yacen dormidos en el fondo de las voces, borrados por el uso trivial del comercio del idioma. En Ortega y Gasset se presenta con extraordinaria frecuencia el cultismo, mal año para el de Góngora; como en la lengua de éste es fácil en la de Ortega, mediante la cómoda selección de algunas palabras, como *proclive, proclividad, rigoroso*, etcétera, pergeñar la parodia estilística. En Gómez de la Serna existe, en cambio, al lado de una fundamental negligencia por las cualidades gramaticales y eufónicas del lenguaje, un vértigo de asociación de los elementos más inconexos de la realidad.

En ninguno de estos tres escritores hay un influjo de Góngora. Cierto que los tres han manifestado públicamente su simpatía por el último intento de rehabilitación del poeta. Hay puntos aislados en la literatura de cada uno de ellos que van a establecer un contacto remoto con el arte de Góngora: en Miró, el ansia de perfección, el cuidado del pormenor estilístico, el conocimiento del valor lógico, óptico y auditivo de las palabras. En Ortega, el cultismo (morfológico y de acepción) y el recargamiento metafórico de la frase. En Gómez de la Serna, la transmutación constante de las formas del mundo. Notemos para este último una diferencia esencial: Gómez de la Serna transmuta sin intención lírica dos realidades de valor estético aproximadamente igual (Góngora, *sangre* en *rubíes*. Gómez de la Serna, un *farol público* en un *pito de verbena*). Coincide así, como ya se ha hecho notar, con el antirrealismo humorístico de una parte de la novela picaresca, especialmente con el de Quevedo, y aun con el del Góngora de las composiciones jocosas. No hay, pues, en ninguno de estos tres escritores, intención o influjo gongorino; sí coincidencias parciales y muy remotas con algunos aspectos particulares del estilo de Góngora, que cobran importancia si se tiene en cuenta el contacto que Miró tenía con la juventud literaria, y el que Ortega y Gasset y Gómez de la Serna conservan aún hoy.

Por caminos muy diferentes iba a producirse un acercamiento —ya veremos cuán relativo— hacia alguna de las notas esenciales del arte de Góngora. Mientras el simbolismo de Verlaine se popularizaba, admitido en la literatura normal francesa, el de Mallarmé, nunca asequible para la masa, iba a tener una descendencia maravillosa. Algunos poetas franceses que comienzan a escribir en el segundo decenio del presente siglo, partiendo de la base metafórica y asociacionista de Mallarmé, y con injertos traducidos a lo poético del nuevo ideario del cubismo pictórico, llegan a una poesía de la cual se ha suprimido todo elemento de lógica conceptual y toda rima (y algunas veces todo ritmo), y asimismo (siguiendo en esto como en otras cosas las huellas de Mallarmé) toda puntuación, que queda sustituída por blancos tipográficos.

Estas corrientes son importadas a España al final de la guerra (1918). En enero de 1919 surge el grupo «Ultra»[24] formado por unos cuantos jóvenes (algunos en plena adolescencia) que, ante el escándalo de la literatura oficial (que ya lo era la *modernista*), propugnan y practican el nuevo credo poético nacido en Francia. Comienzan ardorosamente una campaña en la que abundan los pormenores cómicos; colaboran en revistas de tradición rubeniana y nombres absurdos *(Grecia* y *Cervantes)*; dan borrascosas veladas poéticas; fundan, por fin, una hoja decenal, *Ultra*, de forma, tipografía e ilustraciones desconcertantes para el buen público español. Pronto surge entre ellos mismos la escisión primera, por la diversa actitud adoptada ante el chileno Vicente Huidobro, que se arroga la representación original del *creacionismo*. Gerardo Diego saluda en él al inventor y al maestro, y se propone hacer creacionismo puro. Guillermo de Torre y casi todos los demás ultraístas defienden (aunque en realidad no practican) la estructuración poemática, a base de metáfora pura. El grupo se disuelve, con la muerte de la revista *Ultra*, el año 1922.

---

[24] Véase Torre, *Literaturas europeas de vanguardia*, págs. 46-83.

Quiero dejar consignado aquí que a este movimiento, desordenado y en agraz, pero entusiasta, radical y generoso, no se le suele hacer justicia completa. De los que lo componían, unos han enmudecido; otros (Torre) se dedican hoy a la crítica con una amplitud de visión y una ecuanimidad mal compaginable con lo estridente de antaño; otros, trasplantados a climas distintos (Borges), son portaestandartes de movimientos criollistas en la Argentina; uno sólo, Gerardo Diego, ha adquirido notoriedad como poeta lírico. Pero tiene *Ultra* el indudable mérito de haber sido la primera afirmación clara, consciente, de rompimiento con los restos estancados del *rubenianismo*. Todos los poetas actuales, aun los más alejados de esta tendencia, son deudores, en poco o en mucho, directa o indirectamente, a *Ultra,* y de este movimiento hay que partir cuando se quiera hacer la historia de la poesía actual.

Ahora bien: los poetas ultraístas volvieron a saludar calurosamente la sombra de Góngora, como la de un predecesor [25], cual ya lo habían hecho los modernistas a principios del siglo. ¿Hay alguna semejanza entre el arte ultraísta y el del poeta del siglo XVII?

Ultra comenzó sin un programa definido, como un anhelo de rompimiento con las supervivencias modernistas y de superación de ellas. Pronto, a pesar de los distingos de Guillermo de Torre, adquieren todos los poemas ultraístas un tono de uniformidad casi absoluta, que hace relativamente fácil aislar y filiar su ideario [26]. El simple recuento de sus principales normas indica bien claramente el entronque postmallarmeano de esta poesía: base metafórica, síntesis de estados anímicos; ritmo vario (*Un coup de dés jamais n'abo-*

---

[25] *Ibídem,* págs. 307-312.
[26] *Ibídem,* págs. 60-61.

lira le Hasard), puntuación omitida, blancos tipográficos, etcétera. Lo que acerca a Góngora —como en el caso de Mallarmé— es el papel primordial asignado a la metáfora. Aunque hay que hacer constar que lo que en Góngora es sólo exagerada preponderancia, aquí se convierte en completo exclusivismo. Y aunque es cierto que los ultraístas al saludar a Góngora como un predecesor, se atenían sólo a algunos hallazgos más intensos del poeta del siglo XVII, mientras ignoraban lo que es el tono medio de la metáfora gongorina, producto de síntesis tradicional, por un lado, y por otro, de una maestría técnica personal. Error de querer ver en Góngora sólo la modernidad y no la indudable vejez. (Pero ¿sabían, acaso, los poetas ultraístas que también sus propias imágenes estaban enraizadas en los primeros orígenes de la poesía? Porque, ¿qué metáfora, sino la consabida «agua-cristal», está oculta en el fondo de la huidobriana «Y aquel pájaro ingenuo bebiendo el agua del espejo», aducido como ejemplo de la inexactamente llamada imagen doble? ¿Y no se daban cuenta de que la imagen creacionista, el mismo día de su nacimiento, se había reducido al tópico metafórico, más cansado que todos los de las poéticas anteriores, porque no estaba sostenido por el artificio técnico —retórica: arte de la variedad bella del lenguaje— que ellos rechazaban?)

Las diferencias que separaban al ultraísmo de Góngora eran, pues, de la misma índole, pero aún más extremas que las estudiadas ya para la poesía de Mallarmé. La poética de Góngora es fundamentalmente, pero no únicamente, metafórica. Su encanto reside en el enlace, en el desarrollo y concatenación de los elementos imaginarios. Poesía, la gongorina, que en lo interno está apoyada sobre un proceso lógico normal, transportado a términos irreales, noción a noción, nexo a nexo; y que en lo formal se funda sobre elementos auditivos, rítmicos y ópticos. En ella, lo excepcional es la metáfora audaz y deslumbrante, y ésta nunca queda aislada, sino que va a fundirse en la sabia disposición de los términos metafóricos normales, que son precisamente los puntos neutros del poema que el ultraísmo quiso suprimir.

Disuelto *Ultra*, quedaron la lección de sus adquisiciones y la de su fracaso. La poesía continuará siendo fundamentalmente metafórica, pero va a intentar recoger la ciencia técnica adquirida paso a paso durante los lentos siglos de evolución de la humanidad; va a juntar a los más frenéticos anhelos de creación (sonda hacia el futuro) todas las conquistas formales de la poesía tradicional (ancla en el pasado). El fracaso del ultraísmo había consistido en no querer usar de estas adquisiciones, y al mismo tiempo en no haberlas sabido sustituir. No se improvisan las maestrías del verso: *Ultra*, no pudiendo dominar un ritmo nuevo, eludió todo ritmo, o fué a abandonarse en las más plebeyas coplerías. De igual modo, para sustituir las sensaciones ópticas tradicionales (colorismo, plasticidad, etc.) se entregó al burdo juego del caligrama.

La prueba completa de esta necesidad de incorporar a todo lo legítimamente obtenido todo lo injustamente olvidado, la ofrece la evolución de algunos de los actuales náufragos del creacionismo. El más ilustre de todos, Gerardo Diego, ha sido durante toda su fecunda vida literaria un ejemplo patente de la encrucijada en que se movía aquel arte; hombre de formación clásica, catedrático de literatura, ha cultivado paralelamente las dos formas de poesía más contradictorias: la creacionista *(Imagen, Manual de Espumas)*, y otra llena de «buen sentido» y técnica tradicional, en la que se funden mucho Lope de Vega, siglo XIX y rubenianismo. Gongorino ferviente en lectura («al radio de mi brazo se me ofrecen actuales | el Góngora de Hozes y mi Bocángel raro»)[27] y en actividad (a él se debe la organización del homenaje juvenil en el tercer centenario de la muerte del poeta, así como interesantísimas contribuciones críticas en la *Revista de Occidente* y *La Gaceta Literaria*), tras este gongorismo de acción, enteramente sincero, asoma el fondo de sus entusiasmos y de su actitud *humana* ante la poesía: Lope de Vega. Triple contradicción: Lope de Vega, Góngora, creacionismo. Y en la forma, el poeta creacionista es, al mismo tiempo, el autor de un libro como *Versos humanos*, que prueba la posesión de una amplia maestría del metro y de la estrofa normal. Más aún, este gran poeta abandona recientemente el ritmo cambiante del creacionismo y encierra sus «imágenes creadas» dentro de estrofas estrictas, octavas, sonetos, liras. Es decir, sintetiza, reúne las dos modalidades que antes separadamente practicó. Reconoce implícitamente el fracaso formal del creacionismo y la necesidad de reanudar la tradición que éste quiso suprimir.

A esta reintegración de la estrofa llegaron otros poetas, y ello por un agrupamiento de concausas. Una de ellas, el ejemplo de la poesía de Paul Valéry. Un crítico moderno —A. Marichalar—[28] ha dicho que la obra de Valéry tiene más analogías que otra alguna con la de Góngora, aunque apenas si el poeta francés conozca al español lo bastante para poderle citar en algunas conversaciones. En efecto, lo que separa el arte de Valéry del de Mallarmé, y lo que precisamente le acerca al de Góngora, es la existencia en su poesía del desarrollo retórico de que aquél voluntariamente huyó. A una fórmula de asociación directa de impresiones que lleva a la yuxtaposición de elementos aparentemente inconexos, ha su-

---

[27] Diego, *Versos humanos*, pág. 192.
[28] *El Angel de las Tinieblas, Verso y Prosa*, junio de 1927.

cedido la de Valéry: precisión gramatical y desenvolvimiento lógico que excluye toda niebla. En la poesía de Paul Valéry hace crisis el simbolismo, como antes lo había hecho en la de Mallarmé, pero en dirección opuesta a la de éste. Después de Mallarmé, la poesía se había lanzado a audaces pasos, detrás de los cuales era imposible brujulear una continuación. La de Valéry, intacta, salvada a través de un período de generosa barbarie, enlaza de nuevo con la tradición el criterio poético contemporáneo.

Jorge Guillén representa en nuestro país una posición parecida a la de Valéry en Francia (salvadas las diferencias de edad y de evolución). Su admiración por Góngora está bien demostrada por una tesis doctoral (desgraciadamente inédita): artículos en *La Libertad* y en *La Gaceta Literaria*, y su compromiso (no cumplido) de editar las composiciones gongorinas en octavas reales; pero, sobre todo, por su insaciable codicia de perfecciones y cuidadoso estudio de los valores idiomáticos, cualidades que en tierra española ya no pueden ser sino de abolengo gongorino. No menor es su admiración por Valéry, y, desde luego, mayor el contacto de su poesía con la de éste. Aunque sería error creer que Guillén es un imitador del poeta francés: el mundo poético de Guillén es hispanísimo, archicastellano. Dejados aparte los ensayos estróficos que Guillén intenta (alteración de las pausas y del sistema de consonantes distintos, etc.), lo que hace que su poesía se distinga absolutamente de la de Valéry y resalte sobre la de los contemporáneos españoles que siguen tendencias no alejadas de la suya, es la originalidad e intensidad de su visión poética del mundo: poesía de distancias y cielos en los que la luz es forma y volumen, poesía de ámbito y luminosidad elevados a cualidades categóricas dentro de las que se sitúa y define todo lo cercano: niño, cuerpo de mujer, primavera delgada, rosa.

Algunos poetas jóvenes reciben en seguida el influjo de Guillén. Así, en fondo y forma, uno de los mejores, el sevillano Luis Cernuda (que después ha derivado hacia el superrealismo). Pero tiene importancia la influencia difusa ejercida en general sobre toda la nueva generación, reconocible sólo, en los casos más afines, por el uso de formas estróficas, iguales o parecidas a las de Guillén, y en los más alejados, por la preocupación formal y el común retorno a los metros regulares.

La influencia de Jorge Guillén es sólo una de las causas, aunque muy importante, que modelan el momento poético actual. Veamos otros aspectos de él:

Una nota del arte de Góngora que casi no hemos rozado en este estudio, es su andalucismo. La literatura novísima, tras el andalucismo, esencial pero tamizado, de Juan Ramón Jiménez, ofrece dos interesantes y radicalmente diferenciadas manifestaciones de poesía andaluza. Andalucismo oriental, bravío de sierra y de bandoleros, el de Federico García Lorca; occidental, de mar y de salinares, el de Rafael Alberti. Los dos han demostrado su devoción a Góngora, intentando cada uno una continuación de las *Soledades,* y Lorca, además, con una conferencia dada en Granada (impresa fragmentariamente en *Verso y Prosa),* en la que dominan el fervor y la comprensión poética. Pero las influencias de Góngora sobre Lorca, si llegan a existir, son difíciles de fijar. Alberti es, por el contrario, el único poeta actual en el que se puede rastrear —en alguna rara ocasión— una verdadera huella gongorina. No es infrecuente en él el uso de un hipérbaton de tipo sencillo que alguna vez llega, no obstante, a la complicación gongórica de los siguientes tercetos:

Cuatro vientos de pólvora y platino
la libre, al sol, zafira, encadenada
fiera del dócil mar del sur latino,
   por jinete de jaspe cabalgados,
incendian, y, de pórfido escamada,
tromba múltiple empinan sus costados [29].

Para no citar casos de voluntaria imitación, como este fragmento de la *Soledad tercera:*

Conchas y verdes líquenes salados
los dormidos cabellos todavía,
al de una piedra sueño, traje umbroso
vistiendo estaban, cuando desvelados,
cítaras ya, esparcidos
por la del viento lengua larga y fría,
templados y pulsados
fueron y repetidos,
que el joven caminante su reposo
vió, música segura,
volar, y estrella pura,
diluirse en la lira perezoso [30].

Aquí ya no es simplemente el hipérbaton: Alberti ha sabido
reproducir el giro de la silva de Góngora, y la alusión a la
constelación de la Lira está hecha sobre el modelo de las
que existen en las *Soledades,* al Cisne, etc.

Todos estos poetas, más alguno como Pedro Salinas, fervoroso amigo de Góngora, pero especialmente alejado de él
por el sentido interno, espiritual, de su poesía (aunque cercano por la complicada perfección de su prosa), y otros como Mauricio Bacarisse († 1931), Rogelio Buendía y José Moreno Villa, que representan un punto de enlace con el gusto
anterior, y otros aún, que empezaron a escribir más tarde,

---

[29] *Cal y canto,* pág. 31.
[30] *Ibídem,* pág. 84.

como Vicente Aleixandre, de apasionada elegancia; Manuel Altolaguirre, hondamente espiritual; Emilio Prados, José María Quiroga, José María Hinojosa, etc., coinciden todos en su entusiasmo gongorino en 1927 (fecha del centenario), en el concepto antirrealista de lo poético, y aunque desde un principio tienen notables caracteres diferenciales, forman una especie de grupo que siente los nexos de contemporaneidad y semejanza de intención, y fundan revistas como *Verso y Prosa*, de Murcia, *Mediodía*, de Sevilla; *Litoral*, de Málaga; *Papel de Aleluyas*, de Huelva; *Carmen*, de Santander, etc., en las que se percibe claramente la comunidad de intereses estéticos de una nueva generación, cada vez más amplia (la lista de nombres de escritores jóvenes podría alargarse hasta casi un centenar). Presidiéndola (honorariamente) está el nombre de Juan R. Jiménez, el único escritor entre los de 1900 que ha sabido seguir en la evolución de su arte la curva del gusto contemporáneo.

Junto a los poetas, prosistas como José Bergamín, unido a Juan R. Jiménez por su ansia de verdad estética, y a Unamuno por su inquietud religiosa, crítico de terrible y única sinceridad; Giménez Caballero, inteligentísimo, travieso y arriscado; Juan Chabás, novelista y crítico (además de poeta) que ha recibido el espaldarazo de la prosa de Miró; Pedro Salinas, autor de esa perfecta *Víspera del Gozo*; José María Cossío, en su doble calidad de crítico y erudito; Benjamín Jarnés, Antonio Marichalar y Antonio Espina, que representan, respectivamente, la barroca exuberancia, la aristocrática contención y equilibrio y la inquieta desarticulación de los prosistas salidos de la *Revista de Occidente*, cobijados bajo la figura de Ortega y Gasset, etc. Todos ellos colaboran en las revistas citadas antes y están unidos al grupo de poetas por el antirrealismo, por la tendencia a la profusión metafórica y por el comprobado fervor gongorino.

Todos estos escritores —y otros muchos— han colaborado en el homenaje de la literatura contemporánea a Góngora, organizado en el tercer centenario de la muerte del poeta (1927). Reciente aún la publicación de la magnífica biografía de Artigas (1925), que tantos datos nuevos aporta para la vida del poeta, eruditos muchos de los escritores jóvenes que acabo de citar (Salinas, Guillén, Diego, Cossío, etc.), y otros como Angel Valbuena y A. Gallego Burín, este homenaje se caracteriza, tanto como por el entusiasmo, por la seriedad y el conocimiento crítico de la vida y obras de Góngora y de su situación dentro de la literatura de España.

Por primera vez en la historia de nuestra literatura, una generación entera ha rendido al poeta de las *Soledades* el tributo que se le debía. Nuestro centenario fué idea de Gerardo Diego. Las cartas de invitación a colaborar en él iban firmadas por J. Guillén, P. Salinas, D. Alonso, G. Diego, F. García Lorca y R. Alberti. La crónica de los festejos apareció en la revista *Lola* (núms. 1-4), redactada por Gerardo Diego (el discreto lector sabrá distinguir en ella la parte histórica, y la que no es sino «scherzo»). Algunas revistas de la nueva literatura publicaron extraordinarios dedicados al poeta (*Verso y Prosa*, de Murcia, núm. 6, y *Litoral*, de Málaga, núms. 5, 6 y 7). La *Revista de Occidente* se encargó de la impresión de todas las obras gongorinas, en varios volúmenes (sólo tres tomos de la colección se llegaron a publicar: *Antología poética en honor de Góngora*, recogida por G. Diego; *Romances*, ed. J. M. Cossío, y *Soledades*, ed. D. Alonso). La *Gaceta Literaria*, por su parte, publicó también un número de homenaje (núm. 11, 1 de junio de 1927). Y lo mismo hizo la *Revista de Filología Española* (tomo XIV, cuaderno 4, octubre a diciembre de 1927. Trabajos de Artigas, Torner, Serís, Salinas, Arteta y D. Alonso). En ese número puede verse una nota (142 números comprende) de algunos artículos periodísticos publicados con ocasión del centenario. La Academia de Córdoba organizó también un homenaje local, en el que se pronunciaron varias conferencias, siendo resultado de él la publicación de un número del Boletín de dicha Academia dedicado a Góngora (*Boletín de la Real Academia de Ciencias, Bellas Letras y Nobles Artes de Córdoba*, año VI, número 18, enero-junio, 1927. Trabajos de Artigas, Camacho, Enrique Romero de Torres, José de la Torre, Azorín, Rey Díaz, etc.)

El centenario obtuvo también gran resonancia en el extranjero. En el citado número extraordinario de *La Gaceta Literaria*, al lado de la de los españoles, hay una brillante colaboración de críticos extranjeros: Alfonso Reyes, Lucien-Paul Thomas, Jean Cassou, Valéry Larbaud, H. Petriconi, Boselli; artículos aparecidos en publicaciones del extranjero tan importantes como *Die literarische Welt, Die neueren Sprachen, The Times (Literary Supplement), Augustea, Le Opere e i Giorni, Presença,* de Coimbra, *The Criterion, Les Nouvelles Littéraires, Colombo,* de Roma, *La Nación, La Prensa, Síntesis, Martín Fierro* y *Nosotros* (todas estas de Buenos Aires) *1927* (de la Habana), *Hispania* (de California), la *Revista de Estudios Hispánicos* (de Puerto Rico, e innumerables más.

De 1927 hasta hoy [1932] la fama del poeta no ha hecho sino aumentar en el extranjero. Alfonso Reyes no ha olvidado a Góngora en su íntimo *Monterrey* (impreso en Río de Janeiro). Algunos gongoristas ya conocidos toman nuevas posiciones, como Lucien-Paul Thomas, belga insigne, con su ya citado libro de crítica y traducción *Gongora*. El alemán Walther Pabst ha publicado un libro fundamental, *Góngoras Schöpfung*, Nueva York, París, 1930 (aparecido en la *Revue Hispanique*, tomo LXXX). El profesor Spitzer ha dado a luz un penetrante artículo, *Zu Gongoras Soledades* (en *Volkstum und Kultur der Romanen*, II, 2, 3). Irving A. Leonard nos da curiosas noticias en su trabajo *Some Gongora «centones» in Mexico* (en *Hispania*, 1929, XII, 563-573). Edward M. Wilson, después de publicar traducciones de fragmentos de las *Soledades* en *The Criterion*, de Londres, y *Experiment* de Cambridge, ha publicado su maravillosa traducción completa del difícil poema gongorino: *The Solitudes of don Luis de Góngora* (Minority Press, Cambridge, 1931). Y, en fin, un lamentable libro (también el odio prueba interés): *Gongorism and the Golden Age*, por E. Kane (The University of North Carolina Press, 1928).

Para remate, el Ministerio de Instrucción Pública, por la intervención de aquel gran artista y gran amigo de Góngora, el inolvidable Gabriel Miró, organiza con excelente acuerdo el concurso entre escritores, pintores, escultores y músicos, para el que fué destinado el trabajo del que formaba parte este artículo.

La enumeración que hemos hecho de los principales escritores de la nueva generación y el análisis de sus características, prueban patentemente dos cosas: el conocimiento que de Góngora tienen los jóvenes de hoy y la devoción que le profesan, absolutamente distintos de la ciega y postiza admiración, sin conocimiento verdadero, de los escritores de 1900. Esto de una parte, y de otra, la inexistencia de un influjo directo por lo que se refiere al estilo, a los elementos formales de la lengua poética actual. En todo lo anterior sólo hemos podido señalar un caso de influencia directa en dos composiciones del poeta Alberti. Frecuentemente la crítica más ignorante ha solido motejar de gongorinos a los jóvenes que hoy representan un renacimiento literario. Lo son por el fervor hacia el poeta de las *Soledades* y por la intención netamente estética. Pero no por espíritu de imitación ni aun por coincidencias esenciales. Si las hay, predominio de la metáfora, gusto de lo perfecto en muchos de ellos, etc., no son fundamentales, sino adjetivas, y no vienen de Góngora, sino van a coincidir con Góngora, para cobrar en su ejemplo augusto nuevo aliento y nuevo impulso. Góngora no influye, reinfluye.

Ni aun el gongorismo actual es un criterio cerrado que excluya, con partidismo de secta, la admiración de otras grandes figuras de la literatura española. Amamos a Góngora, como amamos a Gil Vicente, a Garcilaso de la Vega, a Fray Luis de León, a San Juan de la Cruz, a Quevedo, a Calderón, a Gracián, etc. Si exaltamos preferentemente su nombre es sólo porque todos estos escritores son admitidos unánimemente a la gloria literaria, mientras que Góngora era sistemáticamente excluído.

José Bergamín ha sabido resumir admirablemente nuestra posición: «El arte poético de Góngora vale hoy para los nuevos porque es arte y porque es poético: Nada más. Otros paralelismos no existen, si no es el de la verdadera intención estética que anima, como a Góngora, a los poetas del nuevo renacimiento lírico... Admirar, comprender a Góngora, no es ser gongorino ni gongorista, es ser persona; tener gusto y entendimiento de persona humana, simplemente. Porque Góngora existe, y eso es todo: como Petrarca, Dante, Goethe o Baudelaire, fuera, más allá —o más acá— de ataques o defensas conmemorativas.»

Eso es lo que ha intentado y seguramente conseguido el homenaje actual: afirmar la existencia estética de Góngora.

Esto es lo conseguido. El entusiasmo momentáneo tiene que pasar, como tienen que romperse los vínculos que ligan a una generación juvenil. De hecho ya se ha pasado, ya se ha roto. Algunos de estos poetas (Lorca, Alberti, Aleixandre, Cernuda, Hinojosa, etc.) han derivado hacia un superrealismo («surréalisme»), o cuasi superrealismo, mejor o peor entendido, poco amigo de perfecciones o primores de forma. Es una vuelta —que era ya necesaria (prescindimos de las estridencias de escuela y del calco del francés)— hacia la raíz subterránea de la inspiración poética. Hasta alguno de los más fervorosos gongorinos —Alberti— ha renegado, dicen, de sus antiguas aficiones.

No importa nada. Mejor dicho: hay que alegrarse de esto porque evita confusiones. El gongorismo combativo, el gongorismo en cuanto pueda significar influjo de Góngora sobre la literatura actual, ha muerto. Pero ha nacido un gongorismo mucho más duradero; se ha incorporado al poeta, creo que para siempre, al cuadro normal de la literatura española. Se le ha ganado para la literatura, para España, para el arte del mundo: se ha dejado fija por siempre su existencia estética [31].

---

[31] Nota de 1954. Mi posición reciente sobre muchos de los temas apasionadamente tratados en el anterior ensayo se encontrará en *Poetas españoles contemporáneos*, «Biblioteca Románica Hispánica», Madrid, 1951, *passim*, y, especialmente, págs. 167-192 *(Una generación poética: 1920-1936)*.

APENDICES

I

VERSOS BIMEMBRES EN LOS SONETOS DE GONGORA

Doy aquí la lista de todos los bimembres en que se basan mis cálculos (pág. 138). He numerado todos los sonetos de la edición de Millé desde 1 (= 216, de Millé) hasta 167 (= 382, de Millé). El número que antecede a un verso indica, pues, el número del soneto. Cuando no antecede número, el verso pertenece al mismo soneto que el verso inmediatamente anterior. (Indico con P, p, F, f entre paréntesis, los principios y finales de composición y de estrofa, respectivamente). El año va en negritas. Salvo cuando otra cosa se indica, acepto la cronología de Millé aun en los casos en que está en desacuerdo con Chacón o con Foulché-Delbosc.

1582: (1) en Géminis vosotras, yo en Acuario. (F); (2) de blanco nácar y alabastro duro...; ornan de luz, coronan de belleza... (f); tus himnos cantan y tus virtudes reza. (F); (3) cuál con voz dulce, cuál con voz doliente...; en el fresco aire y en el verde prado (f); cuerpo a los vientos y a las piedras alma...; ni oí las aves más, ni vi la Aurora...; (5) con regalado son, con paso lento... (f); (6) el rojo paso de la blanca aurora... (f); tu generoso oficio y real costumbre...; el mar argenta, las campañas dora... (f); ni el mar argentes, ni los campos dores. (F); (7) aljófar blanco sobre frescas rosas...; (8) Suspiros tristes, lágrimas cansadas... (P); que lanza el corazón, los ojos llueven...; los troncos bañan y las ramas mueven...; llorar sin premio y suspirar en vano. (F); (9) mató

mi gloria y acabó mi suerte. (f); (10) barco de vistas, puente de deseos.
(F); (11) que en fama claro, en ondas cristalino...; ciñe tu frente, tu cabello undoso... (f). **1583**: (14) pues en troncos está, troncos la lean. (F);
(15) me dicta Amor, Calíope me inspira. (f); (16) en verdes ramas ya,
y en troncos gruesos...; el delicado pie, el dorado pelo. (f); (17) puede
mi mal y pudo su dulzura. (F); (18) cuál ámbar rubio o cuál oro excelente...; cuál fina plata o cuál cristal tan claro... (f); su labor bella, su
gentil fatiga... (f); oh bella Clori, oh dulce mi enemiga. (F); (19) bellos
efectos, pues la causa es bella... (f); siendo tuya la voz, y el canto de
ella. (F); (20) Febo en tus ojos y en tu frente el día... (f); y el claro día
vuelto en noche oscura... **1584**: (21) él solo en armas, vos en letras
solo... (f); (22) Con diferencia tal, con gracia tanta... (P); pues ni quejar-
se ni mudar estanza...; ni publicar su mal ni hacer mudanza. (F); (24)
las rubias trenzas y la vista bella...; (27) locas empresas, ardimientos
vanos...; mi ardimiento en amar, mi empresa loca. (F); (28) rey de las
otras, fiera generosa... (f); mentir su natural, seguir su antojo... (f).
1585: (29) ¡Oh excelso muro, oh torres coronadas... (P); ¡Oh gran río,
gran rey de Andalucía; de arenas nobles, ya que no doradas! (f);
¡Oh fértil llano, oh sierras levantadas (p); que privilegia el cielo y
dora el día!...; tanto por plumas, cuanto por espadas. (f); que enriquece Genil y Dauro baña...; (31) de frescas hojas, de menuda grama...
(f); (32) ¡oh dulce Arión, oh sabio Palinuro! (F). **1586**: (33) su humo
al ámbar y su llama al oro... (f); grana el gabán, armiños el pellico.
(F). **1588**: (34) eres deidad armada, Marte humano... (f); alma del
tiempo, espada del olvido, (F); (35) pintar los campos y dorar la arena... (f); heroica lira, pastoral avena. (f); al docto pecho, a la süave
boca... (f); poniendo ley al mar, freno a los vientos... (f); (37) illustre
cavallier, llaves doradas... (f); damas de haz y envés, viudas sin to-
cas......; con las que tiran y que son tiradas... (f); (38) puente de anillo,
tela de cedazo...; (39) Bebióme un asno ayer, y hoy me ha meado. (F).
1589?: (40) Perdone el tiempo, lisonjee la Parca...

1590-1596

1594: (42) templo de amor, alcázar de nobleza; (43) voces en vano
dió, pasos sin tino. (f); piedad halló, si no halló camino. (f). **1595**: (45)
en roja sangre y en ponzoña fría... **1596**: (46) casarse nubes, desbocar-

se vientos...; arroyos prodigiosos, ríos violentos; (47) Volcán desta
agua y destas llamas fuente... (p).

1597-1603

1598: (48) Etna glorioso, Mongibel sagrado... (f); sus miembros cubre y sus reliquias sella (p); con tiernos ojos, con devota planta. (F);
(49) cifra que hable, mote que se lea... (p); jaez propio, bozal no de
Guinea... (f); firme en la silla, atento en la carrera... **1600**: (50) adonde bajas y de donde vienes...; de Dios a hombre que de hombre a
muerte. (F); (51) do Austro os assopros e do Oceam as agoas; sauda-
de a as.feras e aos penedos magoas. (F); (52) grave al amor, a muchos
importuna...; Daliso el escultor, cincel sus males. (F). **1602**: (53) Los
montes mide y las campañas mora... (p). **1603**: (55) Ayer deidad humana, hoy poca tierra... (P); la razón abra lo que el mármol cierra.
(f); (57) Viva Filipo, viva Margarita...; (58) no os arma de desdén, no
os arma de ira...; fiel adora, idólatra suspira?...; mata los toros y las
cañas juega? (f); (59) armado vuela, ya que no vestido. (f); cantar
las aves y llorar la gente. (F); (60) amor sin fe, interés con sus viro-
tes. (f); (62) con su agua turbia y con su verde puente...; (63) os vertió
el pebre y os mechó sin clavos... (f).

1604-1610

1604: (66) o ya por fuerte, o ya por generoso...; real cachorro y
pámpano süave... (p); de ángel tiene lo que el otro de ave. (f); (67)
Huirá la nieve de la nieve ahora... (p). **1606**: (68) soberana beldad, valor divino...; multiplicarse imperios, nacer mundos. (F); (69) de calvos
riscos, de hayas levantadas...; espadañas opone en vez de espadas...;
(70) por vuestra sangre y vuestro entendimiento...; (71) Volvió al mar
Alción, volvió a las redes... (P); que era desvío y parecía mercedes. (f).
1607: (72) con pocas vacas y con muchas penas (f); mi fe suspiros y
mis manos flores. (F); (74) Alma al tiempo dará, vida a la historia...
(p); (75) desata montes y reduce fieras. (f); que cantó burlas y eterniza
veras. (f); (76) Si mudo admiras, admirado para...; Tebaida celestial,
sacro Aventino... (p); freno al deseo, término al camino. (f); (77) con

peine de marfil, con mano bella...; dan luz al mundo, quitan luz al cielo...; de la Cerda inmortal, mortal anzuelo. (F); (78) que murallas de red, bosques de lanzas. **1608**: (79) más con el silbo que con el cayado...; milagroso sepulcro, mudo coro... (p); de muertos vivos, de ángeles callados; cielo de cuerpos, vestuario de almas. (F); (81) dulce Fray Diego por la dulce caja... **1609**: (83) de luz a España y gloria a los Venegas. (f); el huerto frutas y el jardín olores. (F); (84) del reino escudo y silla de tu estado. (f); rayos ciñe de luz, estrellas pisa. (f); (85) si espira suavidad, si gloria espira...; su armonía mortal, su beldad rara. (f); si rocas mueve, si bajeles para...; cantando mata al que matando mira. (F); (86) más desviado, pero más perdido. (f); con manos de cristal, nudos de hierro. (F); (87) oro su cuna, perlas su alimento... (f); purpúreas alas, si lascivo aliento. (f); (90) ¿Son de Tolú, o son de Puertorrico... (P); la fiera mona y el disforme mico. (f); den a unos de cola, a otros de hocico. (f). **1610**: (92) En tenebrosa noche, en mar airado... (P); de dulce voz y de homicida ruego...; (93) Dosel de reyes, de sus hijos cuna... (p); (95) gloria del Sol, lisonja fué del viento. (f).

1611-1617

1611: (98) al bordón flaco, a la capilla vieja...; báculo tan galán, mitra tan moza. (f); pues cada lengua acusa, cada oreja...; la sal que busca, el silbo que no goza. (f); sus ninfas coros y sus faunos danzas. (F); (99) hurta al tiempo y redime del olvido. (f); (100) funeral avestruz, máquina alada...; (102) hacéis a cada lengua, a cada pluma; que hable néctar y que ambrosia escriba. (F); (103) golfo de escollos playa de sirenas. (f); (104) No de fino diamante o rubí ardiente... (P); luces brillando aquél, éste centellas...; (105) que rubí en caridad, en fe diamante...; renace en nuevo sol, en nuevo oriente. (F). **1612**: (106) Oh de alto valor, de virtud rara... (P); (107) este ya de justicia, ya de estado... (p); a quien por tan legal, por tan entero...; (108) ai mirto peina y al laurel las hojas...; monte de musas ya, jardín de amores. (F); (109) urnas plebeyas, túmulos reales... (P); desnudos huesos y cenizas frías...; (111) pinos corta, bayetas solicita... **1614**: (115) debe a Cabrera el Fénix, debe el mundo...; (117) que dió espíritu a leño, vida a lino. (f); (118) las plumas riza, las espuelas dora. (f). **1615**: (123) Quejaos, señor, o celebrad con ella... (p); del desdén, el favor de vuestra dama...; (124) rígido un bachiller otro severo... (p); su diente afila y su veneno emplea...; (125) En villa humilde sí, no en vida ociosa; **1616**: (128) informa bronces, mármoles anima. (f). **1617**: (130) Florido en años, en prudencia cano... (P); entre los remos y entre las cadenas...; firme a las ondas, sordo a su armonía...; blasón del tiempo, escollo del olvido. (f).

1618-1624

1619: (132) en cuanto Febo dora o Cintia argenta...; (133) Izquierdo Esteban, si no Esteban zurdo. (F); (134) Amor con botas, Venus con bayeta...; **1620**: (136) deba el mundo un redil, deba un cayado...; a vuestras llaves, a su espada ardiente. (f); (137) si mártir no le vi, le vi terrero... (f); hecho pedazos, pero siempre entero... (f); (138) le impidió sí, no le oprimió la frente. (f); (139) florida en años, en beldad florida...; (141) con peine de marfil, con mano bella...; (144) árbol los cuenta sordo, tronco ciego... **1621**: (146) piedras lavó ya el Ganges, hierbas Ida... (p); soliciten salud, produzcan vida...; (147) bien sea natural, bien extranjero...; que fuego él espirando, humo ella... (p); (148) jurisdicción de un sceptro, de un tridente. (f); Ley de ambos mundos, freno de ambos mares... (p); (150) de cristiano valor sí, de fe ardiente...; (151) que rayos ciñe, que zafiros pisa...; (153) dió el volumen y picó el bagaje... **1623**: (156) Buscó tu fresno y extinguió tu espada... (p); (157) menos activo sí, cuanto más leve; (159) que presurosa corre, que secreta...; en seguir sombras y abrazar engaños. (f); (160) de la más culta, de la más canora...; que la beldad es vuestra, la voz mía. (F). **1624**: (166) serena aquél, aplaca este elemento. (F); (167) Fénix renazca a Dios, si águila al Norte. (F).

II

SOBRE LOS RETRATOS DE GONGORA
QUE FIGURAN EN ESTE LIBRO

GRABADO I, FRENTE A LA PÁGINA 6. Fragmento del retrato de Góngora, por Velázquez, del Fine Arts Museum de Boston. Pacheco, en su *Arte de la Pintura*, refiere que en abril de 1622 salió Velázquez de Sevilla para la corte, y que allí hizo, «a instancia» del propio Pacheco, «un retrato de don Luis de Góngora, que fué muy celebrado en Madrid»[1]. Hay toda una serie de retratos del poeta, muy parecidos entre sí: Museo del Prado, Museo Lázaro, Fine Arts Museum de Boston, etcétera. (Los principales miembros de este serie pueden verse en el artículo *Los retratos de Góngora*[2], por Enrique Romero de Torres, en el *Boletín de la Real Academia de... Córdoba*, VI, núm. 18, 1927, páginas 17 y siguientes). Siempre se ha pensado que uno de ellos era el pintado por Velázquez. Hoy la mayor parte de los especialistas[3] consideran seguro

---

[1] Ed. Cruzada Villaamil, Madrid, 1866, t. I, pág. 134.

[2] Faltan allí, sin embargo, muchos: por ejemplo, se conserva uno en el Consejo Superior de Investigaciones Científicas, Duque de Medinaceli, 4, despacho de Vicesecretario 2.º; otro, en la Hispanic Society of America, de Nueva York: éste (no expuesto, sino guardado en un armario) tiene la peculiaridad de llevar un letrero en la parte inferior que dice: *Don Lvis de Gongora natvral de Cordoba de edad 61 años fve retratado en 1624.* No sé cuando se pondría el letrero. Desde luego, en 1624 Góngora tenía o sesenta y dos o sesenta y tres años.

[3] Así Sánchez Cantón y Lafuente Ferrari. Camón Aznar, sin dar una opinión definitiva sobre el de Boston por no haberlo visto personalmente cree muy probable que el del museo Lázaro sea también de Velázquez.

que es el de Boston el que salió de la mano del gran pintor. Es el que reproduzco. Si la fecha de Pacheco es exacta, iba don Luis para los sesenta y un años cuando Velázquez le retrató.

GRABADOS 2 Y 12, FRENTE A LAS PÁGINAS 116 Y 530: Cabeza, ¿de yeso?, de la Casa de la Moneda, de Madrid. Esta cabeza, fotografiada de frente, había sido reproducida por Artigas en su *Don Luis de Góngora* (1925) y también con el artículo *Los retratos de Góngora,* de E. Romero de Torres (lámina XVI) y al frente del número del *Boletín de la R. Academia... de Córdoba,* donde ese trabajo se publica. En el presente libro van dos reproducciones, de perfil y de frente. Para unos esta cabeza es de yeso; para otros, de barro. Esta duda —que yo no puedo resolver ahora— no deja de embarazar, como se verá por lo que sigue. Consúltese: Ramírez de Arellano, *Catálogo de Escritores de Córdoba,* Madrid, 1922, tomo I, página 235, col. *b;* Artigas, *Don Luis de Góngora,* pág. 201 texto y nota 4; Romero de Torres, *Los retratos de Góngora,* páginas 27-29. Resumo el estado de la cuestión:

Por Vaca de Alfaro sabemos que Sebastián de Herrera «hizo en barro» un retrato de Góngora. Si éste es el de la Casa de la Moneda, no pudo ser del natural, porque ese escultor tenía ocho años en el de la muerte de Góngora. Esta dificultad se obviaría —según Artigas— pensando que ese retrato de que habla Vaca de Alfaro reprodujera otro hecho por un coetáneo de Góngora, quizá el propio Antonio de Herrera, padre de Sebastián. Queda la duda del material: Vaca de Alfaro dice que era «de barro» el que hizo Sebastián de Herrera. El de la Casa de la Moneda es de barro, según Mélida; Romero de Torres, contradiciendo a Mélida, asegura enfáticamente que no es sino de yeso, y piensa por ello que quizá el de la Casa de la Moneda puede ser simple vaciado del original en barro [4] o que pudo ser copiado de un óleo del poeta, «cuyas facciones tan características son muy a propósito para que un buen escultor saque mucho partido al modelarlas». Termina Romero de Torres con una observación que tiene gracia: «La presencia misteriosa de Góngora en la Casa de la Moneda parece una ironía del Destino, cuando pasó tantos apuros y anduvo tan escaso de dinero...»

Mi impresión —de profano— es que la cabeza no procede de la copia interpretativa de un óleo. Veo dos posibilidades: o retrato del poeta en vida, o adaptación de una mascarilla mortuoria. Precisamente —como recuerda Artigas— Antonio de Herrera fué quien modeló el busto de Lope, de acuerdo con las facciones de la mascarilla [5]. Sin embargo, la cabeza de Góngora de la Casa de la Moneda está llena de vitalidad y energía: difícilmente se piensa en procedencia de un cadáver.

Reproduzco la cabeza de Góngora en dos posiciones. El perfil —que nunca, me parece, ha sido fotografiado— es impresionante. Para que todo sean dudas, hay que decir que, si acaso la cabeza hubiera sido modelada con arreglo a una mascarilla —no se puede excluir del todo—, el duro y extraordinario efecto del perfil sería engañoso.

Un vaciado en yeso existe en el Museo de Reproducciones Artísticas. Existe también, según afirma Romero de Torres, un vaciado en bronce, de propiedad particular. Sería de desear que el Estado español hiciera un vaciado en bronce para alguno de sus museos.

---

[4] También apunta la idea de que pudiera ser obra de Roberto Michel, escultor del siglo XVIII.

[5] Lafuente Ferrari, *Los retratos de Lope de Vega*, Madrid, 1935, lámina XI; Entrambasaguas, *Vivir y crear de Lope de Vega*, Madrid, 1946, lámina 109.

III

PROCEDENCIA DE LOS ARTICULOS DE ESTE LIBRO

Escila y Caribdis de la literatura española. *Cruz y Raya*, octubre de 1933, núm. 7, págs. 77-102.

Poesía arábigoandaluza y poesía gongorina. *Escorial*, febrero de 1943, cuad. 28, págs. 181-211.

Claridad y belleza de las «Soledades». *Soledades* de Góngora. Madrid, ed. Rev. de Occidente, 1927, págs. 7-36.

Alusión y elusión en la poesía de Góngora. *Revista de Occidente*, febrero de 1928, págs. 177-202.

La simetría bilateral. (El primer capitulillo, con el título «La simetría en el endecasílabo de Góngora», en *Revista de Filología Española*, XIV, 1927, págs. 329-346: *Temas gongorinos*, I).

Función estructural de las pluralidades. (Inédito.)

La correlación en la poesía de Góngora. (Inédito.)

Puño y letra de don Luis en un manuscrito de sus poesías. (Inédito.)

Un soneto mal atribuído a Góngora. (Inédito.)

La primitiva versión de las Soledades. *Correo Erudito*, año III, págs. 61-62.

Góngora y la censura de Pedro de Valencia. *Revista de Filología Española*, XIV, 1927, págs. 347-368 (*Temas gongorinos*, II).

Estas que me dictó rimas sonoras. (Inédito.)

La supuesta imitación por Góngora de la «Fábula de Acis y Galatea». *Revista de Filología Española*, XIX, 1932, páginas 349-387.

Una carta inédita de Góngora. *Revista de Filología Española*, XIV, 1927, págs. 431-438.

Una carta mal atribuída a Góngora. *Revista de Filología Española*, XXXÎX, 1955, págs. 1-23.

Góngora y América. *Revista de las Españas* (Publ. por la Unión Ibero-Americana en Madrid), núms. 9-10, 1927, páginas 317-323.

Crédito atribuíble al gongorista don Martín de Angulo y Pulgar. *Revista de Filología Española*, XIV, 1927, págs. 369-404. (*Temas gongorinos*, III.)

Todos contra Pellicer. *Revista de Filología Española*, XXIV, 1937, págs. 320-342.

Cómo contestó Pellicer a la befa de Lope. (Inédito.)

Un centón de versos de Góngora. *Revista de Filología Española*, XIV, 1927, págs. 425-431.

El doctor Manuel Serrano de Paz, desconocido comentador de las «Soledades». (Inédito.)

Dos trabajos gongorinos de Alfonso Reyes. *Revista de Filología Española*, XIV, 1927, págs. 448-454.

Góngora y la literatura contemporánea. *Boletín de la Biblioteca Menéndez Pelayo*, 1932, número extraordinario en homenaje a don Miguel Artigas, tomo II, págs. 246-284.

INDICES

INDICE ALFABETICO

610 *Estudios y ensayos gongorinos*

560, 566, 572, 586, 587. Véase también: Gongoristas.

Gongoristas: 287, 421, 425-448, 453, 455, 458, 461, 517, 539, 587. Véase también: Comentaristas de Góngora, Gongorismo.

González de Heredia, Francisco: 381, 384.

González Martínez, Juan: 478.

Gourmont, Rémy de: 549.

Gracián, Baltasar: 561, 586.

Granada, Motín en 1648: 454.

Greco, El: 558, 559, 568, 569.

Green, Otis H.: 268.

Groto, Luigi: 224, 243, 245, 247.

Guerra y Orbe. Véase: Fernández Guerra.

Guillén, Jorge: 579, 580, 581, 583, 584.

guzayyil: 56.

Guzmán, Fray Iñigo de: 391, 393, 396, 400, 401, 404.

Guzmán, María de: 430.

Guzmán, Martín Luis: 534, 570, 571.

Habladores, Los: 478.

Halago de los sentidos: 77-82.

Haro, Andrea de: 427.

Haro, Luis de: 460.

Heine: 124.

Helios: 566.

Heráclides Póntico: 525.

Herder: 12.

Heredia, Cristóbal de: 145, 276, 373-377, 432.

«Hermosas damas, si la pasión ciega»: 191.

Herrera, Antonio de: 597-598.

Herrera, Fernando de: 17, 78, 81, 112, 118, 149, 151-152, 316, 317, 346, 414, 420, 505.

Herrera, Melchor de: 254.

Herrera, Sebastián de: 597.

Herrero García, Miguel: 346.

Hichari al-: 34.

Hinojosa, José María: 582, 587.

Hipérbaton: 311, 321, 364, 434, 581 ss.

Hipérbole: 83-84.

Historia: 88, 107, 304.

Historia... de Fernando Pérez del Pulgar: 457 ss.

Historia Natural: 88, 104, 107, 304.

Historiador de la literatura, frente al «lector»: 31.

Hoces, Alonso de: 393, 394, 398, 399, 400, 403.

Hoces, Gonzalo de: 398.

Hoces, Pedro de: 383, 384, 385, 386, 390, 392, 393, 394, 395, 396, 397, 399, 400, 401, 402, 403, 404, 405.

Hoces y Córdoba, Gonzalo de: 433. Véase también: Ediciones de las obras de Góngora.

Homenaje a Góngora. Véase: Centenario de la muerte de Góngora.

Homero: 237, 525.

«Hor d'hellera s'adornino e di pampino» *(Adone* de Marino): 215.

Hozes. Véase: Hoces.

Hugo, Víctor: 561, 562, 566.

Huidobro, Vicente: 575.

Humor: 310.

Hurtado de Mendoza, Diego: 505.

«Huye la ninfa bella y el marino» *(Polifemo* de Góngora): 232.

Ibn Adelgafur: 49.

Ibn Zamrak: 39.

Ibn Zuhr: 59.

Ibn... Véase también: Aben...

Icaza, Francisco A. de: 570.

Idealismo en la literatura española: 21-25, 27.

Iluminismo: 23.

Imagen: 40, 41, 46-49, 52-55, 61, 74-77, 87, 577 ss.

Imitación por Góngora de la *Fábula de Acis y Galatea:* falsamente supuesta: 324-370.

Imitación y traducción: 347-349, 369-370.

Imposibles: 119.

«In qual parte del ciel, in quale idea» (Petrarca): 180, 198, 199.

Inestrosa, Francisco de: 399.

Infantas, Alonso de las: 395, 397, 398, 399, 401, 402, 403, 404, 405.

Infantas, Antonio de las: 398.

INDICE GENERAL